D0504570

DE TOMBE VAN JEZEBEL

David Hilzenrath

De tombe van JEZEBEL

De Fontein

Oorspronkelijke titel: *Jezebel's Tomb*

Uitgeverij De Fontein, Postbus 1, 3740 AA Baarn

Deze uitgave is totstandgekomen na overeenkomst met Lennart Sane Agency AB.

Vertaald uit het Engels door: Jan Smit
Omslagontwerp: Mark Hesseling Design, Ede
Zetwerk: Text & Image, Almere
ISBN 978 90 261 2393 1
NUR 332

www.uitgeverijdefontein.nl

Alle personen in dit boek zijn door de auteur bedacht. Enige gelijkenis met bestaande – overleden of nog in leven zijnde – personen berust op puur toeval.

Voor Julie,
voor altijd

'Gij zult niets wat adem heeft in leven laten.'
– Deuteronomium 20:16

'Ik ben niet gekomen om vrede te brengen, maar het zwaard.'
– Matteüs 10:34

'Voorwaar hebben wij voor de ongelovigen kettingen gereedgemaakt, en boeien en een brandend vuur.'
– De Heilige Qur'an, 76:4

PROLOOG

Jeruzalem, het jaar 70 n.Chr.

Haastig liep hij door de verlaten straten, langs donkere huizen. In gedachten zag hij daar families verscholen, angstig weggekropen in de vermeende veiligheid van hun kelders. Hij kon hun gebeden bijna horen. Achter hem laaiden de vlammen op naar de nachthemel en dreef de rook omlaag vanaf de Tempelberg. De wind nam de wanhoopskreten en de lucht van smeulend cederhout met zich mee.

Hij was een leider van het verzet en zijn lichaam vertoonde de wonden van zijn lange strijd tegen de Romeinse bezetting. Uitgemergeld door honger als hij was, voelde hij zijn krachten wegvloeien, maar in zijn ogen brandde nog steeds het vuur. Een felle pijn schoot door zijn zij, waar een vijandelijk zwaard de dunne huid had doorboord en een paar ribben had geraakt, maar hij dwong zichzelf om door te gaan.

Hij had zijn besluit genomen en niets kon hem tegenhouden. Sommige mensen zouden het verraad noemen, maar Aäron ben Matthias zag het als een daad van geloof.

Als het nog niet te laat is.

Na een maandenlange belegering was het dan toch zover gekomen. Het Romeinse leger was door de buitenmuren van de tempel heen gebroken en had de poort – het laatste bastion van het gebouw – in brand gestoken. In het heiligdom zelf maakten de verdedigers, Aärons broeders, zich op voor het laatste gevecht, terwijl de Romeinen op afstand bleven, in afwachting van het ochtendlicht.

Over een paar uur, misschien nog minder, zouden de Romeinen de tempel binnenvallen en Jeruzalem onder de voet lopen.

Rondom de stadsmuren hingen al honderden joden aan het kruis, gevangengenomen door de Romeinen toen ze buiten de stad naar eten zochten. Vogels pikten aan hun rottende vlees.

Door honger gedreven waren honderden anderen de belegerde stad ontvlucht, in de hoop dat de vijand hen ongedeerd zou laten passeren. Aanvankelijk hadden de Romeinen niet opgetreden, totdat het gerucht de ronde deed dat een vluchteling goud had meegesmokkeld in zijn buik. Genade maakte plaats voor hebzucht en waanzin. De exodus was geëindigd in een bloedbad.

Vanaf de wallen had Aäron gezien hoe de vluchtelingen door het dal tussen de verwoeste landerijen strompelden. Van de boomgaarden op de heuvels resteerden nog slechts stronken. De Romeinen hadden het olijfhout voor hun oorlogsmachines gebruikt. Zijn vrouw had nog één keer omgekeken, turend naar de stadsmuren, en zijn blik gevangen. Hij had haar zelf weggestuurd, met hun kleine zoontje. Gesmeekt had hij haar, om de baby te redden. 'We zien elkaar terug,' had hij haar beloofd. 'Ik zal je weer vinden.'

Ze had niet begrepen waarom hij zelf niet meeging – daar gaf hij haar geen verklaring voor – en het was duidelijk dat ze zijn belofte niet geloofde. Toch was ze gegaan, omdat ze hun kind in veiligheid wilde brengen.

Nog altijd zag hij die blik in haar ogen, als een dolksteek in zijn hart.

Ondanks Aärons smeekbeden was zijn moeder achtergebleven en de hongerdood gestorven. Haar lichaam lag nog altijd boven de grond, net als die talloze andere. De stervende stad was een open graf.

Aäron vroeg zich af of Jeruzalem door God was verlaten.

Of had Jeruzalem God in de steek gelaten?

Ergens in de tempel wachtte Aärons vader op de aanval. De oude Matthias was meer dan zomaar een priester. Hij was schriftgeleerde, lid van de hoogste elite, en hij vervloekte iedereen die zou doen wat Aäron nu van plan was. Aäron had een bitter gesprek gehad met zijn vader en zelfs een beroep gedaan op de hogepriester, maar tevergeefs.

Eindelijk had Aäron het huis bereikt en hij opende de deur. Het was er doodstil, en stofjes zweefden in een bundel maanlicht. Hij zag de vage omtrekken van de tafel, de stoelen en de grote stenen kruiken die vroeger gevuld waren geweest met olie. Hij stak een lamp aan en schermde die af met zijn hand.

Vijf generaties lang had zijn familie hier gewoond, in vrede en harmonie. Nu haalde Aäron de *mezuzah* van de deurpost. Het bewerkte houten kokertje, niet langer dan zijn wijsvinger, symboliseerde de vroomheid van het huis en was ooit aangebracht door de aartsvader van hun vooraanstaande familie. Aäron legde het op de tafel. Met een scherp mesje schraapte hij voorzichtig de onderkant van de *mezuzah* open, en langzaam trok hij een perkamentrolletje uit de kleine, holle koker. Op het perkament was het wachtwoord van het joodse geloof geschreven, de reden waarom Jeruzalem in conflict was geraakt met het machtigste rijk op aarde.

Shema Yisraeil: Adonai Eloheinu, Adonai Echad.

'Hoor, o Israël: de Heer is onze God, de Heer is de Ware.'

Aäron las het hardop. Na al die jaren was de inkt nog net zo scherp als altijd.

Hij knielde naast de tafel en wrikte een steen uit de vloer. In het zand lag een deel van een lamsbot, ooit overgebleven van een maaltijd, lang geleden, of zo leek het. Een lichte tik onthulde het geheim. In het merg zat een klein, strak opgerold velletje dun goudfolie verborgen. Het was de laatste opdracht geweest aan Yehoshua, de goudsmid, en hij had prachtig werk geleverd.

Voorzichtig stak Aäron het rolletje goudfolie in de *mezuzah*. De opening sloot hij af met een houten plug, die hij met zijn mesje keurig op maat sneed. Toen borg hij het relikwie in zijn mantel. Hij wist dat hij veel te optimistisch was. In hun begeerte naar goud hadden de Romeinen vluchtelingen de buik opengesneden. Maar religieuze voorwerpen werden meestal ongemoeid gelaten.

Hij keek nog even naar het perkament dat hij uit het kokertje had gehaald en vroeg zich af wat hij ermee moest doen. *De Heer is de Ware*, stond erop. Hij kon het niet zomaar weggooien. Omdat hij niets anders wist te bedenken stak hij het maar in het lamsbot en begroef dat weer onder de steen van de vloer. Toen doofde hij de lamp.

Aäron wierp nog één blik door zijn huis en stapte toen naar buiten.

Op straat tuurde hij over de daken naar het oosten. De tempel verhief zich boven de stad op de heuvel, in het midden van een groot geplaveid plein, dat werd omgeven door zware muren. Het heiligdom was een baken van hoop geweest in al die maanden van het beleg. Zelfs met zijn ogen dicht zag Aäron het nog voor zich: de hoge pilaren en zuilengangen, de zware blokken steen, het marmer dat met goud was afgebiesd. Overdag weerkaatste het de zon.

En in de schatkamer lagen de bewijzen opgeslagen van het geloof en de voorspoed van het Beloofde Land.

Voor de hongerende bevolking van Jeruzalem, omsingeld door de vijand maar niet bereid tot overgave, was de met goud beklede vesting het symbool van Gods macht. Maar inmiddels was er van de tempel weinig meer over dan een ruïne van brandend cederhout onder dikke wolken rook.

Het was te laat om Jeruzalem of de tempel nog te redden. Maar de toekomst... dat was een andere zaak. Terwijl heel Jeruzalem om verlossing bad, zocht Aäron zijn weg naar het heiligdom.

In de ondergrondse gangen van de Tempelberg drong het gevaar pas te laat tot de Joodse wachtposten door. Met vier priesters als handlangers wist Aäron hen zonder bloedvergieten te overmeesteren. Toen hij hun polsen vastbond, tilde een van de wachters zijn hoofd op en spuwde hem in het gezicht. Een van Aärons kameraden hief zijn zwaard.

'Nee,' zei Aäron onmiddellijk, terwijl hij het speeksel uit zijn oog wreef. 'Nooit onze eigen mensen.'

De sleutel draaide in het slot, de zware deuren zwaaiden open en de samenzweerders gingen aan het werk. Ze wisten waar ze naar zochten.

Dat dachten ze tenminste.

In de schatkamer stuitten ze op lege kisten, waarvan de deksels waren weggerukt. Maar de meeste waren nog tot de rand gevuld met voorwerpen van koper en brons: kruiken, potten en ander gerei waarin de priesters hun brandoffers bereidden.

'Snel,' zei Aäron schor.

Verderop in het donker, bij het schijnsel van hun toortsen, zagen ze de glinstering van goud en zilver. Daar lagen de rituele kostbaarheden, zoals kandelaars, wijnbekers, schalen en borden, die door buitenlandse vorsten waren geschonken of als particulier bezit aan de tempel in bewaring waren gegeven.

Aäron ging zijn mannen voor langs rijen goudstaven, die als bakstenen waren opgestapeld. Er stonden ijzeren potten, deels volgestouwd met geldstukken, deels ook leeg. Kringen in het stof gaven de plekken aan waar de rest had gestaan. Houten tonnen puilden uit met de doffe muntjes waarmee de armen hun tempelbelasting betaalden.

Aäron had er geen oog voor.

Achter in de schatkamer kwam hij bij een andere deur, die niet open wilde. Een van zijn mannen zwaaide met een bijl en de droge planken versplinterden. De donkere ruimte erachter was nauwelijks groter dan een kast. Midden op de vloer vond hij wat hij zocht: een houten kist waarin enkele van de kostbaarste geschriften van zijn volk werden bewaard: heilige teksten, historische documenten, de kronieken van de hogepriesters van Jeruzalem, waaronder die van zijn grootvader Kajafas.

Aäron wrikte de kist open en verdeelde de inhoud.

Buiten stortten brandende balken tegen de grond. Romeinse soldaten wierpen zich met velen tegelijk door de bres, terwijl duizenden anderen de stadswallen beklommen. De gevechten hadden de binnenplaats van de tempel bereikt. Waar normaal de gelovigen zich verzamelden voor het offeren van lammeren en duiven, spatte het bloed van de priesters nu over het altaar.

Aäron en zijn mannen renden door een bochtige gang, kromgebogen onder het gewicht van hun last. De tunnel verbreedde zich tot een grote ruimte die uit de rots was gehouwen. In het midden bevond zich een smalle put, niet veel breder dan de schouders van een man. Van beneden steeg wat frisse lucht omhoog, met de koele suggestie van stromend water. Aäron hield zijn toorts boven de opening. Het flakkerende schijnsel verdween in de duisternis.

Ze lieten hun tassen aan touwen zakken en daalden toen een voor een voorzichtig in de putschacht af. Hun leider ging als laatste. Toen hij naar zijn fakkel tastte, hoorde hij het geluid van voetstappen over de rotsbodem. En een stem. Zijn eigen naam, die door de tunnel echode: 'Aäron?'

Het klonk aarzelend en verbaasd. Aäron verstijfde. Langzaam en bevreesd keek hij op. Zijn vader staarde hem niet-begrijpend aan. Hij hield een ramshoorn tegen zijn zij geklemd.

'Ga met ons mee, vader. Help ons, ik smeek het u.'

De oude man keek angstig, maar ook diep gekwetst. Hij voelde zich verraden. 'Aäron, mijn zoon, je weet niet wat je doet. Je beseft de gevaren niet.'

Aäron tastte in de plooien van zijn mantel. Verderop in de tunnel hoorde hij geluiden, de gedempte kreten van wanhopige mannen. Waren ze op de vlucht voor de Romeinen of... op jacht naar hem? Het geschreeuw kwam dichterbij.

Matthias bracht zijn hoorn omhoog.

'Niet doen!' smeekte Aäron.

Matthias zette de hoorn aan zijn lippen en blies met al zijn kracht. Het geluid schalde door de gangen.

Aäron wierp zijn mes.

De oude man sperde zijn ogen open. Hij wilde iets zeggen, maar het enige wat er over zijn lippen kwam was een straaltje bloed. Het heft van het mes stak uit zijn borst. Matthias zakte in elkaar.

Aäron zei een gebed voor zijn vader, en nog een voor zichzelf. Toen verdween hij door de schacht.

DEEL 1

I

Noord-Libanon – oktober 2007

De naakte, ruige schoonheid van het landschap deed Benjamin Jordan bijna vergeten waarvoor hij hier was gekomen. Knoestige ceders klampten zich vast aan de kale heuvels en zo nu en dan ving hij een vleug van hun geur op in de ochtendbries. Of misschien verbeeldde hij zich dat maar. Er was verder geen verkeer op de weg en Jordan was dankbaar voor de eenzaamheid. Niets bewoog zich, afgezien van het trage spel van licht en schaduw tegen de glooiende hellingen en steile wanden.

Zijn blik gleed over het terrein, oplettend en beschouwend, helder als altijd, ondanks zijn gebrek aan slaap. Een deel van hem was benieuwd naar het verhaal aan het einde van deze tocht, ongeduldig om zijn primeur aan de wereld te verkondigen. Een ander deel hoopte dat het niet waar zou zijn, een vergeefse missie. Jordan wist zelf niet welk gevoel overheerste. Maar toen de weg hem nog dieper het heuvelland in bracht, merkte hij dat de druk van zijn voet op het gaspedaal steeds lichter werd.

De tip had hem als verslaggever per e-mail bereikt. De bron, een militante islamitische groepering, was verantwoordelijk gesteld voor de meest recente terreuraanslag: de verwoesting van een museum in Jeruzalem.

Binnen enkele uren na de explosie had Israël een vergeldingsactie uitgevoerd. Twee militaire vliegtuigen hadden een doelwit in de Libanese Beka'a Vallei gebombardeerd.

Volgens het Israëlische ministerie van Defensie was het complex een trainingskamp voor terroristen.

Volgens Jordans bron was het een weeshuis.

Vanuit de militaire zone langs de grens had Jordan een lift gekregen met een VN-konvooi naar Beirut, waar hij – na hooguit een uurtje slaap – de auto van een oude vriend had kunnen lenen. De vriend, een Libanese schrijver, had hem bezorgd aangekeken. 'Wees voorzichtig,' had hij gezegd, 'je mag dan journalist zijn, maar je blijft een Israëli in Libanon.'

De oude, geleende Mercedes kreunde toen Jordan terugschakelde bij een heuvelpas.

Waarschijnlijk kon hij wel voor een Amerikaan doorgaan, maar daar zou hij in deze omgeving weinig mee opschieten.

Een kudde haveloze schapen stak de weg over en dwong hem tot stoppen. Hij trommelde met zijn vingers op het stuur.

Als alles volgens plan verliep, zou hij binnenkort zijn eigen wekelijkse nieuwsshow hebben voor een internationaal publiek. De zender had hem verleid met een flink salaris en de vrijheid om zijn eigen programma in te vullen.

Geen eindredacteuren meer die zijn kopij bewerkten en pijnlijke passages schrapten.

Het marktonderzoek van de zender had voorspeld dat hij vooral ook vrouwelijke kijkers zou aantrekken binnen de leeftijd van achttien tot zesendertig, een zeer aantrekkelijke doelgroep. 'Komt heel natuurlijk over. Stoer en gevaarlijk charismatisch,' luidde het oordeel van het proefpanel.

Wat een gelul.

Toch had hij de baan verdiend. En hij had ervoor betaald, in gestrande relaties, conflicten met hoofdredacteuren, afgezegde duikvakanties, gemiste tickets voor de Olympische Spelen en woedende mails uit alle hoeken van de politieke arena, als bewijs dat hij mensen behoorlijk op stang kon jagen.

Het tv-contract was nog niet rond – Jordan had er zelfs met niemand over gesproken – maar hij verheugde zich op het moment dat hij het zijn chef zou kunnen zeggen. Dan kreeg die achterbakse, streberige klootzak eindelijk zijn verdiende loon.

Nog één groot verhaal, en hij was binnen.

De laatste schapen verdwenen de heuvel op, gevolgd door een kleine jongen met een geruite *keffiyah* die zijn gezicht verborg. Jordan schakelde de versnelling weer in.

De weg liep omlaag naar een dor, troosteloos gebied dat lag te blakeren in de middagzon. In de verte doemde een dorpje op. Als hij de kaart goed had gelezen moest dit het zijn, het dorp El-Adir.

Aan de rand van het dorp zag hij de puinhopen van een paar grote stenen gebouwen. Een deel van een twee verdiepingen hoge muur stond nog overeind, als enige aanwijzing voor wat het complex ooit was geweest. Een weeshuis? Een kazerne? Onmogelijk te bepalen van een afstand. Zwartgesluierde vrouwen doorzochten het puin.

Met een onheilspellend voorgevoel parkeerde Jordan de Mercedes en stapte uit. Langzaam liep hij naar de ravage, terwijl hij om de paar passen bleef staan om een groothoekfoto te maken.

Hij was blij dat hij in zijn diensttijd nooit in dit veelgeplaagde land was geweest, nooit had bijgedragen aan de ellende hier.

Hij stapte naar de dichtstbijzijnde vrouw toe en sprak haar aan in zijn gebrekkige Arabisch. 'Ik werk voor de krant,' zei hij, heel nadrukkelijk en met een duidelijk accent. 'Mijn naam is Benjamin. Wilt u me vertellen wat hier is gebeurd?'

'Israëli!' snauwde de vrouw. Jordan dacht dat het een begin van een antwoord was, maar besefte dat ze het als verwensing bedoelde. Woedend vertelde ze haar verhaal, veel te snel voor hem om iets te kunnen noteren. Ze wees naar de hemel, naar de puinhopen en toen naar hem. De bommen waren zonder enige waarschuwing uit de lucht gevallen, vlak voor zonsondergang. De vrouw schreeuwde het hem toe. Een van de vliegtuigen was nog een keer laag overgevlogen, om hen te bespotten. Geen van de kinderen had het overleefd.

De vrouw bleef staan en raapte met een machteloos gebaar wat zand op, dat ze hem in zijn gezicht smeet.

Geschrokken wreef Jordan in zijn ogen. Voordat hij ze kon openen had de vrouw opnieuw gegooid, nu een handvol kiezelstenen.

Jordan hief afwerend zijn handen op. 'Ik ben journalist!' protesteerde hij met overslaande stem. 'Ik wil er alleen maar over schrijven.'

Hij knipperde met zijn ogen en zag nog meer vrouwen op zich afstormen. Iets raakte hem met zo veel kracht tegen zijn voorhoofd dat het hem duizelde. Een steen. Toen nog een, tegen zijn borst, en een derde, tegen zijn knie.

Ze wilden hem stenigen.

Hij riep dat ze moesten ophouden, maar voelde dat hij in paniek raakte.

Iemand riep iets. Anderen namen het over, totdat het een spreekkoor werd. Hij probeerde te verstaan wat ze schreeuwden.

'Dood die jood! Dood die jood!'

Begrepen ze het dan niet? Hij wilde juist hún verhaal vertellen.

Het bloed droop in zijn ogen toen hij terugdeinsde, zich wankelend omdraaide en probeerde weg te rennen.

Hij moest naar de auto, het portier openen...

Een scherpe pijn in zijn rechterelleboog.

Sneller! Rennen dan. Rennen...

Een klap achter zijn oor.

De wereld draaide voor zijn ogen. Hij struikelde en viel.

'Dood die jood! Dood die jood!'

Ze gilden tegen hem en hij hoorde hoe de stenen zijn lichaam raakten. Kleine brokken beton. Het spervuur was zo hevig dat hij niet overeind kon komen.

Door een rood waas zag hij twee vrouwen zijwaarts naar hem toe schuifelen. Ze liepen gebukt, alsof ze iets zwaars droegen dat ze maar met moeite konden tillen.

Ze probeerden het omhoog te brengen.

Jordan keek op en zag het brok beton, twee keer zo groot als een mensenhoofd.

Het verduisterde de zon.

'Dood die jood! Dood die jood! *Dood die...*'

Een geweerschot deed het spreekkoor verstommen. Nog een paar schoten, snel achter elkaar.

Jordan voelde dat de vrouwen terugkrabbelden. De grond dreunde toen ze hun munitie van betonblokken lieten vallen. Langzaam opende hij zijn ogen en veegde het bloed weg.

Vier Arabieren waren uit een auto gestapt. Twee van hen richtten AK-47's naar de lucht. Een van hen schold de vrouwen uit, die nog verder terugdeinsden.

Jordan draaide zich bevend op zijn zij. De snee boven zijn wenkbrauw begon te bonzen. Overal had hij kneuzingen en snijwonden. De grootste van de vier mannen boog zich over hem heen.

'Je ziet er belazerd uit.'

Jordan kneep zijn ogen halfdicht tegen de zon toen de Arabier een hand uitstak om hem overeind te helpen. Jordan greep zijn vuist.

'Wie bent u?' vroeg de Arabier.

'Een verslaggever van *The Shofar*. Ik ben hier om over het bombardement te schrijven.'

'Een Israëli,' zei de Arabier, die hem nog steeds onderzoekend opnam.

'Ja, een Israëli.' Jordan hijgde.

De Arabier knikte ernstig en Jordan knikte terug.

De man keek Jordan strak aan, bracht toen snel de kolf van zijn geweer omhoog en sloeg hem in zijn kruis. Jordan klapte dubbel en een schoen kwam omhoog om hem te raken. Het volgende moment voelde hij een klap tegen zijn achterhoofd en werd alles zwart.

Toen hij zijn ogen weer opende, kreeg hij een blinddoek voor. Hij probeerde zich te verzetten, maar zijn handen en voeten waren al vastgebonden. Ze propten hem een olieachtige doek in zijn mond, sleurden hem overeind en smeten hem in de kofferbak van zijn eigen auto. Het deksel viel dicht en ze startten de motor.

Zijn kneuzingen maakten elke hobbel in de weg nog erger en de hitte van de uitlaatgassen sneed hem de adem af. Ik ga stikken, dacht hij, voordat hij het bewustzijn verloor.

2

Toen Jordan wakker werd, wist hij zeker dat zijn rug in brand stond. Zijn zenuwen kermden van pijn, hij had kramp in zijn borst en hij hapte naar lucht alsof hij een duik in ijskoud water had genomen.

Manmoedig probeerde hij greep te krijgen op de situatie. Hij stelde zijn blik scherp en zag dat hij op zijn zij lag, naakt vanaf zijn middel. Een jonge man met een olijfkleurige huid en een volle, donkere baard stond over hem heen gebogen en peilde zijn reactie. De man knikte goedkeurend.

Het is een marteling. Ik word gemarteld.

'Rustig aan, Benjamin. Het is maar jodium. Voor je verwondingen.'

De onbekende sprak Hebreeuws met een Arabisch accent.

Jordan probeerde een vraag te formuleren, maar de Arabier met de rustige stem was hem voor.

'Ik ben arts. Ze hebben me gevraagd je een beetje op te lappen. Je bent er niet best aan toe, maar je zult het wel overleven.'

'Waar zijn we?'

'Dat mag ik je niet zeggen. Daar waren ze heel duidelijk in.'

'Zij?'

Ook die vraag ontweek de arts.

'Voor een Israëli heb je een opvallend dikke huid. Je gezicht zal snel genoeg genezen. Je mag van geluk spreken dat ik heel dunne hechtingen kon gebruiken.'

Jordan betastte het verband om zijn achterhoofd.

De dokter keek fronsend. 'Helaas heb ik hier geen MRI.'

Hij gaf Jordan een paar pijnstillers en liet zijn stem dalen. 'Ik kan je wel wat sterkers geven, maar je moet helder blijven.'

Toen, met een veelbetekenende blik, ritste hij zijn tas dicht en verliet de kamer.

Jordan ging voorzichtig rechtop zitten en inspecteerde zijn omgeving. Hij lag op een militaire brits met schone, witte lakens. Aan het plafond hing een kale gloeilamp. De kamer was nauwelijks groter dan een gevangeniscel en had geen ramen. Het plafond en de muren, die ooit wit waren geweest, vertoonden gele vochtplekken. Op kniehoogte in een van de gestuukte muren zag hij vier evenwijdige, diepe krassen met een opgedroogd roestbruin laagje eronder. Bloed.

Jordan bekeek zijn vingertoppen. Die krassen moesten door iemand anders zijn gemaakt.

De dokter had kennelijk bloed afgenomen of hem een injectie gegeven, want er zat een pleister met een stukje verbandgaas tegen de binnenkant van zijn rechterelleboog.

Met een grimas gooide hij de kalkachtige tabletten in zijn mond en slikte ze door. Hij probeerde op te staan, maar het voelde alsof zijn spieren aan zijn vlees rukten. Er liepen drie rijen keurige hechtingen over zijn buik die de wonden bijeenhielden. Jordan vond het een geruststellend gezicht. Ze zouden niet zo veel moeite hebben besteed aan iemand die ze wilden vermoorden.

Of wel?

De directie van de zender had gezegd dat ze bewondering hadden voor zijn durf. Over stupiditeit hadden ze met geen woord gerept.

Stomme klootzak. Nu krijg je gegarandeerd een plaatsje op de zender. Op élke zender.

Jammerend en smekend om genade, totdat...

Een Arabier in een militair camouflagepak kwam de kamer binnen, gewapend met een pistool. De man gooide hem een kakituniek toe die hij moest aantrekken. Daarna gaf de Arabier hem een teken met zijn pistool en nam Jordan mee door een smalle gang.

Totdat een of andere ninja met een mes je keel doorsnijdt en je een graf geeft in cyberspace.

Jordan beefde inwendig, maar probeerde zijn angst niet te laten blijken.

Als het de laatste video is die je ooit zult opnemen, maak er dan wat van.

Draai de rollen om.

Ze beklommen een trap vanuit de kelder; áls het een kelder was. Een deur ging open naar het voorportaal van een gewelfde ruimte.

Jordan keek om zich heen. Hij zag sombere betonnen muren en eenvoudige zuilen. Geen licht, geen meubels. De bewaker stak een arm uit om Jordan tegen te houden.

Aan de andere kant van de moskee, met zijn rug naar Jordan toe, zat een man blootsvoets op een rechthoekig kleedje geknield, zo diep voorovergebogen dat hij de grond kon kussen. Jordan luisterde hoe hij zijn gebeden afwerkte.

'Allahumma barik ala Muhammadin wa ala ahli Muhammadin, kama barakta ala Ibrahima, wa ala ahli Ibrahima...'

Allah, zegen Mohammed en het volk van Mohammed, zoals u ook Abraham en zijn volk gezegend hebt...

De moslim stond op uit zijn gebed en draaide zich om. Het eerste wat Jordan opviel waren de lijnen in zijn gezicht: diepe groeven die als donkere ravijnen over zijn voorhoofd liepen en vandaar langs zijn neus tot aan zijn kin, als de sporen van een lang voorbije regenbui in een woestijnlandschap. Te oordelen naar zijn tengere postuur en zijn enigszins grijzende haar moest hij van middelbare leeftijd zijn, niet veel ouder, maar het leven had hem getekend.

De Arabier glimlachte tegen Jordan en het landschap kwam tot leven. 'Meneer Jordan, ik ben vereerd door uw bezoek. We hebben niet dikwijls zulke vooraanstaande gasten.'

Jordan keek verbaasd, aarzelend hoe hij moest reageren.

'Mijn naam is Farouk, Khalid Farouk. U hebt misschien van me gehoord.'

'Ik ben op de hoogte van uw werk,' antwoordde Jordan onverstoorbaar, met een strakke blik.

Farouks ooghoeken suggereerden een geamuseerd lachje. 'Wees zo vriendelijk mijn gastvrijheid te aanvaarden.'

Jordan vond het een vreemd verzoek. Dus dit was de beruchte Farouk, de man die bomaanslagen op kinderspeelplaatsen pleegde en vrome, jonge moslims tot zelfmoord aanzette. Zo diep was zijn haat. Farouk had al lang geleden de oorlog verklaard aan de vredestichters en onderhandelaars.

De afgelopen achtenveertig uur had de Israëlische regering hem in verband gebracht met de aanslag op een museum waarin een van de belangrijkste archeologische instellingen van het land gehuisvest was. Daarop zou een Israëlische vergeldingsactie zijn gevolgd tegen een basis van Farouk in het dorpje El-Adir.

Voor zover Jordan wist was er nog nooit een foto van Farouk gepubliceerd. Vreemd genoeg zag hij er niet echt boosaardig uit.

Farouk liep naar het portaal en klapte in zijn handen. Een gewapende wachtpost haalde een paar kussens, die hij op de stenen vloer legde. Toen gaf hij Jordan een teken te gaan zitten. Een bevel, eigenlijk. De prijs voor Jordans gehoorzaamheid was de stekende pijn die de hechtingen van de dokter hem bezorgden.

Geen camera's? Geen messen?

Voordat de emotie de overhand kon krijgen deed zijn instinct als journalist zich gelden. Wie was Khalid Farouk? Wat voor aanwijzingen verscholen zich achter die groeven in zijn gezicht? Jordan tastte naar het opschrijfboekje in zijn achterzak, maar dat was verdwenen.

Een bewaker schonk hen twee kopjes dikke zwarte koffie in.

'*L'chaim*,' zei Farouk in het Hebreeuws.

'Op het leven,' antwoordde Jordan in het Arabisch. Hij probeerde zijn onbehagen niet te laten blijken.

De koffie was bitter.

'Ik moet me verontschuldigen voor uw ontvangst. Blijkbaar was uw komst niet aangekondigd.'

Jordan wierp hem een beschuldigende blik toe. 'Ik dacht dat ik was uitgenodigd.'

Hij lette op een reactie, maar de kloven in het woestijnlandschap bewaarden hun geheimen.

'Toch was het vriendelijk van u om te komen. Wat er in El-Adir is gebeurd was misdadig, een tragedie. De wereld moet dat weten. En het lijkt me passend dat u de boodschapper zult zijn. U geniet veel respect, meneer Jordan. Wij hebben waardering voor uw objectiviteit, uw pogingen om de waarheid recht te doen.'

Jordan voelde zich ongemakkelijk. Zo zag hij zichzelf inderdaad, als iemand die de waarheid wilde vertellen, maar zo'n compliment van Khalid Farouk deed zijn maag omdraaien. Hij keek de Arabier strak aan.

'Wat er in El-Adir is gebeurd, meneer Farouk, was dat misdadig, of een straf?'

Farouk keek beledigd. 'Het was een tragedie. Het zoveelste gewelddadige voorbeeld van Israëls minachting voor Arabische levens. Zeventien weeskinderen, zonder enige waarschuwing vermoord tijdens het middaggebed.'

'Hebt u daar bewijzen voor?'

Farouk keek hem kil en verontwaardigd aan. 'Ik kan u de lichamen laten zien, meneer Jordan. Of wat er van over was. Is dat voldoende bewijs?'

Farouk schonk nog eens koffie in. 'Weet u, ik heb een groot aantal van de slachtoffers persoonlijk gekend. Ik kwam zo nu en dan bij hen thuis om eten en religieuze boeken te brengen. Een paar uur voor de aanslag ben ik er nog geweest. Ik wilde ze helpen om hun... belofte waar te maken.'

Jordan kromp ineen bij de implicatie van die woorden.

'Wie was er dan verantwoordelijk voor de bomaanslag op het museum?'

'Dat moet u uw regering vragen,' zei Farouk raadselachtig.

'Mijn regering heeft al antwoord gegeven, schijnt het. En krachtig.'

'Vraag het dan nog eens.'

Jordan had geen geduld voor spelletjes. Aan de andere kant had hij hier weinig te kiezen.

'Wij waren het niet, meneer Jordan. Zoals u al vaststelde, eis ik graag de eer op voor mijn werk. Bovendien is het museum net zo belangrijk voor ons als voor u. Het is ons land, onze geschiedenis.'

'Dat zou ik ook zeggen, als ik mezelf probeerde schoon te praten van een rampzalige vergissing.'

'Vergissing?'

'De onbedoelde dood van drieëntwintig Palestijnse schoolkinderen die net een rondleiding door het museum kregen toen de bom ontplofte.'

Woede golfde over het woestijnlandschap, als een gevaarlijke overstroming na een noodweer. 'Beledigt u mijn gastvrijheid, meneer Jordan?'

Jordan liet zich niet intimideren en trotseerde Farouks blik. Hij kon het bloed bijna horen bonzen in de hals van de terrorist.

Ten slotte was het de Arabier die de stilte verbrak. 'U kwam voor een verhaal, en dat zult u krijgen. Maar ik betwijfel of dit het verhaal is dat u verwachtte.' Farouk wachtte even voor het effect. 'Toen die bom explodeerde, was de Internationale Raad voor Culturele Oudheden in het museum bijeen voor een hoogst ongebruikelijke vergadering op zondag.'

Jordan maakte een wegwerpend gebaar. 'Dat is algemeen bekend.'

Farouk boog zich naar voren en liet zijn stem dalen. 'En is het ook bekend dat de man die de vergadering bijeen had geroepen, de voorzitter van de commissie, de eerbiedwaardige rabbi Meyer Elazar, zelf afwezig was?'

Jordan staarde hem uitdrukkingsloos aan.

'Zouden uw lezers dat een belangrijk punt vinden, meneer Jordan?'

Jordan dacht aan Elazar, een man van in de zeventig met een zwaar postuur, een nors stemgeluid en rimpeltjes om zijn ogen die zich als de barstjes in een bevroren vijver vermenigvuldigden wanneer hij met zijn vuist op een lessenaar sloeg om Israëls aanspraken op de West Bank te onderstrepen.

Theoretisch had de commissie geen voorzitter en was Elazar de primus inter pares, die toezicht hield op opgravingen en de toegang tot archeologische vondsten coördineerde. Op uitnodiging van Israël nodigde de commissie leden uit van tien of twaalf landen. Maar niemand kon Elazar ervan beschuldigen dat hij naar zijn collega's luisterde.

De orthodoxe rabbi en fanatieke zionist was meer dan alleen een autoriteit binnen de archeologische wereld. Hij was een politieke bliksemafleider, een polariserende figuur voor de joden en een tegenstander van de Arabieren. Met andere woorden: een potentieel doelwit.

Maar een afwezig doelwit?

Jordan nam Farouk scherp op, verleid door het aas, maar bang voor het haakje. 'Mijn lezers zijn niet geïnteresseerd in theoretische vragen,' zei hij.

'Natuurlijk niet,' zei Farouk, 'maar dit zijn de feiten. Kort voor de explosie belde rabbi Elazar het instituut. Hij sprak rechtstreeks met een van zijn collega's in de vergaderzaal. Het doel van dat telefoontje was simpel.'

Jordan keek hem vragend aan.

'Elazar wilde vaststellen of de andere commissieleden inderdaad in het gebouw aanwezig waren.'

'Hebt u dat dan gehoord?'

'Een van onze mensen volgde het telefoonverkeer. Hij belde me vanaf de West Bank, een paar minuten na de aanslag.'

Jordan kon zijn verbazing niet verbergen.

'Ja, meneer Jordan, we hebben overal onze vertakkingen.'

'Moet ik u op uw woord geloven?'

'Zeker niet.'

Farouk keek even naar de eerste wachtpost, die hem een gewone microcassetterecorder gaf.

'De eerste stem die u hoort is die van Martin Stanley, een Brits lid van de commissie. Hij is nu dood. De ander is Meyer Elazar, die belt met een mobiel.' Farouk legde de recorder tussen hen in en drukte op de PLAY-toets.

Door de goedkope recorder en de ruis leken de stemmen nog onwezenlijker.

'Meyer, ik kan je nauwelijks verstaan. Zit je in de auto?'

'...nu beter?'

'Waar ben je? De vergadering begint om elf uur.'

'Dat weet ik. Hoor eens, wil je tegen iedereen zeggen...'

'Wacht even. Sorry, iemand zei iets tegen me.'

'Is iedereen er al?'
'Ja.'
'Ja?'
'Nou, nee...'
'Nee?'
'We hebben Altieri nog niet gezien. Waar zit je nou? O, Ramsi is er ook nog niet. Verder is iedereen...'

Een hoge elektronische pieptoon, nog wat geruis, en toen was het afgelopen.

'Dat was de explosie die een eind maakte aan de verbinding.'

'Altieri en Ramsi?'

'Een katholiek en een Palestijn, allebei trouwe bondgenoten van Elazar.'

'Hoe kan ik bewijzen dat deze opname authentiek is?'

'Dat zal moeilijk worden.'

'Waar was Elazar dan? Wat betekent dit?'

'Mijn vriend, ik heb groot vertrouwen in u als onderzoeksjournalist. We gaan ervan uit dat ú het antwoord wel zult vinden.'

Jordan verborg zijn opwinding achter een pokerface.

'Ik zoek het uit,' zei hij.

3

De Arabier in het camouflagepak bracht Jordan terug naar de cel in de kelder en vergrendelde de deur. Het was een kleine, benauwde ruimte. Jordan ging op de rand van de brits zitten en klemde zijn handen om het metalen frame. Na een tijdje stond hij op en begon te ijsberen.

Hoe serieus moest hij Farouks verhaal nemen? En wat insinueerde de man precies? Dat rabbi Meyer Elazar, iemand binnen de rechtervleugel in Israël die geen blad voor de mond nam, op de een of andere manier medeplichtig was aan een complot om de internationale archeologische commissie – én het complete bezit van het museum – te elimineren? Dat was wel een heel boude bewering. En Farouk had geen enkele hint gegeven over het motief.

Aan de andere kant was de moderne geschiedenis van de staat Israël een aaneenschakeling van onwaarschijnlijke verhalen.

Jordan herinnerde zich de tijd dat zijn patriottisme nog eenvoudig en zuiver was geweest en Israël het gelijk aan zijn kant had gehad in de strijd tussen duisternis en licht. Hij was opgegroeid in de heldhaftige periode van de Zesdaagse Oorlog en de Jom Kippoer Oorlog, inspirerende overwinningen tegen een hopeloze overmacht. Hij had zich laten motiveren door de gedurfde aanval op Entebbe, toen Israëlische commando's duizenden kilometers hadden gevlogen om de passagiers van een gekaapt vliegtuig te redden uit een gebouw dat volgens de verhalen elk moment zou kunnen exploderen.

Na al die jaren werd hij nog steeds achtervolgd door de tragedie van München. Soms, in een rusteloze droom, zag hij weer die gegijzelde Israëlische sporters op de Olympische Spelen, en de gemaskerde terrorist die hun lot had bezegeld, de duivel uit zijn jeugd.

Daarna kwamen de bloedbaden van Sabra en Shatila, waar Palestijnen het slachtoffer waren geworden en het verhaal niet meer zo duidelijk was.

Toen was een Israëlische minister-president tijdens een bijeenkomst vermoord, *door een Jood.*

Die moordenaar was een aanhanger geweest van dezelfde richting van het zionisme als Elazar, een keiharde overtuiging die de Palestijnen geen millimeter grond gunde.

De mogelijkheid dat het Israëlische leger een weeshuis had gebombardeerd raakte Jordan nog veel dieper, omdat hij zelf geen ouders meer had. Als baby van nog geen jaar was hij door een terreurdaad wees geworden.

De eindeloze golf van willekeurige zelfmoordaanslagen, het vermoorden van onschuldige mensen, vervulde hem met woede. Meer dan de meeste anderen begreep hij de pijn van de overlevenden. Met elke explosie kwam een instinctieve behoefte aan wraak bij hem op, net zo willekeurig als het terrorisme zelf.

Toch moesten zelfs de meest onverzoenlijke voorstanders van de harde lijn zich afvragen waar die waanzin vandaan kwam. Wat voor mengeling van haat en wanhoop, leegte en vastberadenheid, dreef iemand ertoe een drukke supermarkt binnen te stappen waar moeders hun karretjes vulden met melk, honing en gesuikerde cornflakes voor het ontbijt, en zichzelf op te blazen?

Dat vroeg Jordan zich af.

Misschien was dat een van de redenen waarom hij journalist geworden was. Hij vond dat zowel de Israëli's als de Palestijnen de waarheid onder ogen moesten zien, hoe pijnlijk die ook kon zijn. In rechtse kringen binnen Israël, zelfs in bepaalde groepjes binnen zijn eigen krant, bespeurde hij altijd een ondertoon van kritiek, die nog duidelijker overkwam dan de harde vraag aan welke kant hij eigenlijk stond.

Aan welke kant hij stond? Die vraag legde Jordan naast zich neer. Als journalist hoefde hij geen partij te kiezen.

De deur ging open en twee bewakers kwamen binnen. Ze deden Jordan een blinddoek voor en bonden zijn polsen vast. Toen grepen ze hem bij zijn armen en namen hem mee de trap op, door de moskee, de hete, droge buitenlucht in. Ze duwden hem achter in een auto en drukten zijn hoofd omlaag om te voorkomen dat hij zich zou stoten tegen de deurpost. Er zat al iemand klaar die zijn mouw opstroopte en zijn bovenarm reinigde met een watje met alcohol.

'Je voelt nu een prikje,' zei de jonge arts geruststellend voordat hij de naald in zijn arm stak.

Al zijn zorgen verdwenen.

Na een lange, droomloze slaap werd Jordan wakker met een droge mond en een stijve nek, voorovergezakt tegen het stuur van de geleende Mercedes. Hij was weer terug in het dorpje El-Adir, bij het gebombardeerde Libanese weeshuis. Een paar zwartgesluierde vrouwen doorzochten de puinhopen

4

Tel Aviv

'Ja, doorgaan!' riep Itzhak Goren langs de lijn, en hij zwaaide zo enthousiast met zijn vuist dat hij wat lauwe koffie uit zijn bekertje morste.

Aan de andere kant van het veld struikelde een van de kinderen over de bal, krabbelde weer overeind en dribbelde naar de goal, langs een verdediger die stond te dagdromen.

Het was een wolkenloze middag en de commandant van de Israëlische strijdkrachten coachte een voetbalteam van jochies van zeven, onder wie zijn kleinzoon. Met zijn gekreukte uniform en zijn omvangrijke buik maakte Goren een joviale indruk. Hij had de slaperige ogen en de hangwangen van een droevige, trouwe hond. Maar zijn vechtersmentaliteit loerde nooit ver onder de oppervlakte.

Geïrriteerd zag hij een adjudant aankomen met een envelop. Hij kwam in de verleiding de man weg te sturen, maar pakte de envelop toch aan en maakte hem open. Meteen was zijn plezier verdwenen. De keeper stompte de bal zijn doel uit, maar de generaal zag het al niet meer. Hij droeg de leiding van het team over aan zijn zoon, een magere, pezige kapitein van de Speciale Eenheden, en verliet haastig het voetbalveld.

De envelop bevatte een print van de website van *The Shofar*, met weer zo'n hoofdartikel van die lastpost, Benjamin Jordan. Goren propte de velletjes in zijn zak en stapte in een gereedstaande auto.

Tien minuten later, omringd door zijn medewerkers in zijn kamer op het ministerie van Defensie, vloog Goren vloekend op, briesend met de kracht van een acute hartaanval.

'Hoe kon dit in vredesnaam gebeuren? Hoe is dit mogelijk?'

'Een foutje van de inlichtingendienst, neem ik aan,' antwoordde een adjudant.

'Een foutje? Een ongelooflijke stommiteit! Zeg de Mossad dat ik een uitvoerig rapport wil.'

Woedend streek de generaal de print glad op zijn bureau. Boven het artikel stond een vette kop, bij een foto van een dood kind dat door een lijkwade werd bedekt.

De tekst luidde:

> De bommen troffen hun doel met chirurgische precisie. Iedereen in het gebouw was op slag dood. Maar het beoogde doelwit, Khalid Farouk, was een paar uur eerder al vertrokken. De vogel was gevlogen, zoals hij me op maandag na zijn avondgebed bij een kop koffie vertelde...

De oude, vertrouwde pijn was terug, eerst nog vaag, maar geleidelijk steeds heviger, totdat Itzhak Goren een gevoel had alsof een ijzeren vuist zich om zijn hart klemde. Sommige symptomen werkten als een barometer, die je waarschuwde voor een naderend noodweer. Gorens alarmsysteem was veel minder praktisch: het waarschuwde hem pas ná de storm.

Vloekend nam hij een maagtablet en spoelde die weg met een bodempje koffie.

'Generaal, u beseft toch dat we hiermee twee VN-resoluties hebben geschonden?' vroeg een andere medewerker.

'Kolonel, voor diplomatiek geneuzel heb ik nu geen tijd.'

De generaal reageerde zich af op zijn ondergeschikten, maar eigenlijk was Itzhak Goren vooral kwaad op zichzelf. Hij had immers bevel gegeven tot de vergeldingsaanval op het doelwit in Libanon.

De krant voegde er nog een hartverscheurend in memoriam aan toe. Enkelen van de gedode kinderen waren wees geworden door de Israëlische invasie in 2006. Hun islamitische opvanghuis had een sinistere beschermheer, een terrorist die hen als toekomstige rekruten zag. Dorpelingen die anoniem wilden blijven hadden de journalist verteld over een jongen die een paar maanden geleden met Khalid Farouk uit El-Adir was vertrokken. Een tijdje later sijpelde het nieuws door dat de jongen het paradijs had bereikt, via een zware kneedbom in een forensenbus in Jeruzalem.

De correspondent kon niet vertellen waar hij Farouk had gesproken. Hij had een verdovend middel gekregen voordat ze hem naar de plaats van de luchtaanval hadden teruggebracht, en volgens de kilometerteller van zijn geleende auto hadden ze een behoorlijke afstand afgelegd. Aan het eind van het artikel sprak Jordan het vermoeden uit dat de ontmoeting helemaal niet in Libanon, maar in het aangrenzende Syrië had plaatsgevonden.

De kamer dreunde door het geratel van een pneumatische boor in de verte, die Goren het gevoel gaf dat hij bij de tandarts zat. Diep onder het ministerie waren bouwvakkers bezig de bunker met het crisiscentrum van de Israëlische strijdkrachten te renoveren.

De gedachten van de generaal gingen naar de piloten die de bommen hadden afgeworpen en nu de levende slachtoffers waren van een fatale vergissing. 'Regel een gesprek met de vliegers,' zei hij. 'Dit mag niet als een last op hun schouders blijven drukken.'

Zoals zo veel overlevenden van de Holocaust en mensen die in de schaduw daarvan waren opgegroeid had Goren een dure eed gezworen: *Dit nooit meer.* Nooit zou de wereld de kans krijgen opnieuw haar ogen te sluiten. Nooit meer mochten joden als makke schapen naar de slachtbank worden geleid, gemanipuleerd met leugens en valse hoop.

Goren was nu eenenzestig en had het grootste deel van zijn leven gewijd aan de verdediging van zijn land. Zijn biografie was in veel opzichten het verhaal van de Joodse staat zelf. Hij had gevochten in de Sinaï en op de Golanhoogte. Hij was na de Tweede Wereldoorlog in Europa geboren, in een opvangkamp, en als kind en vluchteling in Israël aangekomen nog voordat het Israël was. Zijn moeder had Auschwitz overleefd, nadat ze uit het getto van Warschau was ontsnapt waar de rest van haar familie was omgekomen door honger, ziekten of bij de laatste, kansloze opstand van 1943. Goren had opnamen gezien van de overbevolkte, ommuurde jodenbuurt. En hoe de Duitse artillerie alles aan puin had geschoten.

Itzhak Goren voelde niets dan minachting voor militairen die oorlog voerden tegen burgers.

Met een kort handgebaar stuurde de generaal zijn medewerkers de deur uit. Een foutje van de inlichtingendienst, hadden ze gezegd. Hoe moest hij dat uitleggen?

De Mossad beweerde dat Farouk, die zich in Libanon bevond, twee uur na de bomexplosie in het museum was gebeld door ene Saeed, lid van de Tranen van God. Saeed had Farouk op de hoogte gebracht en Farouk had hem gefeliciteerd.

Gorens blik gleed nog eens over de gedeeltelijke transcriptie van dat gesprek, vertaald uit het Arabisch. Volgens de inlichtingendienst zou het rapport dat Farouk van Saeed had ontvangen duidelijk aantonen dat een – nog niet geïdentificeerde – handlanger van de terroristen het teken had gegeven voor de ontsteking van de bom.

Saeed: 'Hij belde met het instituut op het moment dat het gebeurde, zodat hij het zelf kon volgen. Een rechtstreekse lijn met de commissie.'
Farouk: 'En wat zei hij?'
Saeed: 'Hij bevestigde dat de leden van de commissie zich op het instituut hadden verzameld. Ze waren in het gebouw toen de bom afging.'
Farouk: 'Dat is geweldig. Briljant! Mooi werk.'

Het gesprek moest langer hebben geduurd, maar dit was alles wat de inlichtingendienst had kunnen onderscheppen. Weer voelde de generaal een geweldige afkeer en woede opkomen bij de kille brutaliteit van deze smerige aanslag. Hij was blij geweest met de kans om terug te slaan.

Goren kende het museum. Hij was er geweest met zijn zoon, toen Yaron nog klein was, en later met zijn kleinzoon. Het Instituut voor Culturele Oudheden was een symbool van de Israëlische geschiedenis, van de Joodse aanspraken op dit land, die teruggingen tot Bijbelse tijden. Het lag aan de rand van Jeruzalem en bezat enkele van de belangrijkste archeologische vondsten, zoals een paar fragmentarische teksten die eind jaren veertig in grotten bij de Dode Zee waren ontdekt. En het was het hoofdkwartier van de Internationale Raad voor Culturele Oudheden, die net voor een vergadering bijeen was gekomen op het moment van de explosie.

De leden van de commissie waren niet de enige slachtoffers. Een groep basisschoolkinderen, van wie de helft Palestijns, was bezig geweest aan een rondleiding op de benedenverdieping toen de bom explodeerde.

Hadden die slimme jongens van de inlichtingendienst te veel achter dat onderschepte telefoontje gezocht? En zo ja, waren ze dan gewoon slordig geweest of bezweken onder de gebruikelijke druk om de aanslag te vergelden?

Hoe het ook zat, de vijand was ontsnapt en zou opnieuw kunnen toeslaan.

Goren staarde naar de foto van het dode kind onder de lijkwade en kreeg een misselijk gevoel.

5

In de helder verlichte vergaderkamer, niet ver van de redactieruimte van de krant, boog een tv-presentatrice zich vertrouwelijk naar voren om de vraag te stellen die op ieders lippen brandde.

'Vertel eens, Ben, hoe voelde het om oog in oog te zitten met zo'n beruchte terrorist?'

Jordan knipperde met zijn ogen.

De rest van de media zocht naar het verhaal áchter het verhaal, Jordans persoonlijke belevenissen. En hij deed zijn best om iedereen tevreden te stellen.

De hoofdredacteur van *The Shofar*, Shaul Meltzer, had ook al een paar interviews gegeven. Dat was goed voor de krant, beweerde hij, terwijl de producer een microfoontje aan zijn kraag bevestigde.

In gedachten ging Jordan terug naar het bandje van rabbi Elazar dat de terrorist hem had laten horen en hij vroeg zich weer af wat dat kon betekenen. Jordan had het niet vermeld in zijn artikel over de vergeldingsaanval. Hij kon niet vaststellen of het bandje authentiek was, of wanneer het precies was opgenomen. Voor zover Jordan wist, had de rabbi het museum misschien al weken of maanden geleden gebeld, tijdens een eerdere vergadering van de Raad. Voorlopig hield hij het verhaal dus voor zich.

Maar Farouks tip hield hem wel bezig. Hij kwam er niet van los. Als het bekend werd, zou het een geweldige deining veroorzaken. Het zou Jordans tv-contract kunnen bekrachtigen, tenzij hij zijn hand al had overspeeld met zijn verslag over het bombardement. Maar het zou ook een schandalig misdrijf aan het licht kunnen brengen.

'We zijn allemaal heel trots op Bens moedige missie,' zei Meltzer in de camera. 'Ik had al het gevoel dat we iets op het spoor waren toen ik hem naar Libanon stuurde.'

Naar Libanon stuurde?

Jordan had niet eens om toestemming gevraagd, uit angst voor Meltzers reactie.

Shaul Meltzer, een kleine man met een vogelkop en een kwikzilverachtige uitstraling, geloofde veel te heilig in zijn eigen zaak. Daarom moest je geen ruzie met hem krijgen. Bovendien had hij goede connecties, misschien wel té goed. Om onduidelijke redenen had hij de angel uit enkele van Jordans beste verhalen gehaald.

Reden genoeg om Meltzer nooit als gast uit te nodigen voor het Benjamin Jordan News Hour.

Na afloop van het interview vertrok Jordan uit de vergaderkamer en liep terug naar zijn bureau, waar de display van zijn telefoon meldde dat hij twaalf berichten had. Hij pakte de hoorn op en toetste zijn code in. De adjunct-directeur van de zender klonk heel enthousiast op het bandje.

'Ben! Uitstekend werk. We rekenen op meer van zulke reportages, zodra de baas zijn fiat heeft gegeven. Jullie moeten nog even praten voordat hij teruggaat naar New York. Wat dacht je van morgenochtend, elf uur? Zie ik je dan.'

De zender had zich geërgerd aan de beschuldigingen van partijdige berichtgeving over het Arabisch-Israëlische conflict, en de directie zag in Jordan een geloofwaardig, onafhankelijk geluid. Blijkbaar hadden ze hem nodig, of iemand zoals hij. En het kon geen kwaad dat hij een paar jaar in Washington had gezeten als correspondent.

Hij wilde al naar het volgende bericht gaan toen hij een hand op zijn schouder voelde. Het was Leah Lefkowitz, die half ongerust, half bewonderend haar blik over de pleisters en het verband liet glijden. Jordan legde de hoorn neer.

'Ik hoorde dat je door een paar vrouwen te grazen was genomen,' zei ze.

'Geen commentaar.'

Leah lachte. 'Ik zal het wel uit je wringen. Gaan we eten?'

Hij aarzelde. 'Ik zou wel willen, maar ik heb geen tijd.'

'Volgende week dan,' zei ze. 'En daar hou ik je aan.'

Vanaf haar eerste dag op de redactie was hij gevallen voor haar zachte rondingen, haar warme ogen en haar golvende, donkerbruine haar. Hij voelde haar compassie. Ze schreef mooi en helder, betrokken bij de slachtoffers van deze wereld en wars van alle hypocrisie. Haar profielschetsen in *The Shofar* legden genadeloos de geheimen en zwakheden van iedere huichelaar bloot.

'Hoe was Europa?' vroeg hij.

'Leuk, maar veel te kort. En de terugreis vanuit Frankfurt leek eindeloos, omdat ik me zorgen maakte over jou. Verdomme, Ben, als je zulke risico's blijft nemen, wordt dat nog eens je dood. En dat zou ik je betaald zetten, reken maar.'

'Ik vraag liever niet hoe.'

'Heel eenvoudig. Ik schrijf jouw in memoriam.'

Ze zei het luchtig, maar met een dreigende ondertoon.

'Laat ik dan maar in leven blijven,' verzuchtte hij.

Vrienden en collega's die hun sluimerende affaire al langer hadden gevolgd verbaasden zich over de plotselinge verwijdering tussen hen. Leah had nu iets met een van de belangrijkste filantropen van het land, de voorzitter van het Symfonieorkest van Jeruzalem. Haar vrienden veronderstelden dat Jordan te onafhankelijk voor haar was, te gedreven, te geobsedeerd door zijn volgende verhaal. Of te ongelovig voor haar diep religieuze familie. Hij kwam hooguit een of twee keer per jaar in de synagoge, alleen op hoogtijdagen, en zelfs dan nog uit plichtsgevoel en niet uit een oprecht geloof.

De waarheid was dat Leah een bres had geslagen in zijn ondoordringbare pantser en hem had achtergelaten met een gevoel van leegte.

Ze nam hem nu scherp op, ongerust om wat ze zag. Ze bracht een hand omhoog om zijn gehavende gezicht aan te raken, maar bedacht zich en liep weg.

Jordan keek haar na toen ze naar haar bureau verdween. Hij kon het nu onder ogen zien: Leah bezat de macht om hem vertrouwen te geven, of dat vertrouwen te ondermijnen.

Vergeet haar, waarschuwde hij zichzelf. Begin er niet meer aan.

Al die waardering van de buitenwereld was heel strelend voor zijn ego, maar zo simpel lag het niet. Er loerde altijd iets op de achtergrond, een last die voortdurend op zijn schouders drukte.

De herinnering aan zijn ouders.

Hij moest iets van zijn leven maken, als compensatie voor hun ruw afgebroken bestaan. Maar wat hij ook deed, hij raakte die druk nooit kwijt.

En de reportage waar iedereen zo enthousiast over was zonk in het niet bij het verhaal dat hij nog moest schrijven, de tip over Meyer Elazar die om een reactie vroeg.

6

Hij vertrok wat eerder van zijn werk, met zijn verwondingen als excuus. Hij wilde tijd om na te denken. Niet dat hij daar thuis de ideale sfeer voor had. Het gebouw in de Jabotinskystraat dateerde uit de jaren dertig, toen de architecten van Tel Aviv nog huizen bouwden voor het lichaam, zonder enige consideratie met de ziel. Kleine ramen, te veel beton en te weinig ruimte. Hij opende de deur van zijn appartement op de eerste verdieping en deed het licht aan.

Op de eettafel lag een hele stapel post, voornamelijk ongeopende rekeningen. Hij schoof ze opzij en ging zitten, verdiept in het raadsel van Meyer Elazar.

Blijkbaar had Elazar de Internationale Raad voor Culturele Oudheden bijeengeroepen voor de laatste vergadering. Was de rabbi slachtoffer of dader?

Op Jordans verzoek had het archief van de krant een hele stapel artikelen over Elazar verzameld. De oudste krantenknipsels, broos en vergeeld, gingen meer dan vijftig jaar terug. De laatste stukken waren frisse computerprints van internet en commerciële databases.

Voetstappen van een heel leven, aanvankelijk nog in inkt vastgelegd, nu zwevend in cyberspace.

Hij legde de map met verhalen op de tafel en staarde naar het onbeschreven omslag.

Wat wist hij over Elazar?

Hij had de man een paar keer van nabij meegemaakt, voor het laatst bij een demonstratie op de West Bank, waar de rabbi een eenheid van het Israëlische leger had getrotseerd die een Joodse nederzetting had moeten ontruimen. ‘Wij volgen Gods wet,’ had Elazar door een megafoon geroepen.

Dat zeggen je vijanden ook, had Jordan gedacht.

Elazar was een extremist, en extremisten stelden de grenzen van Jordans objectiviteit op de proef.

Hoewel Elazars politieke partij maar een randgroepering was, had ze onevenredig veel macht in de Knesset, waar regeringen vaak werden gevormd uit wankele coalities. De verkiezingen van 2003 hadden geen duidelijke parlementaire meerderheid opgeleverd, zodat splinterpartijen de doorslag moesten geven. Daaraan dankte rabbi Elazar zijn invloedrijke rol en zo had hij de Raad kunnen opeisen als beloning.

Vreemd. Waarom had hij genoegen genomen met de Raad, terwijl hij zoveel meer had kunnen krijgen?

Elazars benoeming was veel mensen in het verkeerde keelgat geschoten, niet alleen Jordan. Maar zelfs zijn vijanden moesten de kwaliteiten van de man erkennen. Hij sprak zijn talen vloeiend en was een erkende autoriteit op het gebied van de Joodse oudheid.

Jordan pakte zijn draadloze telefoon en belde de lijkschouwer in Jeruzalem, die bevestigde dat het lichaam van de rabbi niet in de puinhopen was teruggevonden. Het onderzoek ging door, maar heel langzaam, in een archeologisch tempo.

Sterker nog, toen de laatste vage hartslag onder het puin was verstomd en de speurhonden, de infraroodsensors en al die gevoelige akoestische apparatuur geen enkel teken van leven meer konden ontdekken, hadden de autoriteiten de bulldozers nog even in de garage gelaten en een team van archeologen erop afgestuurd, in de hoop nog zo veel mogelijk van de culturele schatten uit het instituut te kunnen redden, hoe verkoold dan ook. De ochtendkranten deden verslag van een gruwelijk tafereel: technische rechercheurs op zoek naar sporen, pathologen en rabbijnen die menselijke resten in plastic zakken borgen en geleerden met mondkapjes voor, die met een pincet kleine oudheidkundige overblijfselen uit de ravage peuterden.

Te vreselijk om over na te denken.

Jordan sloeg het dossier over Elazar open.

Op een krantenknipsel uit het begin van de jaren vijftig was een magere puber te zien die bomen plantte in de woestijn, gekocht met giften van Amerikaanse Joden. De jonge Meyer keek stralend in de camera.

Tien jaar later – de datum was niet goed leesbaar – stond Elazar op een groepsfoto bij Masada, het oude heuvelfort waar een gemeenschap van Zeloten collectief zelfmoord had gepleegd in plaats van zich aan het Romeinse juk te onderwerpen. De begeleidende tekst vermeldde dat Elazar, een veelbelovende jonge archeoloog die in Tel Aviv was afgestudeerd, betrokken was bij een opgraving. Met zijn donkere hoornen bril en gekleed in een wit overhemd met korte mouwen was Elazar op en top de serieuze wetenschapper.

Augustus 1966 – Een oudere en meer robuuste Elazar heeft inmiddels de leiding over zijn eigen project en poseert in duikuitrusting op de achtersteven van een kleine motorboot. Hij doet onderzoek naar Caesarea, de havenstad uit de tijd van Herodes, die deels onder de Middellandse Zee is verdwenen. Op een andere foto dobbert zijn vrouw en partner Mishka in de branding, grijnzend achter haar duikmasker.

Juni 1967 – Elazar, een rijzende ster binnen de academische wereld, toont trots een paar kisten met Dode Zeerollen, veroverd in Jordanië als Oost-Jeruzalem tijdens de Zesdaagse Oorlog in Israëlische handen is gevallen.

Mei 1969 – In een tijdschriftartikel spreekt Elazar over zijn grootste uitdaging: zijn tweejarige dochter. Op een foto is te zien hoe hij bij de peuter soebat om hem een Soemerische potscherf terug te geven.

April 1970 – Een ontroostbare Meyer Elazar loopt in de rouwstoet voor zijn vrouw en driejarige dochtertje, die zijn gedood bij een grensaanval op hun kibboets in het noorden.

Maart 1975 – Een grimmige Elazar voltooit zijn religieuze studie voor een nieuwe roeping, die van orthodox rabbijn.

September 1985 – In een toespraak in New York vraagt Elazar in 'scherpe bewoordingen' om politieke bijdragen aan een nieuwe religieuze partij.

Februari 1989 – Elazar legt de eed af als lid van de Knesset.

December 1992 – Met opgerolde mouwen en een keppeltje op zijn grijzende haar helpt een baardige Elazar Joodse kolonisten bij de bouw van huizen op de door Israël bezette West Bank, een klap in het gezicht van de Palestijnen die aanspraak maken op het gebied en de Joden die het als wisselgeld willen gebruiken bij hun onderhandelingen.

Mei 1994 – Op een persconferentie in Tel Aviv kondigt Elazar een wet aan die religieuze bekeringen door vrijzinnige en conservatieve rabbi's ongeldig moet maken. 'De enige ware joden... de enige ware bekeerlingen,' corrigeert hij zichzelf, 'moeten door een orthodoxe rabbi zijn gewijd.'

Oktober 1995 – Elazar, die na de moord op premier Rabin van oorlogshitser in vredestichter is veranderd, verklaart tegenover journalisten dat hij 'begrip heeft voor de motieven van de moordenaar', hoewel hij later beweert dat die opmerking helaas 'volledig uit zijn context is gehaald'.

Februari 1996 – Elazar verricht de opening van een archeologische tunnel in Jeruzalem, naast een van de belangrijkste heiligdommen van de islam. Demonstranten zien het als een opzettelijke provocatie.

Oktober 1996 – Om 'zijn standpunt duidelijk te maken' vergezelt Elazar de leider van de Likoedpartij en een delegatie Israëlische politiemensen naar het Ground Zero van het Arabisch-Israëlische conflict, de Tempelberg. Dat bezoek leidt tot de hevigste gevechten in meer dan tien jaar tijd.

Maart 2003 – Een grimmige minister-president feliciteert Elazar met zijn benoeming tot voorzitter van de Internationale Raad voor Culturele Oudheden.

Ergens buiten Jordans appartement begon een sirene te loeien, die de betovering van de samengeraapte biografie verbrak.

Jordan beet op zijn lip. Zou het waar kunnen zijn? Was het denkbaar dat deze wetenschapper, rabbi en nationalistisch politicus zich schuldig had gemaakt aan massamoord? En stel dát het zo was, wat kon dan de reden zijn?

Jordan sloeg de map dicht.

Waar moest hij beginnen?

De officiële onderzoekers beantwoordden zijn telefoontjes snel en correct. Misschien had zijn beroemdheid toch voordelen. Elazar moest onder het beton begraven liggen. De rabbi had zelf de bijeenkomst belegd en iedereen ging ervan uit dat hij de vergadering had geleid op het moment dat de bom ontplofte.

In gedachten liep Jordan een lijstje na. Elazars politieke vrienden leken een logisch vertrekpunt, maar zij zouden geruchten verspreiden en de concurrentie waarschuwen. Familieleden lagen voor de hand, maar Elazar had geen familie meer. Zijn medewerkers zouden het best op de hoogte zijn, maar zij waren ook bij de aanslag omgekomen.

Elazar had de Raad op korte termijn bijeengeroepen en het tijdstip leek vreemd. Uit consideratie met de christelijke leden werd er op zondagen normaal niet gewerkt op het instituut. Jordan sloot zijn ogen en probeerde zich de situatie voor te stellen: kinderen die uit schoolbussen sprongen, leden van de Raad die in vrijetijdskleding arriveerden, verlaten bureaus van secretaresses en andere medewerkers die de dag vrij hadden...

Een kort telefoontje naar het hoofdkwartier van Elazars politieke partij bezorgde hem de naam en het adres van zijn persoonlijke secretaresse op het instituut, Miriam Wiesman. Ze woonde in Maale Telulah in de warme, droge heuvels ten oosten van Jeruzalem. Jordan wilde haar bellen, maar stopte bij het derde cijfer.

Dit kon hij beter persoonlijk doen.

7

Maale Telulah

De moderne bungalows die tegen de kale, bruin-witte helling lagen geklemd maakten een eenzame en kwetsbare indruk, alsof de regen ze zomaar zou kunnen wegspoelen, aangenomen dat het hier ooit regende.

De vrouw deed behoedzaam open, aarzelend wie of wat ze kon verwachten. Aan de vuurkegel van haar sigaret zag hij dat ze beefde. Ze sloeg haar armen om zich heen alsof ze zichzelf bijeen wilde houden en keek hem onderzoekend aan door een wolk van dunne, grijze rook.

Ja, hij mocht wel binnenkomen, zei ze, en ze opende de deur nu helemaal.

Ze was alleen in het appartement. Het begon al te schemeren, maar er brandden nog geen lampen. Toen zijn ogen aan het halfdonker waren gewend, zag hij dat ze van streek was. Hij schatte haar ergens in de vijftig, een tengere, aantrekkelijke vrouw, met een schoonheid die grotendeels maar niet volledig werd gecamoufleerd door onopvallende kleding, een simpel kapsel en vermoeide gelaatstrekken. Het laatste zonlicht reflecteerde in een fotolijstje. Het was een portret van Meyer Elazar. Jordan keek om zich heen. Het was de enige foto in de kamer.

'Helaas heb ik de rabbi nooit ontmoet,' zei hij zacht. 'Misschien kunt u me wat meer over hem vertellen; hoe u zich hem herinnert.'

Miriam Wiesman staarde naar een kale muur. 'Hij was een liefhebbende vader en een trouwe echtgenoot,' antwoordde ze langzaam en toonloos.

Jordan vroeg zich af of hij iets gemist had.

'Is de rabbi hertrouwd?' vroeg hij.

'Nee.' Ze wendde haar blik af. 'De rabbi is nooit hertrouwd.'

Jordan knikte begripvol. 'U moet hem heel na hebben gestaan. Hoelang hebt u met hem gewerkt, twaalf of dertien jaar?'

Wiesman begroef haar gezicht in haar handen. 'O, God,' snikte ze, 'hij had daar helemaal niet hoeven zijn. Hij had er niet mógen zijn... Ik heb nog geprobeerd hem om te praten. Hij had wel een vrije dag verdiend. Ik vond... het was al zo lang geleden. Het leek wel of hij niet meer wist hoe hij zich moest ontspannen. Hij had gewoon iemand nodig om...'

Haar gezicht verried haar emoties. 'Er waren zo veel momenten waarop ik bijna... Ik wilde het wel. Ik dacht... Maar in al die jaren had hij nooit... Ten slotte heb ik het gewoon gedaan, alles geregeld. Ik wilde hem verrassen. "Laten we naar Eilat gaan," zei ik tegen hem.'

De secretaresse trok aan haar sigaret. 'Ik dacht dat hij blij zou zijn. Maar gelooft u me, hij keek me aan vanuit die godvergeten diepte, die godvergeten put, en zei: "Mishka hield van Eilat." Dat zei hij. "Mishka hield van Eilat." Dat was alles. En verder hebben we er geen woord meer over gezegd.'

Miriam drukte haar sigaret uit.

'Wat akelig,' fluisterde Jordan.

Hij herinnerde zich de foto van Elazars vrouw, dobberend op de golven, grijnzend achter haar duikmasker, voordat ze zo gewelddadig aan haar eind gekomen was.

Miriam knikte, verlegen met haar uitbarsting. 'Wilt u soms koffie, meneer Jordan?'

Jordan hield eigenlijk niet van koffie, maar het leek nu een goed idee. 'Heel graag.'

Hij bestudeerde de ingelijste foto van Elazar, met die samengeknepen lippen achter het glas, en stelde zich voor dat de secretaresse een steen in een put gooide, wachtend op een plons, een echo... maar zonder ooit iets te horen.

Miriam kwam terug met twee koffiebekers. Ze leek wat meer beheerst.

'Dat gesprek over Eilat, was dat de laatste keer dat u hem hebt gezien?' vroeg Jordan.

'Nee, dat gesprek was op maandag. De laatste keer dat ik Meyer heb gezien was op vrijdagmiddag, zoals ik al aan de politie heb verteld. Hij kwam pas laat op kantoor en vertrok weer in alle haast. Weet u, ik kan me niet eens meer herinneren of... of ik hem een goede sabbat heb gewenst. Ik weet alleen nog dat ik kwaad was, alsof ik daar recht toe had. Dat kan ik niet vergeten.'

Jordans ogen weerspiegelden haar verdriet.

'Het spijt me,' zei ze verlegen. 'Dat interesseert u natuurlijk niet. Ik weet dat hij een dossier uit de kast haalde en zei dat hij naar het ministerie van Cultuur moest voor een gesprek met de minister. Hij had haast en wilde voor zonsondergang klaar zijn. Op zondag wilde hij de commissie bijeen laten komen en hij vroeg me iedereen te waarschuwen. Toen was hij verdwenen.'

'Weet u wat er aan de hand was? Waar het over ging?'

Ze zuchtte en schudde haar hoofd. 'Ik wou dat ik het wist, meneer Jordan. Maar ik heb het hem niet gevraagd en hij zei er zelf niets over. Meestal wist ik die dingen wel. Maar ik was al drie dagen niet op kantoor geweest. Ik kón het gewoon niet.'

'Enig idee wat voor dossier het was?'

'Er stond een naam op, een Amerikaanse naam.'

Ze dacht diep na, maar tevergeefs. Hulpeloos schudde ze haar hoofd. 'Het spijt me, meneer Jordan.'

Jordan knikte begrijpend. 'Misschien schiet het u nog te binnen.' Hij nam een slok koffie. 'U hebt veel geduld met me gehad, mevrouw Wiesman. Ik zal geen misbruik maken van uw vriendelijkheid. Maar ik wilde u nog één ding vragen...'

'Ja?'

'Kunt u me iets vertellen over Altieri en Ramsi?'

Volgens het bandje van Khalid Farouk waren de Vaticaanse en Palestijnse vertegenwoordiger in de commissie niet bij de noodlottige vergadering aanwezig geweest.

Miriams ogen lichtten op. Ze keek een beetje geschrokken. 'Dat was ik helemaal vergeten. Wat dom van me.'

'Het is ook heel zwaar voor u.'

'Ehud zei er iets over toen ik op vrijdagochtend weer op mijn werk kwam. De vorige avond had hij nog laat gewerkt. Hij vertelde me dat Meyer tot na middernacht met Ismail Ramsi en monseigneur Altieri in gesprek was geweest. Ze zaten nog op Meyers kantoor toen Ehud zelf vertrok.'

'Ehud?'

'De conservator. Een geweldige man.'

'Weet u waar ik hem kan vinden?'

'Hij wilde geld sparen voor een bezoek aan zijn kleinkinderen in Amerika...' Miriam vocht tegen haar tranen. 'Daarom werkte hij ook 's avonds en op zondag.'

8

Altieri en Ramsi

Jordan reed bij de stoep weg, in gedachten verzonken.

Als de Italiaan en de Palestijn op de een of andere manier medeplichtig waren, zou het lastig kunnen zijn om hun vrienden en kennissen onvoorbereid te benaderen. Hij had maar zo weinig feiten. Dat was juist het probleem.

Met één hand aan het stuur pakte hij de adressen die hij van de bedroefde secretaresse had gekregen.

In zijn spiegeltje schenen een paar koplampen hem in het gezicht. Hij stelde de hoek bij en wierp een blik op het papiertje. Ramsi woonde in Ramallah op de West Bank, een plek waar Jordan niet graag terugkeerde. Altieri huurde een flat in Jeruzalem. De priester woonde ongetwijfeld in zijn eentje en zou dus minder potentiële bronnen om zich heen hebben. Jordan nam de afslag naar Ramallah.

De koplampen volgden.

Jordan registreerde dat feit.

Zijn auto, een twintig jaar oude Alfa Romeo Spider cabrio, nam de helling met verve. Hij had hem in slechte staat gekocht en hem opgeknapt tot hij weer bijna splinternieuw was.

Aan de rand van de stad kwam hij langs een bedoeïenenentent die als een vleermuisvleugel tegen de sterrenhemel afstak. Schapen stonden binnen de beschutting en het blauwe schijnsel van een televisie sijpelde de nacht in.

De soldaten bij een controlepost namen Jordan nieuwsgierig op. Hun onderzoekende blikken maakten hem nerveus, zoals iemand die niets op zijn geweten heeft zich soms ook schuldig voelt als hij langs de douane komt of door de verkeerspolitie wordt aangehouden. Hij had het gevoel dat hij een ander land binnenreed, wat in zekere zin ook zo was.

De controlepost verdween algauw in zijn spiegeltje en voordat de soldaten – die geen haast maakten – de volgende auto konden doorlaten had Jordan al de afslag vanaf de hoofdweg genomen.

Straten waar hij ooit had gepatrouilleerd droegen de littekens van de strijd. Huizen waren platgewalst, opgeblazen of weggeslagen als poppenhuizen waarvan alleen nog de vloeren, de muren en het vernielde interieur restten. Het Israëlische leger had ze verwoest op zoek naar terroristen of om families te straffen die hulp en onderdak hadden gegeven aan de daders van zelfmoordaanslagen. Maar er waren ook tekenen van herstel: een statig huis dat werd herbouwd, een fundering die werd aangelegd. Waar gebouwen hoorden te staan waren grote delen van de nachthemel te zien.

Jordan werd verrast door de geur van gebraden lamsbout met knoflook die hij opsnoof. De vorige keer dat hij hier was had er nog traangas gehangen.

Hij was toen nog maar een tiener geweest, een soldaat die te voet patrouilleerde tijdens de eerste *intifada*. In die tijd had hij de Palestijnen bewust niet aangekeken. Haat en minachting brandden in hun ogen en hij was bang dat ze zulke gevoelens ooit ook in de zijne zouden zien.

In de middaghitte van Ramallah had een Arabisch jochie van hooguit zeven of acht de patrouille bekogeld met een paar stenen. Het leek onschuldig genoeg; zulke incidenten kwamen vaker voor. In de paar seconden waarin Jordan zich had afgevraagd hoe David in Goliath was veranderd had de jongen zich al omgedraaid en was hij gevlucht.

Tot Jordans verbazing had soldaat Menachem Goldstein, een lange, slungelige *yeshiva*-jongen, de achtervolging ingezet. Goldstein was een uitzondering. De meeste streng-orthodoxe joden ontweken de dienstplicht met het argument dat hun godsdienststudie belangrijker was. Jordan bleef wat achter en gaf Goldstein de kans om indruk te maken. Hij keek zijn collega na toen hij hijgend een steegje in rende.

Een paar seconden later sneed een salvo van automatisch geweervuur door de stilte van de middag. Burgers zochten in paniek dekking. Jordan peilde de richting van de schoten en stormde achter zijn kameraad aan.

De markt aan het andere eind van de steeg was veranderd in een slagveld van gillende, bloedende en stervende mensen. Sommigen probeerden te vluchten, anderen doken weg achter omver gegooide handkarren, weer anderen lagen languit tussen groente en fruit dat zich over de straat had verspreid. En in het midden van de chaos stond Menachem Goldstein in aanvalshouding, terwijl hij salvo's afvuurde op alles wat bewoog.

Jordan stond een moment als aan de grond genageld. De uitzinnige Israëli koos weer een ander doelwit, een dikke man die koortsachtig op een gesloten deur bonkte, en haalde de trekker over.

Jordan sprong naar voren en dook op zijn makker af. Goldstein zag hem uit een ooghoek aankomen en draaide zich naar hem toe. Zijn wapen beschreef een boog van kogels.

Door de adrenaline leek het alsof de tijd bleef stilstaan, en in die bevroren seconde zag Jordan iets van Goldsteins uniform druipen. Eieren? Was het zo begonnen?

Hij raakte de soldaat onder zijn borstkas, smeet hem tegen de grond en wist de Uzi weg te slaan. Kogels ketsten tegen het plaveisel. Goldstein probeerde Jordan tegen zijn hoofd te slaan of hem bij de keel te grijpen, maar Jordan was in het voordeel. Hij zette de schutter klem met zijn knieën en schudde hem woedend door elkaar. Door een mist van tranen schreeuwde hij: 'Waarom? Waarom?'

Goldstein grijnsde, en Jordan reageerde instinctief. Met drie meedogenloze vuistslagen verbrijzelde hij Goldsteins voortanden en brak zijn neus, die hevig begon te bloeden.

Voordat hij het wist werd Jordan door een paar andere soldaten van zijn kameraad af gesleurd, terwijl ze Goldstein in bedwang hielden en hun wapens op het marktplein richtten. Langzaam, versuft, doken de Arabische overlevenden uit de chaos op.

Jordan herinnerde zich dat een krom oud vrouwtje zijn hand had gepakt om er een kus op te geven. Een met bloed besmeurde koopman had hem zwijgend een sinaasappel in zijn andere hand gedrukt. Zijn kameraden hadden hem daar weggehaald, terwijl de vrienden en familie van de doden hun verdriet uitschreeuwden.

Op de een of andere manier had een cameraploeg van de BBC het grootste deel gefilmd. De rest van de week was die reportage regelmatig te zien geweest, te beginnen met de tollende beelden van hemel en aarde toen de cameraman in paniek zijn toestel richtte. De meeste commentatoren prezen Jordan om zijn moed en opofferingsgezindheid – een paar rechts-extremisten noemden hem een verrader – maar hun woorden waren weinig meer dan achtergrondruis. Jordan herinnerde zich vooral zijn eerste moment van aarzeling en de voldoening waarmee hij Goldsteins gezicht in elkaar geslagen had.

In elk geval had die episode Jordan enig vertrouwen opgeleverd binnen de Palestijnse gemeenschap. Zelfs na al die jaren gingen er daardoor nog deuren voor hem open.

Nasserstraat nummer 32 was een goed onderhouden huis van twee verdiepingen, met gordijnen die wapperden in de avondbries. Een oude vrouw deed open.

Jordan stelde zich voor en verontschuldigde zich voor het late uur. 'Ik ben op zoek naar de familie van doctor Ismail Ramsi,' zei hij. 'Zou u me misschien kunnen helpen?'

De oude vrouw keek hem nijdig aan. 'Niemand hier kan je helpen. We hebben al genoeg meegemaakt.'

Binnen huilde een baby.

'Ik zou hier niet zijn als het niet belangrijk was, dat verzeker ik u.'

De vrouw was niet onder de indruk.

Jordan gaf haar zijn kaartje. 'Misschien op een meer geschikt moment,' zei hij optimistisch.

Hij hoorde de stem van een jongere vrouw. 'Wie is daar, mama?'

Mama sloeg de deur dicht.

Teleurgesteld keek Jordan de straat door. Hij overwoog om tot de volgende morgen te wachten, maar dan zouden veel buren naar hun werk zijn. Aan de overkant zag hij het schijnsel van een televisie achter een raam en hij stak de straat over.

De deur van Ramsi's huis ging weer open en een jongere vrouw rende hem achterna. 'Meneer Jordan, wacht!'

Ze was ongeveer van Jordans leeftijd, een kleine vrouw met grote, bruine ogen en een decolleté dat Jordans aandacht afleidde. Toen ze hem had ingehaald, maakte ze de banden van haar schort los.

'Neem het mijn schoonmoeder maar niet kwalijk. Ze is erg ontdaan,' zei de vrouw. 'De mensen van de regering hebben haar meedogenloos ondervraagd, maar ze wilde niet meewerken. Ze wantrouwt alle Israëli's.'

'U moet mevrouw Ramsi zijn.'

'Raya,' zei ze, en ze gaf hem een hand.

'Ben.'

'Het is een eer je te ontmoeten. Ik zou je wel binnen vragen, maar we kunnen beter een eindje gaan lopen.'

Jordan wandelde met haar mee. 'Dus je bent moeder?'

Ze glimlachte bijna. 'Hij is net zo nieuwsgierig als zijn vader. Ik weet niet wat hij leuker vindt: zijn speelgoed verstoppen of ernaar zoeken. Maar de laatste tijd zoekt hij vooral zijn vader.'

Met haar ene hand veegde ze een traan weg, met de andere pakte ze Jordans arm en kneep erin. 'Vertel het me maar. Wat heb je ontdekt?'

Jordan zocht naar troostende woorden, een eerlijk antwoord. Heel jammer dat ze hem meteen voor het blok had gezet. 'Ik tast nog in het duister, ben ik bang,' zei hij aarzelend. 'Ook over het lot van je man.'

Raya keek geschokt. 'Wat bedoel je?'

Jordan aarzelde weer. Hij voelde zich op onbekend terrein. 'Ik weet het niet. Ik wil je niet van streek maken, of je valse hoop geven.'

Ze streek met een hand door haar haar en trok afwezig aan een paar plukken. 'Het wachten... geen afscheid kunnen nemen, hem niet kunnen begraven... Dat is zo afschuwelijk. Ik probeer er niet aan te denken, maar...' Ze zweeg.

Jordan keek haar diep in haar ogen. 'Raya, ik heb je hulp nodig. Ik moet weten wat zich op het instituut heeft afgespeeld.'

Zwijgend liepen ze verder. Raya tuurde onzeker naar de nachthemel.

'Door die ontdekking was er een sfeer van achterdocht ontstaan, Ben. Niemand vertrouwde elkaar nog. Alle verborgen jaloezieën, vijandige gevoelens en tegenstrijdige belangen kwamen aan de oppervlakte.'

Jordan hield zijn adem in. Welke ontdekking?

Raya bleef staan en keek hem aan. 'Wist je dat niet?'

Hij schudde zijn hoofd.

Raya zocht naar woorden. 'Ik weet er het fijne niet van,' zei ze, 'behalve dat het instituut een belangrijke archeologische ontdekking had gedaan. Wat het precies was, hielden ze geheim. Mijn man wilde er niet over praten. Maar in elk geval werden goede collega's nu elkaars concurrenten. Ismail kon er niet van slapen.'

Een auto reed langzaam voorbij en verdween om een hoek.

'Heeft hij je niets verteld? Helemaal niets?'

'Een paar dagen voor de bomaanslag hadden Ismail en monseigneur Altieri van het Vaticaan 's avonds een gesprek met rabbi Elazar. Om de zaak bij elkaar te houden. Ismail en monseigneur Altieri zagen maar één oplossing: alles openbaar maken. De rabbi wilde het geheim houden. Het moet een verhitte discussie zijn geweest.'

'Waarom juist zij drieën?'

'Ismail en monseigneur Altieri waren Meyers naaste adviseurs. Ik weet dat het vreemd klinkt, maar ze waren vrienden, misschien wel de enige echte vrienden die Meyer binnen de commissie bezat. En ik heb het gevoel dat ze meer wisten dan de rest.'

'Wat hebben ze besloten?'

'Ik geloof niet dat er iets besloten is. Toen Ismail thuiskwam, was hij behoorlijk in de war. Hij gedroeg zich zo vreemd dat ik ervan schrok. Op een gegeven moment mompelde hij dat hij de zaak misschien in eigen hand zou moeten nemen.'

'En heeft hij dat ook gedaan?'

Ze keek ontdaan. 'Monseigneur Altieri had die vrijdagavond naar ons huis zullen komen om de kwestie te bespreken. Maar hij kwam niet opdagen en hij belde ook niet. Ismail probeerde hem te bereiken, maar tevergeefs. Eerst was Ismail boos, daarna werd hij ongerust. Hij probeerde zichzelf wijs te maken dat de monseigneur onderweg problemen had gehad; dat de Israëli's de toegang tot de West Bank hadden afgesloten. Maar op zaterdagochtend was er nog steeds geen bericht van Altieri. Dus stapte Ismail in de auto om naar Amman te rijden.'

Amman.

Jordan wist wat dat betekende. Ramsi's baas in de Jordaanse hoofdstad had een oprechte wetenschappelijke belangstelling voor archeologie.

'Weet je zeker dat hij zondag niet op het instituut was?' vroeg Jordan.

'De nacht voor de bomaanslag kwam hij niet naar huis. Dat had hij al tegen me gezegd. Hij heeft ook niet gebeld en hij nam zijn telefoon niet op.'

9

Raya wuifde nog even van achter een raam op de bovenverdieping en trok het gordijn weer dicht toen Jordan de Alfa startte en de koppeling liet opkomen.

Wat hadden Elazar en zijn collega's ontdekt dat zo veel wantrouwen had gezaaid?

Ismail Ramsi was met het antwoord naar Amman vertrokken. Jordan zou de volgende morgen op weg gaan, dan kon hij er 's middags zijn.

Hij sloeg links af aan het eind van de Nasserstraat om uit Ramallah te vertrekken. Het was een frisse avond, maar toch reed Jordan liever met de kap omlaag. Zo had hij meer contact met de omgeving.

Op een straathoek staakten drie Arabieren hun gesprek en keken hem na toen hij voorbijreed.

Lichten doemden op in het spiegeltje van de Alfa. Jordan kneep zijn ogen halfdicht.

De volgende morgen had hij een afspraak met de leiding van de tv-zender. Zijn blik gleed even opzij en hij overwoog hun nummer te bellen en een bericht in te spreken, met een excuus en het verzoek om de afspraak te verzetten.

Als Ramsi inderdaad in Amman was aangekomen, zou Jordans belangrijkste bron hem heel goed kunnen helpen. Tenzij die bron een reden had om te weigeren, wat heel goed mogelijk was.

Via wat zijstraten kwam hij op de hoofdweg. Voor hem uit lag het vluchtelingenkamp Qalandia, een uitpuilend labyrint van golfplaathutten, vervuiling en ellende. Een broeinest van nieuwe terreur. In het donker was er niet veel van te zien, maar hij wist dat het er lag, als een van de vaste punten in de stad. Vlakbij had het Israëlische leger een controlepost om de bewegingen van mensen en voertuigen te kunnen volgen.

Een verkeerslicht sprong op oranje. Jordan gaf gas en stak snel het kruispunt over.

De auto achter hem reed door rood.

Hij keek nog eens goed. Kon het dezelfde wagen zijn die hem naar Ramallah was gevolgd? Jordan wist het niet. Hij tuurde nog eens in zijn zijspiegel, maar het licht van de koplampen achter hem benam hem het zicht op de details.

Hij schakelde naar een hogere versnelling. Ze reden nu op een open weg en de achtervolger liet zich terugzakken.

Toen hij nog een blik in zijn spiegeltje wierp ontdekte hij een rood lichtpuntje in het schijnsel van de koplampen. Het danste even over zijn spiegel, als een vuiltje in zijn oog, en verdween weer.

Wat was –

Hij trok het stuur naar links toen het spiegeltje rinkelend versplinterde.

Jordan gaf plankgas. Het stipje danste grillig over het glas van zijn voorruit, in de richting van zijn hoofd.

Hij zwenkte naar rechts. De tweede kogel ging dwars door de voorruit.

Jordan zigzagde over de weg, de bocht door, en reed met een luide klap over een diepe kuil.

De weg werd nu omzoomd door betonnen randen, die hem weinig ruimte lieten om te manoeuvreren. Zijn handen klemden zich om het stuur toen het witte licht van de koplampen snel naderbij kwam.

De wind blies stof in zijn ogen. Het angstzweet brak hem uit en hij klemde zijn kiezen op elkaar.

Weer zag hij het rode stipje op de ruit. Jordan week uit naar links en gaf te veel tegenstuur naar rechts.

Alle –

Zijn rechterspiegeltje kletterde tegen het beton in een fontein van vonken.

Voor hem uit, achter een met zandzakken beveiligde controlepost, richtten Israëlische soldaten hun wapens.

Om hem dekking te geven?

Nee, ze richtten op hém.

Jordan trapte op zijn rem en gaf een ruk aan het stuur. Met piepende banden draaide de Alfa dwars over de weg en schoof zijwaarts naar de wegversperring toe.

Hij gooide zijn portier open, liet zich uit de wagen vallen en kwam met een klap op zijn linkerschouder terecht. Door de snelheid rolde hij nog een eind door.

Hij voelde de schokgolf al voordat hij de explosie hoorde. Zijn oren tuitten. Splinters glas en verwrongen metaal zeilden door de lucht. Van heel ver weg hoorde hij schreeuwende stemmen en het geloei van oplaaiende vlammen.

Toen hij een snelle blik op de wegversperring wierp, zag hij het brandende wrak van de cabrio, tegen de betonnen rand gesmeten.

De soldaten hadden de Alfa onder vuur genomen.

Aan de uitdijende vlekken op zijn kleren zag hij dat hij bloedde, maar hij voelde nergens pijn. Soldaten renden naar hem toe.

Toen keek hij om, in de richting van Ramallah, turend naar de auto die hem had achtervolgd.

10

Tel Aviv

De televisie toonde beelden van de uitgebrande cabrio, met soldaten die het verkeer regelden en rechercheurs die ijverig de situatie onderzochten. Even later werd teruggeschakeld naar de presentator.

'Dezelfde journalist die kort geleden aan de dood ontsnapte in Libanon, de man die een interview had met de beruchte Khalid Farouk, heeft zich vannacht met zijn auto bijna in een militaire wegversperring bij Ramallah geboord. Benjamin Jordan sprong uit zijn auto toen soldaten het vuur openden met geweren en een granaatwerper.' Jordans foto verscheen op het scherm. 'Was het allemaal een bizar incident? Justitie wil nog niet zeggen of Jordan in staat van beschuldiging zal worden gesteld, en bovendien is de journalist nu zoek. Hij is verdwenen uit het ziekenhuis in Jeruzalem waar hij voor lichte verwondingen werd behandeld.'

Jordans foto maakte plaats voor het hoofd van een man die kapitein in het Israëlische leger bleek te zijn. 'We hebben geen sporen van explosieven in de auto aangetroffen en er zijn geen aanwijzingen dat Jordan onder invloed verkeerde. Evenmin hebben we enig bewijs voor zijn bewering dat hij door moordenaars werd achtervolgd.'

In de anonieme kamer van het hotel waar hij zich onder een valse naam had ingeschreven, zette Jordan de televisie uit. De auto die hem had gevolgd was verdwenen en in deze reportage werd hij afgeschilderd als een halvegare.

Was het een willekeurige aanslag geweest, of persoonlijk tegen hem gericht?

Hij treurde om zijn Alfa.

Het liefst zou hij het als dom toeval zien. De West Bank was nu eenmaal een gevaarlijke plek. Maar wás het wel zo toevallig?

Voorzichtig wierp Jordan een blik uit het raam en deed toen de gordijnen dicht.

Wat er ook achter stak, in elk geval was hij ondergedoken. Het zou hem niet tegenhouden. Integendeel, zijn vastberadenheid om dit verhaal tot op de bodem uit te zoeken nam alleen maar toe.

Wie had het instituut opgeblazen? En waarom?

Zijn intuïtie zei hem dat hij de gok moest wagen.

Gelukkig had hij Ismail Ramsi's hoogste baas in Amman een paar keer ontmoet. In het verleden hadden ze wel eens gesproken over het moeizame vredesproces in het Midden-Oosten, de opkomst van het islamitisch fundamentalisme en de oorlog in Irak. En bij elk interview had de Jordaanse koning hem in vertrouwen zijn eigen mening gegeven en laten doorschemeren hoeveel Jordan niet wist en ook nooit zou kúnnen weten.

De koning kwam op de journalist over als een moedig man. Maar natuurlijk had Jordan geen illusies. De heerser van het Hasjemitische koninkrijk wist hoe hij moest overleven en was dus bijzonder bedreven in kwesties van principe en loyaliteit.

De koning had Jordan een nummer gegeven dat hij kon bellen als hij hem ooit rechtstreeks zou willen spreken. En daar maakte Jordan nu voor het eerst gebruik van. De persoonlijke assistent van de koning beloofde dat Jordan binnen het uur zou worden teruggebeld.

Ondertussen controleerde Jordan zijn e-mail. Zijn Blackberry vertoonde een barst, maar werkte nog. Hij zag een bericht van 'Een lezer in Libanon' en klikte het aan.

> Opnieuw zou ik denken dat iemand onze handtekening heeft vervalst voor zijn eigen dubieuze bedoelingen. Ik eis graag de eer op voor mijn werk, zoals ik al zei. Geloof me dus als ik zeg dat wij het niet waren.

Jordan verbleekte en sloot Farouks bericht. De volgende boodschap had als titel 'Een gebed voor Benjamin'. Gevleid opende Jordan de mail.

> *Yitgadal veyitkadash shemei raba...*

Het was de rouw-kaddish, het joodse gebed voor de doden, verstuurd vanaf een willekeurig Yahoo-adres. Onderaan stond een waarschuwing:

> Wees voorzichtig waar je graaft. Het zou je eigen graf kunnen worden.

Jordan voelde zich een beetje licht in het hoofd. De wond in zijn bil, veroorzaakt door metaalsplinters, begon te bonzen. Hij slikte twee aspirines en nam wat antibiotica. De dokter van de eerstehulppost had hem ook sterkere pijnstillers gegeven, maar Jordan hield zich aan het advies van zijn Arabische arts: hij kon beter helder blijven.

Hij begon te ijsberen, dat was minder pijnlijk dan zitten.

Was die e-mail een serieus dreigement of zomaar een grap?

Hij liep naar de badkamer en plensde wat koud water in zijn gezicht. In de spiegel zag hij niet zichzelf, maar Khalid Farouk. Als de rollen omgekeerd waren geweest, zou hij dan Farouk geworden zijn? Zouden dezelfde ontberingen dan nu in zijn gezicht zijn geëtst en zijn hart zijn vergiftigd met hetzelfde venijn?

Hij zag de kraaienpootjes bij zijn ooghoeken en een paar grijze haren tussen de donkere stoppels van zijn baard. In zijn gedachten was hij nog altijd jong, maar zijn jeugd vervloog. Elk jaar probeerde hij op zijn verjaardag tien kilometer hard te lopen, net zo snel als in de tijd dat hij bij de commando's had gezeten. Een paar weken geleden was het hem weer gelukt, maar wel op zijn tandvlees.

Jordan vroeg zich af of iemand kaddish voor hem zou zeggen als hij vandaag zou sterven. Een verontrustend gevoel van isolement en kwetsbaarheid overmande hem. Als wees had hij al vroeg geleerd zelfstandig te zijn en op zichzelf te vertrouwen. Maar lang voordat hij besefte in hoeveel opzichten hij daardoor was gevormd had hij al ondervonden hoe het was om nergens bij te horen. Hij herinnerde zich een middag toen hij pas vijf of zes was, het begin van een vakantie, toen de andere kinderen naar buiten renden om hun wachtende vaders en moeders te omhelzen. Voor hem had er niemand gestaan.

Er was een tijd geweest dat hij zo weinig over zijn ouders wist dat hij dacht dat hij in een mandje de rivier af was gedreven of ter adoptie was gegeven. Hij had maar een heel vage herinnering aan zijn familie, een liedje dat zijn moeder had gezongen om hem te troosten. Hij had niet eens een graf om naartoe te gaan.

Als kind had hij zich dikwijls afgevraagd welke tragische omstandigheden zijn ouders ertoe hadden gebracht hem op te geven, of waarom hij zo ongewenst was geweest. Hij was negen toen hij op zoek ging naar antwoorden. De volwassenen van de kibboets hadden geprobeerd hem te troosten, maar hun geruststellende woorden klonken hem hol in de oren.

Ten slotte wendde hij zich tot een van de ouderen van de kibboets, een grimmige man die sommige volwassenen al intimideerde, laat staan een kind. Avram Bromberg was in zijn jeugd uit Chicago geëmigreerd om de Joodse staat te helpen vestigen. Hij was een oorlogsheld en had in de malariamoerassen van Noord-Galilea een welvarende landbouwgemeenschap uit de grond gestampt. De kinderen van de kibboets werden opgevoed met verhalen over Avrams pioniersgeest. Hij liep met een droevige, maar vastberaden houding, alsof hij bang was dat de steen die hij met zo veel moeite de heuvel op had gerold uiteindelijk toch weer omlaag zou komen.

Avram had Benjamin aangekeken met een warmte en vriendelijkheid die bij de jongen onwillekeurig de vraag had opgeroepen: Zou het zo aanvoelen om een vader te hebben?

'Jouw familie is de kibboets,' had Avram gezegd. 'Daar hoef je nooit aan te twijfelen. En wat er vroeger is gebeurd? Ach, het verleden is eeuwig. Zes miljoen van ons zijn omgekomen in de Shoah. Maar sommigen hebben het overleefd en deze kibboets gesticht. Het Joodse volk is er nog.'

Daar had de oude man het bij willen laten, maar blijkbaar zag hij het verdriet in Benjamins ogen, en tegen beter weten in vertelde hij hem een geheim.

'Je ouders waren patriotten, Benjamin. Ze zijn omgekomen toen ze hun leven waagden voor een zaak waar ze in geloofden, voor jou en de generaties die na jou komen.'

Benjamin sperde verheugd zijn ogen open. Eindelijk had hij iets om zich aan vast te houden, een bron van trots en inspiratie. Hij vroeg verder.

'Er zijn gevechten die bij daglicht worden gevoerd, en gevechten die zich in de schaduw afspelen,' had Avram geantwoord. 'En sommige moeten in de schaduw blijven.'

Een paar dagen later had Ellie, Avrams vrouw, Benjamin apart genomen en hem een foto gegeven. Het was een kiekje van een jonge man en vrouw op een strand. De man was lang en gespierd, de vrouw slank en mooi. Ze had haar armen om zijn hals en hij boog zich naar haar toe om haar te kussen. Achterop stond met potlood: 'Juni 1965, Haifa.' Ellie zei dat hij de foto mocht houden als hij hem aan niemand zou laten zien, en het niet tegen haar man zou zeggen.

Het was een zware last voor een kleine jongen, maar na verloop van tijd begon Jordan het te begrijpen. Zijn ouders, betrokken bij Israëls strijd om te overleven, waren gedood op een missie die om de een of andere reden nooit was voltooid. En dat geheim was iets waarop hij kon terugvallen als andere kinderen naar de zijlijn keken waar hun ouders stonden te juichen of als die hen troostten bij een nederlaag.

Maar het drong ook ongevraagd zijn dromen binnen. Dan zag hij een vijand zonder gezicht, die de trekker overhaalde om zijn ouders te doden.

Jordan keek naar de lichtjes van Tel Aviv en de zwarte, eindeloze zee erachter. Het was 3:43 in de nacht, bijna zeven uur nadat hij uit Ramallah was vertrokken. Hij dacht aan het laservizier en de kogel in het spiegeltje, een paar centimeter naast zijn hoofd.

Anderen zouden het de hand van God noemen, of het noodlot. Jordan huiverde bij de willekeur van het leven.

Hij schrok toen de telefoon ging. Het toestel ging twee keer over voordat hij opnam.

'Het spijt uw vriend dat hij u niet persoonlijk te woord kan staan,' zei de assistent van de koning, 'maar hij raadt u aan om contact op te nemen met een van zijn medewerkers.'

Jordan noteerde de instructies.

11

De volgende dag stapte hij op het eerste vliegtuig naar Eilat, op het zuidelijkste puntje van Israël, en nam een taxi vanaf het vliegveld. Hij lette scherp op of hij niet werd gevolgd, maar kon niets bijzonders ontdekken. Toen de taxi zich bij het verkeer aansloot, vroeg hij zich af of hij paranoïde begon te worden. Maar de opluchting was groter dan het gevoel van onnozelheid.

Jordan zakte onderuit op de achterbank, voldoende ontspannen om van het landschap te genieten. Onder een bleke, heldere lucht lag de Rode Zee, diep en blauw. Rozegetinte bergen omringden de kust, net zo dor en troosteloos als de woestijn erachter. En ertussen, als een oase van witte hotels en zonnig strand, verhief zich Eilat.

Jordan dacht terug aan Mishka, de jonge echtgenote van rabbi Elazar. Mishka, zoals ze vrolijk in het water had gedobberd op die foto van lang geleden. Mishka, die van Eilat gehouden had.

Misschien had ze genoten van de jachten, de motorboten en de glinsterende witte zeilen, nog voor de komst van de jetski's.

Misschien had ze graag met de dolfijnen gezwommen en bij het koraalrif gedoken.

Of misschien had ze zich aangetrokken gevoeld tot de zorgeloze sfeer van de stad. De bergruggen waren meer dan een dramatisch decor. Ze vormden ook een psychologische beschutting.

En ze verbonden Israël met zijn Arabische buurland. In het oosten strekte de Jordaanse havenstad Akkaba zich langs hetzelfde water uit. Alleen de naam was anders. Wat in Israël de Golf van Eilat heette, stond in Jordanië bekend als de Golf van Akkaba.

Hoewel zijn instructies niet verder gingen dan de kust, vermoedde Jordan dat Akkaba zijn eindbestemming was.

Hij liet de chauffeur stoppen bij de houten promenade en dook een souvenirwinkel binnen waar hij een zonnebril en een baseballcap met het opschrift 'Eilat' kocht, niet alleen als bescherming tegen de brandende zon, maar ook als toeristische camouflage. Toen liep hij naar de jachthaven, nog een beetje hinkend door zijn verwonding.

Hij had een speedboot verwacht, of een bescheiden kruisertje, maar de *Queen of Sheba* was een groot jacht met een glanzende, witte romp en rookzwarte ramen. De schipper, een forsgebouwde man in het wit, zijn ogen verborgen achter een zonnebril, kwam hem op de steiger tegemoet.

'Waar zijn de anderen?' vroeg hij.

'Die maken een rondvaart op een boot met een glazen bodem,' antwoordde Jordan volgens de instructies, 'om naar de vissen te kijken.'

In het water, onder een laagje motorolie, zag hij scholen tropische vissen, die nu eens doodstil bleven zweven en dan weer wegschoten.

Jordan volgde de schipper over de loopplank. Op het voordek lagen drie vrouwen in bikini op hun buik in de zon. Hun donkere lijven glommen van de zonnebrandcrème. Dat hoorde bij de dekmantel, veronderstelde Jordan. De schipper bracht hem naar een kajuit en wees hem een zitplaats, terwijl de bemanning de touwen losgooide.

De eerste minuten van de reis verliepen in bijna volledig stilzwijgen. Iets in de houding van de schipper ontmoedigde een gesprek.

Jordan keek door de ramen naar Eilat, dat achter hen verdween, en besefte dat niemand nu nog wist waar hij was, behalve zijn gastheren. Onder zijn voeten voelde hij de trilling van de motoren toenemen. Ze voeren naar het zuiden.

'Ik dacht dat we naar Akkaba gingen,' zei Jordan.

'Dan hebt u zich vergist,' antwoordde de schipper.

De deur naar het benedendek zwaaide open en een gespierde, donkere man kwam de kajuit binnen. Hij wees naar de trap.

'Naar beneden,' beval hij.

Jordan keek naar de schipper, die uitdrukkingsloos terugstaarde, en deed wat hem gezegd werd. Onder aan de trap duwde een andere grote vent hem pijnlijk tegen de wand en fouilleerde hem op wapens. Hij knikte toen hij niets vond. Met z'n drieën liepen ze over het tapijt van een smalle gang naar een gesloten deur voor in de boot. De tweede man klopte aan.

'Kom binnen, Benjamin,' riep een hartelijke stem.

Achter de deur lag een ruime hut.

Samir Salam begroette Jordan als een oude vriend, hoewel ze elkaar maar twee keer hadden ontmoet. De eerste keer was in Oost-Jeruzalem geweest, na Jordans interview met de koning, die hem had uitgenodigd voor een bezoek aan de moskee. Samir had deel uitgemaakt van het gevolg. De tweede keer, in het paleis in Amman, had Samir het uniform van een kolonel in het Jordaanse leger gedragen toen hij de journalist formeel en correct op de hoogte bracht van de binnenlandse oppositie tegen de president van Syrië. Nu droeg Samir een bruine linnen broek en een geel zijden shirt met open kraag. Hij leek op zijn plaats tussen het glanzende teak en het roomwitte leer van het jacht. Zijn stramme houding had plaatsgemaakt voor een ontspannen maar zelfverzekerde pose, die waarschijnlijk bij deze dag paste, of misschien bij zijn hoge status als stafofficier.

Samir, die al lang bekend stond als vertrouweling van de koning, behoorde niet alleen in rang maar ook in praktijk tot de elite. Op zijn vijftigste verjaardag was hij door de koning tot hoofd van de veiligheidsdienst benoemd. In diplomatieke kringen in het Midden-Oosten werd gefluisterd dat de koning Samir steeds vaker met gevoelige politieke missies belastte die verder gingen dan zijn feitelijke taakomschrijving.

Zoals in dit geval.

'Benjamin, wat leuk om je te zien,' zei Samir, terwijl hij Jordan op beide wangen zoende. 'Hoe gaat het?'

'Het zou veel beter gaan als ik wist wat er aan de hand was.'

'Misschien wel, misschien ook niet.'

De Jordaniër sprak Engels om de Israëli tegemoet te komen. Zijn accent verried een jarenlange opleiding aan Sandhurst, de Britse militaire academie. Het was een manier om de westerse achterdocht tegenover Arabieren weg te nemen, een cultureel vooroordeel te overwinnen.

'Ga zitten, alsjeblieft,' zei Samir, wijzend naar twee dure leren stoelen. Jordan deed wat hem gezegd werd en Samir zette een bord met hummus, pita en een schaaltje vijgen neer. Door een patrijspoort zag hij het zonlicht in het water glinsteren.

'Iemand heeft me gisteravond beschoten toen ik uit Ramallah wegreed,' zei Jordan.

Samir nam een broodje met hummus. 'Dat zou me niets verbazen. Maar we hebben er zelf geen informatie over.'

'Wie zijn het dan geweest?'

'De belangrijkste vraag is waarom?'

'Je hebt mijn onverdeelde aandacht.'

'Blijkbaar wil iemand voorkomen dat je ergens over schrijft.'

'Maar waarom?'

Samir keek hem ernstig aan. 'Heb je echt geen idee?'

'Stel dat ik een vermoeden had. Zou jij dat dan kunnen bevestigen?'

'Niet officieel.'

'Maar in vertrouwen?'

'Het is moeilijk om dit soort zaken te bespreken, mijn vriend. Dat moet je goed beseffen.'

'Ik weet dat het moeilijk is, Samir. Maar over één ding zijn we het eens. Je hebt niet al deze moeite gedaan om een hapje met mij te eten.'

Hij zag een lach in Samirs ogen. 'Als je mijn informatie zou gebruiken, Benjamin, mag je nooit de bron onthullen. Dan moet je ons beschermen.'

'Natuurlijk.'

'Vertel me dan wat je weet over de Koperen Rol.'

Jordan dacht even na. 'Het is een beroemde oudheidkundige vondst,' zei hij. 'Een van de oude teksten die in de jaren veertig in grotten bij de Dode Zee zijn gevonden.'

'In 1952, om precies te zijn. Een heel bijzondere vondst. Het is de enige van de Dode Zeerollen die in koper is geëtst, alsof de schrijver wilde garanderen dat de inhoud bewaard zou blijven.'

'En terecht, als ik het me goed herinner.'

'Ja, om een heel merkwaardige reden. De andere rollen hielden zich bezig met Bijbelse en religieuze thema's. Deze tekst had betrekking op iets tastbaars. Het was een inventaris van een onvoorstelbare schat van goudstaven, zilveren munten en kostbare religieuze relikwieën. Allemaal verborgen.

'Vreemd genoeg werd de Koperen Rol aanvankelijk niet door de zogenaamde deskundigen erkend. Ze hielden het voor een verzinsel, het product van de overspannen fantasie van een of andere schrijver. Maar hun beweringen bezweken al snel onder het gewicht van hun eigen absurde argumenten. Want wie zou zoiets verzonnen kunnen hebben?

'De waarheid was dat de Koperen Rol, toen hij eenmaal was vertaald, jaren van wetenschappelijk onderzoek dreigde te ondergraven. Volgens de professoren die de leiding hadden over het onderzoek naar de Dode Zeerollen moesten de teksten zijn nagelaten door een gemeenschap van ascetische monniken, bekend als de Essenen, vrome joden, die de decadentie en het materialisme van Jeruzalem verwierpen. Met andere woorden, geen omgeving waar je verborgen goudschatten zou verwachten.'

Jordan dacht na.

'Misschien bezat die vrome sekte toch een geheime goudvoorraad,' opperde hij. 'Er zijn ook voorbeelden bekend van sekten uit onze eigen tijd die een fortuin hebben vergaard. Ze dwingen hun leden om hun bankrekening en hun erfenis aan de sekte te schenken...'

'Zeker, dat is waar. En ook de kerken en kloosters van Europa hebben eeuwenlang hun schatkist gespekt door priesters aan hun gelofte van het celibaat te houden. Minder erfgenamen betekende meer geld voor de kerk. Helaas is dat geen antwoord op onze vraag. Om te beginnen zijn de hoeveelheden die in de Koperen Rol worden vermeld veel te groot. Een betrekkelijk kleine gemeenschap als de Essenen kon nooit zulke schatten hebben verzameld. En anders dan de Kerk van Rome was deze gemeenschap aan de rand van de Dode Zee oprecht gekant tegen elke vorm van materialisme, zoals heel duidelijk blijkt uit hun eigen geschriften en die van anderen.'

Jordan zocht naar een antwoord, maar Samir was hem voor. Hij lachte een beetje zuur.

'Ik weet wat je denkt, mijn vriend, maar voor zover we weten hadden de Essenen van Qumran geen leiders die in limousines reden, geen rabbi's met Rolls Royces die door hun volgelingen waren betaald. Nee, Benjamin, ik denk dat de verklaring veel eenvoudiger is.'

De Jordaniër liet zijn stem dalen en boog zich naar zijn bezoeker toe. 'Ik denk dat die schatten afkomstig waren uit de tempel van Jeruzalem, die daar waren weggehaald in het jaar 70 van de christelijke jaartelling, vlak voordat de stad in handen van de Romeinen viel.'

Jordan voelde de boot onder zijn voeten deinen.

'Er zijn ook minder spectaculaire theorieën, maar die snijden geen hout,' zei Samir. 'De bewijzen zijn te vinden in de tekst zelf, in de Koperen Rol. Onder de kostbaarheden bevinden zich "offerschalen" die werden gebruikt bij godsdienstige rituelen of de betaling van de tempelbelasting. Er waren "schuldoffers" bij, als boete voor begane zonden, en "heilige tienden". Er wordt zelfs verwezen naar de kostbare vesten die de hogepriesters droegen. Maar de geleerden die ooit de Koperen Rol in hun bezit hadden wilden zulke feiten niet bekendmaken, uit angst dat mensen zouden gaan graven.'

'Want in de tekst stonden de vindplaatsen beschreven, zeker?'

'Ja. Er worden vierenzestig vindplaatsen genoemd, allemaal voorzien van een cryptische aanduiding: een herkenningspunt in het landschap, een historische verwijzing of iets kunstmatigs, zoals "de zoutmijn onder de trappen" of "de steenheuvel naast de oversteekplaats in de rivier".'

'Die plekken zijn nooit gevonden?'

'De aanwijzingen zijn heel lastig te ontcijferen. We kunnen er alleen maar naar raden, op een paar uitzonderingen na. Archeologen en schatzoekers zijn er tientallen jaren tevergeefs mee bezig geweest. De vader van de koning heeft in 1959 en 1960 een expeditie gefinancierd, die helaas niets heeft opgeleverd. De geleerden zijn het er nu over eens dat de schat door de Romeinen moet zijn gevonden, áls hij ooit heeft bestaan. En de beperkte historische bewijzen lijken die mening te ondersteunen.'

Samir pakte een beduimeld exemplaar van *De Joodse oorlogen*, het ooggetuigenverslag van de historicus Flavius Josephus uit de eerste eeuw na Christus. 'Josephus schrijft dat de Romeinen bij de plundering van Jeruzalem zo veel rijkdommen hebben geroofd dat het goud nog maar half zoveel waard was op de Syrische markt. Sterker nog, toen de zegevierende Titus naar Rome terugkeerde, werden in zijn triomftocht gouden "ornamenten van de tempel" als oorlogsbuit voor iedereen zichtbaar meegevoerd.'

Samir bladerde verder.

'Vooral interessant is dat sommige joodse priesters hun eigen leven kochten met heilige voorwerpen. "De zoon van Thebuthus, die Jezus heette", een andere Jezus dus, betaalde met gouden kandelaars, terwijl Phineas, de schatbewaarder van de tempel, de purperen en rode mantels van de priesters uitleverde, "en nog vele andere schatten".

'De Romeinen hadden efficiënte verhoormethoden en de beheerders van die geheimen waren ook maar mensen. Het ligt dus voor de hand, Benjamin, dat de schatten uit de Koperen Rol niet lang verborgen zijn gebleven. Dat lijkt de meest logische conclusie.' Samir sloeg het boek dicht. 'Tot voor kort.'

Jordan staarde hem stomverbaasd aan. 'Je bedoelt dat ze de schat hebben gevonden, Elazar en zijn commissie?'

Samir lachte. 'Niet helemaal.'

'Wat dan?'

'Laten we eens aannemen dat de rijkdommen die door de Romeinen werden geroofd maar een deel van de schat waren, een klein gedeelte om hun hebzucht te bevredigen of ze op het verkeerde spoor te zetten.'

'Ik begrijp je niet.'

'Benjamin, in de dagen voor de bomaanslag heeft de Internationale Raad voor Culturele Oudheden nog een tekst ontdekt, een Zilveren Rol, die de Koperen Rol verving. Wij hebben die vondst zelf niet gezien, maar de koning heeft er berichten over ontvangen uit de eerste hand. Volgens onze inlichtingen zou deze tekst beweren dat de Romeinen vlak na de belegering van Jeruzalem gevangengenomen Zeloten hebben gemarteld om sommige van de bergplaatsen te verraden. De Zilveren Rol beschrijft maar liefst vierentwintig níéuwe vindplaatsen en wat daar verborgen lag. In elk geval moet dat een van de redenen zijn waarom we nooit verder zijn gekomen met de Koperen Rol.'

Jordan was sprakeloos. 'Ik wist niet dat de commissie actief bij opgravingen betrokken was,' zei hij ten slotte.

'We weten met zekerheid dat ze in de Negev-woestijn hebben gegraven, ten zuiden van Sede Barak. Er is geen reden om aan te nemen dat ze naar de rol zochten; waarschijnlijk hebben ze die bij toeval ontdekt. Maar die vondst betekende wel een scheuring binnen de commissie.'

'Dus Ramsi heeft Amman bereikt,' fluisterde Jordan.

'Wat?' zei Samir geschrokken.

'Daar hebben jullie je informatie vandaan. Van Ismail Ramsi.'

Samirs verbazing stond duidelijk op zijn gezicht te lezen. 'Dat is geheim.'

'Waar is hij nu?'

De Jordaniër aarzelde. 'Voor zover wij weten is hij door de Israëli's opgepakt. Hij is door soldaten uit zijn auto getrokken bij een controlepost op de West Bank. Ik kan je niet vertellen hoe, Benjamin, maar ons is te verstaan gegeven dat Ismail Ramsi is gestorven in een Israëlische gevangenis.'

'Waarom zouden ze hem hebben gedood?'

'Misschien vanwege het gevaar dat moslims en christenen zich meester zouden maken van het Joodse erfgoed. Of misschien wil iemand binnen de regering de schat in handen krijgen. Uit Ramsi's berichten leiden we af dat Meyer Elazar en zijn machtige bondgenoten de belangrijkste verdachten zijn.'

Jordan geloofde er niets van. 'Zijn er getuigen van zijn arrestatie?'

'Die zullen echt niet met jou praten. Veel te gevaarlijk.'

'Het valt te proberen.'

Samir keek onbewogen.

'En die aanslag op mij?' vervolgde Jordan. 'Dat was ook op de West Bank. Er zijn bijna een paar soldaten bij omgekomen.'

'Weet jij een betere manier om de aandacht af te leiden?'

‘Denk je dat de Israëli’s erachter zaten?’
‘Heb jij een logischer verklaring?’
‘Wat dacht je van die katholiek, Altieri?’
Samir knikte peinzend. ‘Hij is dood, Benjamin. Zelfmoord, schijnt het. Een kogel door zijn slaap.’
Jordan maakte een grimas. ‘Wanneer?’
‘Nog voor de bomaanslag. Vanwege de betrekkingen met het Vaticaan hebben de Israëli’s het niet bekendgemaakt.’
‘Waarom niet?’
‘Ze zeiden dat ze heel onaangenaam materiaal in de flat van de priester hadden aangetroffen toen ze zijn lichaam vonden. Foto’s van kinderen, als je begrijpt wat ik bedoel.’ Samir schudde vol afkeer zijn hoofd. ‘Ik kan het nauwelijks geloven.’
‘Waarom vertel je me dit allemaal?’
‘De koning heeft alle respect voor je, Benjamin. Hij vertrouwt je. En hij vindt dat je moet weten wie je tegenstanders zijn.’
‘Dat is heel vriendelijk van de koning. Maar nu serieus, Samir. Waarom vertel je me dit?’
Samir fronste. ‘Je bent wel cynisch.’
‘Dat is mijn enige verdienste.’
Samir stond op. ‘Mannen als Meyer Elazar vormen het grootste obstakel voor vrede in onze tijd,’ zei de Jordaniër, rood van woede. ‘Het is een gotspe dat zij het machtsevenwicht in Israël kunnen bepalen. Wij vinden dat de wereld moet weten wie ze werkelijk zijn.’
‘Zelfs met het gevaar dat je olie op het vuur zult gooien?’
‘Dat risico moeten we maar nemen.’

12

Jordan vond een telefooncel bij de jachthaven en belde Meltzer. Met zijn rug naar de vakantiegangers die over de promenade slenterden gaf hij een samenvatting van de losse eindjes van zijn onderzoek, te beginnen met de opgravingen in de woestijn en eindigend met de dood van de priester.

Zijn hoofdredacteur reageerde afgemeten. Jordan had twee dagen om er een samenhangend verhaal van te maken.

'Twee dagen?' protesteerde Jordan.

'Je wilt toch niet dat iemand de primeur voor je neus wegkaapt?' vroeg Meltzer.

'Op dit moment weet ik nog helemaal niet waar het verhaal naartoe gaat.'

'Wat dacht je van "Complot om Gevoelige Archeologische Ontdekking in de Doofpot te Stoppen. Spoor van Moorden Leidt naar Elazar?"'

'Daar hebben we nog geen bewijzen voor.'

'Daarom geef ik je ook twee dagen. Maar als je denkt dat het jou niet lukt, zullen een paar collega's je graag helpen of de zaak hier overnemen.'

En hun naam boven zijn artikel zetten?

'Laten we maar zien waar we overmorgen staan,' zei Jordan.

'Goed. Maar als je dan nog niets hebt, stuur ik hulptroepen.'

En Meltzer hing op.

Jordan staarde over de Rode Zee naar de kust van Akkaba.

Hij was niet van plan de primeur te delen. En hij mocht het niet verknallen. Als alle stukjes op hun plaats vielen, zou het een geweldige professionele triomf voor hem worden, en zou hij eindelijk verlost zijn van Shaul Meltzer.

Maar in elk geval geloofde Meltzer in het verhaal.

In een hotel in Eilat zat Jordan een dag en een nacht aan de telefoon. Hij belde de vrouwen van de commissieleden die bij de aanslag waren omgekomen. De meesten hadden geen idee wat erachter stak. Ten slotte kreeg hij een bevestiging van de maîtresse van de Franse vertegenwoordiger. Het instituut had inderdaad een ontdekking gedaan en ze had een gerucht gehoord over een verborgen schat. Maar meer wist ze er niet van. Stoere praat van Guillaume in de nacht, en hij had haar tot geheimhouding verplicht.

Via e-mail kreeg Jordan wel de namen van twee Palestijnen en het adres van de apotheek op de West Bank waar ze werkten. Hij vermoedde dat het anonieme bericht van Samir afkomstig was en dat dit de twee getuigen van Ramsi's arrestatie waren. Hij belde nog een paar keer het nummer van Ramsi's weduwe om na te gaan wat zij had gehoord, maar er werd niet opgenomen.

Een politie-inspecteur die Jordan nog kende van een vorige reportage kon meer licht werpen op de kwestie Altieri. De recherche had aanvankelijk gedacht dat de dood van de priester iets te maken had met de smerige foto's die waren gevonden in een la naast zijn bed. Maar toen ontdekten ze iets vreemds aan de foto's: er zaten geen vingerafdrukken op.

In vertrouwen bevestigde de pauselijke nuntius in Jeruzalem de dood van monseigneur Altieri, de Vaticaanse afgevaardigde bij het instituut, en het feit dat het door de Israëli's als zelfmoord was aangemerkt. Maar hij ontkende heftig dat Altieri een pedofiel zou zijn geweest.

'Waarom legt u geen verklaring af?' vroeg Jordan.

'Wie zou me geloven?'

De opgravingen waarbij de Zilveren Rol tevoorschijn was gekomen waren minder toegankelijk. Twee van de leidende archeologen van het instituut waren bij de bomaanslag omgekomen, een derde verkeerde in kritieke toestand. Eén staflid weigerde terug te bellen en een ander was niet te traceren. Een paar lagere functionarissen beweerden dat ze van niets wisten.

Toen de zon opkwam boven de vakantieplaats schoof Jordan achter het stuur van een huurauto en reed naar het noorden, langs de rode zandstenen zuilen van Timna, door de open woestijn naar de plaats van de opgravingen die Samir hem had beschreven. Hij was te ongerust om te dagdromen terwijl de kilometers onder de wielen verdwenen. De Negev, een dorre, levenloze, uitgestrekte vlakte, riep een visioen op van de apocalyps, of een tijd nog vóór de schepping.

De uren verstreken. Vanuit de bodem van de grote geologische depressie verhief zich de Makhtesh Ramon, een krater die net zo diep en breed was als een binnenzee, terwijl de weg een rots beklom naar de winderige buitenpost Mizpe Ramon, een stadje aan de rand. Zelfs daar, in het hart van Israël, zo ver als je maar bij de vijandelijke grenzen vandaan kon komen, liep nog prikkeldraad, als bewijs van de angst en de spanningen in het land. Even later had hij het stadje achter zich gelaten.

De eenzaamheid was volledig, de troosteloosheid deprimerend. Jordan reed verder in een emotionele schemertoestand. Stenen monolieten staken omhoog in het landschap, voorwerpen van primitieve verering. In de verte vervaagden griezelige, geërodeerde heuvels tot bergen van kalk, leem en vuursteen. Aan de horizon bleven dunne wolken achter de grillige toppen haken.

Langs de weg groeiden wat wilde grassen, rondom een cactus waarvan ze de kostbare sappen aftapten.

Pas laat in de middag arriveerde Jordan bij de kibboets Sede Barak, de plaats die het dichtst bij de opgravingen lag. Hij reed naar een groepje kubusvormige huizen en tuurde naar de telefoondraden die zich aftekenden tegen de lege hemel. De palen stonden in vreemde hoeken onder de dunne draden die de levenslijn van de kibboets vormden.

De bewoners wisten wel hoe de opgravingen waren begonnen, maar niet veel meer dan dat. De voorzitter van de kibboets bracht Jordan naar de plek, tien hobbelige minuten rijden vanaf de gemeenschappelijke eetzaal. De tengere wetenschapper beschutte zijn ogen tegen de ondergaande zon toen hij om zich heen wees en uitleg gaf.

'Het begon allemaal met het leger. Die gebruiken de wildernis als oefenterrein. Ze schieten er met scherpe mortiergranaten. Toen ze weer waren verdwenen, gingen kinderen uit de kibboets erop af om zelf ook oorlogje te spelen.'

Jordan luisterde en maakte aantekeningen. Op de bodem van een artilleriekrater, net over de rand van een lage heuvel, had een van de kinderen een stuk steen ontdekt dat door de explosie was blootgelegd. Het was een afbeelding van acanthusbladeren, in marmer gehouwen en eeuwenlang verborgen gebleven onder het zand. De jongelui groeven verder en vonden het kapiteel van een Korinthische zuil, met daaronder een deel van de marmeren pilaar, ogenschijnlijk nog intact en verticaal.

Het was een volkomen onverwachte ontdekking. Niemand had enig idee wat er in die heuvel begraven kon liggen. Zuilen stonden niet zomaar in het niets. Er moest nog meer zijn. En dus stuurde het instituut een team.

Toen de opgravingen vorderden, bleken de archeologen ongewoon zwijgzaam over de resultaten.

'Ze hadden een paar van onze mensen kunnen inhuren als hulp,' zei de voorzitter van de kibboets, 'maar ze hielden ons op afstand.'

Inmiddels was de heuveltop afgedekt met zwarte stukken zeildoek. De opgravingen waren nooit voltooid. Het team had zich al teruggetrokken vóór de bomaanslag op het instituut.

Jordan liep de heuvel op, moeizaam ploeterend door het mulle zand. De kibboetsleider keek zwijgend toe hoe Jordan een paar stenen weghaalde, die een van de zeildoeken op hun plaats hielden. Een hete windvlaag sloeg eronder en deed het zeildoek klapperen.

Jordan tuurde in de kuil.

Hij zag de bovenkant van drie marmeren zuilen, uitgegraven tot een diepte van ruim een meter. De hoogste was voorzien van een prachtig Korinthisch kapiteel. De andere waren onthoofd, door oorlog of natuurkrachten, daar kon Jordan alleen naar raden. De hele kuil was ongeveer vijf meter lang en anderhalve meter breed. Met zijn lekenoog kon hij niet veel bijzonders ontdekken.

Jordan legde de stenen terug en liep naar een paar andere zeildoeken, lager op de helling. De kibboetsleider hielp hem de stenen weg te halen. Deze tweede kuil lag haaks op de eerste. Jordan begreep dat het een test was geweest, de archeologische variant van een biopsie. Waarschijnlijk wilden de archeologen vaststellen of de heuvel een aantal lagen van menselijke bewoning bevatte, of er onder de ene laag ruïnes nog een andere en een volgende schuilging, steeds verder terug in de tijd.

Hoewel het zijn ontdekking niet was, voelde Jordan toch de spanning van het moment. De ondiepe kuil leek een voltreffer. Er was een reeks van drie ruwe muren of funderingen te zien.

Plus wat de archeologen al hadden meegenomen.

Toen hij daar op die heuvel in de woestijn stond voelde Jordan een sterke band met het verre verleden, met die anonieme figuur die hier eeuwen geleden had gelopen en een in zilver gegraveerde tekst had achtergelaten, zonder enig idee hoe die ooit weer aan het licht zou komen.

In de loop van de dag kreeg hij een sms'je van Meltzer met het verzoek om terug te komen en alles op te schrijven wat hij wist, maar Jordan was nog niet klaar. Hij accepteerde een uitnodiging om in de kibboets te blijven eten en sprak tot laat in de avond met de mensen daar, die hem niet veel wijzer konden maken. Daarna sliep hij een paar uur in een spartaanse gastenkamer voordat hij bij het ochtendgloren weer in zijn auto stapte.

Nog voor openingstijd kwam hij bij de apotheek op de West Bank aan, in de hoop de getuigen van Ramsi's arrestatie daar te vinden. Toen hij door de etalage tuurde, zag hij een magere puber met een vlasbaardje bezig om flessen shampoo uit te pakken en in stoffige kasten uit te stallen. Jordan tikte op de ruit en de jongen deed de deur van het slot.

Jordan stapte naar binnen. 'Ben jij Mohamed Abboudi?' vroeg hij.

De jongen keek hem argwanend aan. Jordan stelde zich voor en stak zijn hand uit. Abboudi's achterdocht leek te verdwijnen, alsof hij Jordan wel had verwacht.

'Mohamed is mijn broer,' zei hij aarzelend. 'Maar ik heb het ook gezien.'

De jongen heette Hamdi. Hij overwon zijn aarzeling toen hij beschreef hoe hij Ramsi had zien discussiëren met de Israëlische soldaten bij de controlepost. Ramsi stond op zijn rechten en wilde weten waarom ze hem aanhielden. De jongen kon het niet goed verstaan, maar de lichaamstaal was duidelijk. Hij zag hoe een van de soldaten Ramsi in zijn maag stompte voordat hij hem naar een gereedstaande auto sleurde en hem achterin zette.

Jordan voelde de woede en machteloosheid van de jongen.

'Hoe weet je zo zeker dat het Ismail Ramsi was?' vroeg hij.

Hamdi keek over Jordans schouder naar zijn broer, die net binnenkwam.

'Het was doctor Ramsi,' verklaarde de broer beslist.

'Geen twijfel mogelijk?'

'Hij is een vaste klant,' zei Mohamed. 'Hij komt hier altijd zijn recept halen, en de laatste keer ook medicijnen voor zijn baby.'

'Mag ik zijn gegevens zien?' vroeg Jordan.

Mohamed keek Hamdi even aan en knikte.

Uit een beduimeld dossier bleek dat Ismail Ramsi aan hoge bloeddruk leed.

'En jullie blijven bij wat je me gezegd hebt?' vroeg Jordan.

'Ja,' zei Mohamed.

'Ja,' echode zijn broer. 'Voor honderd procent.'

13

Tel Aviv

Jordans onverwachte terugkeer veroorzaakte enige deining in de redactieruimte in Tel Aviv. Collega's vroegen zich af waar hij mee bezig was toen hij zijn laatste telefoontjes afwerkte.

Ten slotte vond Jordan een archeoloog in Cairo, een autoriteit op het terrein van het Nabatese volk dat tegen het einde van de eerste eeuw een handelsroute door de Negev-woestijn onderhield. Ja, hij was geraadpleegd, antwoordde de man. Hij had zelfs een bezoek gebracht aan de plek. En nee, als er teksten waren opgedoken, dan had niemand hem daar iets over verteld.

De archeoloog noemde Jordan de namen van zijn contacten bij het instituut. Ze stonden allebei op de lijst van slachtoffers die bij de bomaanslag om het leven waren gekomen.

Het netwerk van de journalist leverde nog één laatste bijzonderheid op. Een lid van de Knesset herinnerde zich een terloops gesprek met de minister van Cultuur, de vrijdag vóór de bomaanslag. De minister had een afspraak gehad met rabbi Elazar, precies zoals zijn secretaresse Miriam had gezegd.

De minister zelf wilde niet met Jordan praten en de woordvoerders van de betrokken ministeries lieten niets los. Het zou ongepast zijn om al commentaar te geven terwijl het onderzoek naar de aanslag nog niet was afgerond, zeiden ze.

Gevraagd naar de arrestatie van Ismail Ramsi gaven de officiële instanties een kort antwoord: 'Wij hebben geen gevangene met die naam.' Jordan merkte op dat het antwoord in de tegenwoordige tijd was gesteld, maar hij kreeg geen nadere verklaring.

In Meltzers glazen kantoortje gaf hij een samenvatting van zijn ontdekkingen.

'Het is allemaal indirect bewijs, maar hoe je het ook bekijkt, het levert een verontrustend beeld op,' zei hij. 'Het complot beperkt zich niet tot Meyer Elazar, dat is duidelijk. Hij moet uitgebreide, professionele hulp hebben gehad.'

'Dit is ook pas de eerste akte, niet het laatste woord,' zei Meltzer.

'We publiceren wat we nu weten, voordat iemand anders met de primeur aan de haal kan gaan.'

'Met een beetje geluk zal het stuk nog meer informatie boven tafel krijgen,' opperde Jordan.

'Precies. Dus waar wacht je op?'

Met korte, snelle salvo's van zijn toetsenbord verscheen het verhaal op Jordans computerscherm.

Voordat het Instituut voor Culturele Oudheden vorige week door een bomaanslag werd verwoest, met dodelijke slachtoffers onder de leden van het bestuur, hadden functionarissen van het instituut een relikwie ontdekt waarop de vindplaatsen van een oude, verborgen schat stonden vermeld. Hierover was onenigheid ontstaan.

Volgens een van de verhalen zou de oude tekst, in zilver gegraveerd, de weg wijzen naar ceremoniële voorwerpen en grote hoeveelheden zilver en goud die in de eerste eeuw waren begraven.

Bronnen rond de bestuursraad van het instituut beweren dat de voorzitter, Meyer Elazar, de ontdekking geheim wilde houden.

Een van de collega's die in conflict kwam met Elazar werd volgens getuigen in Ramallah een dag voor de bomaanslag bij een Israëlische controlepost op de West Bank aangehouden en is sindsdien verdwenen.

Een ander lid van de commissie dat een voorstander van publicatie was, overleed aan een schotwond in het hoofd bij een incident dat de Israëlische regering nog altijd bekend moet maken. In vertrouwen hebben de Israëlische autoriteiten het Vaticaan meegedeeld dat hun vertegenwoordiger bij de internationale commissie, monseigneur Nicolo Altieri, kort voor de bomaanslag zelfmoord zou hebben gepleegd. Altieri's lichaam werd aangetroffen in zijn flat, met een hoeveel kinderporno, waaruit de politie de conclusie trok dat hij tot zelfmoord was gedreven door gewetensnood of angst voor ontdekking.

Maar iemand die bij het onderzoek betrokken was meldt dat er een probleem was met deze officiële verklaring: de politie heeft geen vingerafdrukken gevonden op de foto's.

Toen de bom explodeerde, waren leden van de commissie net bijeengekomen voor een vergadering die pas twee dagen eerder door Elazar was uitgeschreven. Algemeen werd aangenomen dat ook Elazar en zijn twee collega's van de bestuursraad van het museum bij de aanslag waren omgekomen.

Zijn trouwe secretaresse Miriam Wiesman verklaarde dat ze de orthodoxe rabbi – en voormalig Knesset-lid – Meyer Elazar de vrijdag voor de explosie voor het laatst had gezien toen hij haar opdracht gaf de commissie bijeen te roepen. Op het moment dat hij haar dat opdroeg was hij haastig op weg naar het ministerie van Cultuur, zegt Wiesman. Het ministerie weigert commentaar.

De oude tekst was gevonden bij een opgraving in de Negevwoestijn, niet ver van de kibboets Sede Barak. Op dit moment ligt de plek er verlaten bij, met zeildoeken over de vindplaatsen.

De Israëlische regering legt de schuld voor de bomaanslag bij de Palestijnse terrorist Khalid Farouk en het Israëlische leger heeft teruggeslagen met een bombardement op een complex in Libanon. In een recent interview ontkende Farouk, die de afgelopen vier jaar wel de verantwoordelijkheid voor twaalf andere dodelijke aanslagen opeiste, dat hij iets te maken zou hebben gehad met de bomaanslag op het museum.

Farouk zou ook goede redenen hebben om zich ervan te distantiëren: tot de slachtoffers behoort een groep Palestijnse basisschoolleerlingen die net een rondleiding kregen door het museum.

Een woordvoerder van een buitenlandse inlichtingendienst die niet genoemd wil worden verklaarde dat de Jordaanse regering vermoedt dat de commissieleden zijn gedood als onderdeel van een Israëlisch complot om de oude schat in handen te krijgen...

Toen Jordan klaar was met typen, schoof hij zijn stoel naar achteren. Hij voelde een kille roes, alsof hij met zware explosieven had gewerkt of een lont had aangestoken en nu op de afloop wachtte. Daarna verdampte de kilte in een vlaag van hete woede om de wrede onrechtvaardigheid van de plot.

Het was een belangrijk verhaal, en Jordans primeur. Bij wijze van uitzondering kon hij daarvan genieten.

Vanwege de haast had hij zich vooral gebaseerd op zijn belangrijkste bron, de Jordaniër Samir Salam. Maar hij had zich ook ingehouden. Zo had hij niets geschreven over de bewering dat Elazar vlak voor de bomaanslag de vergaderzaal nog had gebeld, omdat hij daar geen harde bewijzen voor had. En hij had geen verband gelegd tussen de oude schat en de tempel van Jeruzalem. Ook die sensationele informatie was immers nog niet bevestigd.

Maar Jordan zou volhouden en hij was ervan overtuigd dat uiteindelijk de hele waarheid boven tafel zou komen.

Terwijl de vormgevers de laatste hand legden aan de eerste editie en de koppenschrijvers aan het werk gingen, slenterde Shaul Meltzer naar Jordans bureau en drukte hem opvallend de hand. 'Goed werk, Ben,' zei Meltzer, zo luid dat een paar andere redacteuren het konden horen. 'Ik wist dat ik de juiste man had gekozen voor deze opdracht.'

Opdracht? Ik heb je zelf het verhaal gebracht, lul.

Maar Jordan aanvaardde het compliment en keek Meltzer na toen hij terugliep naar zijn kantoortje, ongetwijfeld om een flinke publiciteitscampagne te starten voor de volgende dag.

Jordan zocht een nummer en pakte de telefoon. De weduwe van Ramsi nam nog steeds niet op. Hij keek op zijn horloge – het was tien over zes 's avonds – en hij overwoog er zelf naartoe te rijden. Hij wilde het Raya persoonlijk vertellen, voordat ze het in de krant las.

'Over dat etentje,' zei Leah, met een hand op zijn schouder, 'dat je me had beloofd.'

Jordan draaide zich om op zijn bureaustoel.

'Je hebt je deadline gehaald,' vervolgde ze met een plagerig lachje, 'dus heb je wel een beloning verdiend.'

Jordan keek aarzelend naar de telefoon. Hij kon het later nog eens proberen.

Ze aten onder een paar eucalyptusbomen op een rustig pleintje in Jeruzalem. De garnalenbouillabaise was heerlijk en de zalmpesto van grote klasse, maar toch hadden Jordan en Leah het restaurant voor zich alleen. De hippe, nieuwe bistro aan de rand van de orthodoxe wijk Mea Shearim maakte zich schuldig aan twee zonden: ze waren op de sabbat open en ze kookten niet koosjer. Demonstraties van de buren en de voortdurende dreiging van bomaanslagen joegen de klanten weg.

Leah had de bistro gekozen. Ze was bezig een smeulend vuurtje weer op te stoken, zoals Jordan eindelijk begreep. Nu hij geen kant meer op kon, nam hij zijn toevlucht tot oppervlakkig geklets, hoewel hij daar geen meester in was.

'Hoe gaat het met Mozie?' vroeg hij, doelend op de straathond die ze samen uit het asiel hadden gered.

'Hij past zich aan,' zei Leah. 'De poes en hij hebben het op een akkoordje gegooid.'

Jordan zag haar glimlach achter de Merlot, voordat ze een lange sliert linguine van haar vork zoog. Hij proefde de roze vis die ze hem op een lepel voorhield. Na al die tijd was ze nog net zo verleidelijk als vroeger.

Ze boog zich over de tafel en pakte zijn hand. 'Mozie mist je, Ben,' zei ze.

Leah bestelde tiramisu, Jordan sloeg het toetje over.

Ze was adembenemend sensueel. Ze verlangde bijna even hevig naar hem als hij naar haar. Jordan herinnerde zich de honger, de energie van een rauwe begeerte. Een scherpe zucht, een sidderende kreet van verrukking. Haar nagels in zijn rug.

Voor de deur van haar appartement kuste hij haar, met zijn handen tegen haar onderrug gedrukt. Ze duwde zich tegen hem aan.

Leah opende de deur en pakte zijn hand. Hij stapte achter haar aan naar binnen.

14

Toen Jordan de volgende morgen het redactielokaal binnenkwam werd hij omstuwd door collega's die hem op de schouders sloegen en het naadje van de kous wilden weten, feitjes en meningen die hij niet in de krant had gezet maar waarmee ze indruk konden maken op hun vrienden. Hoewel ze officieel neutraal waren, vonden de meesten het geen slechte zaak dat figuren als Meyer Elazar onder vuur kwamen te liggen.

Jordan genoot van het moment. Hoewel hij meestal niet veel aandacht aan zijn verschijning besteedde, droeg hij nu een blazer, met het oog op de tv-camera's. Zijn primeur was het hoofdartikel van de krant en verspreidde zich al snel over internet.

In zijn glazen kantoortje leunde Meltzer naar achteren in zijn stoel, met een telefoon tegen zijn oor, terwijl hij langs de tv-kanalen zapte. Hij stak zijn duimen op naar Jordan. Ook Meltzer was beter gekleed dan gewoonlijk.

In de hoek van de redactieruimte flikkerde Jordans foto over een tv-scherm. De ontbijtprogramma's hadden het verhaal al opgepikt. Instant bevrediging. Jordan sloot zich aan bij het groepje collega's dat naar de televisie stond te kijken. Hij zag een opname van het ministerie van Cultuur, waar een persvoorlichter de verslaggevers te woord stond.

'De minister ontkent met klem dat hij enige informatie zou hebben gekregen over de bewuste opgraving in de Negev. Het onderwerp is eenvoudig niet ter sprake gekomen bij zijn ontmoeting met rabbi Elazar.' De voorlichter keek op van zijn geschreven verklaring en zwaaide met zijn wijsvinger om zijn woorden te onderstrepen. 'Iedere suggestie van het tegendeel is onjuist en onverantwoordelijk.'

Jordan keek toe, ernstig maar onverstoorbaar. De heftigheid van de ontkenning was een beetje verontrustend, maar het lag voor de hand dat de regering zou terugvechten. Niemand had een bekentenis verwacht. En niemand ontkende ook dat Elazar met de minister had gesproken.

Nu volgden beelden van een ziekenhuis bij Amman, waar een Jordaanse politiearts een geïmproviseerde persconferentie hield.

'Ik kan bevestigen dat het lichaam van professor Ismail Ramsi twee dagen geleden is gevonden in een auto in een ravijn, niet ver hier vandaan. Het heeft even geduurd voordat we hem konden identificeren. Zijn dood wordt als een ongeluk beschouwd. Bij sectie bleek dat professor Ramsi met een gevaarlijk hoog alcoholpercentage achter het stuur had gezeten. Hij is overleden aan zwaar hersenletsel toen hij met zijn hoofd tegen de voorruit sloeg.'

Een journalist riep een vraag die de microfoon niet registreerde.

'Nee,' antwoordde de politiearts, 'er waren geen sporen van andere verwondingen of mishandelingen vóór het ongeluk.'

Jordans collega's hielden hem in de gaten om zijn reactie te peilen. Jordan bleef onbewogen en keek strak naar het scherm.

De nieuwslezer kondigde nu een opname aan van Samir Salam, een hoge adviseur van de koning van Jordanië, die kort tevoren met journalisten in Amman had gesproken. Jordan, die automatisch zijn bron beschermde, liet nergens uit blijken dat hij de man misschien kende.

'Zijne majesteit de koning wil benadrukken dat hij geenszins – ik herhaal: geenszins – de Israëlische regering ergens van wil beschuldigen,' verklaarde Salam op effen toon. 'In het huidige politieke klimaat hoeven we ons geen van allen te verbazen over ongefundeerde geruchten en speculaties.' De verslaggevers riepen nog wat vragen, maar Salam ging er niet op in.

Hoewel hij niets liet merken, nam Jordans onrust toe.

Iemand schakelde naar een andere zender. Een correspondent hield net een interview. De ondervraagde werd in een onderschrift aangeduid als Yoram Kishon, een archeoloog van het Internationaal Instituut.

'Dus u hebt persoonlijk meegewerkt aan de opgravingen in de Negev?' vroeg de journalist.

'Ja. Ik ben er al die tijd bij geweest,' antwoordde Kishon. 'Ik heb alle voorwerpen gerubriceerd die we daar vonden. Het was mijn taak om alles bij te houden: foto's, schetsen en schema's met de locaties waar elk afzonderlijk voorwerp was ontdekt.'

'Wat kunt u ons vertellen over de zogenaamde "Zilveren Rol"?'

'Niets. Er valt niets te vertellen.'

'U bedoelt dat ze die vondst voor u verborgen hebben gehouden?'

'Nee, ik bedoel dat die rol helemaal niet bestaat.'

'Hoe weet u dat zo zeker?'

'Als ons team zoiets zou hebben gevonden, had ik dat moeten weten. Ik was op het instituut toen de voortgangsrapporten binnenkwamen.'

'Kunnen ze het niet geheim hebben gehouden?'

Een domme vraag, zoals Kishons lichaamstaal duidelijk maakte. 'Ik zou niet weten hoe. Of waarom. Gaat u maar na. Die vondst had een uitvoerig onderzoek vereist. Het materiaal moest worden schoongemaakt, chemisch behandeld, misschien nog vertaald. Je kunt zoiets niet in een paar minuten beoordelen. En op het moment dat het uit de grond kwam, had niemand nog enige reden om van de vaste routine af te wijken.'

Jordan slikte moeilijk. Yoram Kishon? Waar hadden ze die opgeduikeld?

'Ik heb een kopie van de verslagen,' zei Kishon. 'Die mag u inzien, als u wilt.'

De redactie van *The Shofar* keek in pijnlijk stilzwijgen toe. Jordan voelde hun onbehagen, alsof hij opeens een besmettelijke ziekte had. Hij vermoedde dat sommige mensen die hem zopas nog hadden gefeliciteerd hier heimelijk van genoten.

Op Channel 6 waren rechtstreekse beelden te zien van de minister-president die uit zijn kantoor kwam en door een batterij camera's werd begroet. Hij was woedend, of hij speelde goed toneel.

'Het artikel in *The Shofar* van vandaag is een laffe en vulgaire aanval op de staat Israël door mensen die onze vijanden een hart onder de riem willen steken,' verklaarde de regeringsleider. 'Het is een verzinsel zonder enige feitelijke basis. Na de tragische ontdekking van de verongelukte auto van Ismail Ramsi bij de Jordaanse hoofdstad zal iedereen wel begrijpen dat de professor niet door Israël was aangehouden. Zo'n artikel uit de pen van een stuntman als de heer Jordan wekt geen verbazing. Toch had ik een hoger journalistiek niveau verwacht van *The Shofar* en zijn hoofdredacteur, Shaul Meltzer.'

Jordan voelde zijn borst samenkrimpen en kreeg een droge mond.

'Jordan!'

Het was Meltzer, die zich opmaakte voor een woedende tirade.

Jordan had geen haast toen hij de redactieruimte overstak. Hij liet zijn twijfels niet blijken. Meltzer gooide de deur achter hen dicht, zodat de anderen slechts konden raden wat zich afspeelde. De hoofdredacteur was rood aangelopen.

'Ik hoop en bid dat je hier een goede verklaring voor hebt,' begon Meltzer. 'Want als je denkt dat ík de schuld op me neem voor jouw slordigheid, vergis je je toch.'

'Begrijp je het niet? Het is een rookgordijn,' zei Jordan.

'Dan blaas je die rook maar weg,' sputterde Meltzer. 'En op tijd voor de krant van morgen.'

Had hij zich vergist? Was hij erin getuind? Kon hij nog een uitweg vinden?

Jordan begon aan een wanhopige reeks telefoontjes.

Samir Salam was 'niet beschikbaar', evenmin als Jordans 'betrouwbare' bronnen bij de Palestijnse Autoriteit. Ook de koning zelf, die zo'n hoge dunk van Jordan had, kon hij niet bereiken. De telefoon bij de Ramsi's werd niet opgenomen. Hij probeerde Khalid Farouk te mailen, maar hij betwijfelde of de terrorist ooit de willekeurige mailboxen controleerde die hij in het verleden had gebruikt.

Hoewel ze zogenaamd met andere zaken bezig waren, hielden de collega's in Jordans buurt hun oren gespitst om te horen wat hij zei. Ze wisten dat hij in het nauw zat.

Eindelijk gloorde er een straaltje hoop. De maîtresse van de Franse vertegenwoordiger in de commissie bleef stellig bij haar oorspronkelijke verhaal. Een verborgen schat, had Guillaume gezegd. Maar tot Jordans frustratie weigerde ze dat officieel te bevestigen. Guillaume liet een bedroefde weduwe na en de maîtresse had geen behoefte hun verhouding openbaar te maken.

Jordan stapte in zijn auto en ging op weg. De files bij de controleposten waren frustrerend en hij moest de airco uitzetten om de motor niet oververhit te laten raken. Een bloedhete julidag had zich oktober in gedrongen.

Toen hij eindelijk de apotheek op de West Bank binnenstapte, was Mohamed bezig rollen toiletpapier op te stapelen.

'Wat is er gebeurd?' vroeg Jordan.

Mohamed ontweek zijn blik. 'Het moet een vergissing zijn geweest,' zei de gespierde Palestijn, terwijl hij nog een pakket op de stapel legde.

'Een vergissing?'

'De verkeerde persoon.'

'Maar je wist het zéker, Mohamed.'

'Het was moeilijk te zien.'

Jordan voelde de grond onder zijn voeten wegzakken. 'Waar is je broer?'

Mohamed keek op van zijn werk en Jordan zag de angst in zijn ogen.

'Laat mijn broer met rust,' zei de jongen.

Terug in de sauna van zijn huurauto, met de verwarming op volle kracht om de motor wat te koelen, pakte Jordan zijn telefoon. Tot zijn verbazing bleef het nummer van Miriam Wiesman eindeloos overgaan. Jordan stelde zich de secretaresse voor, eenzaam thuis, verscholen voor de buitenwereld.

Maar hij moest haar spreken.

Tegen de tijd dat hij haar straat binnenreed zag hij politiewagens op haar oprit, een ambulance met zwaailicht en een reportagewagen langs de stoep. Hij gooide zijn portier dicht en rende naar het huis.

Bij de voordeur werd hij tegengehouden door een agent, die een arm voor zijn borst hield. Iemand kwam achterwaarts het gangetje door met een brancard. Jordan wilde zich naar voren dringen, maar de politieman gaf hem geen kans. De brancard reed met piepende wieltjes voorbij.

Er lag een lijkzak op.

Voordat Jordan het wist keek hij in de lens van een tv-camera. 'En, meneer Jordan, voelt u zich verantwoordelijk?'

Jordans voelde zich verdoofd, verward. De vraag leek van heel ver weg te komen.

'Denkt u dat uw artikel Miriam Wiesman tot zelfmoord heeft gedreven?' vroeg de verslaggever, terwijl hij Jordan beschuldigend een microfoon onder zijn neus duwde.

Jordan reed terug naar de redactie en probeerde een verklaring te vinden voor de dood van de secretaresse. Hij zou er zo eerlijk mogelijk verslag van doen en de politiearts onder druk zetten.

Hij stapte de herentoilet binnen.

Shaul Meltzer stond over een wasbak gebogen, nee, hij hield zich eraan vast. Toen hij opkeek leek zijn gezicht, dat eerder die dag nog rood van woede en verontwaardiging was geweest, bleek en afgetobd. Zijn stem klonk ongewoon zacht en gelaten.

'Ik zal rectificeren,' zei hij.

Jordan staarde hem ongelovig aan. 'Maar waarom? Je wéét toch niet dat het niet klopt?'

'Ik weet meer dan me lief is. En ik kan jou niet langer uit de wind houden.'

'Wat bedoel je?'

Meltzer pakte een papieren handdoek. 'Dat lijkt me nogal duidelijk.'

Jordan voelde een steek van angst in zijn buik. 'Wie heeft er op je ingepraat?'

De hoofdredacteur veegde zijn voorhoofd af. 'Maak er nou geen punt van, Ben. Probeer je huid te redden, als je weet wat goed voor je is.'

'Verdomme, Shaul, je beschermt de mensen die het instituut hebben verwoest en de hele commissie hebben uitgemoord.'

'Nee, Ben. Ik bescherm jóú.'

'Gelul,' zei Jordan, en hij sloeg met zijn hand tegen de handdoekenautomaat.

Meltzer keek hem aan. 'Hoor je niet wat ik zeg? Stop ermee, voor je eigen bestwil en de mijne.'

'Stoppen? Hoe kan ik ermee stoppen? Mijn geloofwaardigheid staat op het spel.'

Meltzer droogde zijn handen en gooide de papieren handdoek in de afvalbak. 'Ze hebben je te grazen genomen, Ben,' zei hij toen hij de gang op stapte. 'Ons allebei.'

Nog voor het avondnieuws was Benjamin Jordan voor onbepaalde tijd geschorst. Meltzer gaf een verklaring waarin hij het artikel terugnam en de verantwoordelijkheid bij een 'overijverige journalist' legde. Jordans pogingen om zijn geloofwaardigheid te redden hadden niets opgeleverd. De rechtse krachten openden een mediaoffensief, gericht tegen Jordan. Meltzers rectificatie was hun belangrijkste bewijs.

'Hoor wat zijn eigen hoofdredacteur zegt,' verklaarde een lid van Elazars politieke partij. 'Benjamin Jordan speelt duidelijk onder één hoedje met de Palestijnen.'

Jordan, die weigerde zijn nederlaag – of nog erger – te accepteren, belde nog één keer Ramsi's weduwe vanaf de redactie. Terwijl het toestel overging wierp hij een blik naar Meltzers glazen kantoortje, waar de hoofdredacteur achter zijn bureau ijsbeerde en om de paar seconden bleef staan om zijn instructies te dicteren. Leah noteerde ze. Het gerucht ging dat Meltzer haar had opgedragen het 'ware' verhaal te schrijven, om de schade nog wat te beperken.

Jordan kreeg een nieuw bericht in zijn mailbox, vanaf een van de adressen die Khalid Farouk al eerder had gebruikt. Hij klikte de e-mail aan.

Je stelt me teleur, Benjamin. Niet alleen is je artikel de mist in gegaan, maar je hebt alles nog erger gemaakt. Mijn volk moet weten dat ik niets met de aanslag op het museum te maken had, dat ik die Palestijnse kinderen niet heb gedood. Ik verwacht van je dat je deze zaak weer rechtzet.

Er kwam nog een e-mail binnen, van de adjunct-directeur van de tv-zender.

Ben, even over die afspraak. We laten je wel weten wanneer we een nieuwe datum kunnen prikken. De baas wil even wachten om te zien hoe dit afloopt.

Jordan zette zijn computer uit. Even later stond hij moedeloos op de lift te wachten. Hij stapte naar binnen, zonder om te kijken, en drukte twee keer op de knop. Iemand hield de deur tegen.

'Het spijt me, Ben,' zei Leah, zonder zelf in de lift te stappen. 'Shaul heeft me gevraagd een onderzoek in te stellen naar die opgraving in de Negev. Ik wilde nee zeggen, maar...'

Jordan knikte en drukte nog een keer op de knop.

Voor het eerst sinds het incident bij de controlepost reed hij weer naar zijn appartement terug. Misschien liep hij nog steeds gevaar, maar het kon hem niet schelen.

De koelkast was leeg, afgezien van een half pak zure melk en een paar verschrompelde sinaasappels. Hij trok een fles goedkope wijn open en dronk een glas voordat hij zich op de bank liet vallen.

Meltzer was onder druk gezet, dat kon niet anders. De man was doodsbenauwd.

Tenzij...

Wat wist Meltzer precies? Wat hadden ze hem verteld?

Meltzer was door de knieën gegaan, dat was alles. Of niet? De hoofdredacteur was nog geen stap dichter bij de waarheid dan de vorige avond, toen hij het artikel had geplaatst. Misschien zouden de feiten uiteindelijk zijn rectificatie bevestigen. Of ze zouden verdampen in het rookgordijn dat door de politiek werd opgetrokken.

Jordan kromp ineen bij de gedachte aan alle implicaties.

Hij staarde naar de telefoon, in de hoop dat die zou rinkelen, dat zijn Jordaanse bron hem zou uitnodigen voor een interview waarin alles duidelijk zou worden.

En, meneer Jordan, voelt u zich verantwoordelijk?

Die vraag bleef hem achtervolgen. Kon zijn artikel over Meyer Elazar de laatste druppel zijn geweest voor Miriam Wiesman? Had hij zich toch vergist? Het beeld van de treurende secretaresse liet hem niet los.

Hij dacht aan zijn ouders en voelde de last van hun erfenis. Door hun leven en dood hadden zij hem een missie gegeven die hij misschien niet zou kunnen volbrengen.

Hij dacht aan zijn lezers, de mensen die hem hadden overstelpt met telefoontjes toen de dag nog jong was, het verhaal nog waar en hijzelf te belangrijk om hen te woord te staan. Hij was hun een verklaring schul–

Een van de ramen verbrijzelde met een luide klap en het licht in het appartement viel uit. Glassplinters spatten door de kamer en de lamp op de tafel sloeg tegen de vloer. Jordan liet zich van de bank rollen en drukte zich plat tegen het kleed, in afwachting van de volgende aanval.

In het donker hield hij zijn adem in en luisterde. Veel keus had hij niet. Hij kon naar de deur rennen om bescherming te zoeken in een andere kamer, dieper in het appartement, of hier blijven liggen, onder de vuurlinie.

Maar het enige wat hij hoorde waren de geluiden van de straat, die door het gebroken raam naar binnen zweefden. Een steen was naast de lamp terechtgekomen.

Lezerspost.

Hij plukte een glasscherf uit zijn haar en klopte zich af. Toen keek hij uit het raam. Wie het projectiel ook had gegooid, de dader was al in de nacht verdwenen. Versuft liep Jordan naar zijn slaapkamer, struikelde over een paar verdwaalde schoenen en botste tegen een uitpuilende wasmand op. Het lichtje van het antwoordapparaat op zijn nachtkastje knipperde. Hij ging op bed liggen en staarde naar het flikkerende rode lampje.

Ten slotte drukte hij op de PLAY-toets.

'Meneer Jordan, met dokter Safran van het ziekenhuis –'

Jordan drukte op WISSEN.

'Ben, met Leah.'

Hij wiste het bericht.

'Meneer Jordan, u spreekt met Miriam Wiesman.'

Jordan schoot overeind.

'Neem me niet kwalijk dat ik u –'

De stem was bekend, maar toch anders. Minder gespannen, minder angstig.

Hij drukte op TERUGSPOELEN en hoorde de tijd van het bericht: twee dagen geleden, om 16:16 uur.

'Meneer Jordan, u spreekt met Miriam Wiesman. Neem me niet kwalijk dat ik u thuis bel, maar u was niet op kantoor. Het spijt me dat u me in zo'n pathetische toestand aantrof toen u bij me langs kwam. Ik moet wel een belachelijke indruk hebben gemaakt. Al die jaren had ik naar iemand met een bevroren hart verlangd, en nu rouwde ik om iets wat nooit had bestaan en stortte ik mijn hart uit bij een volslagen vreemde, een journalist, nog wel.'

Ze klonk kalm, vastberaden en beheerst, zeker niet als een vrouw die elk moment zelfmoord zou kunnen plegen of iemand die wachtte tot al haar illusies zouden worden verpletterd.

'Ik denk dat ik het nu wel onder ogen kan zien en verder kan gaan met mijn leven. Het zal niet makkelijk zijn, maar... Goed, dat interesseert u natuurlijk niet. Ik bel u eigenlijk om te vragen of u al hebt ontdekt wat er is gebeurd. En omdat ik me de naam herinnerde. U weet wel, de naam op het dossier dat Meyer uit het kantoor had meegenomen. Een beetje dom van me dat ik er niet eerder op kon komen. Ik had het waarschijnlijk verdrongen. De naam was Cavanaugh, als u daar iets aan hebt: C-A-V-A-N-A-U-G-H. Veel succes, meneer Jordan. Als u nog iets wilt weten, kunt u me altijd bellen.'

DEEL 2

15

Ann Arbor, Michigan

Een kille motregen plakte aan de blaadjes en dempte de herfstkleuren. Catherine Cavanaugh sjokte over de campus, gevoelloos door de kou. Heel even viel haar blik op een eikenblad dat eenzaam naar beneden dwarrelde.

De jonge wetenschapper sleepte vier uitpuilende boodschappentassen met zich mee, waarvan er een al begon uit te scheuren. Ze had ze netjes en met liefde ingepakt, zonder iets achter te houden. In haar eentje in het stille huis was ze vroeg opgestaan om aan het karwei te beginnen. Ze huilde toen ze de witte kabeltrui opvouwde die haar moeder op winteravonden had gedragen. Hij herinnerde haar aan de ruige kust van Noord-Ierland. Met een glimlach had ze een eenvoudige bloemenjurk opgepakt. Haar moeder had hem gekocht voor de promotie, toen Catherine haar doctorstitel had gehaald.

Twee weken waren inmiddels verstreken sinds haar moeder was gestorven en het gevecht had verloren dat ze samen zo lang hadden gevoerd. In de maanden na de diagnose had Maeve Cavanaugh veel wijze dingen gezegd. Ze had gesproken over liefde, huwelijk en de dood van haar man, over haar eigen onwrikbare geloof, maar nooit over simpele dingen zoals een trui of een jurk. Catherine moest haar wens maar raden en de kracht vinden om ernaar te handelen.

De scheur in de papieren tas werd groter toen Catherine Manyard Street overstak, niet ver van Saint Pat's.

In het eerste jaar van haar ziekte, toen dat nog kon, was Catherine altijd met haar moeder naar de zondagsmis geweest. Zelf kwam ze nooit in de kerk. Als haar moeder ter communie ging, wachtte Catherine in een koffieshop in de buurt, met een paar cranberryscones, terwijl ze haar colleges voorbereidde.

Catherine liep tegen de dertig en had een felbegeerde post als lector aan de universiteit van Michigan, in dezelfde stad waar ze ook op school had gezeten. Ze had gedroomd van Yale of Harvard, maar nooit gesolliciteerd. Ze was bij haar zieke moeder gebleven. Hoewel de verzorging een belasting betekende voor haar wetenschappelijke onderzoek, zaten haar colleges altijd vol. De studenten schenen aan te voelen dat zij op de eerste plaats kwamen. Ze hadden waardering voor haar rebelse humor en haar provocerende ideeën.

Bovendien zag ze er goed uit, tot afgunst van sommige collega's.

De natuur had haar gezegend met de schoonheid van een fotomodel; het leven had haar een frisse, eerlijke uitstraling gegeven. Ze had een hekel aan make-up, mode en pretenties. Ze was gebouwd voor een strand aan de Côte d'Azur, maar voelde zich meer op haar gemak in de winderige duinen langs Lake Michigan. Naar haar werk droeg ze een spijkerbroek.

Pater Devaney herkende haar toen ze de kerk binnenkwam, worstelend met haar tassen. Maar voordat de kwieke oude man haar had bereikt, scheurde de zwaarste tas helemaal open en rolde de inhoud door het gangpad. Catherine boog zich om de kleren op te rapen. De priester knielde naast haar.

'Catherine, ik ben blij je te zien. Hoe gaat het me je?'

'Beter dan met mijn boodschappentas, meneer pastoor,' zei Catherine, en ze snotterde even. 'Aardig dat u het vraagt.'

'Hier, laat mij maar,' zei pater Devaney, en hij verzamelde de kleren.

'Ze waren van mijn moeder,' zei Catherine. 'Niets bijzonders, maar ik dacht dat de kerk er misschien iets aan had.'

'Iemand zal er heel dankbaar voor zijn. Ik ook.'

'Dank u, meneer pastoor. En bedankt voor uw goede zorgen. Ik weet dat ze altijd op u kon rekenen om haar op te beuren.'

Devaney lachte vriendelijk en pakte haar hand in een verrassend krachtige greep. 'De Heer kan een troost zijn, als je Hem de kans geeft. De kerk is er altijd, ook voor jou, Catherine.'

Catherine knipperde een traan weg en glimlachte.

'Ik heb college,' zei ze, en ze ging er haastig vandoor.

Catherine had haar geloof achtergelaten op een begraafplaats in Belfast. Connor Cavanaugh – een strenge maar liefhebbende vader en een trouw lid van de gemeenschap – was door het Ierse Republikeinse leger op valse verdenkingen geëxecuteerd. Ze hadden hem beschuldigd van protestantse sympathieën. Hij zou de strijd voor de onafhankelijkheid en de katholieke kerk hebben verraden.

Om een voorbeeld te stellen hadden ze hem een kogel door zijn voorhoofd gejaagd en zijn lichaam gedumpt tussen de wilde bloemen langs een landweg.

De moord op haar vader had Catherine gebroken. Op school werd ze gemeden door haar klasgenoten en moest ze leven met de leugens over haar vader. Alleen haar broer Ian had haar op de been gehouden. Ian was drie jaar ouder, en toen alle verantwoordelijkheid op zijn schouders kwam te rusten toonde hij zich een man. Hij vond een tweede baantje bij een vleesfabriek, zodat Catherine tijd hield voor haar schoolwerk. En hij stond altijd klaar met een lach, een grap, een complimentje.

'Catherine, je bent de mooiste meid van heel Belfast,' zei hij wel duizend keer.

In de kerk zat Ian naast zijn moeder, met haar hand in de zijne, en gaf haar de moed om met opgeheven hoofd de wereld te trotseren.

Maar na een tijdje lachte Ian niet zo veel meer. Er zat hem iets dwars. Hij had problemen.

Hij nam Catherine niet in vertrouwen, maar dat was ook niet nodig. Algauw gingen er geruchten.

Catherine probeerde voor Ian klaar te staan, zoals hij haar ook altijd had gesteund, maar ze wist niet hoe. Ze raadde hem aan naar pater Donegan te gaan. Die zou hem wel helpen.

Op een dag, toen Catherine van school naar huis liep, kwamen er twee oudere jongens achter haar aan. Ze begonnen haar te pesten en te duwen. Een van hen greep haar beet en trok haar armen naar achteren. De ander rukte haar blouse open.

Catherine stond doodsangsten uit en voelde zich diep vernederd. Tegelijkertijd schaamde ze zich, alsof ze de knullen geloofde toen ze haar een slet en een hoer noemden.

Gelukkig kwam haar broer haar te hulp.

'Laat haar los!' riep hij.

De jongens draaiden zich naar hem om. 'Waar bemoei je je mee, flikker?' smaalde een van hen.

'Flikker,' herhaalde de ander.

Ian raakte hem met zijn vuist.

Na afloop van de knokpartij hielp Catherine haar broer overeind. Ze scheurde een reep stof van haar eigen gescheurde witte blouse en drukte die tegen zijn bloedende lip.

Samen liepen ze naar huis. Catherine huilde tegen zijn borst en hij sloeg beschermend een arm om haar heen.

Een hele tijd later bekende Ian, met tranen van schaamte, eindelijk wat er aan de hand was. Hij werd verteerd door onuitsprekelijke verlangens. Wat hij deed was een doodzonde. Hij probeerde krampachtig zijn persoonlijke waarheid met die van God te verzoenen, maar dat was onmogelijk. De Bijbel was helder op dat punt.

Bij zijn derde biecht had de priester hem gezegd dat hij een gruwel was in Gods oog.

Catherine wist niet wat ze moest zeggen. Ze drukte hem tegen zich aan en zei dat ze van hem hield.

Een paar dagen later zocht Ian een andere vorm van verzoening. Dicht bij huis, onder een leigrijze hemel, stapte hij de spoorbaan op en wachtte op de aanstormende trein.

Vanaf de waslijn achter het huis van de buren had Catherine hem in zijn eentje over het spoor zien lopen, totdat ze de bel van de overgang hoorde rinkelen, gevolgd door de fluittoon van de naderende trein. Doodstil was hij blijven staan, met gespreide armen, alsof hij zijn verlossing verwelkomde.

Op het laatste moment was ze schreeuwend naar hem toe gerend.

Catherines moeder hield vol dat het een ongeluk was. Ze wilde Ian naast zijn vader laten begraven, in de schaduw van hun kerk. Maar pater Donegan had geweigerd. Zelfmoord was een onvergeeflijke zonde. Volgens het aartsbisdom had Ian zijn recht op een katholieke begrafenis verspeeld.

Catherines moeder was met haar naar Amerika gevlucht, naar Michigan, waar oom Billy bij een autofabriek werkte. Na drie jaar achter de kassa van een supermarkt en een studie voor haar Amerikaanse papieren werd Maeve verpleegster in het academisch ziekenhuis, hetzelfde waar ze uiteindelijk ook was gestorven.

Het verlies van haar geloof had een leegte nagelaten die Catherine graag wilde vullen. Dat hielp bij de keuze van haar wetenschappelijke specialisme, iets wat haar moeder nooit begrepen had.

De collegezaal zat bijna vol toen Catherine haar papieren verzamelde en tegen de microfoon tikte. Tweehonderd studenten installeerden zich op hun krakende bankjes, legden hun rugzakken op de grond en pakten pennen en schriften voor hun aantekeningen. Catherine keek de zaal door en vroeg zich af waar ze zou beginnen.

Haar blik bleef even rusten op een paar studenten op de tiende rij, die met gevouwen handen en gebogen hoofd een gebed zeiden. Die ongebruikelijke aanblik wekte haar nieuwsgierigheid, maar toen ze opkeken, begon Catherine rustig aan haar college van die dag.

'Vandaag wilde ik het hebben over Herodes de Grote, een van de meesterbouwers uit de oudheid,' stak ze van wal. 'Tot zijn erfenis behoren enkele van de belangrijkste archeologische vindplaatsen in Israël, zoals de burcht van Herodeion, het bergfort Masada, de klassieke havenstad Caesarea, het paleis van Jericho en de Tempelberg in Jeruzalem. Zijn grootste werk, de reconstructie van de tempel, hield helaas het kortste stand. Na nog geen eeuw werd het door de Romeinen verwoest. Nog altijd vereren de joden de ruïne van de tempel, zoals de oude Hebreeën daar hun geloof beleden. De Westmuur is het belangrijkste heiligdom van het jodendom.

'Maar voordat we ons met de archeologie gaan bezighouden, wil ik eerst iets meer vertellen over de man zelf. Wie was deze Herodes, die zo lang zijn stempel heeft gedrukt? Hij was letterlijk koning van de Joden, hoewel hij zelf nooit zo overtuigd is geweest van zijn eigen macht. Vriendelijk gezegd was hij een paranoïde, wrede, megalomane figuur, die zijn woede botvierde op alles en iedereen. Om alle reële en vermeende verzet in het rijk de kop in te drukken liet hij talloze Joden afslachten. Hij zag overal complotten en martelde zijn gevangenen om bekentenissen los te krijgen. Hij vermoordde zijn vrouw Mariamne omdat hij dacht dat ze met een van zijn naaste adviseurs het bed deelde. En hij doodde de adviseur. Maar zijn gekte nam alleen maar toe. Hij liet twee trouwe zoons wurgen uit angst dat ze op zijn troon aasden. En hij installeerde een gouden adelaar, een grimmig beeld, boven de poort van de tempel. Toen vrome joden het beeld weghaalden, werden ze door Herodes levend verbrand.

'Maar laten we meelij hebben met onze onbegrepen Herodes. De wereld herinnert zich hem vooral om een misdrijf dat hij waarschijnlijk nooit heeft begaan.

'Daarmee verwijs ik natuurlijk naar het evangelie van Matteüs, hoofdstuk 2, vers 16, over Herodes' optreden na de geboorte van Christus. Jullie weten dat de wijzen uit het oosten de tijding hadden gebracht over de geboorte van een nieuwe koning. Matteüs grijpt terug op de Egyptische farao uit het boek Exodus als hij ons vertelt dat Herodes een bevel uitvaardigde om alle jongetjes onder de twee jaar in Bethlehem te doden.

'Zoals Connolly schrijft, lijkt dat te passen bij het beeld dat wij van Herodes hebben, maar toch is het niet erg waarschijnlijk. Ga maar na. Al zijn andere gruweldaden zijn uitvoerig vastgelegd door de historici van zijn tijd. Deze wandaad vinden we enkel bij Matteüs. Zelfs in de andere evangeliën komt het niet voor. Een bevel om baby's uit de armen van hun moeders te rukken zou tot een openlijke opstand hebben geleid, een van de grootste crises uit Herodes' bewind, niet tot een doodse stilte. Het lijkt een mooi verhaal, ik geef het toe, maar we kunnen het veilig tot een Bijbelse fabel bestempelen.'

Een student in het midden van de tiende rij stak zijn hand op.

'Ja, Bryan,' zei Catherine. 'Wilde je iets vragen?'

Bryan stond op. Hij had zandkleurig haar, keurig kortgeknipt, een jongensachtig glad gezicht en een kaarsrechte houding. Hij moest even naar woorden zoeken.

'U noemt dat een Bijbelse fabel?'

'Inderdaad.'

'Professor Cavanaugh, ik volg uw colleges nu al een paar weken en ik luister met alle respect, maar nu kan ik toch echt niet langer zwijgen. U schijnt de hele Schrift te verwerpen en u geeft geen enkele ruimte aan studenten in deze zaal die wél geloven.'

Er klonken wat verbaasde reacties en protesten, maar Catherine vroeg om stilte.

'Dames en heren, Bryan heeft het woord.'

'Dank u, professor. Mijn boodschap is eenvoudig. De Bijbel is de waarheid, het woord en de getuigenis van God. U en andere seculiere humanisten aan deze universiteit hebben niet het recht de betekenis daarvan te vervormen of het gezag daarvan te ondermijnen. Ik spreek voor de 176 leden van de Campus Gospel Fellowship als ik zeg dat wij ons niet langer in een hoek laten drukken. Dit is een waarschuwing. Als de faculteit in Ann Arbor ons niet hoort, gaan we naar de politici in de hoofdstad, die over het geld beslissen. Zij zullen wél naar ons luisteren.'

Catherines studenten wachtten gespannen hoe ze zou reageren.

'Dank je, Bryan, voor je eerlijke mening,' zei Catherine rustig. 'Het spijt me als je vindt dat ik geen respect heb getoond. Ik gun iedereen zijn geloof, dat verzeker ik je. Sterker nog, ik kan er jaloers op zijn. Maar dit is een college over Bijbelse archeologie en ik ben een Bijbels archeoloog. Wij doen onderzoek op basis van wetenschap en zakelijke argumenten. Wij zoeken naar de waarheid, Bryan. Als jij in de waarheid gelooft, heb je dus niets te vrezen van zo'n onderzoek.'

Bryan keek ontstemd. 'Mijn vrees bewaar ik voor God,' zei hij.

Catherine keek de jongen eens aan en ving een glimp op van haar broer.

Ian kende de vreze Gods. En Ian geloofde. Hij had elk woord geloofd, ook de woorden die hem zo diep verwondden. Als hij niet had geloofd, zou hij nu nog bij me zijn geweest...

Ze stapte achter de lessenaar vandaan en keek haar criticus weer aan. 'Als het evangelie werkelijk de enige, zuivere waarheid zou zijn, was onze taak veel eenvoudiger, Bryan. Maar voor iedereen die probeert het te begrijpen is de Bijbel juist niet het laatste woord. Daarom proberen we dieper te graven.'

Bryan stond weer op, met een uitdrukking van woede op zijn gezicht die zijn voldoening maar nauwelijks maskeerde.

'Dat is precies wat ik bedoel,' zei hij. 'U ontpopt zich als een criticus van de Heer, niet als een onderzoeker van Zijn woord.'

'Misschien kun jij ons helpen, Bryan. Wat is dan precies Zijn woord?'

'Zijn woord is duidelijk,' zei Bryan, en hij hield een bijbel omhoog. 'Het staat tussen de kaften van dit boek, voor iedereen die het lezen wil.'

Catherine knikte peinzend. 'In het evangelie van Marcus, hoofdstuk 5?'

'Zo zeker als de Zoon weer zal opstaan, professor.'

'Help me even, mensen. Wie geeft me een samenvatting van de eerste passage van Marcus 5?' vroeg Catherine. 'Het is geen test, hoor. Kijk maar in het boek.'

Een tiental handen ging de lucht in. Catherine wees naar een student met stekeltjeshaar, ergens links in de zaal, een lange tiener in een sportshirt van de universiteit. 'Ja, Andrew?'

Andrew stond op en sloeg zijn bijbel open. 'Jezus reisde per boot naar het land van de Gadarenen. Daar kwam een wilde man naar hem toe, die in de graftomben woonde. De man was bezeten door demonen. Jezus gaf de demonen bevel zijn lichaam te verlaten.'

'En deden de demonen dat?' vroeg Bryan.

'De demonen sloten een compromis,' antwoordde Andrew. 'Ze wilden het lichaam van de man opgeven als ze van Jezus bezit mochten nemen van een kudde zwijnen, in de buurt. Maar zodra de demonen bezit namen van de zwijnen, stortten die zich over de rand van een rots, in zee, zodat ze verdronken, en de boze geesten waarschijnlijk meenamen in de dood.'

'Een wonder,' zei Bryan. De studenten om hem heen mompelden 'amen'.

'Misschien,' zei Catherine. 'En het evangelie van Matteüs, hoofdstuk 8? Wie wil Matteüs' versie van dezelfde gebeurtenis voor me samenvatten?'

Catherine wees naar een vrouw vooraan. 'Angela, ga je gang.'

Angela's hand ging naar het gouden kruisje aan haar halsketting toen ze de tekst even doorlas voordat ze zei: 'De demonen namen bezit van de zwijnen, die zich in de zee wierpen en verdronken.'

'Nee, iets eerder nog, als je wilt,' zei Catherine. 'Wat gebeurde er volgens Matteüs toen Jezus bij de kust aankwam?'

Angela las het vers voor zichzelf en haar gezicht betrok. Vragend keek ze Catherine aan.

'Oké, vertel maar wat er staat.'

'Er staat... er staat dat Jezus twee mannen uit de graftombes tegenkwam die door demonen waren bezeten,' mompelde Angela.

'Hoeveel?'

'Twee.'

'Twee mannen die door demonen waren bezeten,' herhaalde Catherine. 'Twee keer zoveel als Andrew in het evangelie van Marcus vond. Welke versie moeten we nu geloven, Bryan? Heeft Jezus die dag twee keer die duivels uitgedreven, of maar één keer?'

Bryan liep rood aan. 'Heel slim, professor, maar het verhaspelen van twee verzen bewijst helemaal niets.'

'O nee?'

'Als u goed leest, zult u zien dat het verhaal van Marcus plaatsvond in het land van de Gadarenen en dat van Matteüs in het land van de Gerasenen. We kunnen beide versies accepteren zonder te hoeven kiezen.'

'Beide versies?' vroeg Catherine. 'Goed. En wat denk je van Marcus 10 en Matteüs 20, toen Jezus en zijn discipelen uit Jericho vertrokken? Hoeveel blinden smeekten er toen om hulp? Kregen twee mannen het licht in hun ogen weer terug, zoals Matteüs schrijft, of maar één bedelaar, Bartimeüs, zoals we bij Marcus lezen?'

De zaal staarde haar met grote ogen aan.

'Ik zal het simpeler maken,' zei ze. 'Welke feestdag vierden Jezus en zijn discipelen bij het Laatste Avondmaal?'

'Het joodse paasfeest,' riepen een paar studenten.

'Dat klopt,' zei Catherine, 'en toch ook niet. Volgens drie van de evangeliën was dat het joodse paasfeest, maar volgens het vierde evangelie vond het Laatste Avondmaal al vóór het paasfeest plaats.

'En nu we het er toch over hebben, hoe zit het met Judas? We weten allemaal dat Jezus door Judas werd verraden, omdat de Bijbel dat zegt. Maar hoe is het Judas vergaan? Voelde hij zich zo schuldig dat hij zichzelf heeft verhangen, zoals Matteüs meldt? Of moeten we geloven wat we elders in het Nieuwe Testament lezen: dat hij een stuk land had gekocht met het geld dat hij voor het verraad van Jezus had gekregen en later bij een soort ongeluk is doodgevallen?'

'Dat zijn maar details, professor,' sputterde Bryan. 'Het is niet aan ons om daar vraagtekens bij te zetten. Het verandert helemaal niets aan de grote waarheid. We moeten ons richten op de leer van Christus. Daar gaat het om.'

Catherine keek haar student aan en zag zichzelf weer in die kerk in Belfast.

Net als hij heb ik Hem omhelsd. Ik heb voor het altaar geknield, dankbaar voor Zijn offer, zeker van Zijn liefde.

Zoals ik me ook getroost voelde door de liefde van mijn eigen vader.

En nu heb ik geen van beide meer.

'Bryan heeft helemaal gelijk,' zei Catherine. 'Het belangrijkste van het Nieuwe Testament is het woord van Jezus zelf. Laten we het Bijbelverhaal dus even vergeten en ons concentreren op de woorden van Christus zelf. Zo komen we bij de kern van de zaak. Toen Jezus terechtstond voor zijn leven, beschuldigd van godslastering, en de hogepriester van Jeruzalem hem vroeg of hij de Zoon van God was, wat antwoordde hij toen?'

Catherines blik gleed over de zee van verwachtingsvolle gezichten, ook dat van Bryan, die begreep waar ze naartoe wilde maar daar niets aan kon veranderen.

'Volgens Marcus,' vervolgde ze, 'antwoordde Jezus heel eenvoudig: "Dat ben ik." Maar als we Lucas moeten geloven, ontweek Jezus die vraag met een sarcastisch antwoord: "Gij zegt het." Eén vraag, twee verschillende antwoorden. Allebei het woord van God.'

Bryan probeerde iets terug te zeggen, maar Catherine was hem voor.

'Ik geef toe, dat waren niet zijn laatste woorden. Hij zei nog meer. Maar zelfs op het dramatische moment waarop Jezus aan het kruis hangt laten de evangeliën ons in het ongewisse. In het evangelie van Johannes sterft Jezus met de laatste woorden: "Ik heb dorst... het is voorbij."

'Volgens het evangelie van Lucas blaast Jezus zijn laatste adem uit met een bevestiging van zijn geloof in God. "Vader, in uw handen beveel ik mijn geest aan," zegt hij. En in sommige versies van Lucas, maar niet alle, vinden we een genadig pleidooi voor de beulen: "Vader, vergeef hen, want ze weten niet wat ze doen." Matteüs en Marcus daarentegen besluiten het verhaal met een heel ander beeld, van een wanhopige messias: "Mijn God, mijn God, waarom hebt Gij mij verlaten?"'

Veel studenten leken onder de indruk en sommigen zelfs een beetje ontdaan door deze analyse.

'En daarmee houden de inconsequenties nog niet op,' zei Catherine. 'Toen Jezus stierf, beefde de aarde, spleten de rotsen en openden graven zich. Heiligen herrezen uit de dood. Het gordijn in de tempel scheurde spontaan van boven naar onderen. Duisternis daalde neer over het land, midden op de dag, wel drie uur lang. Dat is het evangelie volgens Matteüs. Net zo subtiel als een spektakelfilm uit Hollywood.

'Marcus en Lucas bevestigen die duisternis van drie uur en dat gescheurde gordijn. Maar ze schrijven niets over een aardbeving, splijtende rotsen of doden die uit hun graf herrijzen. Johannes laat die speciale effecten zelfs helemaal achterwege. Geen duisternis overdag, geen gescheurde gordijnen, geen wandelende doden. Vreemd dat de schrijver van het vierde evangelie dat allemaal is ontgaan.

'En bedenk eens wat er later gebeurde, in Jezus' graf, toen zijn lichaam verdwenen bleek. Dat is het verhaal van de Opstanding, het centrale thema van de christelijke theologie. Opnieuw zien we hier tegenstrijdigheden tussen de evangeliën.

'Matteüs en Marcus schrijven dat Maria, de moeder van Jezus, en de andere Maria – Maria Magdalena – naar het graf gaan en een goddelijke boodschapper tegenkomen die hun vertelt dat Jezus is opgestaan. Bij Lucas vinden we een grotere groep mensen – niet alleen de beide Maria's, maar ook Johanna en een paar andere vrouwen uit Galilea – die twéé goddelijke boodschappers tegenkomen in het graf.

'En Johannes geeft nog een derde versie van het verhaal, waarin Maria Magdalena, die zelf het graf heeft bezocht, naar twee van de discipelen rent om hun te zeggen dat het lichaam van Jezus is weggehaald. De twee discipelen gaan kijken, zien dat het graf leeg is en vertrekken weer. Ze schijnen ervan uit te gaan dat het lichaam is weggehaald, zoals Maria Magdalena heeft gezegd. Maar Maria Magdalena blijft huilend bij het graf achter, in haar eentje. Dan gaat ze nog eens kijken en loopt de twee goddelijke boodschappers tegen het lijf, die haar vragen waarom ze huilt. Maria draait zich om en staat oog in oog met Jezus.'

Catherine ijsbeerde over het podium.

'Al die tegenstrijdigheden zijn niet zo verwonderlijk,' zei ze. 'Het zou vreemder zijn als ze er níét waren geweest. Geen van de evangeliën is immers in Jezus' eigen tijd geschreven en ze kunnen dus niet als een ooggetuigenverslag worden gezien. De wetenschap is het erover eens dat het oudste evangelie, dat van Marcus, pas twee generaties na de kruisiging is geschreven. Twéé generaties. Dat is heel lang om je nog Jezus' letterlijke woorden te herinneren. Ik daag jullie uit om letterlijk te herhalen wat ik jullie vandaag, dit uur, over koning Herodes heb verteld voordat Bryan met deze verhelderende interruptie begon.'

Catherine keek weer de zaal rond. De studenten staarden terug.

'Toe nou, mensen. Jullie hebben het dictaat nog voor je neus. Jullie eigen aantekeningen. Kan niemand dan letterlijk mijn tekst herhalen?'

Niemand durfde het aan.

'Bryan, jij hebt heel goed geluisterd. Weet jij het niet meer?'

'Ik ben maar een nederige christen, professor. Ik wil mezelf niet vergelijken met de apostelen. Evenmin als ik uw college wil vergelijken met de leer van Christus.'

Een aantal mensen knikte, en Catherine scheen haar misstap toe te geven.

'Natuurlijk, je hebt gelijk. Mijn fout. Maar de kern van de zaak is dat het christendom gelóóf vraagt. Als je het geloof hebt, vraag je niet naar bewijzen. Als je naar bewijzen vraagt, kun je jezelf geen gelovige noemen en moet je rekening houden met wat je misschien zult vinden.'

'Ook de duivel kan de Schrift citeren, professor. We waarschuwen u nog eens. Er moet een eind komen aan deze godslastering.'

Godslastering? Daar durven jullie mij van te beschuldigen? Ik was zo'n trouwe gelovige dat ik Ian naar pater Donegan heb gezonden, en pater Donegan heeft hem naar de hel gestuurd.

Bryan stond weer op, samen met zijn vrienden op de tiende rij, en ze gingen op weg naar de uitgang.

Catherine sloeg het protest met verbazing gade. Ergens anders in de zaal kwam ook een handvol studenten overeind.

Haar verontwaardiging nam toe. Dit was niet alleen kritiek op háár, maar hun letterlijke uitleg van de Bijbel betekende ook een veroordeling van haar overleden broer.

'We zijn nog niet klaar,' zei ze bevend.

Mijn broer Ian ligt begraven achter een gevangenis, tussen misdadigers en verdwaalde zielen, omdat de kerken van Belfast zijn lichaam weigerden.

Maar de demonstranten liepen door. Ze vertrapten Ians graf.

Met trillende stem riep Catherine hen na. 'God heeft ons meer dan een boek nagelaten,' zei ze. 'Hij heeft ons een hart, hersens, vlees en bloed gegeven, met het vermogen om zelfstandig te denken en lief te hebben. Als wij trouw zijn aan onszelf en als Hij ons naar Zijn evenbeeld heeft geschapen, hoe kunnen wij ons dan zo ernstig vergissen? Wil iemand me dat verklaren? Kán iemand me dat verklaren? Want ik zou graag het antwoord weten.'

De laatste demonstranten verlieten de zaal en de deur viel langzaam achter hen dicht. De rest van de studenten staarde Catherine zwijgend aan.

Ze keek verlegen om zich heen en liet haar blik naar de lessenaar zakken. Ze was de controle kwijt, besefte ze, bang dat haar laatste vraag als een argument of een vernietigend commentaar had geklonken, terwijl het in werkelijkheid een oprechte smeekbede was geweest. Haar handen trilden.

Ze voelde zich opgelaten en verward. 'Dat was alles voor vandaag,' zei ze zacht.

Catherine verzamelde haar papieren en stapte van het podium. Zonder nog iemand aan te kijken liep ze naar de deur. Toen ze bijna bij de uitgang was, zag ze een man met een hoornen bril en een bruin tweedjasje op de achterste rij zitten.

Hij was de voorzitter van de beoordelingscommissie, een man die haar professioneel kon maken of breken. En hij zat druk te schrijven.

16

Vanaf een andere plek op de achterste rij had Benjamin Jordan gefascineerd toegekeken.

Nu zag hij Catherine met afzakkende schouders naar de deur lopen en meende hij zelfs een traan te zien.

In haar kielzog leken sommige studenten van hun stuk gebracht door de twijfel die ze had gezaaid, terwijl anderen zich duidelijk zorgen maakten om haar.

Ze was niet zo'n academisch, introvert type als hij had verwacht. Integendeel, ze intrigeerde hem. Ondanks alle beheersing waarmee ze haar criticus van repliek had gediend, hadden de woorden van de student haar toch geraakt. Ze had zich gevoelig en kwetsbaar opgesteld, alsof ze een innerlijke strijd uitvocht. Maar nog altijd had Jordan geen idee wat haar connectie met Meyer Elazar kon zijn. En hij vroeg zich af waarom ze nooit op zijn berichten had gereageerd.

Hij liep achter Catherine aan de gang door en haalde haar in toen ze naar de trap liep.

'Neemt u me niet kwalijk, professor Cavanaugh...'

Ze draaide zich om alsof ze wakker schrok uit een droom en keek hem verwonderd aan.

'Ik ben Benjamin Jordan, uit Jeruzalem,' zei hij.

In een onbewaakt moment reageerde ze op zijn charme, maar meteen probeerde ze zich te herstellen toen ze hem een hand gaf.

Tot Jordans verbazing zei zijn naam haar blijkbaar niets. 'Ik ben van *The Shofar*,' verduidelijkte hij.

'Sorry, maar kennen wij elkaar?' vroeg Catherine.

'Ik heb berichten op uw kantoor achtergelaten en u de afgelopen week een paar e-mails gestuurd,' zei Jordan.

'O, dat spijt me verschrikkelijk. Ik loop een beetje achter. Het is een... moeilijke tijd geweest,' zei ze. 'Wat doet een journalist van *The Shofar* hier helemaal in Michigan?'

Jordan glimlachte, alsof het antwoord nogal voor de hand lag. 'Ik was op zoek naar u.'

Ze keek verbaasd en zo mogelijk nog meer van streek. 'Waarom?' vroeg ze, terwijl ze Jordan wat scherper opnam.

'Mag ik u een kop koffie aanbieden? Dan zal ik het uitleggen.'

In de ogen van de goegemeente in Jeruzalem bleef Jordan een triest geval, of nog erger. Hij had een fout gemaakt, dat besefte hij zelf nu ook. Samir Salam had het hem uitgelegd, als mosterd na de maaltijd.

Twee dagen na de persconferentie die Jordans reputatie door het slijk haalde had de sluwe Jordaniër hem getroffen in het Israëlisch Museum in Jeruzalem, waar Jordan naartoe was gegaan om na te denken, zoals hij soms deed. Hij staarde naar een groot reliëf van de plundering van de Joodse stad Lachish door de Assyriërs in 701 v. Chr., dat in opdracht van de triomferende koning Sennacherib was gemaakt om de gebeurtenis te vieren. Zoals het oude tableau illustreerde, had het vijandelijke leger talloze Joden gedood en aan palen gestoken voordat ze de rest als gevangenen hadden meegevoerd. Jordan keek er wel naar, maar zag het niet. Hij was met zijn gedachten heel ergens anders. Maar algauw werd hij zich bewust van een oudere toerist, vlak naast hem. De vermomming was zo overtuigend dat Jordan het eerst niet door had, totdat Samir herinneringen begon op te halen aan een boottocht over de Rode Zee.

Ze slenterden door de zalen, langs stenen sarcofagen en bronzen speerpunten, terwijl ze zachtjes met elkaar praatten.

'Wat is er in godsnaam gebeurd?' vroeg Jordan. 'Waarom heb je me zo'n streek geleverd?'

'Het was een misverstand,' zei Samir. 'Die Zilveren Rol bestaat wel, dat kan ik je verzekeren. Maar hij had niets te maken met die opgravingen in de Negev.'

Jordan keek hem ongelovig aan. 'Maar jij zei...'

'Niet waar,' zei Samir defensief. 'Misschien wekte ik die indruk, maar het was je eigen conclusie.'

Jordan wist niet of hij kwader was op zichzelf of op zijn bron. 'Waar hebben ze dat ding dan wél gevonden?'

'In een opslagruimte van het instituut. God mag weten hoelang die rol daar al lag.'

'Dat meen je niet.'

'Hij zat verborgen in het oor van een stenen kruik. Daar had hij wel eeuwig kunnen zitten, want het was een heel gewone kruik waarin olijfolie werd bewaard. Dat is me tenminste verteld. Maar iemand zette hem toevallig op een werkbank om hem in een expositie te gebruiken. Een conciërge stootte hem om en de kruik viel op de grond.' Samir grijnsde ondeugend. 'Je kunt je zijn schrik voorstellen, en zijn verbazing toen hij de scherven opraapte.'

'Waarom heb je me dat niet verteld?'

'Het spijt me, Benjamin. Ik wist het niet. Onze gemeenschappelijke vriend had het niet tegen me gezegd omdat hij het niet belangrijk vond.'

'Verdomme, Samir. Maar die persconferentie dan? Daar heb je me met de grond gelijk gemaakt.'

'Ik heb alleen gezegd dat de koning de Israëlische regering nergens van beschuldigde. Wees niet zo naïef, Benjamin. Je denkt toch niet echt dat hij zo'n beschuldiging zou uiten?' Samir knipoogde irritant. 'Maar dat wil niet zeggen dat het niet waar is.'

'Laat me raden,' zei Jordan. 'Die conciërge heette Ehud en hij is omgekomen bij de explosie.'

'Hoe weet jij dat?'

Jordan schudde nijdig zijn hoofd. 'En je ooggetuigen, die jongens van de apotheek die zogenaamd hadden gezien dat Ramsi was opgepakt?'

'Het Israëlische leger kan heel intimiderend zijn. Geloof me, die jongens hebben dat echt gezien.'

'Maar zijn lijk is opgedoken in Amman!'

'Wat bewijst dat?'

'Toe nou, Samir.'

'Zoals de patholoog al zei, heeft het even geduurd voordat ze hem konden identificeren. Ik heb geprobeerd je te bereiken op de avond voordat het artikel in de krant verscheen, maar je mobiel stond uit en je voicemail was vol. Ik hoop dat de dame het waard was.'

Met dat verhaal had hij na zijn blunder moeilijk naar zijn hoofdredacteur kunnen stappen, en het was ook geen verklaring voor Meltzers merkwaardig angstige gedrag, dus had Jordan het enige andere spoor gevolgd dat hij nog had, helemaal naar Ann Arbor.

Ze zaten achter in de koffieshop, wachtend tot hun cappuccino's waren afgekoeld. Het tentje rook naar tarwekoekjes en vochtige wollen truien. Regen kletterde tegen de ruit aan de voorkant, waar doorweekte studenten haastig voorbijliepen.

Catherine keek Jordan nieuwsgierig aan, maar hij nam alle tijd om haar reactie te peilen. Hij probeerde zich open te stellen. Na een grote slok van zijn cappuccino zette hij zijn kopje neer en trotseerde haar blik.

'Hebt u gehoord over de explosie in het instituut?' vroeg hij.

Ze sloeg haar ogen neer en boog haar hoofd. 'Verschrikkelijk,' zei ze. 'Heel erg.'

'En de nasleep?'

'Ik hoorde dat Israël had teruggeslagen tegen terroristen in Libanon.'

Jordan knikte begrijpend. Ze had het nieuws dus niet echt gevolgd.

'Ik probeer te reconstrueren wat er is gebeurd; wat de context was,' zei hij. 'En ik ben vooral geïnteresseerd in uw connectie met rabbi Elazar.'

Ze keek verbaasd, alsof ze de vraag niet goed begreep. 'Hoezo?'

'Iemand uit de naaste omgeving van de rabbi heeft me uw naam gegeven,' zei Jordan.

Om de juiste persoon te vinden had Jordan het internet afgezocht met de steekwoorden 'Cavanaugh' en 'Elazar'. Die zoekactie had het programma opgeleverd voor de jaarlijkse bijeenkomst van de Academy of Biblical Archaeology, vier jaar geleden. Cavanaugh en Elazar hadden in een forum gezeten tijdens de conventie in Zürich, maar allebei op een ander moment. Catherine Cavanaugh van de universiteit van Michigan, toen nog bezig met haar promotie, had deelgenomen aan een seminar over het gebruik van satellietbeelden bij archeologisch onderzoek om verdwenen handelsroutes en andere kunstmatige sporen onder de huidige topografie terug te vinden.

Via een academische database had Jordan een kopie van haar dissertatie bemachtigd. Ze had 247 bladzijden volgeschreven met analyses van oude pictogrammen die in de rotsen van de Jordaanse woestijn waren uitgehakt. Tot zijn teleurstelling had het niets te maken met het onderwerp dat hem bezighield.

Maar toen las hij de noten. Cavanaugh had gesprekken gevoerd met Meyer Elazar. Dus in elk geval kenden ze elkaar.

'Wie was diegene "uit de naaste omgeving" van de rabbi?' vroeg Catherine.

'Zijn secretaresse. Twee dagen voor haar dood had ze uw naam op mijn antwoordapparaat ingesproken. Blijkbaar stond die op een dossier dat de rabbi uit zijn kantoor had meegenomen toen hij daar voor het laatst vertrok.'

Catherine keek hem ongelovig aan. 'En wat stond er in dat dossier?' vroeg ze.

'Dat wilde ik ú juist vragen.'

'Geen idee. Ik heb rabbi Elazar de afgelopen drie jaar maar één keer gesproken, en dat was ruim een halfjaar voor de bomaanslag.'

'Waar ging dat gesprek over?'
'Over Mordecai Mandel.'
'Een wederzijdse vriend?'
Catherine lachte, meer bij zichzelf dan om Jordan. 'Hij is in 1883 overleden. Geen bekende figuur, maar ik doe onderzoek voor een boek over hem. Tenminste, daar werkte ik aan totdat ik ermee moest stoppen. En ik had rabbi Elazar gebeld om zijn mening te horen.'
'Waarover?'
'Wat informatie en aanwijzingen die ik had gevonden.'
'Zoals?'
Ze keek hem achterdochtig aan, alsof ze een valstrik vermoedde. 'Meneer Jordan...'
'Ben.'
'Meneer Jordan,' vervolgde Catherine ongeduldig, 'neem me niet kwalijk dat ik niet de behoefte voel om mijn onderzoek met u te bespreken.'
'Natuurlijk niet. Dat zou ik ook niet doen. U hebt rivalen in uw werk, net als ik. Maar deze zaak zou nog belangrijker kunnen zijn dan Mordecai Mandel.'
'Dat dacht ik ook wel eens. Het spijt me dat u zo'n lange reis hebt gemaakt voor zo weinig informatie, maar –'
'Zegt u me één ding. Had het iets te maken met de Zilveren Rol?'
Catherine keek hem uitdrukkingsloos aan. 'Daar weet ik helemaal niets van,' zei ze, duidelijk oprecht. Ze wilde al opstaan. 'Dank u voor de cappuccino. Ik wens u een veilige terugreis. Als u me nu wilt excuseren...'
'En de Koperen Rol? Hield het verband met de Koperen Rol?'
Catherine verstijfde. Ze was nieuwsgierig, zag hij, maar vooral ook bezorgd.
'Wilt u daar iets meer over zeggen?' vroeg Jordan.
'Het wordt tijd dat ú er iets over zegt,' zei Catherine.
Jordan gebaarde naar de stoel en de professor ging weer zitten.
Ze staarden elkaar een tijdje aan, verbonden door een gemeenschappelijk belang.
'Ik luister,' zei Catherine.
'Ik heb gehoord dat het instituut een relikwie had ontdekt, een zilveren rol, die net als de Koperen Rol beschrijvingen bevatte van onvoorstelbare schatten en hun vindplaats. Blijkbaar was die Zilveren Rol na de Koperen Rol geschreven, toen een groot deel van de kost-

baarheden uit de Koperen Rol was opgegraven en naar veiliger plaatsen overgebracht. Mijn bron denkt dat de Zilveren Rol de weg wijst naar de verloren schatten van de tempel... aangenomen dat iemand de aanwijzingen zou begrijpen.'

Catherine keek ontsteld. Het bloed week uit haar gezicht. 'Hebt u een kopie van die Zilveren Rol?' vroeg ze.

'Nee.'

'Kent u iemand die de tekst heeft?'

'Nee.'

'Hebt u enig idee wat erin staat?'

'Alleen wat ik u zonet heb verteld.'

'Juist. Nou, bedankt, meneer Jordan. Ik ben blij dat we elkaar hebben gesproken.'

Catherine stond weer op en wilde haar jas pakken.

'Wacht,' zei Jordan dringend. 'Heb ik iets verkeerds gezegd?'

'Ik moet weg,' zei Catherine. 'Het spijt me, maar ik kan u niet helpen.'

'Wacht even... Wat betekent dat?' vroeg Jordan.

Hij wilde haar mouw grijpen, maar ze was al verdwenen.

Jordan ging achter haar aan naar buiten en zag haar door het verkeer zigzaggen. Een passerende auto reed door een plas en spatte hem nat. Het windjack dat hij had ingepakt bood weinig bescherming tegen de stortbui.

Jordan bleef op de stoep staan terwijl de auto's hem voorbijreden. Hij had duidelijk het gevoel dat ze geïnteresseerd was, maar ook bang. Hij was op een muur gestuit, met weinig hoop erdoorheen te breken. Toch was de nerveuze, schichtige reactie van Catherine Cavanaugh weer een bewijs dat hij op het goede spoor zat.

En hij had weer een nieuw aanknopingspunt. De professor had dus met Meyer Elazar gesproken over haar onderzoek naar een man die in 1883 was gestorven. Een man die Mordecai Mandel heette.

Jordan zocht in zijn zak en haalde een vochtige plattegrond van de campus tevoorschijn.

17

Een uurtje later, na een paar mislukte pogingen, had Jordan zich diep begraven in de Harlan Hatcher Graduate Library, speurend tussen rijen oude boeken. Het was er niet stoffig, maar toch leken de meeste boeken al jaren niet uit de kast gehaald. Helaas bleek die ene, onbekende titel die hij zocht onvindbaar in de universiteitsbibliotheek. Vreemd genoeg was er in de administratie nergens een aantekening te vinden dat het boek ooit was uitgeleend. Misschien was het naar de opslag verdwenen om plaats te maken voor boeken die wel werden gelezen, opperde een bibliothecaris.

Het was natuurlijk ook mogelijk dat de beknopte biografie van Mordecai Mandel, uitgegeven in 1896, op de verkeerde plaats was teruggezet. Boeken raakten nu eenmaal snel zoek in een bibliotheek. Iemand hoefde ze maar een klein eindje van de juiste plek te zetten en ze waren al uit het zicht verdwenen.

De Harlan Hatcher Graduate Library was zijn laatste kans. Hij bestudeerde de notitie die hij had overgeschreven uit de digitale catalogus, de enige verwijzing naar zijn onderwerp:

> Handelaar uit Jeruzalem, 1827-1883, beschuldigd van fraude tegen het British Museum.

Jordan liet zich op zijn hurken zakken en volgde de nummers op de tweede rij. Hij kwam in de buurt.

Maar waar *The Mandel Manuscript* had moeten staan vond hij een open plek in de collectie, net breed genoeg voor een dun boekje. Hij doorzocht de rest van de plank, toen de hele kast, maar tevergeefs. Het boek was weg.

Ontmoedigd draaide Jordan de grillige rijen schrijvers en titels zijn rug toe en ging op de grond zitten, leunend tegen de boekenkast. Hij sloot zijn ogen, in gedachten verzonken en vermoeid door de jetlag. Die biografie van een eeuw geleden stond blijkbaar niet op een verplichte leeslijst. Stel dat de professor hem had? Jordan vermoedde dat ze het boek dan voor zichzelf zou houden.

Zijn blik viel op een wagentje met teruggekomen boeken dat aan het eind van het gangpad stond te wachten. Hij sprong overeind en liep erheen. Niets. Maar met nieuwe energie boog hij zich over de andere karretjes die er stonden, vol met ongesorteerde boeken.

Eindelijk ontdekte hij een dun boek, met de titel in reliëf op de rug gedrukt: *The Mandel Manuscript*, door Randolph Rempel Jamison.

Jordan trok zijn vondst onder de stapel uit en bekeek het boek aandachtig. De leren band was broos van ouderdom, gebarsten als de verf van een antiek schilderij. De gouden belettering had zijn glans verloren. Maar toch was het er nog, na al die jaren, wachtend om zijn verhaal te vertellen.

Jordan vond een lege studieplek en sloot de deur. Het privékamertje keek uit over de gotische torenspitsen van de juridische faculteit, maar Jordan had er geen aandacht voor. Hij sloeg het boek open. Tot zijn verbazing bleek het geen traditionele biografie te zijn, maar een bescheiden essay, in eigen beheer uitgegeven door een schrijver die geen uitgever kon vinden. Jordan begon te lezen.

Dit verslag is opgedragen ter nagedachtenis van Mordecai Mandel. Tot mijn eeuwige schande had ik me bijna onttrokken aan de plicht om het te schrijven. Lang voor zijn roem en zijn latere ondergang rekende ik hem al tot mijn vrienden. Vele middagen zaten we samen in zijn donkere winkel in Jeruzalem, waar we zijn thee dronken en zijn tabak rookten. Aan de andere kant van het verschoten gordijn begroette zijn dochter de klanten met een warmte en charme die helaas verspild leek. In het achterkamertje luisterde ik naar Mordecai als hij vertelde over het ongeluk dat hem naar de Davidsstraat had gebracht en zijn ambitie om er weer bovenop te komen. We vormden een vreemd stel, een anglicaanse priester en een Russische Jood, maar in Jeruzalem waren we buren.

Dit alles kan gedeeltelijk verklaren waarom ik niets heb gezegd tijdens de gebeurtenissen in kwestie, nu meer dan twaalf jaar geleden. Lezers vragen zich misschien af waarom ik hier pas zo laat iets over schrijf. Daar heb ik geen afdoend antwoord op. Ik ben inmiddels oud en zwak, mijn gezondheid laat te wensen over, maar juist de eindigheid van mijn jaren heeft me de rug doen rechten. Ik schrijf dit nu in de bescheiden hoop dat toekomstige generaties de zaak wat helderder zullen zien, voor zover ze zich die herinneren.

Ik arriveerde in de oude stad in het voorjaar van 1877, als priester van de Christ Church naast de Toren van David. Net als de pelgrims die onze kerk bezochten vond ik het een geweldige ervaring om door die drukke straatjes te lopen. Kooplui met wapperende mantels in de Arabische *souk* verkochten sandalen die net zo tijdloos leken als de profeten zelf, en kruiden die pasten bij de wijzen uit het Oosten: kaneel, kardemom en kerrie. De atmosfeer was zwanger van geuren: granaatappels die in de hitte lagen te drogen, geslachte lammeren die aan vleeshaken waren opgehangen. Op slechts enkele passen van de kerk stonden kramen met pistachenoten en handkarren met honingsnoep. En elke dag kwam ik op mijn wandeling ook langs een etalage vol met snuisterijen. Ik zag er iconen van de Maagd Maria, en kruisen in alle soorten en maten. Mordecai Mandel was een Jood, maar hij wist alles van de toeristenhandel.

Als het stil was in de zaak stond Mandel in de deuropening en groette de voorbijgangers. Achter in zijn winkel had hij een grotere keuze van stenen olielampen, zogenaamd uit de tijd van het Oude Testament, en stenen scherven, voor een prijs van drie Britse ponden. Klanten die wilden afdingen kregen ze uiteindelijk voor de halve prijs. De gelovigen vertrokken voldaan, ervan overtuigd dat ze een koopje hadden bemachtigd: een origineel stukje Golgotha.

Mensen geloven nu eenmaal wat ze willen, en Mandel bezat een grote overredingskracht.

De werkelijke schatten lagen in een kast die helemaal achterin stond. Dat waren de relikwieën die Mandel van de bedoeïenen had gekocht, zoals glazen reukflesjes uit de Romeinse tijd, beeldjes van de Kanaänitische vruchtbaarheidsgodin, of Griekse munten, dof van ouderdom. De bedoeïenen hadden ze in het zand gevonden.

Aanvankelijk wisselden Mandel en ik beleefdheden uit, als vage kennissen. Zo nu en dan stuurde ik souvenirjagers zijn kant op, met een gepaste waarschuwing. Mandel bedankte me altijd persoonlijk. Toen, op een dag, hield hij me staande op straat.

'Pater Jamison, ik moet u iets laten zien. Een zeldzame, prachtige vondst.'

In de winkel aangekomen wikkelde Mandel een werkelijk schitterend voorwerp uit een doek: een zilveren kelk, mooi van ontwerp maar aangetast door de tijd. De beker riep onmiddellijk associaties op met Christus en het Laatste Avondmaal. Het was te mooi om waar te zijn.

De Jood las mijn gedachten. 'Nee, het is niet de Heilige Graal,' zei hij schaapachtig. 'Daar heb ik tenminste geen aanwijzingen voor. Maar het dateert wel uit de eerste eeuw, vermoedelijk zelfs uit de tijd van Jezus.'

Ik hield de kelk in het licht en bewonderde het vakmanschap. 'Hoe weet je dat?' vroeg ik.

'Door een munt die ernaast is gevonden.'

'Bedankt dat je het me hebt laten zien,' zei ik, en ik gaf hem de beker terug.

'Hij hoort in een kerk, eerwaarde. Op een prominente plaats. Waarom zet u hem zelf niet neer?'

Die vraag prikkelde mijn fantasie. 'Het zou inderdaad een sieraad zijn voor elk altaar,' antwoordde ik, 'maar ik kan me zoiets niet veroorloven.'

'Ach, de waarde is van geen belang. Ik wil het graag dicht bij huis houden en het van tijd tot tijd nog eens zien. Voor tien pond mag u de kelk meenemen.'

Mandel vond het prettig dat hij iets terug kon doen voor bewezen diensten, en ik mocht niet weigeren. Ik nam de beker mee en kwam de volgende dag terug met zijn geld. De zondag daarop, en alle zondagen daarna, gebruikte ik de beker voor de eucharistie.

Stelt u zich mijn verbazing voor toen een Londenaar die op bezoek was twee maanden later de kelk ontdekte terwijl we zaten te praten na de mis. 'Ik heb er net zo een gekocht,' merkte hij op. 'In het kunstatelier van Safad.'

'Hoe weet u dat het dezelfde is?' vroeg ik.

'Door het tekentje van de zilversmid,' antwoordde de Londenaar, wijzend naar een paar onopvallende initialen. 'Hij wilde zeven pond, maar ik heb er zes voor betaald.'

Geërgerd deed ik mijn beklag bij Mandel, maar ik had meteen spijt. Hij schrok ervan en zijn schaamte was pijnlijk om te zien. 'Bij alles wat heilig is, eerwaarde,' zei hij, 'ik wist het werkelijk niet.' Hij haalde tien pond uit een la en drukte me die in mijn hand. 'Houd uw geld,' zei hij, 'en houd de beker ook maar. Met mijn oprechte excuses.'

Dat was het begin van onze vriendschap.

Mandel was een kind van de *shtetl.* Als jongen had hij zichzelf bevoorrecht gevonden, maar dat was een illusie. Russische Joden op het platteland hadden het zwaar. Ze kenden alleen gevaren en ellende. Op een avond zat hij in een hooiberg, turend naar de sterrenbeelden, toen hij in slaap viel. Hij schrok wakker van het geroffel van paardenhoeven en de stank van rook. Kozakken reden plunderend het dorp door. Ze doodden het vee en staken de huizen in brand. Hun dronken, agressieve gelal galmde door de nacht. Verlamd van angst en machteloos om iets te doen was Mandel getuige van de *pogrom*. Een paar Kozakken sleurden zijn bebaarde vader het huis uit en schoren hem als een schaap. Ze smeten hem in de mest en pisten over zijn gezicht. Ten slotte verdronken ze hem in een watertrog.

Mandel hoorde hoe ze het lichaam van de dode man schopten, vloekend dat hij te snel gestorven was.

De oudste van Mandels drie zussen rende spiernaakt en gillend de achterdeur uit, maar werd al snel ingehaald door twee overvallers. Toen ze klaar met haar waren, staken ze haar met een sabel dood.

De rest van de familie zat in het huis gevangen: zijn zussen, zijn grootvader en een pasgeboren nichtje. Mannen die de jonge Mandel als zijn christelijke buren herkende barricadeerden de ramen en staken het dak in brand. Hij bad dat zijn familie al dood was, maar bij wijze van antwoord hoorde hij een doodskreet boven het gebulder van de vlammen uit. Het was de stem van zijn moeder.

De jongen begroef zich in de hooiberg. Hij hoorde een toorts in het hooi neerkomen en voelde hoe de hitte zich verspreidde. Maar de vochtigheid van de regen van die middag was zijn redding. Het vuur doofde weer.

Mijn vriend huilde zonder tranen toen hij dit verhaal vertelde.

'Waarom deden ze dat?' vroeg ik.

Mandel lachte om mijn onnozelheid. 'Hoe verklaar je het geweld van de ene mens tegenover de andere?' vroeg hij retorisch. 'Wat is de reden voor boosaardigheid en haat?'

Blijkbaar leek ik niet tevreden met dat antwoord, want hij ging er wat nader op in. 'Ze deden het omdat wij Joden waren,' zei hij. 'Omdat hun kerk hun had geleerd dat wij Jezus hadden vermoord.'

Mijn vriend sprak beleefd over 'hun kerk', alsof die van de mijne zou verschillen. Maar zijn antwoord trof me als een vuistslag. Mijn adem stokte en ik wilde Mordecai tegenspreken. Dat was niet de leer van de Kerk. Alleen de Bijbel, het woord Gods, beschreef het proces en de veroordeling van onze Heer door een hof van Joden. Maar zo'n subtiele discussie had weinig zin.

'Wat schandalig,' zei ik, 'dat jouw familie verantwoordelijk zou worden gesteld voor de daden van hun voorouders.'

Mandel liet weer een cynisch lachje horen. 'De verméénde daden van onze voorouders, bedoelt u,' zei hij beschuldigend. 'Maar is het niet altijd zo gegaan? In de vroege middeleeuwen werden de Poolse voorouders van mijn vader vermoord en hun huizen verbrand door een leger van kruisvaarders, die zo Gods zegen hoopten te verdienen voordat ze het Heilige Land heroverden. Eeuwen later werden leden van de familie van mijn moeder gemarteld door de Inquisitie. De overlevenden stierven op de brandstapel. Kunt u zich zo'n gruwelijke dood voorstellen, als de rook in je longen dringt en je vlees begint te sputteren en te sissen?'

De winkelier schudde triest zijn hoofd. 'Weet u, eerwaarde, als Joden zijn wij wel gewend aan het vuur. Het zou me niet verbazen als het ons op een dag allemaal noodlottig werd.'

In het najaar van 1881 was het uiteindelijk de ambitie die mijn vriend Mandel noodlottig werd, een brandend verlangen naar rijkdom, succes en erkenning. Hij was niet in de wieg gelegd voor winkelier, dat was nooit zijn roeping geweest en een zoveelste afwijzing op grond van zijn geringe sociale status was de druppel die de emmer deed overlopen.

Het was de laatste in een lange rij van beledigingen. Als jongeman was Mandel tot zijn ongeluk verliefd geworden op de dochter van een rijke Weense familie. Ze hadden elkaar in Jeruzalem ontmoet, waar ze op vakantie was en hij een nieuw leven zocht, gevlucht voor de vervolgingen in zijn eigen land. Anna en Mordecai waren allebei joods, maar hadden verder weinig gemeen. Ze trouwden, ondanks de bezwaren van haar familie, en Anna's ouders vergaven het haar nooit. Maar ondanks hun eigendunk kwamen ook Anna's ouders in moeilijkheden. Ten slotte stierven ze arm en berooid, zonder haar een cent na te laten. Na een tijdje besefte Anna dat ze een luxueus leven in Europa had verruild voor een bestaan van zweet en stof. De romance verzuurde.

In de hoop de affectie van zijn bruid terug te winnen, probeerde Mandel vaste voet te krijgen in de samenleving die zij had achtergelaten. Hij deed een aantal onbesuisde investeringen, die op niets uitliepen. Ervan overtuigd dat de moderne techniek de woestijn kon laten bloeien kocht hij aandelen in een landbouwonderneming. Het irrigatieproject mislukte en het onvruchtbare land leverde alleen verlies op.

Mandel was dol op zijn liefhebbende dochter Rivka, en met recht. In het najaar van 1881 stelde hij haar voor aan een bezoekende student, de zoon van een vooraanstaand arts uit Berlijn. Tot zijn grote vreugde werden ze verliefd. Het was een bittere teleurstelling toen de arts het huwelijk verbood. De zoon vertrok en Rivka bleef ontroostbaar achter.

Mandel, diep gekwetst, was in een gevaarlijk labiele gemoedstoestand toen twee Franse avonturiers hem weken later benaderden met een aanlokkelijk voorstel. Ze hadden een aanwijzing gevonden over een oude Egyptische begraafplaats in een vallei ten westen van de Nijl. Ze wisten dat Mandel een goede naam had binnen de handel in oudheden. Voor een investering van tweehonderd pond mocht Mandel een tiende behouden van alle rijkdommen die ze zouden vinden. Het was een gul aanbod, maar Mandels reputatie zou de expeditie veel geloofwaardiger maken bij andere potentiële geldschieters. Op een late avond, bij het licht van Mandels flakkerende olielampen, vouwden de Fransen een serie verfomfaaide kaarten uit en onthulden hun plannen. De opgravingen konden wel een jaar gaan duren. Er waren aanzienlijke risico's, maar de mogelijke opbrengst was onvoorstelbaar. De winkelier had minder dan een dag om te beslissen. De volgende middag zouden ze vertrekken voor een gesprek met hun belangrijkste financier in Cairo, een Griekse diplomaat. Enthousiast plunderde Mandel zijn spaargeld, maar hij kwam vijftig pond tekort.

De volgende morgen stond hij in alle vroegte op en ging naar Aldo Campagnoli, een rijke Italiaanse buurman die in wijnen handelde. Campagnoli was een behoedzaam man en voelde niet veel voor een investering, maar Mandel maakte het verhaal nog mooier, en met veel overredingskracht wist hij zijn buurman over de streep te trekken. Daarna nam hij afscheid van de Fransen.

Dagen en weken droomde Mandel over de schatten die ze misschien zouden ontdekken en de roem die hem wachtte. Hij weifelde of hij de vondsten meteen moest verkopen of ze beter commercieel kon exposeren. Als hij in een bijzonder goede bui was overwoog hij zelfs zijn aandeel aan een museum te schenken of in elk geval te lenen.

Na drie maanden werd hij ongeduldig. Na zes maanden maakte hij zich grote zorgen. Na zeven maanden zonder enig bericht van zijn partners stuurde hij een afgezant naar het dorp langs de Nijl dat als basis van de expeditie diende. Niemand daar had ooit van de twee Fransen gehoord, evenmin als hun zogenaamde geldschieter in Cairo.

Mandel zonk weg in een donkere poel van melancholie.

Op een woensdagmiddag in september 1882, toen de late schaduwen over de Davidsstraat vielen, duwde een bedoeïenenherder het gordijn achter in Mandels winkel opzij en wekte de handelaar uit een van zijn middagslaapjes, die steeds langer gingen duren.

'Wat heb je vandaag voor me, Nadim?' mopperde Mandel.

De herder keek verontschuldigend. 'Alleen dit,' zei hij, en hij gaf Mandel een armoedig bundeltje los opgerold leer.

De winkelier geeuwde. 'Geen glas? Geen munten?'

'Nee, *effendi.*'

Als de zaken niet zo slecht gingen, zou Mandel teleurgesteld zijn geweest. Nadim was een van zijn betere leveranciers en Mandel had hem al weken niet gezien. De jongen beschikte over scherpe ogen en genoeg tijd om de dorre heuvels en valleien te verkennen.

'Laat eens kijken,' zei de Jood, meer uit nieuwsgierigheid dan oprechte belangstelling.

Hij pakte het bundeltje en rolde het op de tafel uit, maar het was zo lang dat het over de rand viel, tot op de vloer. Mandel probeerde het broze materiaal glad te strijken, maar het kraakte. De herder haalde zijn schouders op, alsof hij geen verantwoordelijkheid wilde nemen voor de conditie van de koopwaar.

Mandel boog zich over de tafel om de vondst wat nauwkeuriger te bestuderen. Het leek een rol met religieuze teksten, maar hij kon het schrift nauwelijks onderscheiden. De inkt was verbleekt en de letters hadden een vreemde vorm. Op sommige plaatsen was weinig anders meer over dan wat zwarte vegen. Uit de paar woorden die hij herkende leidde hij af dat het een deel van een oude Tora moest zijn, de vijf verzamelde boeken van Mozes die in het joodse geloof werden gebruikt. Er werden wel vaker Tora's teruggevonden. Volgens de Joodse wet moesten beschadigde schriftrollen ritueel worden begraven.

‘Waar heb je die gevonden?’ vroeg Mandel.

‘In een grot, *effendi*. Ik was op zoek naar een schaap.’

Mandel bekeek de rol nog eens. Tora’s werden normaal op perkament geschreven, niet op leer, zoals in dit geval. Merkwaardig.

‘Ik geef je er vier pond voor,’ verklaarde Mandel.

De jongen fronste zijn voorhoofd en stak zijn kin naar voren. ‘Vier pond!’ riep hij beledigd. Zo ging het altijd.

De jongen had gelijk, zoals gewoonlijk, en Mandel wist het. Een Europese verzamelaar zou er misschien wel vijftien pond voor geven.

Na druk onderhandelen vertrok de herder triomfantelijk met zes pond en twee shilling in zijn hand, terwijl de verbaasde winkelier zich over zijn ontdekking boog.

In de weken die volgden zag ik Mandel steeds minder. Hij ontweek zijn vrienden en zijn klanten en liet de winkel aan zijn dochter over. Toen ik bezorgd naar hem op zoek ging, trof ik hem, nog havelozer dan anders, diep over het gerafelde handschrift gebogen, terwijl hij uitvoerig aantekeningen maakte. Hij zat tot diep in de nacht in zijn kantoortje en bewerkte het oude leer met whisky of olie om de letters naar boven te halen.

Ik wilde er meer over horen, maar hij vroeg me om geduld te hebben. Die Franse oplichters hadden Mandel vernederd en hij wilde niet nog zo’n blamage riskeren, zeker niet tegenover mij.

Zonder dat ik het wist was Mandel een correspondentie begonnen met enkele vooraanstaande geleerden. In februari en maart 1883 brachten verscheidene Bijbelkenners een bezoek aan Mandels winkel. De laatste kwam helemaal uit Praag.

Toen de Tsjech weer was vertrokken, nodigde Mandel me hartelijk uit. Hij omhelsde me zelfs van vreugde.

‘Eerwaarde, niet te geloven! De deskundigen zijn het met me eens. Deze tekst is minstens 1500 jaar ouder dan alle andere.’

‘Maar wat is het dan, Mordecai?’

‘Genesis, eerwaarde. Het boek Genesis! Het oudste dat we kennen.’

‘Hoe weet je dat, Mordecai?’

‘Door het schrift, eerwaarde, door het schrift!’

Mandel spreidde een deel van het handschrift voor me uit en wees met een pen. ‘Dit soort lettertekens is niet meer gebruikt sinds de zesde eeuw voor Christus, de tijd dat Nebukadnezar Jeruzalem veroverde en de Joden naar Babylon wegvoerde.'

Ik was heel blij voor Mordecai en wenste hem geluk. Als het waar was wat hij zei, zou deze vondst een zegen zijn voor de hele mensheid.

'Hebt u enig idee hoeveel geld mensen hiervoor over zullen hebben, eerwaarde? De deskundigen zeggen dat het honderdduizenden ponden waard kan zijn!'

Ik had nog niet aan de prijs gedacht.

Drie maanden later maakte Mandel een rondreis langs de intellectuele hoofdsteden van Europa om zijn beroemde handschrift te tonen aan gezagsdragers en wetenschappers. Bibliotheken en musea werden uitgenodigd een bod te doen. Hij reisde van Praag naar München, van Wenen naar Parijs en van Amsterdam naar Londen. Overal werd hij met triomf binnengehaald door de pers, de machthebbers en de adel. De kranten speculeerden wie de 'Genesis van Mandel' uiteindelijk zou kopen, en voor hoeveel geld. Het gerucht ging dat het Louvre een bod van achthonderdduizend pond overwoog.

Ondertussen discussieerden professoren en religieuze leiders over de authenticiteit van het handschrift. En dat debat was verre van academisch.

De grote schok was dat Mandels Genesis verschilde van de versie die het fundament vormde van het jodendom en het christendom.

Beide versies begonnen hetzelfde: 'In den beginne schiep God de hemel en de aarde. De aarde nu was woest en leeg, en er lag duisternis op de vloed.'

Maar terwijl God volgens het standaardverhaal op de vierde dag de zon, de maan en de sterren had geschapen, zou God volgens Mandels handschrift op de vierde dag het gras en de bomen hebben gemaakt.

Mandels Genesis beschreef dat God al op de derde dag de hemellichten had geschapen, voordat hij aan de planten begon.

En er was nog een ander opvallend verschil. In de standaardversie wijdde God de vijfde dag aan de schepsels van de zee en de lucht, en de zesde dag aan de dieren van het land. In Mandels Genesis was die volgorde omgekeerd.

Dat waren de meest in het oog springende afwijkingen, hoewel er nog talloze andere variaties waren in woordkeus en formulering.

Zoals Mandel algauw ontdekte hadden zelfs de kleinste inconsequenties soms grote gevolgen. Opeens bleek het woord van God niet in steen gehouwen, maar variabel. En dus had de wereld alle reden om zijn vondst te verwerpen.

Sommige critici bestempelden de Mandeltekst tot een vervalsing, louter vervaardigd uit geldelijk gewin. Anderen zagen er een atheïstisch complot in. Weer anderen beschuldigden de Jood ervan dat hij tegen het christendom samenspande, een onlogisch verwijt, omdat Genesis oorspronkelijk uit het joodse geloof kwam. Merkwaardig genoeg hielden het Vaticaan en de Anglicaanse Kerk zich buiten de discussie, misschien uit angst die te verliezen.

In augustus 1883 kwamen de deskundigen van het British Museum tot een eensluidende conclusie: het handschrift was echt. Vastbesloten het niet aan de Fransen kwijt te raken, wist het vooraanstaande Londense museum in het geheim een miljoen pond van de minister van Financiën los te krijgen voor de aankoop. In zijn hotelsuite proostten Mandel en de curatoren van het museum op het verwachte succes.

Maar het nieuws van de aankoop lekte uit naar een Londense krant en de Fransen reageerden meteen, niet door het bod te verhogen, zoals Mandel misschien had gedacht, maar door zich geheel terug te trekken, Mandel van bedrog te beschuldigen en de Britse experts belachelijk te maken omdat ze hem geloofden.

Mandels bondgenoten werden in het defensief gedrongen, maar gaven geen krimp, ook al waren er parlementsleden die mopperden over verkwisting van belastinggeld.

Vervolgens publiceerde de Franse ambassadeur in Londen een verklaring van een handelaar in Jeruzalem, een van oorsprong Italiaanse wijnkoper die Aldo Campagnoli heette. Op vragen van Franse onderzoekers had Campagnoli getuigd dat Mordecai Mandel hem voor vijftig Engelse ponden had opgelicht. De wijnhandelaar herinnerde zich dat Mandel hem nog maar drie jaar geleden had verleid om geld te steken in een verzonnen archeologisch project. Nog altijd verbitterd gaf Campagnoli toe dat de belofte van de schat van Cleopatra sterker was geweest dan zijn aangeboren scepsis.

Toen het nieuws de ronde deed, ging Mandels uitleg verloren in de storm van algehele verontwaardiging. Ook voormalige bondgenoten keerden zich tegen hem. Kerkleiders verklaarden het handschrift tot een duidelijke vervalsing. Tekenaars maakten spotprenten waarin hij als een Shylock met een haakneus werd voorgesteld. Politici riepen op tot juridische vervolging. Mandels luxueuze hotel eiste dat hij onmiddellijk zijn nota zou voldoen, waartoe hij niet in staat bleek.

Zelf hield ik mij op veilige afstand, buiten de discussie.

Omdat hij geen geld had voor de terugreis naar Jeruzalem schreef Mandel zijn dochter met het dringende verzoek de bedoeïen op te sporen die hem het handschrift had verkocht. Het leek een gevaarlijke en zinloze missie, maar het meisje sloot zich aan bij een karavaan en reed naar de nomadenkampen in de woestijn van Judea. Daar vond ze het antwoord, maar ze durfde het haar vader niet te schrijven. De herder Nadim was twee maanden eerder beroofd en vermoord.

Berooid en met schande overladen verloor Mandel het contact met zijn familie.

Op een dag in de winter van 1883 nam hij een kamer in een pension in een armoedig deel van Brighton. Onderzoek wees later uit dat hij daar voor de spiegel was gaan staan, met een revolver tegen zijn oor gedrukt, en de trekker had overgehaald.

De beruchte tekst van Genesis werd in Londen geveild om Mandels schulden te voldoen. Het handschrift ging naar een onbekende bieder – de enige – voor het symbolische bedrag van zes pond en twee shilling. Niemand heeft het ooit teruggezien.

Nog altijd wordt Mandels handschrift door de goegemeente als bedrog gezien. Voor zover zijn naam nog voortleeft, wordt hij bespot.

Maar ik wist beter. Ik was die middag in Mandels winkel toen hij de merkwaardige vondst van de onwetende herder had gekocht en me triomfantelijk vertelde over zijn koopje. Moet ik soms geloven dat de bedoeïen dat handschrift had gefabriceerd? Of dat iemand daar tijd en moeite in had gestoken om vervolgens genoegen te nemen met zo'n schamel bedrag? En waarom zou zo'n vervalser juist Mandel als zijn pion hebben gekozen?

In de loop van de maanden zag ik Mandel bezig met zijn inspanningen om de tekst te ontcijferen. Was dat soms ook bedrog? Goed, Mandel werd verblind door hebzucht, maar hij was slim genoeg om het gevaar van een verhitte discussie te beseffen. Als hij zelf de Genesistekst had vervalst, zou hij een minder controversiële inhoud hebben gekozen, die zich conformeerde aan het gangbare geloof. Dat weet ik, omdat hij zich al voor zijn vertrek naar Europa zorgen maakte over inconsequenties in de tekst en de mogelijke reacties daarop.

Ook kende ik de waarheid over die Egyptische fraudezaak, waarover Mandel me in vertrouwen had genomen. Hij was slachtoffer, geen dader.

Tot mijn schande echter moet ik bekennen dat ik me afzijdig hield van de hele kwestie. Ik was bang om stelling te nemen tegen mensen met een zwak geloof en weinig fantasie, bang mezelf medeplichtig te maken, bang mijn kerk tegen te spreken. Laf als ik was, hield ik mijn mening voor me.

Die last zal ik met me meenemen in het graf.

Na Mandels dood ging ik naar zijn dochter om mijn medeleven te betuigen. Zij begon over de zilveren kelk die Mandel me had verkocht en de tien pond die hij me had teruggegeven toen ik hem van bedrog beschuldigde. Ik zei haar dat ik de beker nog altijd voor de eucharistie gebruikte. Ik had nooit geweten of het echt zijn bedoeling was geweest mij te bedriegen. Rivka wist dat wel. Zij was erbij toen haar vader de beker van een handelaar uit Damascus kocht, voor het indrukwekkende bedrag van twintig pond.

Jordan sloeg het boek dicht en strekte zijn benen tegen opkomende kramp. Het was inmiddels avond geworden in Ann Arbor en de bomen glinsterden in een ijzige regen. Hij dacht nog een tijdje na over het verhaal. Het lot van de ongelukkige winkelier raakte hem, omdat hij zich beter dan de meeste mensen kon voorstellen hoe Mandel door het publiek moest zijn verguisd. Mandel was misschien niet de meest geschikte boodschapper geweest, maar de wereld had een hoge prijs betaald voor haar kleinzieligheid. Achteraf, met zijn kennis uit de eenentwintigste eeuw, vermoedde Jordan dat Mandels tekst wel degelijk authentiek was geweest. In de jaren veertig en vijftig van de twintigste eeuw waren immers de Dode Zeerollen aan het licht gekomen, in vergelijkbare omstandigheden.

Die tragiek – het verwoeste leven van een mens en het verlies van een wonderbaarlijke ontdekking – maakte hem boos. Het was een misdaad tegen de geschiedenis en het nageslacht. Mandels Genesis had tot nederigheid moeten dwingen. In plaats daarvan had de arrogantie van de orthodoxie gezegevierd.

Jordan dacht aan de veiling en die ene, onbekende bieder. Maar nog belangrijker was die andere vraag: Wat had Mordecai Mandel te maken met een bomaanslag bij Jeruzalem?

Catherine Cavanaugh had de sleutel. Ze moest iets over Mandel hebben ontdekt waardoor ze contact had opgenomen met Meyer Elazar. Wat het ook was, Elazar had erover nagedacht toen hij nog geen twee dagen voor de verwoesting van het archeologische instituut een dossier over Cavanaugh uit zijn kantoor meenam en haastig vertrok voor een bespreking met een minister van de Israëlische regering.

Toen was het instituut opgeblazen en Elazar zelf verdwenen.

Waarom had Cavanaugh met Elazar gebeld?

Jordan keek nog eens naar het boek en besefte dat hij geen mogelijkheden had om het te lenen. In een opwelling zette hij het in de kast terug, maar een paar meter van de juiste plek.

18

Catherine zat in het halfdonkere kantoor en kauwde op de achterkant van een balpen. Het schijnsel van haar bureaulamp was het enige licht in de kamer. Het liep tegen halfnegen en de gang op de eerste verdieping van het museum was verlaten. Haar zenuwen stonden net zo strak gespannen als de veren van haar versleten leren fauteuil, die kraakte toen ze naar achteren leunde.

Ze was nog steeds niet bekomen van de schok. Het verhaal van de Israëlische journalist had haar behoorlijk van streek gemaakt. Vooral omdat hij zelf niet scheen te begrijpen waar het om ging.

Hoeveel mensen wisten dit? En wat zouden ze doen?

Ze kon het allemaal niet bevatten. Een golf van emoties sloeg door haar heen. Ze was bedroefd om Meyer Elazar, die in het begin van haar studie een soort mentor voor haar was geweest. Ze zag zijn verbaasde gezicht nog voor zich toen ze in zijn kantoor was verschenen, een brutale jonge studente die zich kwam aanbieden als assistente van een van de belangrijkste figuren op haar vakgebied. Hij had haar streng ondervraagd naar de redenen waarom ze archeoloog wilde worden. En ze herinnerde zich zijn begrip – of was het empathie? – toen ze zachtjes had geantwoord: 'Een argument zoeken om in God te kunnen geloven.'

De rabbi had zich over zijn bureau gebogen en met zijn hese stem gezegd: 'Dat is een gevaarlijke motivatie voor een archeoloog.'

Maar Catherine had nog een andere reden, misschien nog belangrijker, die ze voor zichzelf hield: een argument zoeken om níét te hoeven geloven.

Gegeneerd was ze uit Elazars kantoor vertrokken, bang dat ze zich dom en naïef had aangesteld.

Een week later had ze een brief gekregen van professor Nuri Hafetz, die met een belangrijke opgraving in Jeruzalem ging beginnen. Hij kon haar niet betalen, maar hij wist wel een adresje bij een paar vrienden waar ze die zomer kon logeren. Of ze mee wilde als vrijwilliger? Blijkbaar had hij een telefoontje gekregen van rabbi Elazar, om welke reden dan ook.

In de weken daarna was ze door de rabbi uitgenodigd voor toespraken en seminars, en zelfs een paar recepties. Sommige andere studenten zetten vraagtekens bij haar vriendschap met Elazar. Hoe kon ze zijn reactionaire politieke ideeën tolereren, vroegen ze haar. Catherine deed of ze nergens van wist. Ze ging zo in haar werk op dat ze geen tijd had voor politiek, of dat maakte ze zichzelf wijs.

Maar uiteindelijk kon ze de politiek toch niet negeren. Elazars naam verscheen in de krant, en zijn foto stond op de voorpagina. Geleidelijk nam Catherine steeds meer afstand van de invloedrijke rabbi, eerst nog onbewust, maar later opzettelijk. Ze bedankte voor zijn uitnodigingen en reageerde nog maar lauw als vrienden of collega's hem probeerden te demoniseren. Zo nu en dan accepteerde ze nog wel een grote gunst van hem, zoals die keer dat Elazar haar aanwees om op een conferentie in Zwitserland te spreken.

Zelfs nu voelde ze zich nog schuldig als ze eraan terugdacht. Maar dat schuldgevoel was niets vergeleken bij haar woede.

De ontrouwe protegé was een ambitieuze geleerde en natuurlijk voelde ze zich verraden. Ze had Meyer in vertrouwen genomen, en verder niemand. Ze had de exclusieve uitkomsten van haar nog ongepubliceerde onderzoek met hem gedeeld. Ze had zijn hulp gevraagd, niet alleen omdat ze prijs stelde op zijn advies, maar ook om haar gedrag tegenover hem een beetje goed te maken.

Elazar had minachtend gereageerd. 'Verspil je talent daar nou niet aan,' zei hij. 'Je kunt je wel met betere zaken bezighouden.'

Die kritiek deed pijn, maar Catherine kon er wel tegen. Ze haalde haar schouders op en ging weer verder. Maar wat ze niet kon verkroppen was zijn onbetrouwbaarheid. Als ze die Israëlische journalist moest geloven, had Meyer tegen haar gelogen.

De aanwijzing die ze had gevolgd was dus geen dood spoor geweest. Maar Elazar had belangrijke informatie voor haar achtergehouden en haar geheim aan anderen verraden.

De veren van haar stoel kraakten van verontwaardiging.

Het had een grote triomf voor haar kunnen zijn. In plaats daarvan moest ze nu vechten voor het behoud van haar baantje.

Ze verweet zichzelf dat ze niet harder aan haar biografie van Mandel had gewerkt. In de academische draaikolk van 'publiceren of verzuipen' was ze steeds verder naar de diepte gezogen. Vanaf het eerste begin had ze gehoopt dat dit project haar voldoende status zou geven. Ze verwachtte oprecht dat het een bijdrage aan de wetenschap zou zijn.

Maar als Benjamin Jordan gelijk had, dreigde ze nu door de werkelijkheid te worden ingehaald. Haar vage, onderbelichte project kon elk moment in de schijnwerpers van de media komen te staan. Zelfs als ze het kon voltooien, zou het maanden of misschien wel jaren kosten om een uitgever te vinden. En ook als ze het naar een tijdschrift stuurde, zou het een eeuwigheid duren voordat al die afgunstige, kleinzielige deskundigen het hadden beoordeeld voor publicatie.

Aangenomen dat ze het zo lang overleefde.

Het was een onwillekeurige gedachte, een beetje cynisch, maar hoe langer ze erover nadacht, des te meer zorgen ze zich begon te maken. Meyer was dood. Vermoord, net als zijn naaste collega's. En waarom?

Om de resultaten van haar onderzoek?

Een golf van paniek sloeg door haar heen. Ze hield haar adem in en luisterde naar de stilte. Druppels bevroren regen kletterden tegen het raam. De oude stoomradiator siste, sputterde en zweeg toen weer.

Ach, ze moest niet overdrijven. Met geforceerde kalmte negeerde ze de adrenaline die door haar aderen stroomde. Ze beteugelde haar paranoia, maar besloot toch haar werk veilig te stellen. Catherine had Elazar niet alles verteld. Ze had wel een theorie ontwikkeld, maar voordat ze die kon uitleggen had Elazars kritiek haar al de mond gesnoerd.

Ze zette haar laptop aan en zocht naar de ruwe versie van haar boek. Nu ze iets concreets kon doen, had ze zichzelf weer in de hand. Met een paar snelle commando's sloeg ze het manuscript op een cd-rom op en beveiligde die met een wachtwoord. Met nog een paar toetsaanslagen bracht ze een paar bestanden met aantekeningen en transcripties over en controleerde de kopieën.

Toen ging ze naar haar privacyprogramma en wiste alle sporen van de oorspronkelijke bestanden van haar computer.

De cd-rom was bedoeld geweest als back-up; nu was het haar kluis. Ze haalde hem uit de drive, draaide zich op haar stoel om en liet haar blik over de boekenkast glijden. Een van de dikkere boeken, *The Riverside Shakespeare*, trok haar aandacht. Ze stak het schijfje tussen de bladzijden van *King Lear*, vierde akte, tweede tafereel, en zette het boek weer terug.

Ten slotte trok ze een la van haar archiefkast open en bladerde de tabs door, op zoek naar de betreffende map met haar handgeschreven aantekeningen en een cassettebandje. Blijkbaar had ze die ergens anders opgeborgen. Ze doorzocht de la opnieuw, wat zorgvuldiger nu, maar tevergeefs.

Weer voelde ze een stoot adrenaline. Een koude rilling gleed over haar rug.

Ze zocht in haar bureau. Waar kon die map gebleven zijn? Er waren maar twee mogelijkheden, tenzij...

Misschien had ze hem thuis laten liggen. Of in het vakantiehuisje van haar oom aan het afgelegen Loon Lake in de bossen van noordelijk Michigan, waar ze zich soms terugtrok om ongestoord te kunnen schrijven.

De derde mogelijkheid... was te alarmerend om serieus te nemen.

Catherine doofde de bureaulamp en deed de deur van haar kantoortje achter zich op slot.

19

Normaal was het een kwartier lopen naar huis, maar Catherine had haast en lette niet op de natte sneeuw, die de stoep spekglad maakte. Ze trok de capuchon van haar anorak strak om haar gezicht en hield haar hoofd schuin tegen de wind. Al haar spieren stonden gespannen, maar ze voelde het niet. Ze keek over haar schouder, maar de straten waren zo goed als verlaten.

Catherine woonde in een rustige zijstraat, in het kleinste huis dat er stond, een verweerde bungalow. De zolder waar ze sliep had een dakkapel en de voordeur werd beschut door een overdekte veranda. Een coniferenhaag scheidde haar huis van de buren.

Nog steeds bezorgd om het verdwenen dossier liep Catherine haastig het grindpaadje af, rinkelend met de sleutelbos in haar hand, en opende de deur.

Binnen was het warm en droog, en treurig levenloos, zonder haar moeder. In gelukkiger tijden zou ze zijn begroet door de geur van erwtensoep of het geluid van een fluitketel, maar dat waren nu nog herinneringen. Ze hing haar jas aan de antieke kapstok en schopte haar Timberlands uit. Snel deed ze een lamp aan en liep meteen naar de huiskamer, die ook als studeerkamer dienstdeed, om alle kasten te doorzoeken.

De map was nergens te vinden.

Verdomme.

Ze keek uit het raam naar de zwiepende bomen, waarvan de blaadjes ritselden in de onzichtbare storm. De rit naar het vakantiehuisje aan het meer zou zeker drie uur duren, en dan drie uur terug voor haar sectievergadering van de volgende morgen. Die mocht ze niet missen, want ze had de twee vorige keren ook al verstek laten gaan.

In de loop van de jaren had ze regelmatig een nachtje doorgewerkt, maar het vooruitzicht van een nachtelijke autorit lokte haar niet aan. De verleiding was groot om met een roman onder haar donzen dekbed te kruipen, maar ze voelde zich te onrustig om te kunnen slapen. Het was beter om zich warm aan te kleden, een thermosfles te vullen en in de auto te stappen.

De treden kraakten onder haar voeten toen ze de trap op liep. Ze deed het licht aan. Het bed zag er aanlokkelijk uit, maar ze liep naar de kast, pakte een dik geruit shirt en een droge Levi's en legde die op het bed. Toen wurmde ze zich uit haar coltrui, vouwde hem netjes op en legde hem op de toilettafel voordat ze haar spijkerbroek uittrok. Haar spiegelbeeld was bijna een fotostudie: het contrast tussen haar bleke, slanke bovenlijf en de zwartkanten beha.

Opeens verstijfde ze. Beneden hoorde ze een geluid. Zo leek het tenminste, het kraken van de vloer. Ze luisterde scherp, maar het enige wat ze hoorde was de wind in de bomen en het tikken van een klok.

Het huis was stil.

Ze vermande zich en haalde haar schouders op.

Toen zwiepte ze het haar uit haar ogen en stapte de kleine badkamer in. Ze begon hoofdpijn te krijgen, en dat was te zien. Over de wastafel heen stak ze haar hand uit naar het medicijnkastje en zocht naar een Tylenol. Ze legde de kalkachtige pil op haar tong, nam een handje koud water uit de kraan en slikte de pijnstiller. Op het moment dat ze het medicijnkastje weer sloot, keek ze in de spiegel en zag tot haar schrik dat ze een flintertje sla tussen haar voortanden had.

Had dat daar de hele middag al gezeten? Ook toen ze koffie dronk met die journalist?

Ze wilde het kastje weer openen om wat floss te pakken, maar abrupt sloeg ze het deurtje weer dicht.

Vreemd.

Ze keek nog eens in de spiegel en toen over haar schouder, door de deuropening van de badkamer, de slaapkamer in.

Het was lichter dan normaal. De lamp op het nachtkastje was aan.

Maar Catherine kon zich niet herinneren dat ze die had laten branden. Sterker nog, ze wist zeker dat ze het lampje de vorige avond had uitgedaan, zoals ze elke nacht deed als ze haar boek weglegde en zich omdraaide om te gaan slapen.

De lamp was weer aangegaan toen ze een paar minuten geleden naar boven was gekomen en de hoofdschakelaar voor de slaapkamer had ingedrukt, die zowel de plafondlamp als het nachtlampje bediende.

Maar als ze de vorige avond het nachtlampje had uitgedaan, zou het nu niet zijn gaan branden toen ze de centrale schakelaar indrukte.

Verbaasd liep Catherine naar het nachtkastje en deed de lamp uit. Het boek dat ze las lag er nog, precies zoals ze zich herinnerde: opengeslagen en omgekeerd, op een stapeltje aantekeningen voor haar werk.

Ze pakte het boek op en draaide het om. De paniek sloeg weer toe. Die bladzij had ze al gelezen, minstens twee avonden geleden.

Was er iemand in haar kamer geweest? Had iemand haar nachtkastje doorzocht? Haar aantekeningen bekeken?

Nog steeds hoorde ze niets anders dan de wind in de bomen en het tikken van de klok.

Ten slotte pakte ze de telefoon en belde de politie. 'Ik geloof dat er inbrekers zijn geweest,' zei ze.

'Spreek ik met Maeve Cavanaugh?' vroeg de centrale.

'Nee, met Catherine Cavanaugh.'

'Goed, mevrouw Cavanaugh. Waarom denkt u dat er inbrekers zijn geweest?'

Ze had zich kunnen vergissen in het boek of in de lamp, maar niet in allebei. 'Ik kwam net thuis, en het ziet er anders uit...'

'Is het mogelijk dat de indringer nog in huis is?'

Nog in huis is?

'Dat weet ik niet. Ja, misschien wel.'

'Kunt u naar buiten gaan?'

'Ik... ik ben boven.'

In mijn ondergoed.

'Oké, mevrouw Cavanaugh. Blijf aan de telefoon, met mij, terwijl ik een paar agenten naar u toe stuur.'

Zes minuten later stonden er twee politiemannen in haar slaapkamer en liepen twee anderen het hele huis door.

Een humorloze bodybuilder van ergens in de twintig – hij had zich wel voorgesteld, maar ze was zijn naam vergeten, dus keek ze snel naar zijn naamplaatje: agent Briggs – trok een latexhandschoen aan en opende het laatje van haar nachtkastje.

'Heeft iemand hier iets weggehaald?' vroeg hij.

'Nee,' zei ze, gegeneerd. Hij was bijna net zo jong als haar studenten.

'Bent u verder iets kwijt?' vroeg hij.

'Eh, ja.'

'Wat dan?'

'Ik weet het niet zeker. Wat papieren en een cassettebandje. Ik bedoel, misschien lagen ze wel niet in huis.'

'Maar ze zijn wel waardevol?'

Daar wist ze geen antwoord op.

'We hebben de kasten en de kelder doorzocht, en we hebben onder het bed in de andere kamer gekeken. Alles lijkt in orde. En de achterdeur zit nog op slot.'

'Maar die lamp dan?' zei Catherine. 'Ik weet zeker dat ik hem gisteravond uit had gedaan.'

'Bent u misschien in slaap gevallen met het licht aan?' opperde Briggs. 'Of vergeten dat u hem vanochtend weer aan hebt gedaan?'

De agent klonk neerbuigend.

'Maar dat is geen verklaring voor het boek,' zei ze. 'Dat lag open op de verkeerde bladzij.'

Agent Briggs pakte haar exemplaar van *Harry Potter and the Chamber of Secrets*.

'Het kon niet open liggen bij het stuk over de spinnen in het bos,' zei Catherine, 'want ik was al bij het stuk over de geest in de badkamer, Moaning Myrtle.'

'Griezelig verhaal,' zei Briggs. 'Mijn kleine broertje heeft de hele nacht doorgelezen.'

'Mijn moeder vond het ook geweldig,' zei Catherine. 'Ze had het cadeau gekregen in het ziekenhuis.'

Briggs legde het boek neer. 'Weet u wat, mevrouw Cavanaugh? We lopen samen nog even het hele huis door, dan kunt u het zelf zien.'

20

Ann Arbor

Jordan tuurde tussen de ruitenwissers door toen hij probeerde de nummers op de brievenbussen of de huizen te lezen. Hij zocht naar antwoorden en hij had haast.

Wat hield de professor voor hem verborgen?

Hij remde af tot een slakkengang en zag het politiezwaailicht achter een coniferenhaag. Met bonzend hart kwam hij dichterbij. Er stonden twee politiewagens voor een bescheiden gemetselde bungalow geparkeerd.

Het huis van Catherine Cavanaugh.

De angst sloeg hem om het hart en verlamde zijn toch al pijnlijke lijf. Hij trapte op de rem en klemde zijn vuisten om het stuur.

Natuurlijk herinnerde hij zich de beelden van de ambulance voor het huis van Miriam Wiesman en de brancard met de lijkzak die hem voorbij was gereden. Jordan geloofde niet echt dat Elazars secretaresse zelfmoord had gepleegd. Volgens hem was ze vermoord.

Hij deed zijn koplampen uit, parkeerde langs de stoep en hield het huis in de gaten, aarzelend of hij ernaartoe moest gaan om te zien wat er aan de hand was. In zijn angst om de jonge professor voelde hij ook iets anders, iets persoonlijks.

De eerste politiewagen reed achteruit het grindpad af, knerpend over de steentjes. De auto remde, het zwaailicht doofde en hij verdween langzaam door de straat, een minuutje later gevolgd door de andere wagen.

Opgelucht maar dubbel zo nieuwsgierig draaide Jordan de oprit op, parkeerde naast een oude Jeep Cherokee en schakelde de motor uit van zijn busje, de enige wagen die het verhuurbedrijf nog had staan.

Zo te zien brandden alle lampen in huis.

Hij sloeg het portier van het busje dicht en rende door de regen naar de beschutting van de veranda. Daar belde hij aan en wachtte. Door het raam zag hij een jas aan een kapstok hangen, boven een paar wandelschoenen. Eén jas en één paar schoenen, viel hem op.

Jordan stak zijn handen in zijn zakken en klemde zijn ellebogen tegen zich aan, niet gewend aan de kou. Hij belde nog eens, maar tevergeefs. Ten slotte stapte hij van de veranda af en keek naar het huis. Het maakte een wat ouderwetse, maar gezellige indruk. Aan de leuning hing een grijnzende pompoen naast een vogelbakje met zonnebloemzaden. Licht sijpelde naar buiten door de vitrage van de zolderkamer.

Zijn haar plakte tegen zijn hoofd en de regen droop in zijn ogen.

Hij zag iets bewegen in huis. Catherine kwam de trap af en liep naar de deur. Hij stapte de veranda op.

In plaats van open te doen, riep ze nijdig van achter de deur: 'Wat wil je?'

'Ik heb wat gelezen over uw vriend, Mordecai,' zei Jordan, die moest schreeuwen om zich verstaanbaar te maken. 'Ik wil graag weten hoe een negentiende-eeuwse winkelier in mijn verhaal past.'

'O ja? Nou, je bent niet de enige.'

'Wat is er gebeurd?'

'Iemand heeft bij me ingebroken. Misschien was jij het wel. Misschien nam je geen genoegen met "geen commentaar".'

'Ik was het niet, maar u hebt gelijk: "geen commentaar" accepteer ik niet.'

'Volgens mij ben jij de oorzaak van deze ellende,' zei ze, en zelfs door de deur heen hoorde hij dat haar stem trilde. 'Wie het ook zijn, jij hebt ze op mijn spoor gezet.'

Een blik van afschuw gleed over Jordans gezicht. 'Als ik u kon vinden, konden zij dat ook,' antwoordde hij.

'Maar wie zijn "zij"? En waarom?'

'Zegt ú het maar, professor. Ik sta hier in het donker.' Een windvlaag blies de regen in zijn ogen. 'We moeten praten.'

Ze schoof de grendel terug en opende de deur op een kier, zonder een poging haar achterdocht te verbergen.

'Geef me je portefeuille,' zei ze.

Jordan stak haar fronsend zijn portefeuille toe. Ze pakte hem aan en deed de deur weer dicht. Binnen onderzocht ze de inhoud en bestudeerde zijn creditcards en zijn legitimatie.

'Een professional denkt daar wel aan,' zei Jordan.

'Misschien. Goed, meneer Benjamin Jordan, van de Jabotinskystraat in Tel Aviv, zou iemand bij *The Shofar* voor u kunnen instaan?'

'Bel ze maar, dan hoort u het,' antwoordde hij.

'Goed idee.' Ze liet hem op de veranda staan.

Jordan wachtte in zijn eentje, in de kou. Dacht ze echt dat hij bluf-te?

Hij keek op zijn horloge. Hier in Michigan was het vier minuten voor elf 's avonds, in Tel Aviv nog geen zes uur in de middag. Zou iemand op de redactie de telefoon opnemen?

Vijf minuten later kwam ze terug. 'De telefoniste zei dat je niet op reportage kon zijn voor de krant omdat je voor onbepaalde tijd bent geschorst.'

'Dat klopt,' zei Jordan. 'Ik ben hier op eigen kosten. Niet alleen om mijn baan terug te krijgen en mijn reputatie te redden, maar ook omdat ik wil weten wat hierachter zit.'

Zijn woorden bleven hangen totdat ze door de wind werden weggeblazen.

Catherine deed de deur open. 'Waarom hebben ze je geschorst?'

'Dat weet ik niet precies. Misschien omdat ik een stomme fout heb gemaakt.'

'Hoe weet je zo zeker dat dit niet de volgende is?'

'Ik denk het niet.'

'Klop je altijd in het holst van de nacht bij mensen aan?'

'Als het nodig is.'

'Nou, je bent te laat.' Ze opende de deur wat verder, om hem binnen te laten.

'Heeft de politie iets gevonden?' vroeg hij toen ze de deur achter hem dicht deed.

'Ze denken dat ik het me verbeeld.'

'Is er iets meegenomen?'

'Dat weet ik niet. Er is nog één andere plek waar het kan zijn, helemaal in het noorden van Michigan, en als ik nu niet vertrek ben ik morgenochtend niet op tijd terug voor mijn vergadering. Ik val nu al om van de slaap.'

'Ik zal wel rijden,' zei Jordan.

Ze keek hem achterdochtig aan, maar scheen het toen wel een goed idee te vinden. Ze wierp een blik uit het raam, naar zijn busje.

'Bovendien,' zei Jordan, 'wie zou er zo'n blitse bolide kunnen weerstaan?'

Ze keek hem strak aan en pakte haar jas.

21

Het noorden van Michigan

Jordan sloot zich aan bij de stoet van vrachtwagens die in de late avond koers zetten naar het noorden, totdat de achterlichten geleidelijk verdwenen en ze de weg voor zich alleen hadden. Het regende niet meer.

Catherine staarde uit het raampje en probeerde afstand te nemen van het gevaar en de angst. En van Jordan. Ze voelde zich tot hem aangetrokken, maar ze vertrouwde hem niet. Hij was journalist. Maar dat was niet alles. De ervaring had haar geleerd dat ze mannen – en haar eigen oordeel over hen – niet kon vertrouwen. De laatste tijd was het ook geen punt geweest, omdat de ziekte van haar moeder al haar aandacht had opgeëist.

Dat was maar een excuus, had haar moeder gezegd, een smoes om de uitdagingen in haar eigen leven te ontlopen, net als het boek dat ze nog steeds niet had geschreven.

Jordan keek even opzij. 'Ik kan jou niet helpen als je mij niet helpt,' zei hij. 'Wat heb je Meyer Elazar verteld?'

'Gelukkig niet alles.'

'En weet hij dat je iets hebt achtergehouden?'

'Wéét hij dat? Je bedoelt of hij dat wíst.'

'Ik ga er nog niet vanuit dat hij dood is. Ze hebben zijn lichaam nooit gevonden.'

'Wát?'

'Er zijn aanwijzingen dat rabbi Elazar ergens anders was toen het instituut de lucht in ging,' zei Jordan. 'Vlak voor de bomexplosie schijnt hij het museum te hebben gebeld om te controleren of alle leden van de raad aanwezig waren.'

'En was dat zo?'

'Ja, op twee na: een Palestijn en een vertegenwoordiger van het Vaticaan. Twee vertrouwelingen van Elazar. Die allebei daarna onder verdachte omstandigheden om het leven zijn gekomen.'

Catherine kon haar oren niet geloven. Opeens was ze alle gevoel in haar armen en benen kwijt.

'Maar wie kan hebben geweten wat ik Meyer had verteld? En wie zou geïnteresseerd zijn in mijn onderzoek?'

'Ik kan er alleen maar naar raden. In elk geval had Elazar connecties met een hoge functionaris binnen het Israëlische kabinet. En ik weet dat die dode Palestijn, professor Ismail Ramsi, contact onderhield met de Jordaanse regering.'

'En die vertegenwoordiger van het Vaticaan? Kan hij het Vaticaan nog hebben gewaarschuwd voordat hij stierf?'

'Dat is heel goed mogelijk.'

'Als een journalist zo ver is gekomen, kan iedereen me wel op het spoor zijn,' zei Catherine.

'Ik ben meestal erg goed geïnformeerd, als dat scheelt,' zei Jordan.

'Sorry, zo bedoelde ik het niet.'

'Dat weet ik,' zei hij. 'Het is een zware dag geweest en ik heb het je niet makkelijker gemaakt.'

Hij keek haar weer aan, met een uitdrukking van oprechte bezorgdheid op zijn gezicht. 'Het is nog een heel eind rijden, en je hebt morgenochtend een vergadering. Probeer wat te slapen als je kunt.'

'Dank je,' zei ze met een zenuwachtig lachje.

Catherine sloot haar ogen en nestelde zich op de rechterstoel, doodmoe van de spanningen, zich verschuilend voor lastige vragen en haar eigen angst. Ze was blij dat ze niet hoefde te rijden. Ondanks het gepiep van de ruitenwissers viel ze in slaap.

Jordan maakte haar wakker toen ze bij de afslag kwamen en zij wees hem de weg door een klein vissersdorp aan het meer, over bochtige landweggetjes, langs rustieke huizen, tot aan een zandpad dat vroeger door houtvesters was gebruikt. Het busje hobbelde over de kuilen. Algauw werden ze ingesloten door het bos en zagen ze nog slechts een smalle streep van de hemel. Een eenzame wolk dreef laag over de boomtoppen, spookachtig wit tegen de heldere glinstering van de sterren. Het bos werd minder dicht en ze bereikten een verlaten boomgaard. Takken strekten zich uit boven hun hoofd, als de vingers van een skelet.

'Appels en kersen,' zei Catherine. 'Ik plukte ze vroeger, als kind.'

Jordan remde. Er stond een hert op het pad. Het licht van de koplampen weerkaatste in haar ogen, als bij een flitsfoto. De hinde keek hen strak aan, heel anders dan het spreekwoordelijke hert dat in de koplampen gevangen was. Ze leek trots en zelfverzekerd, niet van plan om te wijken. Het hert staarde hen nog een tijdje aan, verloor toen haar belangstelling en verdween tussen de bomen.

Ergens in het donker riep een uil.

Het huisje stond boven op een kleine heuvel. Jordan stopte naast de hut, stapte uit om zijn benen te strekken en zoog de nachtlucht in zijn longen, fris en zuiver. Hij voelde zijn energie terugkomen.

Huiverend opende Catherine de deur en deed het licht aan. Jordan volgde haar naar binnen. Ze liep meteen naar de keukentafel, zocht in een stapeltje papieren, vond een map en inspecteerde de inhoud.

'Ja, alles is er nog,' zei ze, met duidelijke opluchting. 'We kunnen weer terug.'

Jordan liet zijn schouders zakken. Hij leek moe en prikkelbaar.

Catherine legde de map neer. Voor het eerst sinds hij op haar stoep was verschenen had ze wat meer aandacht voor Jordan. Ze zag de schaduw van baardstoppels op zijn hoekige gezicht en was zich bewust van zijn kracht en onverzettelijkheid. Maar ook de diepe emotie in zijn ogen ontging haar niet. En nog iets anders, iets ongrijpbaars, de suggestie van aangeboren zelfvertrouwen en innerlijke pijn.

'Ik zou wel een kop thee lusten,' zei hij.

'Natuurlijk,' zei ze verontschuldigend. 'We kunnen wel even uitrusten.'

Ze zette een ketel water op de kookplaat, excuseerde zich en verdween naar de slaapkamer, waar Jordan een glimp van een groot ledikant met een dekbed opving voordat ze de deur dichttrok.

Hij staarde naar de map op tafel. Er stond geen opschrift op het omslag en hij had geen idee wat erin zat. Ten slotte keek hij om zich heen. Het meest opvallend was de natuurstenen schouw met een grote haard en smeedijzeren hulpstukken. Daarnaast lag een keurige stapel berkenblokken. Langs de muren stonden eenvoudige boekenkasten van ruwhouten grenen planken. De man die hier woonde hield van jagen. Jordan zag lokeenden, een hertengewei aan de muur en een opgezette baars boven de haard. Er stonden twee banken, bekleed met een ruitmotief, en een salontafel die uit de stronk van een reusachtige eik was gehakt. Op de vloer lag een geknoopt ovaal kleed.

Jordan liet zich op een van de banken vallen. De twee grote ramen zouden wel op een veranda uitkomen, maar dat was in het donker niet te zien.

Hij voelde zijn oogleden zwaar worden en viel half in slaap totdat de ketel begon te fluiten in het keukentje. Catherine kwam weer uit de slaapkamer in een grijs joggingpak van de universiteit van Michigan en schonk hem een dampende beker in.

'Is oploskoffie ook goed? Ik kon niets anders vinden.'

'Geweldig,' loog hij.

Ze gooide wat blokken in de haard en stak het aanmaakhout aan. De berkenbast vatte vlam.

Toen ging ze op de bank tegenover hem liggen en dronk van haar koffie.

'Dus hier ga je naartoe om rust te vinden?' vroeg hij.

'Ideaal toch? Ik kom hier om te schrijven.'

Het vuur knetterde en knapte. Jordan tuurde in de hypnotiserende vlammetjes.

'Alleen?' vroeg hij.

'Ik werk het liefst in mijn eentje.'

'Waarom ben je gestopt met dat boek over Mandel?'

'Ik zat er hier aan te werken toen ik werd gebeld. Dat was de laatste keer dat ik hier was. Ik herinner me haar stem nog over de telefoon, zo rustig en dapper, om mij gerust te stellen. Mijn moeder was zelf naar het ziekenhuis gegaan. Ze was alleen thuis toen ze de diagnose kreeg. En we hadden maar zo weinig tijd... Het viel niet mee om mijn werk te doen, die laatste maanden van haar leven.'

'Heeft ze je ooit zien lesgeven?'

'Nee.'

'Dat had ze vast mooi gevonden.'

'Daar ben ik niet zo zeker van.'

'Ik was onder de indruk van je college, vanochtend.'

'Was je erbíj...?'

'Jammer dat ik geen toneelcriticus ben.'

Catherine lachte. 'Het college dat ik had voorbereid was lang niet zo spannend als wat daar gebeurde.'

'Wie is die student, die Bryan, die zo veel kritiek op je had?'

'Bryan Jennings maakt deel uit van een groeiende beweging binnen onze universiteiten en in de politiek. Ik vond zijn bijdrage wel verhelderend.'

'In mijn land wemelt het van de Bryans. Ze bepalen de agenda.'

'Ik zou bijna jaloers op ze zijn,' zei Catherine. 'Op hun passie, hun overtuiging, hun helderheid, hun toewijding. Ze hebben maar zo weinig twijfels in het leven, zo weinig ballast. Zoals het Nieuwe Testament ons leert: "De waarheid zal u vrij maken."'

'Ja,' zei Jordan, 'maar is het je niet opgevallen dat hun waarheid andere mensen tot gevangenen maakt?'

Catherine staarde in het vuur. 'Dat was me niet ontgaan.'

'In zekere zin was Mordecai Mandel ook zo'n gevangene,' zei Jordan, met een blik naar de map op de tafel.

Catherine volgde zijn blik. De map lag nog net zo als ze hem had neergelegd, op een nummer van *National Geographic*, half over de omslagfoto van de gouden Rotskoepel in Jeruzalem. 'Ben jij gelovig, Benjamin?'

'Ik ben opgegroeid in het Heilige Land,' zei Jordan. 'Dat moet je wel bedenken.'

'Ja, en?'

'Nee, ik heb niets met godsdienst.'

'Waarom niet?'

'Eerlijk?'

'Ja.'

'Volgens mij had Karl Marx het mis. Godsdienst is geen opium voor het volk, maar lsd.'

'Hoe bedoel je?'

'Opium verdooft en maakt rustig. Lsd veroorzaakt psychedelische visioenen en gewelddadige waandenkbeelden. Het drijft mensen tot destructief gedrag en zelfvernietiging. Het verleidt je met de belofte van verlichting, maar berooft je van het vermogen om voor jezelf te blijven denken.'

'Dat is wel een heel cynische manier om het te bekijken.'

'Zoals ik al zei, ik ben opgegroeid in het Heilige Land.'

De discussie begon haar te interesseren. 'En de boodschap van Jezus dan: "Heb uw naaste lief"?'

'Volgens Jezus was dat het op een na belangrijkste gebod. Nog belangrijker, zei hij, was het om God lief te hebben. En zie waar dat toe heeft geleid. Uit liefde voor God eisten de Joden dat Christus zou worden terechtgesteld, zegt het Nieuwe Testament. Zij beschuldigden hem van godslastering. Uit liefde voor God liet hij een erfenis na van haat en vervolging; net zo'n krachtige boodschap als zijn oproep tot naastenliefde.'

'Geloof jij dat God bestaat?'

'Ik hou de mogelijkheid open,' antwoordde Jordan. 'Maar als ik het zou geloven, komt bij mij de vraag op wie Hém dan heeft geschapen.'

'En het Oude Testament? Heb jij de Bijbel nooit een bron van wijsheid of inspiratie gevonden?'

'Jawel.'

'Waarom is dat veranderd?'

'Ik ben erin gaan lezen.'

'Ja, en?'

'Geen wonder dat mensen duizenden jaren om het Beloofde Land hebben gevochten. Kijk naar de manier waarop God het land aan zijn uitverkoren volk heeft gegeven. Beter gezegd, hij heeft het hun niet gegeven, maar hun bevolen het in bezit te nemen, hoewel er al mensen woonden. Die bewoners moesten worden verjaagd. "Laat niemand in leven," beval hij. Dus marcheerden de Israëlieten van stad tot stad en slachtten iedereen af: mannen, vrouwen en kinderen. Als kind heb ik geleerd dat Jozua het beleg sloeg voor Jericho en dat de muren instortten. Ze vertelden er niet bij dat die strijd om Jericho deel uitmaakte van een bloederige veldtocht, de eerste volkerenmoord.'

'God was bang dat de Kanaänieten het uitverkoren volk op verkeerde ideeën zouden brengen,' zei Catherine. 'Dat ze de Israëlieten zouden verleiden tot afgoderij en het offeren van kinderen.'

'Goed, maar als hij de kinderen wilde redden, waarom liet hij ze dan eerst uitmoorden? Het was een holocaust met goddelijke toestemming, alleen zonder de gaskamers. Op een gegeven moment waarschuwde God de Israëlieten om het wat rustiger aan te doen met die volkerenmoord, omdat hij bang was dat de wilde dieren die zich met de lijken voedden te snel in aantal zouden toenemen. "Heb uw naaste lief" is een nobel ideaal, maar de God van de Bijbel heeft de neiging dat ideaal te veranderen in "Wij tegen zij". En daar haak ik af. Is dat cynisch? Zeg het zelf maar, professor.'

Catherine liep naar de tafel, pakte het dossier op en klemde het tegen haar borst. Ze was zich bewust van zijn compassie en zijn idealisme, een zekere verwantschap. Hij was een eerlijk en moedig mens, een gewonde ziel, net als zij. Of was er sprake van een nog diepere band?

Maar toen ze hem weer aankeek, zag ze een vreemde. 'Hoe weet ik of ik je kan vertrouwen?' vroeg ze.

'Dat weet je niet. Dat is een kwestie van geloof.'

Ze draaide hem haar rug toe en staarde uit het raam, de donkere nacht in, terwijl in haar binnenste een strijd woedde die nu eens de ene, dan weer de andere kant op golfde.

Ten slotte ging ze op de rand van de bank zitten en legde de map tussen hen in, op de afgeplatte stronk van de oude eik.

'Toen ik onderzoek deed naar Mandel,' zei ze, 'probeerde ik ook zijn familie terug te vinden. Dat was een moeilijke zoektocht, via geboorteakten, overlijdensberichten en de lijst van Holocaustslachtoffers in Yad Vashem. Hij heeft nog één nakomeling, een achterachterkleindochter, die nu in de tachtig is. Harriett, heet ze. Ik heb haar opgezocht in een verpleeghuis hier in Amerika. Ze was blij me te zien, heel vrolijk en vriendelijk. Ze omhelsde me en ik moest gaan zitten. Toen vroeg ze naar mijn vader. Ze dacht dat ik een nichtje was, dat al in 1979 was gestorven.

'Het brak mijn hart, eerlijk gezegd. Het ene moment leek ze heel helder en betrokken, erg intelligent. Maar dan verslapte haar gezicht en werd ze vaag en verward. Steeds opnieuw vertelde ik wie ik was en waarvoor ik kwam. Ze glimlachte, knikte en bleef me "Laura" noemen, de naam van haar nichtje.

'Ik stelde vragen over haar familiegeschiedenis, over Mordecai Mandel. Anderhalve dag luisterde ik naar fragmenten, flarden van herinneringen, maar ik schoot er niets mee op. Dus besloot ik haar iets voor te lezen uit *The Mandel Manuscript* van Randolph Rempel Jamison. Ik had ongeveer vijf bladzijden gelezen toen ze me in de rede viel.

"Het is zo jammer dat Mordecai zijn ontdekking voor zichzelf heeft gehouden," zei ze. "Zo jammer dat hij het de wereld nooit heeft verteld."

"Dat heeft hij wel geprobeerd, maar de wereld wilde niet luisteren," zei ik.

"Nee, hij heeft het niet geprobeerd. Dat wilde hij wel, dat nam hij zich wel voor, maar hij was bang," zei ze.

"Weet u wat ermee gebeurd is?" vroeg ik.

"Hij heeft het aan iemand nagelaten, iemand die in hem geloofde en achter hem bleef staan toen hij zo werd verguisd. Dat schreef hij tenminste in de brief."

"Ik dacht dat het verkocht was op een veiling, na zijn dood," zei ik.

Ze keek me toegeeflijk aan, als een ouder die vriendelijk een kind terechtwijst. "Maar lieve Catherine," zei ze, "nu haal je alles door elkaar. De Genesistekst is op een veiling verkocht, aan een anonieme bieder, voor zes pond en twee shilling, exact hetzelfde bedrag dat Mordecai ervoor had betaald toen die bedoeïenenjongen ermee naar zijn winkel kwam."

"Was er nog iets anders dan?" vroeg ik.

'Ze keek me verwachtingsvol aan, als een leraar die een leerling een simpele conclusie wil laten trekken. En ze knikte, wijs en aandachtig, bijna speels, alsof ze me plaagde. Op dat moment leek ze volledig helder en scheen ze greep te hebben op de hele situatie.

"Je hebt het belangrijkste over het hoofd gezien," zei ze.

'Er was nog iets anders, Ben. Mandel had nóg een oud handschrift van die bedoeïen gekocht, dat hij bekend wilde maken nadat hij de Genesistekst had verkocht en daarmee zijn geloofwaardigheid had gevestigd. Het had de klap op de vuurpijl moeten worden. Maar toen hij door de hele wereld werd uitgelachen, viel zijn plan in duigen. Als de geleerden zijn eerste vondst verwierpen, hoe zouden ze dan reageren op een nog verbazingwekkender bewering?

'Mandel was ervan overtuigd dat die tweede tekst een van de grote wereldgodsdiensten op zijn grondvesten zou laten schudden. Dat beweerde hij tenminste als hij in een overmoedige bui was. Op andere momenten, misschien wat realistischer, gaf hij toe dat hij zwak stond, omdat de aanwijzingen die hij bezat wel heel spannend en suggestief waren maar het uiteindelijke bewijs buiten zijn bereik bleef.

'Het laatste bewijs lag nog verborgen. Verborgen met de schatten van de tempel, die uit Jeruzalem vandaan waren gesmokkeld voordat de stad in handen van de Romeinen viel. En waar moest hij die schatten zoeken?

'De familie zweeg erover, omdat ze geen behoefte had aan nieuwe vernederingen. Zelfs na de ontdekking van de Dode Zeerollen, waardoor Mandels Genesis opeens veel geloofwaardiger werd, zei de familie niets over zijn andere, verloren vondst. Misschien geloofden ze Mandels beweringen niet, of waren ze bang voor de gevolgen. In elk geval gaven ze het verhaal van de ene op de andere generatie door, zodat het levend bleef.

"Maar uiteindelijk zou ik het hebben meegenomen in mijn graf," zei Harriett.

'Ze zweeg, en ik informeerde voorzichtig: "Welke grote godsdienst?" Ze keek verbaasd. "Heeft Mandel ooit gezegd welke godsdienst door die verdwenen vondst zou worden ondermijnd?" verduidelijkte ik.

'Harriett dacht even na. "Je komt dit jaar toch met Pasen, Laura?" zei ze toen. "Dan maak ik matzeballensoep. Die vond je altijd zo lekker."

'Ik was haar kwijt. Zomaar. De verbinding was verbroken. De volgende morgen kwam ik terug om haar weer voor te lezen, maar we kwamen niet verder dan de matzeballen en aardappellatkes. Aan het eind van die dag moest ik weer terug naar Michigan. Ik zou nog wel eens bij haar op bezoek zijn gegaan, als ik de tijd had, maar ik denk dat ze me alles had verteld wat ze wist.

'En dit is het verslag daarvan,' besloot Catherine, wijzend naar de map. 'Mijn aantekeningen over het vraaggesprek en het cassettebandje. Plus wat latere conclusies van mezelf.'

Jordan legde peinzend een vinger tegen zijn lippen. 'Wat geloof jij daarvan?' vroeg hij.

'Ik weet zeker dat Harriett elk woord geloofde.'

'En wat vond Meyer Elazar?'

'Hij hield Mandel voor een zielige idioot, die je niet serieus kon nemen. Dat zei hij, tenminste. Toen ik terugkwam van mijn gesprek met Harriett belde ik Meyer om advies. Ik vertelde hem het verhaal en vroeg of hij iets wist over Mandels geheimzinnige tweede vondst, die overlevering binnen zijn familie. Meyer vond het zonde van mijn tijd. Hij leek geïrriteerd dat zijn protégee zich met zulke onzin bezighield, alsof dat ook op hem afstraalde. Achteraf gezien protesteerde hij net iets te veel.'

'Weet je, het is best mogelijk dat Elazar op dat moment nog niets van de Zilveren Rol wist,' zei Jordan. 'Dat hij toen nog geen idee had dat de schatten van de tempel ergens konden worden opgegraven, samen met Mandels "definitieve bewijs".'

'Wat maakt dat uit? Zodra hij daar iets over hoorde, had hij het mij moeten vertellen. Dat was hij me wel verplicht.'

'Denk je dat hij de eer voor zichzelf wilde?'

'Het ging Meyer niet om roem of eer. Hij had zijn principes. Hij kon een koppige ouwe zak zijn, maar hij was ook een gelovig man, die Israël en het jodendom met hart en ziel was toegedaan.'

'En als Israël en het jodendom werden bedreigd?'

'Israël en het jodendom zijn altijd bedreigd.'

'Bedreigd door iets wat het hele fundament kon wegslaan?'

Catherine gaf geen antwoord.

Jordan boog zich naar haar toe. 'Harriett zei dat Mandel die andere tekst heeft nagelaten aan iemand die achter hem bleef staan,' zei hij. 'Enig idee wie?'

'Ik heb een theorie.'

'En krijg ik die te horen?'

Catherine aarzelde. 'Heb je wel goed over alle consequenties nagedacht?' vroeg ze.

'Die begin ik te beseffen. Maar ik herinner me ook de woorden van een wijze professor: "Wie in de waarheid gelooft, heeft niets te vrezen van een onderzoek."'

Het grootste blok hout in de haard zakte in elkaar in een regen van vonken. Catherine sloot haar ogen. 'Ik weet het niet, Benjamin. Ik weet het gewoon niet.'

Hij werd wakker onder het dekbed van haar ledikant. Het eerste daglicht viel door de bomen en wiste de ijsbloemen van de ramen. Hij draaide zich opzij, half in de verwachting dat hij Catherine daar zou zien en de warmte van haar lichaam zou voelen, maar hij was alleen. Hij was aangekleed in slaap gevallen en de andere kant van het bed was onbeslapen.

De hardhouten vloer was koud en ongezellig. Op blote voeten ging hij naar haar op zoek. De huiskamer was verlaten, het vuur gedoofd tot smeulende as. Maar het uitzicht in de vroege ochtend was adembenemend. Het huis keek uit over een meer van ruim anderhalve kilometer doorsnee, omgeven door beboste hellingen onder een laaghangende wolkendeken. Het oranje, rood, bruin en groen van de bossen vervloeide tot pastelkleuren die weerspiegelden in het rimpelende water.

Hij trof haar op de rand van de verweerde veranda, waar ze met haar rug naar het huis toe zat. Door een opening tussen de bomen keek ze naar een eenzame visser in een bootje in de verte.

'Ik wou dat ik hier kon blijven,' zei ze zonder zich om te draaien.

'Heb je nog geslapen?'

'Ik moest nadenken.'

'En wat heb je besloten?'

'Ik wens je veel succes, Benjamin, maar je zult het in je eentje moeten doen.'

De berken ruisten in de bries. Aan de overkant van het meer haalde de kleine gedaante van de visser zijn lijn in en wierp hem weer uit.

'Jij bent veel eerder op dit verhaal gestuit dan ik,' zei Jordan.

'Stuur me maar een kopie van je artikel.'

'Misschien lukt het me niet, zonder jouw hulp.'

'Dat zou kunnen.'

'Hoe moet je je anders met Meyer Elazar verzoenen?'

'Daarvoor is het al te laat,' antwoordde ze. 'En nu moet ik naar huis.' Ze stond op terwijl ze het zei.

'Zo simpel ligt het niet,' zei hij. 'Denk je dat je veilig bent? Dat ze je met rust zullen laten?'

'Ik heb college.'

'Catherine, doe niet zo raar. Je kunt je niet verstoppen. Je kunt niet wegkruipen voor...'

Ze keek hem verontwaardigd aan.

'Ik heb je nodig om me te helpen,' zei hij.

'Misschien. Maar ik jou niet.'

22

De West Bank

De helikopter scheerde laag over de heuveltop, zwenkte scherp naar rechts en kwam in een luchtzak terecht waardoor Goren zijn lunch omhoog voelde komen.

'Generaal, u vormt een veel te makkelijk doelwit. We moeten hoger blijven,' zei de piloot over de intercom.

'Nee, ga maar terug,' zei Goren. 'Als ik er het bevel toe geef, wil ik ook zien wat er gebeurt.'

De helikopter beschreef weer een cirkel en Goren leunde naar buiten, hangend aan zijn schouderriem. Het gebulder van de motoren en het geloei van de wind drong door zijn vizier en zijn helm toen hij omlaag tuurde naar de rode pannendaken.

Vanuit de deuropening had hij goed zicht op de nederzetting op de heuvel en de grondtroepen die oprukten vanuit het dal beneden. Soldaten beklommen de lappendeken van de hellingen, tussen de stofwolken van de tanks op de zandweg naar boven.

Goren wees. 'Is dat de synagoge?' vroeg hij.

'Ja, dat gebouw daar,' antwoordde de majoor die naast hem zat.

De eerste tank had nu het plein bereikt. Het dorp leek een spookstad.

'De grondcommandant wacht op uw orders, generaal.'

Gorens blik gleed langs de heuvels naar het zuidwesten, over kilometers Palestijns gebied, helemaal tot aan Jeruzalem. Tot de vorige dag, toen het leger hen had verdreven, hadden er in de nederzetting nog een paar honderd zwaar belegerde Joden gewoond.

'Vooruit maar,' zei hij.

De voorste tank draaide zijn loop naar de synagoge, bracht hem iets omhoog en vuurde. De tank schudde op zijn rupsbanden toen het platte dak en de buitenmuren van de synagoge instortten op een kussen van rook en stof.

'Wat zonde,' zei Goren. 'Wat een tragedie.'

Maar de kolonisten hadden het zelf gewild. De Palestijnen hadden hun huizen niet mogen overnemen, hun tempel niet mogen bezoedelen. Het enige pluspunt dat Goren kon bedenken was dat hij hen niet langer hoefde te beschermen. Er zouden geen Israëlische soldaten meer sterven om de symbolische aanwezigheid van een handvol Joden te garanderen.

Hij had nu in Tel Aviv kunnen zijn, dacht Goren, langs het voetbalveld, om te zien hoe zijn kleinzoon over de bal struikelde of hem per ongeluk in eigen doel schopte. In plaats daarvan was hij hier, om mee te maken hoe Israëlische soldaten een joodse tempel opbliezen.

De opstijgende rook drong in zijn neus.

Op de grond beschreef de tank een cirkel van negentig graden en vuurde een granaat af op een rij tuinappartementen.

Waar moest dit heen?

De stem van de grondcommandant kraakte in Gorens headset. 'Generaal, er zit een sluipschutter in die school.'

Goren tuurde omlaag en zag dat zijn mannen haastig dekking zochten. Een van hen was in zijn dijbeen geraakt en probeerde zich naar een veilige plek te slepen. Een andere soldaat rende naar hem toe en ondersteunde hem met zijn vrije arm, terwijl hij met de andere het vuur vanuit de school beantwoordde. Terwijl Goren toekeek werd de helper in zijn nek geschoten. De twee soldaten zakten in elkaar.

'Schakel die sluipschutter uit. Nu!' beval Goren.

Een Apache die in de buurt rondcirkelde veranderde van koers en vuurde een Hellfire op de school af. De aarde beefde.

'Ik dacht dat we de laatste rebellen gisteren al hadden afgevoerd,' brieste Goren.

'Blijkbaar had hij zich verborgen,' zei de grondcommandant.

'Rond het maar af,' zei Goren. Hij boog zich naar de piloot. 'Luitenant, ik heb wel genoeg gezien.'

Op de grond schoot een drietal tanks de huizen van de nederzetting aan puin. Stofwolken stegen op toen Gorens helikopter hoogte maakte en naar het westen verdween.

Na de landing op een vliegbasis bij Tel Aviv werd Goren naar een zwarte Chevy Suburban geëscorteerd door een jonge kolonel die Lipman heette. De kolonel stapte na Goren in de auto en een veiligheidsman gooide het portier dicht.

'Hoe ging het?' informeerde Lipman.

'Het was heiligschennis, verdomme. En we hebben een van onze jongens verloren.' Goren was rood aangelopen en zweette hevig.

'Wat een ellende,' zei Lipman.

De Suburban kwam in beweging en Lipman sloot de scheidingswand met de mannen voorin.

Goren zuchtte diep en leunde vermoeid met zijn hoofd naar achteren.

'Over een uurtje moet u verslag uitbrengen aan het kabinet,' zei Lipman.

'Heb je dat rapport waar ik om had gevraagd?' vroeg Goren.

'Nee, generaal. De Mossad probeert tijd te rekken of zet de hakken in het zand.'

'Verdomme. Als Avi Arad en zijn mensen denken dat ik dat fiasco in Libanon zomaar zal vergeten, kunnen ze hun borst natmaken. Ze hadden me verzekerd dat die luchtaanval geen probleem was. Ik verwacht een verklaring. Je hebt de kranten gelezen. Die klootzak van een Farouk heeft ons voor lul gezet.'

Lipman, Gorens persoonlijke adjudant, bewaarde zijn kalmte. Hij was gewend aan de woede-uitbarstingen van de generaal.

'Arads mensen zeggen dat de journalist die ons ervan beschuldigde dat we een weeshuis hadden gebombardeerd bekendstaat als een sympathisant van de Palestijnen. Hij is niet te vertrouwen, beweren ze.'

'Natuurlijk niet. Zijn eigen hoofdredacteur heeft me dat ook gezegd toen hij hem ontsloeg en dat achterlijke stuk rectificeerde waarin werd gesuggereerd dat de regering het museum had opgeblazen. Maar zelfs onverantwoordelijke idioten spreken soms de waarheid.'

'Ik heb wel wat nieuwe informatie, generaal. U weet dat ik een vriend op de Amerikaanse ambassade heb. Toen we iets gingen drinken kwam het gesprek toevallig op dat fiasco in Libanon en onze frustraties over de Mossad.'

'Dus je zat te hengelen? Zonder visakte?'

'Mijn CIA-vriend was me nog iets schuldig en hij heeft liever dat we bij hém in het krijt staan in plaats van andersom. Daarom heeft hij hun National Security Agency gevraagd de onderschepte berichten nog eens na te kijken. Blijkbaar had Arad een agent naar Shaul Meltzer, Jordans hoofdredacteur, gestuurd. Ook het verslag van die agent hadden ze nog.'

'En wat zei hij?'

'Meltzer beloofde dat hij maatregelen zou nemen tegen Jordan en dat de Mossad weer kon vertrouwen op de berichtgeving in de krant.'

'Maar Jordan had de Mossad toch nergens van beschuldigd in zijn artikel?'

'Nee, generaal. Er stond geen woord in over de Mossad.'

'En toch heeft Avi Arad, het hoofd van de Mossad, een journalist laten ontslaan?'

'Misschien maakte hij zich ongerust over Jordans volgende verhaal.'

23

Detroit

Jordan stak een krant onder zijn arm en zocht naar een stoel in de lounge van de vertrekhal, maar er waren alleen nog staanplaatsen. Hij las de voorpagina terwijl hij op zijn vlucht wachtte, maar het nieuws drong niet tot hem door.

Catherine wilde niets te maken hebben met het verhaal, met de werkelijkheid of met hem. Hij had haar een dag gegeven om van mening te veranderen, maar ze bleef bij haar besluit. Wat kon hij verder nog doen, behalve bij haar op de stoep kamperen?

Ze twijfelde, dat was wel duidelijk. Hoewel ze in haar schulp was gekropen, wilde ze toch dat hij de zaak zou onderzoeken. Ze had hem het geheim van Mordecai Mandel verteld, of in elk geval een deel ervan.

Jordan had zichzelf bijna wijsgemaakt dat hij haar een dienst bewees door uit Michigan te vertrekken. Degenen die haar in de gaten hielden waren hem ook op het spoor. Misschien zouden ze hem nu volgen en haar met rust laten.

Zonder haar hulp had hij niet meer dan een vaag omlijnd plan. Mandel had iets in zijn bezit gehad wat nog veel belangrijker was dan de Genesistekst, een geheim dat volgens hem een van de grote wereldgodsdiensten op zijn grondvesten zou doen schudden of minstens grote beroering zou veroorzaken.

Wat het ook mocht zijn, het was van fundamenteel belang en het lag begraven bij de schatten van de tempel. Het 'definitieve bewijs', had de oude Harriett gezegd.

Het leek logisch dat het vooruitzicht om dat definitieve bewijs in handen te krijgen het motief had gevormd voor de moord op Elazars medecommissieleden en de vernietiging van het instituut. Wie de Zilveren Rol ook bezat, diegene zou ongehinderd op zoek kunnen gaan naar de schatten en het bewijs, zonder zich druk te hoeven maken over concurrentie of bemoeienis.

Zonder de Zilveren Rol, die als een soort schatkaart fungeerde, had Jordan geen enkele mogelijkheid om dat bewijs te vinden. Maar die andere, verdwenen vondst van Mandel zou ook een aanwijzing kunnen zijn. Volgens de oude dame had Mandel dat relikwie achter de hand gehouden als de grote apotheose. Toen hij in ongenade viel had hij het toevertrouwd aan iemand die achter hem was blijven staan. En die persoon zou Jordan dus moeten vinden.

'Vlucht 9731 naar Londen. Instappen, alstublieft.'

Jordans blik gleed door de vertrekhal, speurend naar een bekend gezicht. Zoekend naar Catherine.

Hij gaf de stewardess zijn boardingpass en liep de slurf door.

24

Ann Arbor

Adam Keller, de voorzitter van de faculteit, stuurde zijn secretaresse aan het eind van de middag naar huis en loodste Catherine zijn kantoor binnen.

'Bedankt dat je gekomen bent,' zei hij, wijzend naar een roodbruine leren bank. 'Ik vond dat we even moesten praten.'

Catherine ging zitten, in gespannen afwachting. Het was het soort bank – laag, diep en ongemakkelijk – waarin je je als bezoeker meteen in het nadeel voelde.

'Als het over die vergadering van een paar dagen geleden gaat, dan spijt het me dat ik er niet bij kon zijn, en ook de andere keren niet, maar...'

'Dat geeft niet,' wuifde Keller haar excuus weg. 'Daar maakt niemand een punt van.'

Hij schonk hen allebei een sherry in en liet zich in een fauteuil zakken.

Keller was een man van eind vijftig, die eruditie, beschaving en succes uitstraalde. Volgens de geruchten was hij een van de kandidaten om de rector van de universiteit op te volgen. Met zijn donkere pak, zijn fitte postuur en zijn eerste grijze haren, die zijn knappe gezicht nog accentueerden, had hij kunnen doorgaan voor de bestuursvoorzitter van een groot bedrijf, wat hem goed van pas kwam bij zijn contacten met de belangrijkste geldschieters van de universiteit. Hoewel hij Bijbelse geschiedenis had gestudeerd, was hij op veel terreinen thuis, zoals klassieke geschiedenis, economie en football. Maar hij bezat vooral talent voor een nog subtieler spel: de universiteitspolitiek.

Keller legde zijn voeten op de salontafel, leunde naar achteren in zijn stoel en drukte zijn vingertoppen tegen elkaar. 'Catherine, er heeft zich een kans voorgedaan die we niet voorbij mogen laten gaan.'

Catherine luisterde.

'Ik hoef je niet te vertellen hoe weinig openingen er maar zijn op jouw vakgebied. Je hebt die studie niet gekozen uit praktische overwegingen. Maar op dit moment is er een positie vrij met vooruitzichten op de langere termijn. Volgens mij moet je die kans met beide handen aangrijpen. Natuurlijk zullen we je vreselijk missen, maar het is een unieke gelegenheid en het zou egoïstisch van ons zijn om je in de weg te staan. En je moet snel beslissen.'

'Waar gaat het om?'

'Een nieuw, veelbelovend programma aan Westphall State. Met jouw talent zou je daar een leidende rol kunnen spelen,' zei hij met ongebruikelijk enthousiasme. 'Ze hopen volgend jaar een officiële status te krijgen. Als je regelmatig publiceert, kan het na verloop van tijd een springplank voor je zijn naar een benoeming aan een van de grote universiteiten.'

'Is dat niet ergens in Nebraska?'

'Iowa. Ze hebben nu iemand nodig, en de rector, Mike Freitag, is een oude vriend van me. Ik zei hem dat ze geen betere keus konden doen. Je krijgt een aardige bonus als je tekent. Ik ben zo vrij geweest daarover zelf te onderhandelen, uit jouw naam. En een heel goed budget voor onderzoek.'

'Maar ik héb al een baan, hier aan de universiteit van Michigan.'

'Catherine, ik hoef je niet te vertellen dat je achter in de rij staat, net als Cinderella. Het moment waarop de koets weer in een pompoen verandert nadert met rasse schreden en er zijn er maar weinig die er met de prins vandoor gaan. Je moet om je toekomst denken, Catherine, geloof me.'

'Ik waag het er wel op,' zei ze.

Keller wreef peinzend met een hand over zijn gezicht en rechtte zijn rug. Toen boog hij zich naar haar toe.

'Het spijt me, Catherine, maar ik wil het je niet mooier voorspiegelen dan het is. Dat zou niet eerlijk zijn. Niemand wilde iets zeggen zolang je moeder nog ziek was, maar gezien de omstandigheden... je begrijpt me wel.'

'Nee, ik begrijp je niet.'

'De beoordelingscommissie heeft je vorderingen gevolgd. Ik heb geprobeerd je te waarschuwen, Catherine. De commissie ziet je niet zitten, omdat je maar zo weinig hebt gepubliceerd.'

Alles draaide voor haar ogen. Haar wereld stortte in.

'Ik weet dat het een grote teleurstelling voor je is, maar we moeten allemaal de waarheid onder ogen zien en onze verwachtingen bijstellen, zo nu en dan. Als je het objectief bekijkt...'

Catherine probeerde zich te beheersen en het objectief te bekijken. Ze zette zich schrap tegen de leren bank... en vanaf een onnatuurlijk grote afstand zag ze wat er werkelijk aan de hand was.

'Hij heeft je onder druk gezet, of niet? Bryan Jennings van de Campus Gospel Fellowship heeft gedreigd dat hij politieke problemen voor je zal maken. En je durft me dat niet eens te zeggen.'

'Waar héb je het over?' vroeg Keller, heel overtuigend.

'Probeer me niet te belazeren, Adam.'

Ze keek hem strak aan, totdat Keller met zijn ogen knipperde en wegkeek.

'Verdomme,' fluisterde hij, terwijl hij zijn hoofd in zijn handen begroef. 'Het spijt me, Catherine, dat meen ik echt. Ik had gehoopt dat ik de klap een beetje kon verzachten.'

'Ik had geen idee dat hij zo veel invloed had.'

Keller sloeg in één keer zijn sherry achterover. 'Je hebt de vloer met hem aangeveegd, schijnt het,' zei hij. 'Hij wilde een paar punten scoren en voldoende opvallen om tot voorzitter van zijn club te worden gekozen, maar jij zette hem voor schut. Dat moet ik je nageven: je doet nooit iets half.'

Catherines paniek ebde weg, om plaats te maken voor haar instinct om terug te vechten. 'Ik ga hier niet weg,' zei ze. 'Dit pik ik niet.'

'Je kunt niet blijven.'

'Wat bedoel je? Dit is een universiteit, verdorie. De faculteit kan me niet zomaar aan de dijk zetten vanwege een religieus verschil van mening. Dat is krankzinnig.'

'Het gaat niet om je manier van lesgeven, Catherine. Het gaat om óns. Hij weet het van óns.'

Verbijsterd keek ze de faculteitsvoorzitter aan, met stomheid geslagen. 'Maar hoe kan hij dat weten?' fluisterde ze.

'Wie zal het zeggen? Het is een klein wereldje. Mensen begluren elkaar, mensen praten. Hij zal niet de enige zijn die het weet, maar wel de enige die er gebruik van wil maken.'

'Maar wat kan hij bewijzen?'

Keller keek schaapachtig. 'Wie had in die tijd kunnen weten dat je e-mail zo moeilijk kunt wissen?'

'Geef hem ervan langs, Adam. Pak hem keihard aan. Mensen hebben wel grotere schandalen overleefd. En het is al zo lang geleden.'

'Hij heeft al aan Barbara geschreven, heel rechtschapen en moralistisch, alsof hij haar een dienst bewijst. En hij heeft gedreigd het bekend te maken, met een verwijzing naar de Tien Geboden: *Gij zult uw echtgenoot niet toestaan straffeloos zijn studentes te naaien, bla-bla-bla.* Barbara wil je hier weg hebben.'

Catherine staarde naar de lijn van zijn sterke schouders, kromgebogen nu, als onder een zware last. En ze zag de angst in zijn ogen. Tevergeefs zocht ze naar zijn onbevreesde hartstocht van vroeger, zijn zelfvertrouwen, zijn gevoel voor humor.

'Toe nou, Adam,' zei ze, 'je bent heus niet de eerste professor die verliefd is geworden op een studente.'

Hij sloeg zijn ogen neer. 'Het ligt moeilijker dan je denkt.'

'Hoe moeilijk dan? Als dit maar één enkele misstap van je was, zal Barbara je wel vergeven. We hebben een fout gemaakt en dat spijt me heel erg. Daar valt niets meer aan te doen. We kunnen alleen zeggen dat het ons spijt en proberen het goed te maken.'

Keller schonk zich nog een sherry in. De grimmige uitdrukking op zijn gezicht werd steeds wanhopiger. Catherine herkende hem nauwelijks meer.

'Dus het was niet één enkele misstap,' zei ze zacht.

'Nee, er is meer,' zei hij. 'Ik had gehoopt dat je het nooit te weten zou komen.'

Catherine voelde zich moedeloos worden en zakte nog dieper weg in de ongemakkelijke bank.

'Ken je Marilyn Rivers?' vroeg hij.

'Die lesgeeft aan de universiteit van Texas?'

'Ja.'

'Haar man heeft hier medicijnen gestudeerd.'

'Toen Marilyn was gepromoveerd aan Stanford en nog wat opvallend veldwerk had gedaan in Galilea, wilde ze naar Ann Arbor komen. De faculteit was in meerderheid vóór haar komst. Ze wilden haar jouw baan geven. Nou ja, dat was jouw baan nog niet, maar je had wel gesolliciteerd. Marilyn was eerste keus.'

Catherine voelde zich duizelig worden.

'Ze zou de baan hebben gekregen als ik niet had ingegrepen. Ik overtuigde de anderen ervan dat ze jou moesten nemen. Dat was me natuurlijk nooit gelukt als je geen goede kandidate was geweest, maar ze vonden Marilyn beter. Dat heeft toch kwaad bloed gezet, zoals je zult begrijpen.'

Catherine kreeg het benauwd, alsof ze implodeerde. 'Waarom, Adam? Waarom heb je dat gedaan?'

'Waarom? Omdat ik verliefd op je was, omdat ik je nodig had, omdat ik niet zonder je kon. Ik was bang dat ik je voorgoed zou verliezen. Omdat ik, zelfs na al die tijd, nog altijd bleef dromen... Ik was het je verschuldigd. Het was het minste wat ik kon doen, na alle pijn. En niet alleen voor jou, maar ook om mijn eigen geweten te ontlasten. Achteraf heb ik er spijt van,' besloot hij. 'Nee, dat is een leugen. Ik zou het nooit anders hebben gedaan.'

'En nu vertel je me dat ik hier eigenlijk niet hoor.'

'Hoe je het ook bekijkt, Catherine, we zijn verloren. Ze zullen zeggen dat jij je baantje hebt gekregen door met mij te slapen. En daarmee heb ik me schuldig gemaakt aan heel wat meer dan een zwak moment of een slippertje. Dit is machtsmisbruik, zullen ze zeggen.'

'En zo is het ook,' zei ze.

'Het spijt me, Catherine. Het spijt me dat ik je in deze positie heb gebracht.'

'We hebben allebei schuld.'

'Jij wist niet dat ik getrouwd was.'

'In het begin niet.'

'Neem die baan, Catherine. Maak er wat van. Bouw een reputatie op die niemand je meer kan afnemen. Zoek een belangrijk onderwerp of schrijf een goed en overtuigend boek. Niet die saaie biografie van Mandel, maar iets wat recht doet aan je talent. Dan volgt de rest vanzelf. En ik zal je helpen zo veel als ik kan.'

Volslagen verward verliet ze zijn kantoor, verlamd door de grillen van het leven. Ze kwam pas weer tot zichzelf toen ze bij een harde houten bank stond en ging zitten om uit te rusten.

Ze wilde zich verzetten, terugvechten, het schandaal onder ogen zien. Dat zou haar boetedoening zijn. Maar dat kon ze Adam niet aandoen. Ze had het hart niet om hem de schuld te geven.

Die baan aan Westphall accepteren was uitgesloten, en niet alleen omdat ze dan ook naar Westphall toe moest. Nee, ze kon er niet op ingaan omdat Adam het had geregeld.

Waar ze ook naartoe zou gaan, de mensen zouden zich blijven afvragen waarom ze het aan Michigan niet had gered.

Ze dacht aan Adams advies: iets belangrijks zoeken, een overtuigend boek schrijven.

Ze dacht aan Benjamin, die nu achter háár verhaal aan zat, vastbesloten om de onderste steen boven te krijgen. Met of zonder haar.

Ze dacht aan Bryan Jennings en Meyer Elazar, die haar kapot wilden maken.

Ze dacht aan Mordecai Mandel, die was verslagen, tot zwijgen gebracht, vergeten. Terwijl hij schreeuwde om eerherstel. Ze had Mandel – of een veel dieper liggend probleem – de laatste tijd ontweken. Zijn onvoltooide werk was het hare geworden.

Catherine keek op naar het gebrandschilderde raam, naar het altaar en het kruis. Ze zat op de laatste rij in haar moeders kerk.

Ze herinnerde zich het lampje in haar slaapkamer en het boek op haar nachtkastje.

En met een stem die alleen zijzelf kon horen gilde ze van angst.

25

Een eiland in de Egeïsche Zee

De ochtend strekte zich uit over de zee en schilderde de helling goud en roze.

Meyer Elazar zat onder een olijfboom, in gedachten verzonken. Hij had weer een hele nacht doorwaakt doorgebracht, worstelend met zijn taak, totdat hij naar buiten was gestapt om de zon te zien opkomen. De zilte zeebries zou misschien zijn hoofd vrijmaken.

De schaars beboste helling beneden hem eindigde aan de voet van de rots. Nog lager, niet zichtbaar van waar hij zat, hoorde hij het ritmische geluid van de branding. Het blauwe water leek kalm genoeg, behalve waar de grillige rotsformaties voor de kust de golven braken.

Hij vroeg zich af hoeveel scheepswrakken daar onder de oppervlakte lagen. Hij was hier al eerder geweest, duizenden jaren geleden, op weg naar huis van een verre oorlog, in een tijd van helden, toen de goden nog tussen de mensen vochten. Diezelfde goden hadden hem uit koers gedreven met een nachtelijke storm die de mast van zijn schip had versplinterd en hem overboord had geslingerd. Op een of andere manier was hij hier aangespoeld, als enige overlevende. Hij was een leider, verantwoordelijk voor zijn bemanning. Maar ze waren allemaal omgekomen, zodat alleen hij zijn bestemming zou bereiken.

Op het eiland was hij opgevangen door een tovenares, met wie hij een zalig intermezzo had beleefd. Totdat hij, net als die held Odysseus, naar de echte wereld was teruggekeerd om te heroveren waar hij recht op had.

Dat alles had zich afgespeeld in zijn jeugd, in zijn verbeelding.

Zijn huidige leven in het klooster van de Heilige Constantijn was bepaald geen zalig intermezzo, maar wel rustig en sereen. Het had iets onwerelds, alsof hij los van zijn eigen lichaam zweefde.

Het eiland zelf was een pittoresk anachronisme, nog geen vijf vierkante kilometer groot en – sinds de Duitse bezetting – bijna onaangeroerd door het leven op het vasteland. De druiven rijpten en de geiten liepen vrij rond in de heuvels. Aan de andere kant, waar het land zich glooiend uit zee verhief, lag een dorpje rond de sikkel van de baai.

Tien of twaalf vissersboten dobberden aan hun ankers en een paar andere zetten koers naar zee, volgens een traditie die zo oud was als de *Ilias* zelf. Een van die boten had hem hier gebracht.

Witte lakens wapperden aan waslijnen in de wind. Auto's waren er nauwelijks, afgezien van een paar oude pick-uptrucks, omdat er niets was om naartoe te rijden.

Hij voelde een vreemde verwantschap met het eiland, een gemeenschappelijke erfenis, die veel dieper ging dan zijn liefde voor Homerus. Op weg van de boot naar het klooster waren ze blijven staan bij een stapel stenen die een massagraf markeerde. Als vergelding voor een sabotageactie waarbij een Duitse patrouilleboot in de baai tot zinken was gebracht hadden de nazi's achttien dorpelingen en de monniken van het klooster gefusilleerd.

Het eiland werd gedomineerd door het eeuwenoude klooster, dat op een schiereiland lag. De architectuur vertegenwoordigde de stijl van de Grieks-orthodoxe Kerk, die zich lang geleden van Rome had afgescheiden. Een hemelsblauwe koepel bekroonde het witgepleisterde achthoekige gebouw, omgeven door vier kleinere, lagere koepeldaken. De toren op de hoek weerspiegelde het ontwerp.

De afgelopen jaren waren de Grieks-orthodoxe monniken teruggekeerd om het klooster nieuw leven in te blazen na jaren van verwaarlozing. Ze begonnen met het herstel van het kruis op de kapel en eindigden met de installatie van een satellietschotel achter een van de bijgebouwen. De accommodatie was spartaans, maar functioneel. Elazars eigen kleine cel binnen de zware muren was nauwelijks groot genoeg voor een houten ledikant en een schrijftafel, maar verder had hij ook niets nodig.

Hij stond op, strekte zijn benen en liep naar de rand van de rots. Zeevogels dreven op de wind en het water, opgetild door de golven.

Hij dacht aan vroeger, toen hij nog vanaf de kust van Caesarea had gedoken, en tussen de koraalriffen van Eilat. Hij dacht aan Mishka, dobberend in de branding, met een brede lach achter haar masker.

Mishka, die veel te snel van hem was weggerukt.

Met hun dochtertje, nauwelijks drie jaar oud.

De pijn en woede vlamden weer op.

DEEL 3

26

Londen

Jordan stapte bij Tottenham Court Road uit de ondergrondse en kwam terecht in een vlucht opfladderende duiven. De middagspits was al begonnen. Mannen en vrouwen in trenchcoats liepen haastig naar het station, sommigen gewapend met een paraplu. Een taxichauffeur toeterde naar een Jaguar die een snelle manoeuvre maakte.

Jordan liep een eindje door Great Russell Street en beklom energiek de brede stenen treden van het British Museum. Hij dook tussen een groep schoolmeisjes door die net naar buiten kwamen en ontweek een menigte toeristen met plattegronden en gidsjes.

In 1883 was het British Museum bereid geweest een miljoen pond te betalen voor Mandels Genesis. Het museum had de vondst uitvoerig onderzocht en in de index van het archief waren nog de oorspronkelijke aantekeningen en de correspondentie van de curatoren met Mandel te vinden. Jordan hoopte dat het dossier de naam zou bevatten van iemand die in Mandel had geloofd en hem was blijven steunen, ook toen het schandaal een hoogtepunt bereikte.

Iemand aan wie Mandel later een veel belangrijker vondst had toevertrouwd.

Jordan had nog minder dan een uur tot sluitingstijd, maar hij wilde geen hele dag verloren laten gaan. Dus bood hij weerstand aan de verleiding van de museumzalen en zocht zijn weg naar het hart van het gebouw, de grote, rijk versierde leeszaal. Onder een koepel van blauw en goud, in het diffuse grijze licht dat door het dakraam naar binnen viel, stonden rijen tafeltjes met studenten en wetenschappers die in stilte met hun specifieke studies bezig waren.

Een knap meisje met rood haar stond hem bij de balie te woord en wees hem een genummerde tafel waar hij kon wachten. Hij had nog maar drie kwartier tot sluitingstijd.

Het meisje praatte even met een collega, een lange jongeman met achterovergekamd haar en een smalle zwarte das. Ze sprak met gedempte stem maar drukke gebaren. Ze lachten zacht. Jordans haast was blijkbaar niet tot haar doorgedrongen.

Ongeduldig liet hij zijn blik door de zaal glijden. Aan het tafeltje naast hem trok een oudere, gezette man aan de punten van zijn walrussnor en tuurde door een dubbelfocusbrilletje naar een stapel papieren, die hij behoedzaam doorbladerde. Hij wreef in zijn handen alsof hij elk moment aan een exquise maaltijd kon beginnen. Achter de walrus zat een kittige blondine in een strak tweedjasje, die haar haar uit haar ogen streek toen ze opkeek uit een dik naslagwerk. Ze staarde dwars door Jordan heen, volledig verdiept in haar werk. Een paar rijen verderop liet een man met een olijfkleurige tint in een streepjespak zich op een stoel zakken en begon een ouderwetse, grote krant te lezen.

Een assistente kwam met een kartonnen doos naar Jordans tafeltje, maar liep hem voorbij. Ze gaf de doos aan een jongeman in een U2-shirt en spijkerbroek, helemaal in de andere hoek van de zaal.

Het knappe meisje met het rode haar was nergens te zien.

Onderweg had Jordan een folder meegenomen met een plattegrond van de zalen, die hij nu bestudeerde. Hij werd omgeven door een schat aan culturele rijkdommen, van stenen vondsten uit de prehistorie tot de sublieme beeldhouwkunst van de oude Grieken, van de grafkunst van Egypte tot de wapenrustingen van het middeleeuwse Europa, van complexe islamitische schilderingen tot indrukwekkend Afrikaans houtsnijwerk. Maar het enige wat Jordan werkelijk interesseerde waren een paar zakelijke dossiers van het museum zelf, uit de jaren tachtig van de negentiende eeuw.

Het rossige meisje dook weer op en wenkte hem naar de balie. 'Het spijt me heel erg, maar de stukken waar u om vroeg zijn niet beschikbaar. Ze zijn door iemand anders opgevraagd.'

Jordan keek de zaal rond en vroeg zich af wie zijn bijzonder ongebruikelijke belangstelling zou kunnen delen. 'Weet u wanneer ik ze kan inzien?' vroeg hij.

'Geen idee. Het spijt me.'

'Kan iemand ze lenen?'

'Nee, er mag niets de deur uit. Alles moet aan het eind van de dag weer worden ingeleverd.'

Jordan bereidde zich al voor op een lange wachttijd.

'Maar de stukken die u had opgevraagd zijn meegenomen door iemand van onze eigen staf. Onze medewerkers mogen ze onbeperkt lenen.'

'Kan ik die persoon ook spreken?'

'Ik mag u die naam helaas niet geven.'

Jordan boog zich over de balie en keek haar smekend aan. 'Als ik die papieren niet te zien krijg, haal ik mijn deadline niet. Dan verlies ik mijn baan, wordt mijn moeder uit het verpleeghuis gezet, zal mijn kitten Cuddles van honger sterven en eindig ik achter de tralies voor het beroven van spaarvarkentjes van kleine kinderen. Begrijpt u? Ik heb wel een graad in de vroegmoderne prehistorie, maar verder kan ik helemaal niets. Zou u voor deze ene keer een uitzondering willen maken?'

'Ik zal zien wat ik kan doen.'

Ze opende de telefoongids van het museum bij de 'W' en liet haar wijsvinger langs een lijstje namen glijden. Toen belde ze een nummer. Jordan probeerde discreet de betreffende naam te lezen, ondersteboven.

'Met Claire, van de leeszaal. Is hij aanwezig?' vroeg het meisje met het rode haar.

Vanuit Jordans standpunt leek het of haar vinger naar 'Waverly, Nigel' wees.

'Vertrokken? Naar huis? Oké, bedankt.'

En Claire hing op. 'Het spijt me, maar hij komt morgen pas weer terug. Dan kunt u het nog eens proberen.'

'O, nog één ding. Hebt u kopieën van Londense kranten uit de negentiende eeuw?'

'Daarvoor moet u in de British Library zijn, maar die gaat zo meteen ook sluiten.'

Jordan bedankte haar en verliet de leeszaal.

Vanuit een telefooncel in het museum belde hij de receptie en kreeg te horen dat Nigel Waverly assistent-curator Oost-Aziatisch glas en keramiek was. De volgende morgen zou hij weer op kantoor zijn. Jordan vroeg zich af of hij zich toch in de naam had vergist. Waarom zou een expert in Chinees aardewerk belangstelling hebben voor Mordecai Mandel?

Met nog maar vijf minuten tot sluitingstijd besloot hij nog iets te redden van deze expeditie. Hij liep naar de Griekse zalen om de Elgin Marbles – de afgebrokkelde en gebroken friezen van het Atheense Parthenon – te bekijken. Op een ervan probeerde een stier die voor het offerblok was bestemd aan zijn lot te ontkomen. Maar voordat hij het reliëf goed kon bekijken was het al sluitingstijd en begonnen de suppoosten de bezoekers naar de uitgang te loodsen.

De avond viel toen Jordan naar buiten stapte en op weg ging naar de ondergrondse.

Hij verheugde zich op een rustige, prettige avond: een hete douche, een warme badjas en een comfortabel bed. Misschien zelfs roomservice. Maar vooral de kans om zijn accu weer op te laden en de pijn van zijn verwondingen te verzachten. Als een kleine verzetsdaad – hij had nog steeds de creditcard van de krant – had hij een kamer in het Claridge genomen, een kamer met marmer, een mahoniehouten betimmering en een verwarmd handdoekenrek als toppunt van Britse verwennerij.

Vanuit het museum ging hij rechtstreeks terug naar zijn hotel, waar een Rolls Royce en een BMW met draaiende motor tussen de taxi's voor de ingang stonden. De geüniformeerde portiers verwelkomden hem in de lobby en een piccolo haalde de plunjezak die Jordan een paar uur eerder, bij zijn aankomst in Londen, had achtergelaten.

Terwijl hij bij de balie wachtte maakte hij zich zorgen om Catherine. Had hij wel uit Ann Arbor moeten weggaan? Met de tas in zijn hand liep hij naar de liften, vast van plan om meteen naar Michigan te bellen zodra hij op zijn kamer was. Hij stapte de lift in en de liftboy drukte op 8. De deur schoof dicht en de lift ging omhoog.

In de paar seconden voordat de deur zich sloot bleef er een beeld hangen op Jordans netvlies. Het drong langzaam tot hem door, als de afbeelding op een vel fotopapier in een bad ontwikkelvloeistof, die geleidelijk zichtbaar wordt. Het ging om een man met een olijfkleurige tint in een streepjespak, die in de lobby van het Claridge stond. Tegen de tijd dat de lift de vierde verdieping passeerde wist Jordan waar hij die man al eerder had gezien: in de leeszaal van het British Museum.

Wie was de man in het streepjespak?

Waarom volgt hij me?

Jordan stapte uit op de zesde verdieping, liep naar de trap en rende met twee treden tegelijk weer naar beneden.

Of zie ik spoken?

Even later stond hij op straat, tussen het verkeer en hield een taxi aan. Hij vroeg de chauffeur hem naar een goedkoop hotel te brengen, ergens waar hij niet zijn creditcard hoefde te gebruiken, zodat hij niet elektronisch kon worden gevolgd aan de hand van zijn Visa-betalingen.

De chauffeur keek eens naar zijn passagier, toen naar het Claridge, en lachte zacht. De taxi verliet de vertrouwde omgeving van het centrum en leek maar wat rond te rijden. Ten slotte stopte hij in een donker, groezelig gedeelte van de stad, voor het Royal Prince Hotel.

In plaats van meteen naar binnen te stappen liep Jordan een straatje om, langs een slijterij en een kiosk, een slapende zwerver en een bleke prostituee, en glipte een telefooncel in. Hij keek om zich heen of hij werd gevolgd, maar hij kon niemand ontdekken. Toen belde hij Ann Arbor, waar het nu vroeg in de middag was. Geen gehoor. Op Catherines werk en haar mobieltje kreeg hij de voicemail, en het toestel thuis werd niet opgenomen.

Hij dacht aan de man in het streepjespak. Er waren twee mogelijkheden. Het was gewoon een museumbezoeker, iemand van buiten Londen, die in een duur hotel sliep. Of hij schaduwde Jordan. En hoe groot was dan de kans dat hij goede bedoelingen had?

Was hij betrokken bij de aanslag op het archeologische instituut of de mogelijke inbraak bij Catherine? Wilde hij Jordan vóór zijn, of was hij gestuurd om hem te elimineren?

Jordan dook het Royal Prince Hotel binnen.

De receptionist met bloeddoorlopen ogen begroette hem en gaf hem een paar versleten handdoeken en een sleutel. Bij het Royal kon je moeilijk van vergane glorie spreken, omdat die glorie er nooit was geweest. Maar ze accepteerden contant geld en het was er niet duur.

De kale kamer rook naar muffe tabak en goedkope whisky, en rond de lakens zweefde de chloorlucht van bleekmiddelen. De dunne matras zakte in het midden door.

Hij maakte zich ongerust omdat de telefoon bij Catherine maar bleef overgaan zonder dat ze opnam. Het geluid galmde nog door zijn hoofd toen hij zich op het bed liet vallen, zorgelijk en doodmoe. Zijn hoofd bonsde en zijn verwondingen deden pijn. Ten slotte viel hij in een onrustige slaap. De neonreclame van de slijterij wierp een flakkerend schijnsel over de gordijnen, wat zijn onrust nog aanwakkerde.

Het eerste wat hij hoorde was een kreet, en toen nog een. Moeizaam probeerde hij te begrijpen wat er aan de hand was.

'Ze hebben pistolen!' riep iemand.

Dat werd bevestigd door een salvo uit een vuurwapen. Jordan schoot overeind en keek om zich heen. Nergens was een mogelijkheid om te vluchten of zich te verbergen. Hij hoorde haastige voetstappen op de gang, en het geluid van een worsteling.

Instinctief besefte hij het gevaar.

Hij smeet zich met zijn volle gewicht tegen de deur en hield die met al zijn kracht gesloten, zijn voeten gespreid op de grond en zijn gestrekte armen hoog tegen het hout gedrukt.

Nog meer kreten en schoten. Jordan kon niet verstaan wat er werd geroepen, maar de stemmen klonken Israëlisch. En het leek alsof ze hem waarschuwden, vlak voordat ze tot zwijgen werden gebracht. Iemand rammelde aan Jordans deurkruk en het volgende moment werd er een schouder tegenaan geramd. De deur ging een paar millimeter open, maar Jordan zette zich schrap en duwde hem weer dicht.

Hij was alleen in de kamer, maar hij had het gevoel dat er mensenlevens van hem afhankelijk waren, en niet alleen het zijne. Hij moest de terroristen tegenhouden om de anderen meer tijd te geven. Dus stelde hij zich voor dat hij in een veel groter en sterker lichaam zat, dat van een worstelaar. Hijgend verzamelde hij zijn laatste krachten.

Geweerkolven beukten tegen de deur en deden het hout splinteren. Jordan gaf geen krimp. Op de gang deed de leider van het groepje een stap terug en richtte zijn wapen op de deur. Jordan kon geen kant meer op.

Het geweer loste een automatisch salvo en tientallen kogels sloegen door het hout. Ze boorden zich in Jordans borst en buik en smeten hem ruggelings op het bed. Vreemd genoeg voelde hij geen pijn. Zijn laatste gedachte was aan de mensen die hij niet had kunnen beschermen.

Een man met een nylonkous over zijn hoofd kwam de kamer binnen en boog zich over Jordans lichaam. Onbewogen keek hij toe hoe Benjamin Jordans bloed door de matras sijpelde en een plas vormde op de vloer.

De kamer in het hotel lichtte rood en paars op door de knipperende neonreclame van de slijterij. Het schijnsel gaf Jordans lichaam een macabere gloed.

Met een schok werd hij wakker, totaal verward.

Hij was op de Olympische Spelen in München, waar Palestijnse terroristen het appartement van de Israëlische sporters waren binnengedrongen.

Nee, hij was in de kibboets, op de slaapzaal met de andere jongens, en hij was de enige die wakker lag.

Nee, hij was in Londen, waar hij een veilig heenkomen had gezocht in een verlopen hotel.

De deur van zijn kamer was intact en afgesloten; zijn lakens waren doordrenkt met zweet. Het was die oude, steeds terugkerende nachtmerrie, hoewel het al jaren geleden was dat de droom hem voor het laatst had overvallen. Het spookbeeld uit zijn jeugd was terug om hem te kwellen.

De angst en de pijn raakten hem zo diep en zo persoonlijk dat Jordan ze naar de uithoeken van zijn onderbewustzijn had verbannen.

Het leek of hij er zelf bij was geweest, daar in München, als een van de ongewapende Israëli's die zich hadden moeten verdedigen tegen de terroristen van de Zwarte September. Terwijl de rest van het Olympisch dorp sliep, probeerde hij de deur te blokkeren met zijn lichaam en de indringers bij zijn teamgenoten vandaan te houden. Sommige Israëli's verzetten zich moedig, maar tevergeefs. Twee werden gedood, twee anderen ontsnapten. De rest werd gegijzeld.

Meestal eindigde Jordans droom met zijn eigen dood, terwijl hij trachtte zijn kameraden te redden. Soms kwamen de anderen om, zodat Jordans nachtmerrie nog langer doorging. Na een dag van dreigende executies werden hij en zijn medegijzelaars per bus naar de helikopters gebracht, die hen naar het vliegveld vlogen waar de Duitse autoriteiten op bevel van de terroristen een jet hadden klaarstaan om hen het land uit de brengen. Duitse scherpschutters keken toe terwijl twee terroristen het vliegtuig inspecteerden. De Israëli's wachtten aan boord van de helikopters, geblinddoekt en geboeid. Het was avond, maar het felle licht van de schijnwerpers drong door de duisternis heen.

Een Duitse stem klonk over een luidspreker. Jordan kon de woorden niet verstaan, maar de harde keelklanken riepen bij de Joden een soort oerangst op.

Eén enkel schot galmde door de nacht, en de hel brak los. Schijnwerpers explodeerden in een regen van vonken, die Jordan meer voelde dan zag. Overal was het geratel van mitrailleurs te horen. Kogels sneden met een helder geluid door de metalen wand van de helikopter en verbrijzelden de voorruit. Stemmen schreeuwden in het Arabisch en het Duits. Een Israëli mompelde een gebed. Anderen sloten zich bij hem aan.

Een terrorist trok de pen uit een granaat en smeet die op de vloer. Jordan hoorde het metalen gerammel waarmee de granaat onder de stoel van een gijzelaar rolde.

Toen, bij daglicht, kwam het moment om de schade op te nemen.

Van de helikopters was weinig meer over dan verkoolde wrakken. Geen van de gijzelaars had de actie overleefd. Hoe vaak had Jordan zichzelf niet in hun plaats voorgesteld?

Hoe uitgeput hij zich ook voelde, hij wist dat hij geen oog meer dicht zou doen.

27

Londen

Jordan stond al voor de deur van de British Library toen die de volgende morgen openging en even later zat hij in een donker hokje, luisterend naar het zoemen van de microfilmmachine terwijl de film voorbijzoefde. Hij drukte op versneld doorspoelen, en toen weer terug, totdat hij de juiste data op het scherm had.

In de zomer van 1883 had de Londense krant *The Times* een serie artikelen aan het merkwaardige verhaal van Mordecai Mandel gewijd. De meeste stonden ergens binnenin. Als iemand het toen voor Mandel had opgenomen, zou hij waarschijnlijk wel in een van de stukken worden genoemd.

BIJZONDER RELIKWIE ONTDEKT IN JERUZALEM, luidde de eerste kop, weinig opvallend. Het stuk was afkomstig van de Praagse correspondent, die de mengeling van enthousiasme en scepsis beschreef waarmee Mandel werd begroet aan het begin van zijn Europese tournee. 'Het perkament lijkt op Genesis, maar de afwijkingen in de tekst roepen vragen op over de authenticiteit ervan,' meldde hij.

Jordan las het verslag en ging verder.

OUD HANDSCHRIFT IN PARIJS, stond boven het volgende stuk. 'Het schijnt eeuwen ouder te zijn dan alle andere bekende Bijbelteksten,' verklaarde het artikel. 'Volgens meneer Mandel betekent zijn vondst dat we de hele volgorde van de goddelijke schepping moeten herschrijven.'

MORDECAI MANDEL ARRIVEERT UIT AMSTERDAM, las Jordan in *The Times* van 26 juli. 'Deze heer uit Jeruzalem wordt als een van de belangrijkste antiquaars van het Heilige Land gezien,' schreef de journalist. 'Als onversaagde avonturier schijnt hij zich thuis te voelen onder de bedoeïenen, die hem terzijde staan bij zijn expedities door de wildernis van Judea.'

Jordan onderdrukte een glimlach om de drukte die er over Mandel werd gemaakt. MORDECAI MANDEL ONTMOET GELEERDEN OM ZIJN VONDST TE TONEN, begon het volgende artikel. '"Wij zullen het Mandelhandschrift aan een uitvoerig onderzoek onderwerpen met de beste methoden van de moderne wetenschap en archeologie. Pas dan kunnen wij ons oordeel geven," verklaarde doctor Charles Salisbury, de hoofdconservator van het British Museum.'

MANDEL-MANUSCRIPT BLIJKT ECHT, meldde de krant op 22 augustus. '"Dit is een van de belangwekkendste archeologische vondsten uit de negentiende eeuw," aldus doctor Salisbury. "Het zou een pijnlijke teleurstelling voor iedere Britse burger zijn als het Mandel-handschrift ergens anders dan in Londen werd ondergebracht."'

Jordans aandacht werd getrokken door een citaat van Mandel aan het eind van het artikel. 'Het zou me niet verbazen,' zei Mandel, 'als er nog andere oude geschriften boven water zouden komen die meer licht kunnen werpen op traditionele opvattingen.'

GEGADIGDEN BIEDEN TEGEN ELKAAR OP VOOR MANDEL-MANUSCRIPT, berichtte de krant twee dagen later. '*The Times* heeft uit betrouwbare bron vernomen dat de minister van Financiën een bedrag van een miljoen pond heeft vrijgemaakt voor de aankoop van de Mandel-Genesis. Mordecai Mandel verwacht dat de Fransen hierop zullen reageren met een verhoging van hun eigen bod.'

MORDECAI MANDEL VAN BEDROG BESCHULDIGD, schreeuwde de krant op 27 augustus. '"Het betreft hier een van de grootste fraudezaken van de negentiende eeuw," verklaarde de Franse ambassadeur in St. James's. "De Britten zouden beter moeten weten dan deze Jood te vertrouwen. Maar goed, als ze willen betalen is dat hun zaak."'

HET BEDROG VAN MANDEL, volgde een artikel in begin september, met het verhaal van de Italiaanse wijnhandelaar Aldo Campagnoli.

EEN SUBLIEME VERVALSING, luidde de kop van een stuk op 6 september, waarmee de affaire werd afgesloten. '"Mandel heeft zich schuldig gemaakt aan een sluwe, schaamteloze fraude," moest doctor Salisbury toegeven. Overigens ontkende doctor Salisbury dat de Britten bereid waren geweest een miljoen pond voor het handschrift te betalen. Hij suggereerde dat Mandel dit gerucht zelf in de wereld had geholpen om de Fransen tot een nog hoger bod te verleiden. Juist dat werd uiteindelijk zijn ondergang.'

Jordan las het laatste stuk twee keer door, speurend naar aanwijzingen, maar er viel hem niets bijzonders op. Alle artikelen in de krant leken te bevestigen wat hij al wist.

Het enige wat overbleef waren een paar ingezonden brieven.

'Niet nogmaals zullen wij het verraderlijke, vindingrijke karakter van het Joodse ras onderschatten waar het grote sommen gelds betreft,' schreef R.L. Caldwell uit Dover.

'Dit is een aanval op alles wat wij in Engeland voor waar en heilig houden. Geen wonder dus dat Gods woord uiteindelijk heeft overwonnen,' vond James Geraghty, dominee met emeritaat te Twickenham.

'Deze winkelier uit Jeruzalem heeft samengespannen tegen het geloof, net zoals de Joden ooit de Zoon van God hebben gedood,' schreef de arts Peter Coughlin uit Londen.

'Heb meelij met Mordecai Mandel, maar nog meer met zijn critici. De heer Mandel is met schande overladen uit Engeland vertrokken. Degenen die hem beschuldigen zijn nog minder te benijden. Zij blijven achter in een toestand van halsstarrige onkunde,' schreef een S. Belk uit Oxford.

'Charles Salisbury en onze andere zelfgenoegzame deskundigen zouden zich moeten schamen dat ze zulke onzin hebben geloofd,' vond Wm. Westerly uit East Anglia.

Jordan stopte en ging terug naar de vorige brief.

'Heb meelij met Mordecai Mandel, maar nog meer met zijn critici,' had S. Belk uit Oxford geschreven. Jordan had de brief bijna over het hoofd gezien, maar nu las hij hem nog eens zorgvuldig door:

> De heer Mandel is met schande overladen uit Engeland vertrokken. Degenen die hem beschuldigen zijn nog minder te benijden. Zij blijven achter in een toestand van halsstarrige onkunde. Ik heb de Mandel-Genesis bestudeerd en ik geloof nog steeds dat het handschrift authentiek kan zijn. Alleen de heer Mandel kent de waarheid, en misschien kan hij daar troost uit putten. Voor zijn onnozele critici is die troost niet weggelegd.

Jordan las nog eens terug wat de oude Harriett tegen Catherine had gezegd: 'Hij heeft het aan iemand nagelaten die in hem geloofde, iemand die achter hem bleef staan toen hij zo werd verguisd.'

Jordan kon zich voorstellen dat Mandel zich aan Belks brief had vastgeklampt als aan een reddingsboei in een storm. Het was geen luide bijval, maar heel wat beter dan alle andere ellende die over hem werd uitgestort. Jordan maakte een kopie.

Wie was die Belk?

Hij liep terug naar het ingebonden krantenregister en liep de delen vanaf 1880 door. De meest veelbelovende verwijzing dateerde uit maart 1883, een paar maanden voor Mandels aankomst in Londen.

'Professor Sedgwick Belk van Balliol College in Oxford zal dinsdagmiddag om drie uur een lezing houden,' luidde het bericht. 'Het onderwerp van zijn verhandeling is de theologische, historische en naturalistische interpretaties van de plagen die in het boek Exodus over Egypte kwamen.'

Jordan keek op zijn horloge. Hij wilde op tijd in het museum zijn om het dossier over Mandel door te nemen, maar hij had hier nog meer te doen. Hij las nog vijf of zes andere artikeltjes over Sedgwick Belk, die hem niet veel wijzer maakten. De laatste keer dat Belk zelf iets had gepubliceerd was in 1881, lang voordat Mandel hem iets kon hebben nagelaten.

Ten slotte boog Jordan zich over zijn vermoeiendste opgave van die dag: het doorploegen van alle officiële aankondigingen uit de winter van 1883, op zoek naar de veiling van Mandels bezittingen. Hopelijk werd zoiets in de krant bekendgemaakt, en als het veilinghuis nog bestond en een archief had dat zo ver terugging, zou hij misschien de anonieme koper van het andere handschrift kunnen vinden. Hij had het gevoel – meer was het niet – dat de identiteit van die koper hem een stap dichter bij de oplossing kon brengen. De kans leek niet groot en door het turen naar die flakkerende lettertjes kreeg hij zo'n last van zijn ogen dat hij bang was dat hij over de aankondiging heen zou lezen. Als dit niets opleverde, moest hij maar alle veilinghuizen langsgaan, in de hoop op een toevalstreffer.

Maar opeens zag hij het, diep verborgen in *The Times* van 17 januari 1884.

'Ter delging van schulden,' begon het negentiende-eeuwse ingezonden bericht, 'drie kavels zilveren serviesgoed, afkomstig uit Cheswick Hall. Twee kavels familieportretten, olieverf op doek, 1690-1833. Twee kavels porselein, Brits fabrikaat. Van andere herkomst en recent in het nieuws, een leren tekstrol, de "Mandel-Genesis". Thomas H. Begley & Sons, veilingmeesters, 161 Quincy Road, Londen.'

Jordan zocht in het telefoonboek van Londen en op internet, maar kon de naam van het veilinghuis nergens vinden. Hij verliet de bibliotheek en hield een taxi aan. 'Quincy Road, nummer 161,' zei hij tegen de chauffeur.

Na een grote omweg draaide de wagen eindelijk Quincy Road in. De chauffeur remde af en las de huisnummers. 'Dat moet 161 zijn,' zei hij, wijzend.

Ingeklemd tussen een muziekzaak en een videotheek zag Jordan een Indiaas afhaalrestaurant, Delhi Deli. Quincy Road nummer 161.

De chauffeur keek om en wachtte op instructies. 'Ik heb geen trek meer,' zei Jordan.

Zijn intuïtie zei hem dat Belk de man moest zijn die hij zocht. Maar misschien waren er nog andere kandidaten. Hij wilde geen overhaaste beslissingen nemen, niet na dat laatste fiasco.

'Het British Museum dan maar,' zei hij.

Behoedzaam stapte hij het museum in, terwijl hij de gezichten van de mensen om zich heen in zijn geheugen prentte. Hij dacht niet dat hij was gevolgd, maar als iemand hem schaduwde hielden ze misschien het museum in de gaten omdat ze hem terugverwachtten.

Het was hem nog steeds niet gelukt om Catherine te bellen.

Hij sloot zich aan bij de rij voor de balie van de leeszaal. Er stonden nog drie mensen voor hem. Toen hij aan de beurt was overhandigde hij zijn aanvraagformulier.

Claire, de jonge vrouw die hem de vorige dag ook had geholpen, lachte wat gedwongen.

'Hallo. Daar ben ik weer,' zei hij. 'Het Mandel-dossier. Wilt u kijken of het beschikbaar is?'

'Natuurlijk. Ga zitten, dan zal ik u zo meteen helpen, meneer...' ze las de naam die Jordan op het formulier had ingevuld, '...Barnes.'

Ze leek niet erg op haar gemak.

Jordan ging aan een tafel zitten en liet zijn blik onderzoekend door de zaal glijden. Claire pakte de telefoon en praatte achter haar hand. Hij zag dat ze naar hem staarde en haastig haar ogen neersloeg.

Jordan keek om zich heen. Er was iets vreemds aan de hand. Hij wist niet precies wat, maar het beviel hem niet.

Hij wachtte nog een paar lange seconden, totdat Claire hem haar rug toekeerde. Toen stond hij op en verdween haastig uit de leeszaal.

Toen hij over zijn schouder keek, zag hij twee mannen naar de balie lopen die dringend met Claire overlegden. Claire draaide zich om naar de tafel waar Jordan had gezeten. Een verbaasde uitdrukking gleed over haar gezicht. De twee mannen keken de zaal door, zoekend naar Jordan, maar ze waren te laat.

Jordan liep de zalen door, daalde een trap af naar het personeelstoilet en dook een hokje binnen. Daar trok hij zijn pas gekochte overjas uit, zette de tweedpet op die hij in een zak had gestoken en drukte een drogisterijbrilletje laag op zijn neus. Als vermomming stelde het niet veel voor, maar meer had hij niet voorbereid.

De deur van het toilet ging open en twee mannen kwamen binnen. Jordan hield zijn adem in.

Ze bleven staan voor de urinoirs.

'Ik hoorde op de radio dat ze het lichaam in een steeg hadden gevonden, in een vuilniscontainer,' zei de eerste, terwijl hij zijn gulp openritste. 'Hij was in zijn gezicht geschoten.'

'Heb je ooit met hem gewerkt?' vroeg de ander.

'Nee. Ik geloof dat hij gespecialiseerd was in porselein... Nigel Dinges.'

Jordan onderdrukte een kreet. Waverly vermoord? Maar waarom?

'De politie schijnt te denken dat de moordenaar hier in het museum werkt. Er lopen zo veel agenten rond, ze moeten wel iemand van de staf verdenken.'

Of een bezoeker die een heel merkwaardige interesse met Waverly deelde.

Het ene urinoir werd doorgespoeld, daarna het andere.

Jordan hing zijn overjas aan het haakje aan de deur en ontvluchtte het toilet. Toen hij de uitgang van het museum naderde, zag hij een ongewoon groot aantal beveiligers, vermoedelijk aangevuld met politiemensen in burger. Hij aarzelde en sloeg de stroom bezoekers gade die op weg waren naar buiten.

Hij zag een vrouw van ergens in de dertig, met drie jonge kinderen. Snel sloot hij zich bij hen aan, alsof hij de vader was.

Toen hij dichter bij de uitgang kwam nam een bewaker hem scherp en grimmig op. Jordan glimlachte, knikte even en liep door. Hij voelde de ogen van de man in zijn rug priemen, maar zelf liet hij zijn blik vaderlijk op de kinderen rusten.

Het volgende moment stapte hij naar buiten, de grijze middag in. Hij moest zich beheersen om niet te gaan rennen.

28

Oxford

'Sedgwick Belk,' herhaalde de professor, terwijl hij haar over zijn leesbril aankeek. 'Die naam hoor je niet vaak.'

'Dat zal wel niet,' zei Catherine.

'En waarom bent u in hem geïnteresseerd, als ik vragen mag?'

Horace Giles van het Balliol College in Oxford leek haar achterdochtig op te nemen. Hier, op de middeleeuwse werkkamer van de academicus met het vollemaansgezicht was Catherine blij dat ze haar huiswerk had gedaan. Ze had navraag over Giles gedaan bij een exstudent van haar, die nu post-doctoraalwerk in Oxford deed. Hij had haar verteld wat ze kon verwachten.

Over professor Giles werd gezegd dat hij kennis verzamelde zoals sommige mensen postzegels. Van zeldzame exemplaren kon hij moeilijk afstand doen, en dan alleen als hij ze voor iets beters kon ruilen. Maar er waren ook momenten waarop zijn ego de overhand kreeg en hij de verleiding niet kon weerstaan een heel unieke vondst uit zijn verzameling te tonen, als voorbeeld van alle rijkdommen die hij voor zichzelf hield.

Het was een merkwaardige houding voor een docent, maar hij leek toch al weinig bij te dragen aan de vorming van het jeugdig intellect. Zijn zeldzame contacten met studenten schenen hem – of hen – vooral aan zijn eigen superioriteit te herinneren. Maar soms kreeg een bijzonder zelfverzekerde of cynische student het gevoel dat er misschien niet zo veel was wat Giles verborgen hield.

Terwijl de oude hoogleraar haar over zijn brilletje observeerde, vroeg Catherine zich af of de man achterdochtig was of bij voorbaat al afgunstig. 'Ik schrijf over het Bijbelonderzoek in de negentiende eeuw,' zei Catherine. 'Belk leek me een van de onconventionele denkers uit die tijd. Maar hij is al gestopt met publiceren toen hij nog betrekkelijk jong was.'

'Zo is dat,' zei Giles.

'Ik heb gehoord dat u een autoriteit bent op dat gebied.'

'Zo is dat.'

'Weet u ook of hij papieren heeft nagelaten... dagboeken, ongepubliceerde manuscripten of zo?'

'Aha.' Giles knikte. 'De eindeloze zoektocht van iedere wetenschapper naar oorspronkelijk materiaal. De behoefte om onbekend terrein te ontginnen, hoe onvruchtbaar of ontoegankelijk het ook mag zijn. Om stenen en kiezels te vinden, als er meer niet is, en die tot edelstenen te verheffen. Want dat is wat de ivoren toren van ons vraagt, nietwaar?'

Giles staarde door de glas-in-loodruitjes van zijn raam naar de gotische binnenplaats beneden. Catherine volgde zijn blik. De stenen gebouwen waren zo'n achthonderd jaar ouder dan hun imitaties in Ann Arbor, plus of minus een eeuw.

'Wilt u zeggen dat Belk niets anders heeft nagelaten dan stenen en kiezels?' vroeg Catherine.

Giles fronste. 'In het geheel niet. Ik vermoed dat Belks papieren een vruchtbaar veld zouden zijn.' Hij trok een wenkbrauw op. 'Misschien zelfs de basis voor een glanzende carrière.'

Iets in zijn houding gaf Catherine de indruk dat hij daar nu pas voor het eerst over nadacht en probeerde zijn onwetendheid te maskeren.

'En wat denkt ú eruit te leren?' informeerde Giles.

'Een nieuw gezichtspunt.'

'Juist,' zei Giles. Hij keek haar nog steeds aan, duidelijk ontevreden met dat antwoord.

'En een laatste, wanhopige poging om een vaste aanstelling te krijgen voordat ik mijn zieltogende carrière vaarwel zeg om als hostess bij McDonald's te gaan werken,' voegde ze eraan toe.

Giles lachte. 'Ik wist niet eens dat ze hostesses hadden bij McDonald's.'

'Zo is dat,' antwoordde ze.

Hij lachte nogmaals. 'De ivoren toren heeft geen idee wat er aan McDonald's verloren gaat,' zei hij.

'Ik zou al tevreden zijn met heel kleine steentjes,' zei ze. 'Grind, desnoods.'

'Ik zou u graag helpen, maar Belk heeft ons niets nagelaten. Hij is gewoon vertrokken.'

'Waar naartoe?'

Giles besloot een klein deel van zijn verzameling uit te pakken. 'Vreemd genoeg liet hij in 1884 opeens alles achter om naar het Heilige Land te gaan. Hij heeft nooit gezegd waar hij naar zocht of wat hij hoopte te bereiken. En hij is nooit teruggekomen.'

'Wat denkt u ervan?' vroeg Catherine.

'Wie zal het zeggen?' zei Giles, en hij keek haar aan. 'Het leek wel of hij vertrok voor zijn eigen persoonlijke kruistocht. Misschien was hij gelovig geworden.'

'Liet hij familie na? Vrouw en kinderen?'

Giles scheen te beseffen dat haar kennis beperkt was. 'Hij liet een complete chaos na. Zes maanden voor zijn vertrek had hij de titel en de landerijen van zijn oom geërfd, met een zetel in het Hogerhuis, een landhuis in Pamet Roads, noem maar op. Na zijn verdwijning heeft het negentien jaar geduurd voordat zijn neef de titel kon overnemen. Zonder lichaam wist natuurlijk niemand zeker of de graaf van Pamet echt dood was.

Zo is dat, dacht Catherine.

'Dat is een teleurstelling,' zei ze, denkend aan Pamet Roads. 'Heel hartelijk dank, professor Giles. Als u ooit een tafeltje bij McDonald's wilt, zegt u het maar.'

'Zonder augurkjes,' zei hij met een knipoog.

Ze stonden op en gaven elkaar een hand.

'Wel een merkwaardig toeval dat u juist vandaag bij me kwam, vindt u niet?' zei Giles.

'Hoezo?'

'Dit is vandaag al de tweede keer dat ik een vraag krijg over de jaren tachtig van de negentiende eeuw.'

Catherine probeerde haar verbazing te verbergen.

'Vanochtend was het Scotland Yard,' zei Giles, terwijl hij haar reactie peilde. 'Ze vroegen me naar een man uit Jeruzalem die Mordecai Mandel heette. Blijkbaar was een curator van het British Museum opeens in hem geïnteresseerd geraakt, vlak voordat hij werd doodgeschoten.'

'Vermoord?'

'Ja.'

Catherine kon haar ontsteltenis niet langer verbergen.

'U weet dat hun levens elkaar hadden gekruist?' vroeg hij.

'Hm,' zei Catherine, opzettelijk vaag.

'Een merkwaardig toeval, zoals ik al zei.'

29

Op het station kocht Catherine een krant en bladerde hem door terwijl ze op haar trein wachtte. Ze vond een kort berichtje over de moord op Nigel Waverly. Vooral de vierde alinea trok haar aandacht:

> De politie is op zoek naar ene Michael Barnes, adres onbekend, die bepaalde stukken had opgevraagd die in het bezit van Nigel Waverly waren, kort voor diens dood. Deze stukken worden vermist en diefstal wordt als mogelijk motief voor de moord gezien.

Waar ben ik in godsnaam mee bezig?

Het vreemde, wetenschappelijke mysterie van Mordecai Mandel leek een levensgevaarlijke zaak geworden. En toch had Catherine het gevoel dat ze nu pas echt begon te leven. Ze werd gedreven door trots en woede, een nieuwe ambitie. Haar moeder had gelijk gehad. Veel te lang had ze haar dromen weggestopt, uit angst voor een mislukking.

Dat zou ze nu niet meer doen. Ze kregen haar niet klein. Westphall State? Vergeet het maar.

De studenten die zo demonstratief haar college hadden verlaten, hadden over het graf van haar broer gelopen, maar haar ook een dienst bewezen. Ze hadden haar weer pijnlijk herinnerd aan het tragische onrecht dat Ian was aangedaan: de hypocrisie van de kerk en haar eigen schuldgevoel als zijn zus, omdat ze hem zelf naar pater Donegan had gestuurd.

De priester had hem een gruwel in de ogen van de Heer genoemd, en Ian had hem geloofd.

'Zat hier al iemand?'

Catherine keek op en sloeg een hand voor haar mond.

'Je moet beter opletten,' zei Jordan.

Ze wist niet of ze dolblij of juist woedend was. 'Wat doe jij hier?' vroeg ze.

'Ik wilde me inschrijven aan de universiteit van Oxford. Zouden ze me toelaten, denk je?'

Hij kwam naast haar zitten. 'Ik ben blij dat ik je zie, veilig en wel,' zei hij.

'Er is weer iemand vermoord,' zei ze.
'Ik weet het.'
Ze keken elkaar een hele tijd zwijgend aan.
'Ik dacht dat je er niets meer mee te maken wilde hebben,' zei Jordan.
'Ik kom er niet onderuit,' zei ze.
'Ja, ik vroeg me al af wanneer je dat zou beseffen.'
'Zijn we nu concurrenten?' vroeg ze.
'Wat dacht je van partners?'
De conducteur vroeg de passagiers van Catherines trein om in te stappen.
'Jammer dat jij net vertrekt terwijl ik aankom,' zei hij.
'Wat ben je van plan?'
'Ik wilde met een van de professoren van Balliol College gaan praten, die nu dezelfde leerstoel bekleedt als Sedgwick Belk vroeger. Misschien weet hij iets over Belk. Ik heb een paar deskundigen gebeld, die allemaal zeiden dat hij de juiste man was.'
Catherine kreunde.
'Ken je professor Giles?' vroeg hij.
'Zo is dat,' zei Catherine.
'Wat is hij voor een man?'
'Hij zou het een héél merkwaardig toeval vinden als jij ook nog bij hem aanklopte.'
'Wat?'
'Dat is een lang verhaal.'
Hij keek naar haar kaartje. 'En jij moet je trein halen.'
Catherine ritste haar tas dicht.

De zon ging al onder boven het Engelse platteland toen de trein het station verliet. Catherine installeerde zich bij een raampje, legde haar krant op de lege plaats naast zich en staarde naar de middeleeuwse kerken van Oxford, die achter hen verdwenen.
Jordan schoof de krant opzij en ging zitten. 'Waar gaan we naartoe?' vroeg hij.
Catherine keek hem verbaasd aan. De brutaliteit. Het lef.
Maar ze had ook een gevoel van opluchting, dat ze haastig verdrong.
'Om precies te zijn,' zei ze, 'naar Pamet Roads.'
'Aha, het landgoed van Sedgwick Belk,' zei hij. 'Een beetje uit de route, maar volgens internet is het open voor toeristen.'

Ze had bewondering en ontzag voor zijn vindingrijkheid. In zo'n korte tijd had hij het verband gelegd tussen Mandel en Belk en was hij op eigen houtje tot dezelfde conclusie gekomen die zij zo lang verborgen had gehouden, zelfs voor Meyer.

'Misschien kan de huidige landheer ons wat meer vertellen,' zei ze.

Ze zaten een tijd in stilte, genietend van het wisselende landschap van heuvels en velden. Het deinende ritme van de trein was geruststellend toen ze steeds dieper de nacht in reden. Zachtjes, naar elkaar toe gebogen om niet te worden afgeluisterd, vertelde Catherine hem over haar gesprek met Giles en deed hij verslag van zijn ervaringen in Londen.

Jordan vermoedde dat haar nog iets anders dwarszat, een persoonlijk probleem, maar ze zei er niets over en hij drong niet aan. Onbewust legde ze een hand op zijn pols.

'Ik weet nog altijd niet wat er aan de hand is,' zei Catherine. 'Of met wie we te maken hebben.'

'Iemand maakt jacht op de schatten van de tempel en Mordecai Mandels "definitieve bewijs",' zei Jordan. 'Op basis van jouw gesprek met Elazar, een paar maanden geleden, denken ze nu dat de Zilveren Rol tot een wereldschokkende ontdekking zou kunnen leiden. Om de weg vrij te maken en hun eigen spoor uit te wissen hebben ze het instituut opgeblazen en de archeologische commissie uitgemoord.'

'Behalve Meyer Elazar, misschien,' zei Catherine.

'Een van mijn bronnen denkt dat Elazar erachter zit.'

'Dat is krankzinnig.'

'Dat dacht ik ook. In eerste instantie.'

'Wat weet je verder nog?'

'De man die mij in Londen schaduwde zag er donker uit,' zei Jordan.

'Dat zegt niet veel, vind je wel?'

'Nee. Hij zou een Arabier kunnen zijn, maar ook een Israëli...'

'Of een Zuid-Europeaan?'

'Of een Zuid-Europeaan.'

'Maar we hebben het niet over één persoon of zelfs maar een handvol mensen.'

'Nee,' zei Jordan. 'We hebben het over een professionele organisatie met internationale vertakkingen.'

'Wie heeft er het meeste belang bij, afgaande op de paar feiten die we kennen?'

Jordan dacht even na. 'De islam ontstond pas in de zevende eeuw, terwijl Mandels "definitieve bewijs" minstens teruggaat tot het Jeruzalem van de eerste eeuw na Christus. Ik neem dus aan dat de christenen en de joden het meest te verliezen hebben.'

'Dat lijkt me ook,' beaamde Catherine. 'En ik wil nog een stap verder gaan. De christenen en de joden delen het Oude Testament. Als het bewijs echt uit de eerste eeuw dateert, zou ik denken dat Mandels ontdekking verband moet houden met gebeurtenissen uit het Nieuwe Testament.'

'Dat klinkt logisch,' zei Jordan.

'Wie was die Waverly, die vermoorde curator?' vroeg Catherine.

'Ik weet het niet. Waarschijnlijk iemand die door de samenzweerders is gebruikt om het dossier over Mordecai Mandel uit het British Museum weg te halen. Misschien hebben ze hem omgekocht of gechanteerd. Het interessante is dat die stukken gewoon voor het publiek toegankelijk waren. De enige reden die ik kan bedenken om ze te stelen is dat iemand ze aan een technisch onderzoek wil onderwerpen. Of wil voorkomen dat iemand anders ze nog te zien krijgt.'

Ze vouwde de krant open en wees hem het artikel. 'Wat weet jij van ene Michael Barnes?' vroeg ze.

'Een van de briljantste journalisten van zijn generatie. En een knappe vent, bovendien.'

'Ken je hem?'

'Ik moest een naam invullen op het aanvraagformulier voor de leeszaal van het museum.'

'Nou, heel briljant. Nu word je genoemd als verdachte van de moord op Waverly.'

'Een beetje dom van de politie. Als ik de moordenaar was, waarom zou ik dan nog een keer zijn teruggegaan voor die stukken?'

'Om jezelf een alibi te verschaffen?'

'Waarom zou ik er dan vandoor zijn gegaan?'

'Misschien vertrouwde je je eigen alibi niet.'

'De krant heeft natuurlijk advocaten om ons uit dit soort situaties te redden, maar...'

'Maar officieel werk je nu niet voor de krant.'

'De politie zoekt naar Michael Barnes,' zei Jordan.

'O, daar zien ze snel genoeg doorheen. Stel dat ze je arresteren?'

'Ik heb... hoe zal ik het zeggen... andere prioriteiten. Dus moet ik maar zorgen dat ik uit hun handen blijf.'

30

Pamet Roads

Het dorpje Pamet Roads maakte zich al gereed voor de nacht toen de twee reizigers uit de trein stapten en te voet op weg gingen vanaf het station. Bij het licht van de maan zagen ze de silhouetten van oude boerderijen, lage heggen en knoestige eiken. Er hing kou in de lucht.

Ze hadden niet veel bagage bij zich. Jordan droeg de tassen: Catherines plunjezak, zijn eigen laptop en een rugzak met kleren en andere onmisbare zaken die hij onderweg had gekocht als vervanging voor wat hij in het Royal had achtergelaten.

Aan het einde van de hoofdstraat zagen ze een lichtje waar ze naartoe liepen. Het bleek een pub te zijn, de Black Rabbit. De warme gloed van een open haard verlichtte de gelagkamer. Twee mannen van boven de zestig zaten achter glazen bier in de hoek tegenover de haard en een forse vrouw in een schort stond glazen te spoelen achter de tap. Aan zijn boordje te zien moest een van de twee mannen de dorpspastoor zijn.

'Jezuschristus, meneer pastoor, het huwelijk is net zoiets als het priesterschap, ik zweer het u,' zei de ander luid, zwaaiend met zijn bierglas. 'Armoede, kuisheid, gehoorzaamheid... je zou verdomme denken dat ik met de kerk getrouwd was!'

'Ja. Als je je aan je gelofte híéld,' wees de kroegbazin hem terecht. 'En hou je fatsoen, Tom. We hebben gasten.'

Tom nam de nieuwkomers scherp op. 'Lizzie heeft vier sterren in de Michelingids,' vertrouwde hij hen toe. 'Haar toast is nog taaier dan de banden van Michelin.'

'Nog één keer, Tom, en je kunt weer een vorm van "onthouding" aan je lijstje toevoegen,' zei Lizzie. 'Geloof hem maar niet,' vervolgde ze tegen Catherine en Jordan. 'Mijn toast ís gebakken autoband. Wat kan ik voor u inschenken?'

'Twee bier,' zei Jordan. 'En we zoeken een kamer voor de nacht.'

'Ik heb nog wel plaats in de schuur,' zei Lizzie. 'Veertig pond per nacht.'

Catherine zocht naar een antwoord.

'Geen zorg,' zei Lizzie. 'Het enige vee dat daar ooit slaapt is mijn zwager, en die zit in Durham. De stal is ons gastenverblijf.'

'Akkoord,' zei Jordan, en ze liepen met hun bierglazen naar een tafeltje bij de haard.

Lizzie bracht borden met toast en lamsschotel. 'Kliekjes,' zei ze.

Ze werkten de toast naar binnen, die aan de omschrijving voldeed. Jordan had honger. Catherine proefde van de lamsschotel en roerde beleefd in het vlees om geen aanstoot te geven. In de andere hoek zat Tom nog boven zijn bier te mopperen, terwijl de pastoor, een kleine man met donkere ogen en een dikke neus met gebarsten haarvaatjes, zwijgend zijn eigen glas leegdronk.

'Als u klaar bent, zal ik u naar uw kamer brengen,' zei Lizzie.

Ze liepen met haar mee achter de keuken langs, een krakende trap op, en door een luik naar de zolder. Jordan, die achteraan liep, had een prettig uitzicht op Catherines gebleekte spijkerbroek, die naadloos om haar heupen sloot.

De schuur had een redelijk grote en hoge zolder met schuine wanden van knoestige planken en oude balken, als van een schip, die de open ruimte overspanden. Tegen de wanden hing een bonte verzameling oude spulletjes: tekeningen van planten en vogels, een jachthoorn en landbouwgereedschap uit vervlogen tijden.

Lizzie ontstak een staande lamp naast een groot ledikant met een veren matras en een donzen dekbed. Naast de bank stond nog een lamp. Met een lucifer stak ze de houtkachel aan en trok toen de gordijnen dicht.

'Daar is het bad.' Ze wees naar de andere kant van de zolder, die was afgeschot als een grote badkamer. 'In de kast liggen genoeg handdoeken. Als u verder niets meer nodig hebt, zie ik u morgenochtend.'

Ze daalde de krakende trap af en trok het luik achter zich dicht.

'Neem jij de bank maar,' zei Catherine.

Jordan keek van de bank naar het bed, toen naar Catherine, en zette de tassen neer. 'Jij mag het eerst douchen,' zei hij.

'Nee, ga je gang.'

Hij nam een douche en kwam terug in een boxershort met een handdoek om zijn schouders. Er glinsterden nog paar druppels op zijn borst. Catherine probeerde niet te staren. Jordan was goed gebouwd, als een voetballer, sterk en snel. Meer een onstuitbare natuurkracht dan een onverzettelijk obstakel.

Hij zocht in zijn rugzak naar een schoon wit T-shirt. Toen hij het aantrok zag Catherine de littekens van de nog verse verwondingen op zijn buik.

'Hoe kom je daaraan?' vroeg ze.

'Van een Libanese vrouw. Een heel stel Libanese vrouwen, om precies te zijn.'

'Het zal je aangeboren charisma zijn geweest.'

'Het was niets persoonlijks. Ze wilden me dood hebben.'

'Reageren de meeste vrouwen zo op je?'

'Ja, maar meestal houden ze zich in.'

'Hoe had je ze kwaad gekregen?'

Jordans ogen lachten niet meer. 'Ik kwam een paar uur nadat de Israëlische bommen waren gevallen en maakte me bekend als Israëli. Ze waren woedend en ontroostbaar, en ik kan me hun reactie wel voorstellen... Het was natuurlijk geen beste binnenkomer,' voegde hij eraan toe.

'Zoiets flikte je mij ook, als ik me goed herinner,' zei Catherine.

Ze verzamelde haar spullen en trok zich terug in de beslotenheid van de badkamer. Daar zette ze de hete kraan aan. De deur sloot niet helemaal. Ze gaf de moed maar op en liet hem op een kier staan. Toen draaide ze het licht laag en liet zich in het bad zakken, een ouderwets model op vier pootjes. Ze sloot haar ogen en hoopte dat het hete water de wereld van haar af zou spoelen, maar ze bleef aan Jordan denken. Ze zag de grillige lijn van het litteken weer voor zich en wist zeker dat daaronder een diepere wond moest liggen. Wat zou er voor nodig zijn om die te genezen? In gedachten liet ze haar vingertoppen over het litteken glijden, heel langzaam en voorzichtig, bijna zonder het aan te raken.

Waarom was ze zo bits tegen hem?

Ze had het er zomaar uitgeflapt en daar had ze nu spijt van. Het was een onderbewuste poging haar gevoelens in toom te houden, maar dat werkte niet.

Hij was met kracht haar leven binnengestormd, volkomen onverwacht, en had alles op zijn kop gezet. Ze was bang om hem toe te laten, maar ook bang om hem weg te sturen. Ze stelde zich voor dat hij nu achter die deur stond, door de kier naar haar keek, haar gedachten las en langzaam de deur opende...

Jordan strekte zich uit op de bank en probeerde zich te ontspannen. Het leek de ideale plek en het ideale moment, maar helaas was Catherine niet in hem geïnteresseerd. Hij hoorde hoe ze bewoog in het bad en draaide zich onwillekeurig om. Door de smalle opening ving hij een glimp op van haar rug. Hij wendde zich weer af.

Hij stelde zich voor hoe ze uit het bad kwam, druipend van het water, de deur opendeed en zich naar hem toe draaide...

Ze opende de deur.

Met een handdoek om zich heen gewikkeld zocht ze in haar plunjezak naar een pyjama. Ze dook de badkamer weer in en kwam even later terug in een joggingbroek van Michigan en een strak haltertopje.

'Laten we maar ruilen,' zei ze. 'Ik neem de bank en jij het bed.'

'Nee hoor, bedankt. Het bed is van jou.'

'Je verdient het, na je avontuur in het Royal,' vond ze.

'Ik lig hier prima,' loog hij.

Ze trok het dekbed van het ledikant en legde het over Jordan heen.

'Slaap lekker,' zei ze, en ze deed het licht uit.

In alle vroegte werden ze wakker. Lizzie bakte eieren en worstjes en maakte toast met marmelade. Ze ontbeten bij de haard in de gelagkamer. Tom zat in zijn eentje in de hoek met een kater en een kop inktzwarte koffie. Het was niet duidelijk of hij Lizzies man was of haar beste klant.

Toen Lizzie de tafel afruimde, betaalde Jordan haar voor de kamer en het eten, met een flinke fooi. Hij vroeg de weg naar het landhuis en ze vertelde het hem, een beetje verbaasd.

'Wat voor man is de graaf?' vroeg Catherine.

Lizzie dacht na, aarzelend over een antwoord.

'Heb je ooit gehoord van *noblesse oblige*?' vroeg Tom.

'Ja, natuurlijk,' zei Catherine.

'Nou, dat is het verschil tussen jou en de graaf,' verklaarde Tom.

'Tom, gedraag je,' wees Lizzie hem terecht.

'Hoe houdt hij zijn landgoed in stand?' vroeg Catherine.

Tom lachte zuur. 'Met een beetje hulp van het rijk.'

'Niet het rijk, maar de Royal Trust for Historic Preservation,' verbeterde Lizzie hem.

'Met andere woorden, hij is een steuntrekker,' zei Tom. 'Zonder de Trust zou onze landheer zonder manieren een landheer zonder landgoed zijn. Helaas is die gerechtigheid ons niet gegund.'

'Hoe zit dat dan?' vroeg Catherine.

'De rijkdommen van de familie – de échte rijkdommen – waren allang verloren of verspeeld toen Crendal de zaak erfde. Het zag ernaar uit dat Pamet Hall moest worden verkocht. Maar de graaf wilde Pamet Hall behouden en restaureren in zijn oude glorie, met alle rijkdom en invloed van de familie.

'In plaats van de familiezaak behoedzaam te behartigen, gaf hij echter handenvol geld uit, knoeide met de boeken en leende grote bedragen tegen een overgewaardeerde aandelenportefeuille. En dat allemaal om zijn status te kunnen handhaven: polopaarden, auto's met chauffeur en fotomodellen op dure liefdadigheidsfeestjes. Huizen in Londen en St. Tropez, en een nogal kostbare verbouwing van Pamet Hall.

'Misschien heb je iets gelezen over het schandaal. Toen de aandelen zakten, raakten heel wat gewone mensen hun spaarcentjes kwijt. Mensen zoals ik, stommeling die ik was.

'Crendals advocaten hielden hem uit de gevangenis, maar de schuldeisers hijgden in zijn nek. Om Pamet Hall in de familie te houden bood zijn jongere broer – die op een eerlijke manier aan zijn geld is gekomen – Crendal veel meer dan het waard was. Maar het landgoed is Crendals erfenis, vergeet dat niet. Het is zijn grote trots. En nog erger dan het landhuis te verliezen was het spookbeeld om het aan zijn broer te moeten verkopen.'

De man zou zich thuisvoelen in het Midden-Oosten, dacht Jordan.

'Om het uit handen van zijn broer te houden sloot Crendal daarom een contract met de duivel zelf. De Royal Trust for Historic Preservation was bereid het landgoed te onderhouden als Crendal het wilde openstellen voor het publiek, zelfs het woongedeelte, dat een bed-and-breakfast werd.'

'En hoe liep het met Crendal af?'

'De graaf hield zijn titel, maar woont nu als gast in zijn eigen huis, een soort pronkstuk in zijn eigen museum.'

Tom grijnsde met zichtbare voldoening. 'En natuurlijk heeft hij de pest aan toeristen.'

Lizzie charterde Tom voor het vervoer en ze wrongen zich in zijn aftandse pick-uptruck. Met de raampjes omlaag en de aardse geur van de ochtend in hun neus reden ze langs de pittoreske winkeltjes en keurig onderhouden tuintjes in de hoofdstraat van het dorp. Ten slotte sloegen ze rechts af, door de weilanden.

31

Pamet Hall

Ze reden over een lange klinkerweg door een tunnel van imposante eiken naar het landhuis, een grote steenklomp met lange rijen door loodstijlen verdeelde vensters, die in colonne leken te marcheren, net als de aristocraten die hier al generaties hadden gewoond. Het werd omringd door in terrassen aangelegde tuinen, te midden van uitgestrekte bossen en velden.

Ze reden rond de fontein in het midden van de cirkel voor het huis, langs een parkeerterrein voor gasten, waar een handvol auto's stond. Tom zette hen af bij de bezoekersingang en ze bedankten hem voor de moeite.

De ochtendmist begon op te trekken, een gunstig voorteken, hoopte Jordan.

Ergens vlakbij hoorden ze het opgewonden geblaf van een meute honden, die blijkbaar popelden om te worden losgelaten. Het zou een slechte dag worden voor de vossen van Pamet Roads, dacht Jordan.

Ze stapten naar binnen door de westelijke deur en kwamen in een bescheiden hal met een receptie, een garderobe en een paraplubak.

'Welkom in Pamet Hall,' zei een oudere dame achter de balie. Ze droeg een naamplaatje van de Royal Trust for Historic Preservation. 'U kunt zich nog aansluiten bij de rondleiding die net is begonnen,' vervolgde ze. 'Tenzij u liever even wacht.'

Jordan kocht twee kaartjes en ze liepen met de vrouw mee door een salon met een betimmerd plafond, klassieke bustes en een grote reproductie van Tintoretto's *Eva die de vrucht der kennis proeft* in een rococolijst.

Even later stonden ze in de grote zaal, een enorme ruimte met een hele collectie olieverfportretten. Het leek wel een kathedraal, met een houten zoldering, ouder dan de gevel van het huis, en een reusachtige tafel voor banketten. De gids, een knappe jonge vrouw met een aristocratische houding, gaf uitleg aan een kleine groep.

De zaal was een spiegel van de Britse geschiedenis. Er waren mannen te zien in stemmige puriteinse kledij en gepoederde pruiken, maar ook anderen, in uniform, driedelige pakken en met horlogekettingen op hun vest. Er hingen portretten van bleke, bloedeloze vrouwen, mollig en preuts, maar ook – aangrijpend en pijnlijk formeel – van twee kinderen die blijkbaar te jong waren gestorven om nog als volwassenen geschilderd te kunnen worden.

Jordan bestudeerde de gezichten uit het laatvictoriaanse tijdperk, speurend naar de verdwenen Sedgwick Belk, in de veronderstelling dat hij hem wel zou herkennen als hij hem zag.

'De zevende en negende graaf... die corpulente heren hier... waren allebei lid van het kabinet,' vertelde de gids. 'De overgrootvader van de huidige graaf... die zwierige figuur in uniform... raakte gewond in de Eerste Wereldoorlog, waarin hij werd onderscheiden voor het neerschieten van twee spionnen. En de man die het huis eind achttiende eeuw tot zijn huidige omvang uitbouwde bezat enkele van de beste distilleerderijen van Engeland. De herinnering aan zijn liefdadigheid en rechtschapenheid leeft nog altijd voort.'

Jordan probeerde zich in de positie van de graaf te verplaatsen. Zoals de portretten wel aantoonden was de huidige bewoner van het landgoed de nazaat van vele generaties. Dat bracht verwachtingen met zich mee die waarschijnlijk zwaar op zijn schouders hadden gedrukt.

Jordan daarentegen had geen enkel geboorterecht, geen familieschatten om hem aan zijn ouders te herinneren. Als kind had hij niet meer dan een fotootje gehad, en de vage herinnering aan een slaapliedje. De woorden wist hij niet eens meer; alleen het wijsje was hem bijgebleven.

Maar ook Jordans nalatenschap liet hem niet los.

'Als u deze kant op komt, zal mijn collega Frances u de tuinen laten zien, die zijn aangelegd in de beste traditie van de Britse tuinarchitectuur,' zei de gids.

Jordan bleef achter, samen met Catherine.

'Zou u ons aan de graaf kunnen voorstellen?' vroeg Jordan aan de gids, terwijl Catherine en hij hun visitekaartjes overhandigden.

'Het spijt me, maar de graaf ontvangt geen toeristen,' zei de gids.

'Wij zijn geen toeristen,' zei Jordan.

De gids las zijn kaartje. 'Is het voor een interview?'

'Zoiets.'

'Waarover, als ik vragen mag?'

'Het is persoonlijk.'

'Maar u hebt geen afspraak?'

'Het gaat over zijn familie. Maar als het u beter lijkt dat hij er pas over leest als het in de krant staat...'

'Ik zal hem zeggen dat u er bent.'

'Dank u.'

Catherine keek peinzend.

'Waar denk je aan?' vroeg Jordan.

'Ik had hier al veel eerder moeten komen.'

Haar blik gleed over de portretten en ze bestudeerde de gezichten. 'We hebben pech dat wij net het zwarte schaap van de familie treffen,' zei ze, terwijl ze zich naar Jordan omdraaide en besefte dat ze bijna niets persoonlijks over hem wist.

'Heb jij broers?' vroeg ze.

'Nee.'

'Zussen?'

'Ook niet.'

'Wat doen je ouders?'

'Ze zijn gestorven toen ik nog heel klein was. Ik heb ze nooit echt gekend.'

'Wat erg,' fluisterde Catherine, en er welden tranen op in haar ogen.

'Ik ben opgegroeid in een kibboets,' ging Jordan verder. 'Ik had een vriend, Daniel, die als een grote broer voor me was. Een Amerikaan, die voor ons kwam vechten.'

'Zien jullie elkaar nog?'

Jordan leek in gedachten verzonken. 'Op een dag, toen ik acht was, vertrok Daniel voor een missie. Er was geen tijd meer om afscheid te nemen, vertelden ze later. De volgende dag werd hij doodgeschoten. Ze hadden hem in de kibboets willen begraven, met militaire eer, maar zijn familie in Amerika vroeg het lichaam terug. Dan konden ze zijn graf bezoeken.'

Jordan zag dat het verhaal haar raakte. 'En jij?' vroeg hij. 'Heb jij ook broers of zussen?'

Catherine vocht tegen haar tranen. 'Ik had een broer, Ian,' zei ze. 'Ik mis hem vreselijk.'

De gids kwam terug, een beetje verbaasd. 'De graaf zal u ontvangen,' zei ze.

Jordan en Catherine keken elkaar aan en probeerden hun opwinding te verbergen.

De gids nam hen mee de brede trap op, naar de eerste verdieping en een lange gang door. Ze klopte op een mahoniehouten deur en een stem van binnen mompelde iets onverstaanbaars. De gids opende de deur.

Lord Myles Crendal was halverwege de veertig, een man met vuilblond haar dat kwajongensachtig over één oog hing, en enigszins ongelijke jukbeenderen die hem een wat dreigend uiterlijk gaven. Zo te zien was hij niet op zijn best; het gevolg van de whisky van de vorige avond en het felle ochtendlicht.

Toen hij de telefoon neerlegde, had hij even moeite zijn blik scherp te stellen voordat hij de gids aankeek. 'Dank je, kind,' zei hij, met zijn ogen strak gericht op haar billen toen ze zich omdraaide en vertrok.

Jordan keek om zich heen. De wanden waren afgewerkt met een klassieke betimmering. In de kasten lagen antieke voorwerpen: een paar vuursteenpistolen, prachtig ingelegd met parelmoer, een Samoeraizwaard van glimmend staal en twee grootkaliberpatronen, dof van ouderdom, op getrapte zwarte sokkels. Er waren ook jaden boeddha's uit het verre oosten, blauwe en witte porseleinen schalen en een koperen sextant om op de zon en de sterren te navigeren.

Maar Jordans blik werd onmiddellijk getrokken door de belangrijkste trofee van de graaf, die op hen neerkeek van achter zijn bureau. Zoals andere jagers hun schoorsteenmantel opsierden met een hert of een eland, zo had de graaf van Pamet de kop van een Bengaalse tijger aan zijn muur hangen.

'Welkom in Pamet Hall,' zei de graaf met een geforceerd lachje en enige interesse in Catherine. 'Waaraan hebben we dit genoegen te danken?'

'Dank u dat u ons wilt ontvangen,' zei Catherine. 'Wij doen onderzoek naar een van uw voorouders en we hoopten dat we inzage konden krijgen in documenten die u hier nog hebt over zijn leven en werk.'

Crendal keek hen vreemd aan. 'Het gaat zeker over Belk?'

Jordan en Catherine wisselden een blik. 'Hij was de boeiendste figuur van allemaal, denk ik,' zei Catherine.

'In elk geval de meest excentrieke. Maar niet bepaald de beroemdste. Ik heb ook heel vermaarde voorouders, moet u weten. Daar hebt u wel van gehoord. Mannen van actie, mannen die iets hebben betekend in de wereld, zoals mijn vader dikwijls zei. Maar goed... U vraagt naar die vreemde vogel, Belk, die niet eens lang genoeg landheer is geweest om zijn portret te laten schilderen.'

'Hoe wist u dat we juist voor hem kwamen, als ik vragen mag?'

'Merkwaardig genoeg heb ik gisteren ook iemand anders een blik op de documenten beloofd. Een professor uit Oxford.'

'Giles?' vroeg Catherine.

'Ja. En hij zei er uitdrukkelijk bij dat ik ze aan niemand anders mocht laten zien.'

'Zei hij ook waarom?' vroeg Jordan.

'De oude heer waarschuwde me de goede naam van mijn familie niet aan de verkeerde mensen toe te vertrouwen. Hij kon zijn aanzienlijke reputatie verbinden aan zeldzame stukken in mijn collectie, zei hij, waardoor hun marktwaarde zou stijgen. Wetenschappers van mindere – of geheel geen – naam konden precies het omgekeerde bewerkstelligen.'

'Ik ben gisteren nog bij hem geweest om zijn advies te vragen over mijn eigen onderzoek,' zei Catherine. 'Toen liet hij nergens uit blijken dat hij ooit enige belangstelling voor uw voorvader had gehad.'

'En wat maakt Belk in úw ogen zo interessant, professor Cavanaugh?' vroeg de graaf met een sluwe, onderzoekende blik.

'Het mysterie van zijn verdwijning speelt natuurlijk een grote rol. Waarom heeft hij dit prachtige landgoed verlaten om naar het Heilige Land te reizen? We wilden graag weten wat er met hem is gebeurd en of hij heeft gevonden wat hij zocht.'

'En weet u dat al?'

'Nee, maar met uw hulp kunnen we die vraag misschien beantwoorden,' zei Catherine. 'Zou dat niet geweldig zijn? Bent u zelf niet benieuwd? Zijn tijdgenoten schenen te denken dat hij al is overleden voordat hij ver gekomen was, maar stel dat ze zich vergisten? Stel dat hij nog jaren heeft geleefd en als een oud man is gestorven in een ver land?'

Er gleed een bezorgde uitdrukking over het gezicht van de graaf en Jordan vermoedde dat Catherine een tactische fout had gemaakt. Uit haar gesprek met de professor in Oxford had ze de indruk gekregen dat Belk geen rechtstreekse nakomelingen had. Crendals lijn had de titel en de bezittingen geërfd via een neef van Belk. Ondanks het intrigerende mysterie en de impliciete suggestie dat het om iets waardevols ging, was Crendal misschien toch bang dat hun onderzoek een andere erfgenaam zou opleveren, met zijn eigen aanspraken.

'U denkt dat hij nog langer heeft geleefd en misschien wel een gezin heeft gesticht?' vroeg de graaf.

'Dat lijkt me hoogst onwaarschijnlijk,' zei Jordan. 'Veel interessanter is de vraag waar hij naar zocht en wat daarmee is gebeurd.'

Een rechtstreekse afstammeling van Belk zou minstens een kostbaar en pijnlijk juridisch gevecht kunnen betekenen, dacht Jordan. Zo zou het onderzoek niet alleen Crendals bezit, maar zijn hele identiteit bedreigen.

'Ik moet erover nadenken,' zei de graaf, met nog een blik op Jordans visitekaartje als journalist. 'We praten een volgende keer wel verder, misschien nadat ik mijn belofte aan professor Giles heb ingelost.'

'Ik begrijp het,' zei Jordan. 'Het is moeilijk discussiëren met Giles. Hij is gewend zijn zin te krijgen.'

De graaf verwerkte dat feit met een zuur gezicht. 'Het lijkt me beter dat ik zelf een deskundige raadpleeg,' zei hij.

'Dat zou heel verstandig zijn,' zei Jordan. 'Kunnen wij ondertussen een verzoek indienen bij de Royal Trust? Misschien willen zij nog een rol spelen in de zaak. Het is zelfs niet uitgesloten dat het onder hun bevoegdheid valt.'

De huid onder Crendals linkeroog begon te trillen. 'Niemand van ons wil de Trust erbij betrekken,' verklaarde hij. 'Laten wij eerst zelf de zaak verkennen. Alleen wij drieën. Op voorwaarde dat u alles als vertrouwelijk beschouwt.'

Jordan keek even naar Catherine, die antwoordde met haar ogen.

'Goed. Waar beginnen we?' vroeg Jordan.

32

De graaf bracht hen naar een kamer op de tweede verdieping, met mahoniehouten boekenkasten tot aan het plafond. Lange rijen boeken, in leer gebonden en met gouden belettering. Een ladder stond tegen een van de muren om ook de bovenste planken bereikbaar te maken. Het midden van de kamer werd in beslag genomen door een schraagtafel met vier slanke stoelen. Naast de tafel stond een houten hutkoffer met ijzeren banden en een ouderwetse beugel voor een hangslot dat ontbrak.

'Dit zijn de papieren van Sedgwick Belk, die op professor Giles liggen te wachten,' zei de graaf. 'Ze mogen deze kamer niet verlaten. En wilt u me nu een moment excuseren? Ik moet dringend iemand bellen.'

Ze knikten instemmend en gingen aan de slag.

De papieren boven in de koffer hielden allemaal verband met Belks voorbereidingen voor de reis naar het Heilige Land: reçu's voor kleding en andere spullen, een bevestiging van de passage aan boord, regelingen voor het onderhoud van het landgoed tijdens zijn afwezigheid.

Jordan en Catherine lazen alles zorgvuldig door en legden het op een stapel. De documenten in de kist leken min of meer chronologisch ingedeeld, met de nieuwste bovenop.

Ze verdiepten zich in een briefwisseling met de universiteit over Belks vertrek en mogelijke terugkeer. Zijn ontslagbrief was formeel, zonder enige toelichting. De universiteit deelde hem mee dat hij zijn aanstelling niet meer zou terugkrijgen als hij meer dan twee jaar wegbleef.

Steeds dieper groeven ze, totdat Catherines handen opeens begonnen te trillen van opwinding. Ze las het vel nog eens door en gaf het toen aan Jordan. Hij voelde een onheilspellende huivering over zijn rug gaan.

Het was een velletje briefpapier, oud en dun, met hier en daar wat vlekken en scheurtjes, en de oorspronkelijke vouwen er nog in. Het handschrift was schuin en onregelmatig, als van een onvaste hand.

27 december 1883

Mijn waarde Lord Belk,

De Tora leert ons dat God het uitverkoren volk beval zijn woorden als gebedsriem tussen hun ogen te dragen en op hun handen en deurposten te binden.
Wees zo vriendelijk bijgaande bijlagen te ontvangen als teken van respect en dankbaarheid, omdat ik er niets meer aan heb. Ik stuur ze u zoals ik ze zelf ooit heb gekregen, uit het stof van de Oudheid opgediept.
Ik vertrouw erop dat u, meneer, hun diepere betekenis zult beseffen en zich daardoor zult laten leiden.

Met de meeste hoogachting,
Mordecai Mandel

Zwijgend en vol ontzag staarden ze naar de brief.

'Hij is gedateerd op de dag van zijn dood,' zei Catherine.

'Dat bewijst in elk geval dat jij gelijk had,' zei Jordan. 'Mandel heeft Belk de vondst nagelaten die hij als zijn grote onthulling had bedoeld.'

'Een vondst die grote invloed had kunnen hebben op het geloof, beweerde hij,' zei Catherine. 'Volgens Mandel was het de beschrijving van iets heel buitengewoons, dat samen met de tempelschatten in de eerste eeuw na Christus was begraven.'

'En Belk is blijkbaar op zoek gegaan naar die schat.'

'Maar waar zijn die bijlagen waar Mandel het over heeft?'

Wat Mandel ook bij de brief had ingesloten, het zat er niet meer bij. Ze bogen zich weer over de hutkoffer. Weldra ontdekte Jordan een knipsel van Belks ingezonden brief aan de krant, waarin hij kritiek had op Mandels criticasters, met een handgeschreven kladje ervan. Er was ook een uitnodiging van Charles Salisbury van het British Museum voor een ontmoeting met Mandel om zijn manuscript te beoordelen in een select gezelschap van andere experts.

Ze vonden brieven van studenten, collegeaantekeningen, huishoudelijke rekeningen. Nog wat dieper in de koffer lag een essay met Belks verklaring voor Noachs zondvloed. Hij meende dat de overstroming zich had voorgedaan toen een smalle strook land die Europa met Afrika verbond, vlak bij de Straat van Gibraltar, was weggeslagen, waardoor het water van de Atlantische Oceaan het Middellandse Zeebekken had overspoeld. De overeenkomsten met moderne theorieën over de Zwarte Zee en de Bosporus waren opvallend. Maar uit een begeleidend briefje bleek dat het was geweigerd voor publicatie.

Afgeleid door de inhoud van het essay zag Jordan bijna de datum over het hoofd. De verhandeling dateerde van drie jaar voor Mandels komst naar Londen. Als dit iets met Mandels bijlagen te maken had, klopte de chronologie niet meer.

Een meisje bracht broodjes, maar ze namen niet de tijd om te eten. Een uurtje later hadden ze de bodem van de kist bereikt.

'Ze zitten er niet bij,' zei Catherine verslagen.

'Waarschijnlijk heeft hij ze meegenomen naar het Midden-Oosten,' zei Jordan.

'Laten we ons concentreren op die brief,' zei Catherine. *'God beval het uitverkoren volk zijn woorden als gebedsriem tussen hun ogen te dragen en op hun handen en deurposten te binden.'*

'Mandel heeft het dus over joodse gebedsriemen,' zei Jordan.

Catherine dacht aan de kleine doosjes met leren riemen en stelde zich voor hoe een oude Jood ze om zijn polsen en zijn voorhoofd bond voordat hij zich in zijn gebedssjaal wikkelde. Ze bestonden uit een zwarte kubus van ongeveer vijf centimeter groot, bevestigd op een breder en platter blokje dat als voet diende. Meestal bevatten ze een Bijbelvers.

'Ik denk het ook,' zei ze. 'Of hij bedoelde een *mezuzah*.'

'Zou kunnen.'

Mezuzah's waren holle kokertjes, die Joodse families toen – en nog altijd – als ornament aan hun deurpost bevestigden. Net als gebedsriemen bevatten ze een klein blaadje met een heilige tekst.

'Als je erover nadenkt zou het een handige oplossing zijn geweest om informatie te verbergen of berichten te smokkelen,' zei Jordan.

'Maar ze zijn weg.'

Een decadente walm van sigarenrook ging Lord Crendal vooruit toen hij weer binnenkwam, enigszins onvast op zijn benen. De graaf hield een peuk tussen zijn tanden geklemd en hij had duidelijk gedronken.

'En? Wat hebt u ontdekt?' vroeg hij, terwijl hij zich in een stoel liet zakken.

'Uw voorvader was een bijzondere figuur, die ernstig is miskend. Dat blijkt wel uit zijn papieren,' zei Catherine.

'Hoezo miskend?'

'Hij was een onafhankelijk denker die zich verzette tegen de gangbare opvattingen van zijn tijd. Binnen de religieuze traditie zag hij elementen van de geologie, de biologie, de hele natuurlijke historie...'

'Fascinerend,' zei de graaf. Hij keek haar diep in de ogen, zogenaamd geïnteresseerd, voordat hij zijn blik liet zakken. 'Wat is het waard, denkt u?'

'Academisch gesproken kan ik daar geen bedrag voor noemen,' zei Catherine.

'Ik dacht meer aan Sotheby's of Christie's.'

'Daar kan ik niets over zeggen. Maar Benjamin en ik zouden graag verdergaan met ons onderzoek. Er is genoeg materiaal om een boek te schrijven.'

De graaf keek haar ondoorgrondelijk aan. 'Dan mist u toch een paar hoofdstukken, zou ik denken.' Hij nam een lange trek van zijn sigaar.

'U hebt gelijk,' zei Jordan. 'Het archief is niet compleet. Weet u zeker dat dit alles is?'

'Het is wat het is,' antwoordde Crendal. 'Waar had u op gehoopt?'

'Er zit bijvoorbeeld een brief bij van een man die in zijn tijd nogal berucht was. Daarin wordt over bijlagen gesproken, maar die zijn er niet.'

De graaf blies uit. De rook had de geur van gin. 'Ga door,' zei hij.

'De man die aan Belk schreef was een Joodse winkelier uit Jeruzalem,' zei Jordan. 'Hij werd ervan beschuldigd dat hij had geprobeerd het British Museum op te lichten met een vervalste archeologische ontdekking. Met zijn staart tussen de benen werd hij uit Londen verjaagd. Maar hij voelde blijkbaar een band met uw voorvader en schreef hem een oprechte bedankbrief op dezelfde dag dat hij een kamer in een logement nam en zich door zijn hoofd schoot.'

Crendal maakte een grimas. Alleen al die connectie scheen hem tegen de borst te stuiten. 'Laat eens kijken,' zei hij.

Jordan gaf hem het dunne velletje oud papier met Mandels hanenpoten. 'Dat is een van de dingen die Belk zo'n interessante figuur maken,' zei hij.

De graaf las de brief en kneep zijn ogen tot spleetjes. Hij nam nog een flinke trek van zijn sigaar en het puntje gloeide vurig op.

'Dus dit is een deel van het papieren spoor dat naar Belk en wie weet wat nog meer leidt,' zei hij, wijzend met zijn sigaar. 'Flinterdun, nietwaar?'

Hij hield het smeulende eind van zijn sigaar maar een paar millimeter van het briefje. 'Iedereen houdt van een mysterie,' vervolgde hij met een blik naar Jordan. 'Een mysterie is soms beter dan de waarheid.'

'Maar voor hetzelfde geld staat er een pot met goud aan het einde van de regenboog,' zei Catherine.

'Of er ligt een slapende hond,' zei Crendal. 'En die kun je beter niet wakker maken.' Zijn sigaar raakte nu bijna het papier.

'Geef het een kans,' zei Catherine. 'Geef óns een kans.'

De rand van het papier begon al zwart te kleuren.

Crendal glimlachte tegen Catherine. 'Laten we er een nachtje over slapen,' zei hij. 'Waarom blijft u niet logeren op Pamet Hall, als mijn gasten? Dan praten we er morgen bij het ontbijt wel verder over.'

Hij stak de sigaar weer tussen zijn tanden en nam weer een trek. 'Zoals u weet heb ik overmorgen een afspraak met Giles,' voegde hij eraan toe.

Die avond aten ze samen met de andere gasten in een formele eetzaal. De kristallen kroonluchter rinkelde als een windorgel in een onzichtbare luchtstroom, overstemd door het geroezemoes van de gesprekken.

De obers serveerden rode rosbief *au jus*. Catherine zag in gedachten de bloederige afloop van de jacht toen ze naar haar bord keek.

'Geen trek?' vroeg Jordan.

'Ik heb het liever doorbakken,' zei Catherine.

Jordan wenkte een ober en stuurde Catherines eten terug naar de keuken.

'Ik denk dat Belk de inhoud van die rituele voorwerpen eruit had gehaald om te kunnen raadplegen als het nodig was,' fluisterde Catherine in Jordans oor.

'Of misschien heeft hij die op een veilige plaats opgeborgen.'

'Hm.'

De ober kwam met een doorbakken stuk vlees, maar Catherine had er geen aandacht voor. Ze luisterde naar een oudere heer in een coltrui en een tweedjasje, die een heel verhaal hield aan een aangrenzende tafel. Ze herkende hem van de rondleiding.

'Die gids was een lieve meid, maar ze maakte de geschiedenis veel te mooi,' zei hij tegen zijn vrienden. 'Ze had het over liefdadigheid en rechtschapenheid, maar Pamet Hall is gewoon gebouwd met slavernij, de winsten van de slavenhandel van Afrika naar West-Indië.'

Toen de koffie was afgeruimd bracht Jordan Catherine naar haar kamer. De graaf had hen verschillende verdiepingen toegewezen. Jordan herinnerde zich Catherines gevoeligheid van de vorige avond en vermoedde een beetje zuur dat zij het zelf zo had geregeld.

'Als we de graaf morgenochtend spreken, moeten we proberen zijn vertrouwen – en wat meer tijd – te winnen,' zei Jordan.

'Nou, welterusten dan,' zei ze, terwijl ze de deur van haar kamer opende. Aarzelend draaide ze zich om en keek hem aan.

'Als je me nodig hebt, ben ik vlakbij,' zei hij.

Ze lachte gedwongen en deed de deur achter zich dicht.

33

Jordan vond zijn kamer een verdieping hoger, aan het einde van de gang. De luxueuze, met hout betimmerde slaapkamer gaf hem het gevoel dat het lot iets wilde goedmaken voor die nacht in het Royal. De graaf had zelfs een fles cognac klaargezet, geopend en wel, om hem nog sneller naar dromenland te brengen. Maar Jordan was niet in de stemming om ervan te genieten.

Hij dacht aan Catherine in haar joggingbroek van de universiteit, met dat strakke haltertopje dat net genoeg aan de verbeelding overliet.

Zonder het licht aan te doen ging hij in een diepe leren fauteuil bij de haard zitten. De duisternis paste bij zijn gemoedstoestand. Het probleem van de verdwenen bijlagen bleef door zijn hoofd spoken, maar hij kon geen oplossing bedenken.

De kleine houten doosjes hoorden verzegeld te blijven. Volgens het oude gebruik bevatten ze uittreksels uit Exodus over de tiende plaag, de verschrikkelijkste van allemaal.

In gedachten zwierf hij weer door het labyrint van Pamet Hall, met al die portretten aan de muren, mensen die een toonbeeld van liefdadigheid en rechtschapenheid waren geweest.

Pamet Hall is gebouwd met slavernij, had die man bij het avondeten gezegd.

Stel dat hij zou vinden wat hij zocht en dat Mandel gelijk had gehad over het belang ervan? Hoe zou de wereld dan op die boodschap reageren? En op de boodschapper?

Sommige mensen klampten zich vast aan hun illusies, ook als de waarheid hen in het gezicht staarde. Want de waarheid bleek soms te onaangenaam om te accepteren. Het was eenvoudiger om de boodschapper te beschuldigen dan de boodschap te geloven.

Die les had Jordan in zijn leven wel geleerd.

In zekere zin had hij het doosje al opengemaakt...

Hij was terug in Connecticut en stapte uit een stationcar met panelen van imitatiehout. Ze stonden voor een groot, maar karakterloos huis met een keurig groen grasveld. Jordan was dertien jaar oud.

Enkele jaren waren voorbijgegaan sinds zijn grote vriend Daniel zijn leven had gegeven voor Israël. Daniels ouders waren begonnen met een uitwisselingsprogramma. Daniels dood was een grote klap geweest voor de Friedmans en op deze manier probeerden ze de herinnering aan hun zoon levend te houden, in de geest van het offer dat hij had gebracht. Ze betaalden de vliegtickets voor acht kinderen van de kibboets om naar Amerika te komen en bij Joodse families in de omgeving te logeren. De bedoeling was dat kinderen uit die buitenwijk in Connecticut later naar de kibboets zouden reizen, maar dat was nooit gebeurd. Jordan vermoedde dat hij zelf de reden was.

Hij logeerde bij de Friedmans, in Daniels oude kamer. Het was Pasen.

Toen het tijd was voor het feestmaal verzamelde iedereen zich in de eetkamer: Daniels tienerzus Allison, zijn grootouders, de buren, die Anderson heetten, en rabbi Berman en zijn vrouw, van de synagoge waar de Friedmans altijd naartoe gingen.

De tafel was gedekt met mooi porselein en zilver, en bij elk bord lag een met wijn bevlekt exemplaar van de *haggadah* voor Pasen. Jordan zag stapels matzes, gesneden appeltjes en honing, gehakte lever en gestolde bolletjes gepureerde, *gefilte fish*.

Meneer Friedman vroeg de rabbi een paar woorden te zeggen en de geestelijke deed dat met plezier. Hij vertelde dat ze hier bijeen waren om de Joodse exodus uit de slavernij in Egypte te herdenken. Met een knikje naar de Andersons, Afro-Amerikanen, zei hij erbij dat het gepast was voor joden om het paasfeest te vieren met vrienden van een ander geloof en een andere achtergrond.

Hij las uit de *haggadah* en iedereen zong mee:

When Israel was in Egypt's land,
Let my people go!
Oppressed so hard they could not stand,
Let my people go!
Go down, Moses,
Way down in Egypt's land,
Tell ol' Pharaoh
To let my people go.

Speciaal voor Jordan legde de rabbi uit dat de slaven in het Amerikaanse zuiden hetzelfde lied hadden gezongen toen ze baden voor de vrijheid. De Joodse exodus gaf hun hoop en inspiratie.

Als het jongste kind in de kamer moest Jordan nu de Vier Vragen lezen: 'Waarom is deze nacht anders dan alle andere nachten?' begon hij. Met rustige, heldere stem stelde hij ook de andere traditionele vragen.

Nu las meneer Friedman uit de *haggadah* en vertelde het beroemde verhaal over de Joodse slavernij onder de wrede Egyptenaren. Mozes vroeg de farao om zijn volk te laten gaan, maar de boze farao bleef koppig weigeren. Dus besloot God om Egypte te straffen met een aantal plagen. Na elke plaag herhaalde Mozes zijn verzoek, maar de farao wilde niet toegeven aan de Joden. Ten slotte zond God de ergste plaag van alle en doodde de eerstgeborene in alle Egyptische families, behalve bij de Israëlieten.

Eindelijk gaf de farao toe en vluchtten de Joden het land uit, met zo veel haast dat ze geen tijd meer hadden om hun brood te laten rijzen. Maar de Joden waren nog nauwelijks uit het zicht verdwenen toen de farao van mening veranderde en een leger stuurde om hen terug te halen.

De Joden leken verloren, gevangen als ze waren tussen de Rode Zee en de aanstormende strijdwagens van de farao. Maar toen gebeurde het grootste van alle wonderen: God scheidde de wateren om de Joden te laten ontsnappen. Het achtervolgende leger verdronk in de golven.

De rabbi schraapte zijn keel. Hoewel dit een joodse feestdag was, zei hij, waren ze hier bijeen om universele waarden te vieren, zoals vrijheid en gelijkheid. God beval de Israëlieten hun kinderen het paasverhaal te vertellen, zodat ze de fundamentele mensenrechten nooit uit het oog zouden verliezen.

Jordans gezichtsuitdrukking had hem blijkbaar verraden. 'Ben, je kijkt zo verbaasd,' zei meneer Friedman. 'Je kent het paasverhaal toch wel?'

Er viel een lange, pijnlijke stilte, terwijl Jordan naar een antwoord zocht.

'Ik vind uw versie veel mooier,' zei hij ten slotte, diplomatiek.

'Is er nog een andere dan?' vroeg meneer Friedman.

Jordan probeerde de vraag te ontwijken, maar meneer Friedman keek hem strak aan.

'Het origineel,' zei Jordan.

'Wat bedoel je?'

'Het boek Exodus.'

'Maar daar hadden we het toch over?'

'Rabbi?' Jordan gaf de vraag door.

De rabbi wist niet wat hij moest zeggen.

Daniels grootvader greep goedmoedig in en probeerde Jordan te redden. 'Ben, je hoefde maar vier vragen te stellen. Daarom heten ze ook de Vier Vragen. Kom, laten we gaan eten.'

Mevrouw Friedman kwam al overeind om op te scheppen, maar haar man gaf haar een teken om te gaan zitten.

'Ik wil graag weten wat Ben bedoelt,' zei meneer Friedman, en weer keek hij Jordan doordringend aan.

'Hebt u een bijbel?' vroeg Jordan.

Meneer Friedman verdween uit de eetkamer en kwam terug met een zelden gebruikt exemplaar van de Vijf Boeken van Mozes. 'In het Hebreeuws en het Engels,' zei hij.

Jordan bladerde het door, op zoek naar de juiste passage, zich bewust van de blikken van de anderen. Na een onplezierig lange stilte vond hij wat hij zocht.

'"De dag waarop de Joden uit Egypte vertrokken zei God aan Mozes hoe hij Pasen moest vieren, en dit is wat God hem vertelde: 'Iedere gekochte slaaf mag deelnemen, mits ge hem hebt besneden."' *Iedere gekochte slaaf.*'

'En wat betekent dat?' vroeg meneer Friedman.

'Volgens mij betekent het dat de Joden slaven hadden,' zei Jordan. 'Volgens mij staat er dat God er geen bezwaar tegen had dat de Joden na hun ontsnapping uit de slavernij in Egypte zelf slaven gingen houden.'

'Nee, dat kan niet waar zijn,' zei mevrouw Friedman. 'Zeg dan iets, rabbi.'

De rabbi keek alsof hij een acute aanval van maagzuur had gekregen, hoewel hij zijn *gefilte fish* nog niet eens had aangeraakt.

'Lees de Tien Geboden maar,' zei Jordan, die verder bladerde in de bijbel.

'"Gedenk de sabbatdag, dat gij die heiligt,"' las hij. '"Dan zult ge geen werk doen, noch gijzelf, noch uw *slaaf* of *slavin*, noch uw vee, noch de vreemdeling die in uw steden woont."'

Meneer Anderson keek Jordan ongelovig aan. 'Zo herinner ik het me niet,' zei hij.

'Daarna krijg je het gebod over begeerte,' vervolgde Jordan. '"Gij zult niet begeren uws naasten huis; gij zult niet begeren uws naasten vrouw, noch zijn *slaaf* of *slavin*, noch zijn rund, noch zijn ezel, noch iets wat uw naaste toebehoort."'

'Ik weet niet waar je die verwijzing naar slaven en slavinnen vandaan hebt,' zei meneer Anderson, 'maar in mijn bijbel wordt gesproken over *dienstknechten* en *dienstmaagden*.'

'Dat zijn zeker ouderwetse Engelse woorden voor slaven,' zei Jordan.

'Volgens mij is dat heel iets anders,' zei meneer Anderson.

'Dat zou kunnen,' gaf Jordan toe. 'Maar er is nog meer. Veel meer.'

Mevrouw Friedman keek ontzet.

'Hier, bijvoorbeeld, in Exodus 21, vlak na de Tien Geboden,' ging Jordan verder. Hij liet het aan Daniels grootvader zien, die het voorlas: '"Wanneer gij een Hebreeuwse slaaf koopt, zal hij u zes jaar dienen, maar in het zevende jaar zal hij voor niets als vrij man vertrekken... Als zijn heer hem een vrouw heeft gegeven en zij hem kinderen heeft gebaard, zal de vrouw met haar kinderen het eigendom blijven van haar heer en zal hij alleen vertrekken. Maar als de slaaf verklaart: 'Ik heb mijn heer, mijn vrouw en mijn kinderen lief, ik wil niet als vrij man vertrekken,' zal zijn heer... zijn oor met een priem doorboren, en zal hij zijn heer voor altijd dienen."'

Iedereen staarde Jordan stomverbaasd aan. Het was zo stil dat ze de maag van de rabbi hoorden knorren.

'Benjamin, ik denk dat je slavernij verwart met een dienstovereenkomst,' opperde meneer Anderson. 'Daarbij kunnen de bedienden in vrijheid vertrekken als ze hun schulden hebben voldaan.'

'De mannen misschien wel,' zei Benjamin, 'maar de vrouwen niet. Lees maar: '"Als een man zijn dochter als slavin verkoopt, zal zij niet de vrijheid krijgen zoals een slaaf."'

'Dat is verschrikkelijk,' zei Allison, Daniels jongere zus.

'En als het om andere dan Hebreeuwse slaven gaat, krijgen zelfs de mannen hun vrijheid niet,' zei Jordan. '"Zij zullen uw eigendom worden: ge kunt hen behouden als bezit voor uw kinderen na u, om hen als eigendom te erven voor altijd."'

'Ik geloof het gewoon niet,' zei mevrouw Friedman.

'En er is meer,' zei Jordan. 'Als de ene man de andere vermoordt, staat daar de doodstraf op. Maar als een heer zijn slaaf doodt, geldt dat nauwelijks als een misdrijf. Als de slaaf niet binnen een dag of twee sterft, "dient de heer niet te worden gestraft... omdat de slaaf zijn eigendom is."'

Meneer Friedman keek net zo ongelovig als de rest van het gezelschap.

'Het spijt me,' zei Benjamin tegen niemand in het bijzonder. 'Zo staat het er.'

'Wat is dan de zin van het hele verhaal?' viel meneer Friedman uit. 'Ik bedoel, zo'n kreet als "Laat mijn volk gaan"?'

Meneer Friedman had die vraag aan de rabbi gericht.

'Wil jij het hem zeggen, Benjamin?' spoorde de rabbi hem aan, met een toon van respect.

Jordan haalde diep adem. 'In de Bijbel zegt Mozes niet zoiets als "Laat mijn volk gaan."'

'Meen je dat nou?' vroeg meneer Friedman.

'In de Bijbel is het Gód die dat zei. God gaf Mozes een boodschap mee voor de farao. En die boodschap was langer. Wat God zei, was: "Zeg tegen de farao dat hij mijn volk laat gaan, *zodat zij mij kunnen aanbidden.*"'

'Ik begrijp het niet,' zei meneer Friedman.

'Het ging God niet om het onrecht van de slavernij, maar om Zijn eigen eredienst.'

Jordan zag dat ze het nog steeds niet begrepen.

'Herinnert u zich nog dat de farao na elke volgende plaag steeds koppiger werd en de Joden niet wilde laten gaan? Nou, daar ligt het probleem. In de Bijbel was het niet de farao zelf die zijn hakken in het zand groef, maar deed God dat voor hem. God dwong hem zich te verzetten, terwijl de farao wel bereid was om toe te geven: "Maar *de Here* verhardde het hart van de farao, zodat hij de Israëlieten niet uit zijn land liet gaan."'

'Wat een onzin,' zei meneer Friedman. 'Waarom zou God dat hebben gedaan?'

'God legde dat uit. Hij wilde een excuus om zijn macht te kunnen tonen. Hij wilde iedereen duidelijk maken hoe sterk hij was.'

Jordan zocht naar de passage, maar voordat hij die kon vinden, citeerde de rabbi al uit zijn hoofd: '"En de Here zeide tot Mozes: Ga naar de farao, want ik heb zijn hart en dat van zijn dienaren onvermurwbaar gemaakt, opdat ik mijn tekenen onder hen kan verrichten en gij aan uw kinderen en kleinkinderen zult kunnen vertellen wat ik de Egyptenaren heb aangedaan en hoe ik mijn tekenen onder hen heb verricht, opdat gij zult weten dat ik de Here ben."'

'En het scheiden van de wateren?' vroeg Allison. 'Was dat ook alleen maar uitsloverij van God?'

'Allison!' zei haar moeder berispend.

'Het was geen toeval dat de Joden met hun rug naar de zee kwamen te staan,' zei de rabbi. 'Zo had God het geregeld. De Bijbel zegt dat de Israëlieten in hoog tempo uit Egypte waren gevlucht totdat God hen beval om *terug te keren* en hun kamp op te slaan bij de zee. God wílde dat de farao hen achterna zou komen. Nog één keer verhardde God het hart van de farao tegen de Israëlieten. Waarom? Dat vertelt God zelf: "Zodat ik zal gloreren ten koste van de farao en heel zijn legermacht."'

Er viel een lange, verbijsterde stilte.

'Nou...' zei meneer Anderson.

'Hm,' zei meneer Friedman.

'Eh, is iedereen klaar voor de soep?' vroeg mevrouw Friedman.

'Rabbi Berman?' vroeg Jordan.

'Ja, Benjamin?'

'Wat ik niet begrijp...'

'Nou?'

'Waarom moesten al die Egyptische kinderen sterven? Ze hadden toch niets misdaan?'

Rabbi Berman keek hem droevig aan. 'Dat, Benjamin, is een heel moeilijke vraag.'

In de eenzame luxe van zijn logeerkamer in Pamet Hall pakte Jordan een glas en schonk zich een cognac in van de graaf. Hij liet de drank door het glas draaien en stelde zich een vrome jood voor, een orthodoxe jood, diep in gebed, met gebedsriemen om zijn pols en zijn voorhoofd. De kleine zwarte doosjes bevatten fragmenten uit de Schrift, meestal een passage uit Exodus.

Over de ontzagwekkende macht van God en de dood van de eerstgeborenen.

De gebedsriemen die Mordecai Mandel aan Sedgwick Belk had nagelaten zouden iets anders hebben verborgen, een pijnlijk geheim voor een van de grote wereldgodsdiensten. Een geheim dat nog steeds niet was ontsluierd.

Jordan bracht het glas naar zijn lippen, maar zonder te drinken.

Hij raakte dat beeld van die gebedsriemen niet kwijt, als een gezicht dat hij niet kon plaatsen. Kort geleden had hij er nog twee gezien, dat wist hij zeker. Of iets wat erop leek.

Als trofeeën op een ereplaats.

Nee, geen trofeeën, maar *sokkels*.

Hij zette het cognacglas neer.
Er hadden twee antieke patroonhulzen op een plank in de werkkamer van de graaf gestaan, op zwarte houten blokjes.
Zou het mogelijk zijn?

34

Het was tien voor halfdrie geweest en Catherine had er genoeg van om te liggen woelen en draaien. Een gevoel van eenzaamheid overviel haar, als een kille tochtvlaag.

Haar kamer, pas opnieuw ingericht, was heel charmant en romantisch, en schrikbarend duur, als ze haar reisgids van Engeland mocht geloven. Het licht kwam van sierlijke wandlampen en er brandde een laaiend vuur in de haard, dat weerkaatste in het glimmende koper van de haardijzers. Het bed had een zijden hemel van rood en goud en boven de schoorsteenmantel hing een antieke spiegel met een gouden lijst. En toch had Pamet Hall ook iets onheilspellends.

Ze overwoog om Jordans kamer binnen te glippen en hem te verrassen, maar zag er toch van af.

Het oude huis maakte geluiden... of werd er echt aan de deur geklopt?

Ze verstijfde en luisterde nog eens goed. Ja, iemand klopte zachtjes op haar kamerdeur. Voordat ze kon antwoorden ging de deurkruk omlaag en wapperde de hemel boven haar bed. 'Ben?'

'Nee, ik ben het, Myles,' zei de graaf van Pamet. 'Mag ik binnenkomen?'

Catherine ging rechtop zitten, met de dekens tot haar kin getrokken. 'Wat is er?' vroeg ze toen de graaf de kamer binnenstapte.

'Het spijt me dat ik je wakker maak,' zei Crendal, 'maar ik moet je iets laten zien.'

'Over Belk?'

'In mijn werkkamer,' zei de graaf. 'Ik vond dat het niet kon wachten.'

'Waar is Ben?'

'Die kwam zijn bed niet uit,' zei Crendal. 'Mijn cognac is hem zeker te zwaar geweest.'

'Eén momentje,' zei Catherine.

De graaf trok zich terug naar de gang terwijl Catherine wat kleren aanschoot.

Jordan sloop zo zachtjes mogelijk de lege gang door, langs gesloten deuren, naar de achtertrap. Hoe voorzichtig hij ook was, zijn voetstappen waren toch te horen op de kale vloer. Op de eerste verdieping gekomen zocht hij zijn weg naar de centrale gang. Daar lagen Perzische kleden – lange lopers van zijde en wol – die elk geluid dempten. De harnassen en marmeren beelden, verspreid door de gang, wierpen griezelige schaduwen.

Jordan probeerde de deur van Crendals werkkamer, die zonder probleem opengping. Hij glipte naar binnen en trok de deur zachtjes achter zich dicht.

Op de tast zocht hij in het donker zijn weg naar het bureau van de graaf en deed de bureaulamp aan, in de zwakste stand. De gordijnen waren open. Jordan kon niet naar buiten kijken, maar wie op dat moment naar binnen keek, zou alles kunnen zien wat hij deed. Hij vroeg zich af hoeveel licht er van de koperen bureaulamp naar buiten viel. Het was een donkere nacht, zonder maan. Jordan stak al een arm uit om de gordijnen dicht te trekken toen hij aarzelde.

Hij woog de risico's af. Was het beter om interrupties te voorkomen of er juist rekening mee te houden? Hij wist het niet, maar trok toch de gordijnen dicht. Volgens een klok in de hoek was het net tien voor halfdrie geweest.

Hij liep naar de plank met de twee doffe patroonhulzen. Voor zover hij kon nagaan dateerden ze uit de Eerste Wereldoorlog. Misschien waren ze van Crendals overgrootvader geweest, de officier die vijandelijke spionnen had doodgeschoten.

De koperen hulzen stonden op kleine sokkels van zwart hout, die aan de blokjes van een gebedsriem deden denken. Jordan haalde diep adem en pakte de rechter patroonhuls van zijn sokkel.

Met sierletters was de tekst YPRES, 1917 in het koper gegraveerd.

De naam van die bloederige slag riep lugubere beelden op van dappere jonge kerels die uit de loopgraven klommen en bijna onmiddellijk door vijandelijke machinegeweren aan flarden werden gereten. Menselijke vogelverschrikkers die in het prikkeldraad hingen. Soldaten die stikten door gifgas, met van pijn verwrongen gezichten. Lijken die rottend in de modder lagen, als voer voor de ratten.

Jordan draaide de patroonhuls om en keek in de holle onderkant, van waaruit de kogel was afgevuurd. De huls was leeg. Hij legde hem op de plank.

Toen pakte hij de andere huls, die hetzelfde opschrift had. Ook die was leeg. Jordan legde hem naast de eerste.

Hij voelde de adrenaline door zijn lijf gieren en had moeite zijn zenuwen in bedwang te houden. Voorzichtig tilde hij de eerste sokkel van de plank. Het houten blokje paste gemakkelijk in de palm van zijn hand. Bij nader inzien bleek het geen hout te zijn, maar leer. Het woog nog minder dan hij had verwacht.

Als het een doosje was, ging het niet zomaar open. Jordan onderzocht het aandachtig, speurend naar naden, en ontdekte een vlekje aan de onderkant dat een restje opgedroogde lijm zou kunnen zijn.

Catherine liep met Crendal een lange gang door naar de uiterste vleugel van de eerste verdieping, blijkbaar het woongedeelte van de graaf. Ze kwamen langs een mahoniehouten deur die ze zich herinnerde.

'Is dat je werkkamer niet?' vroeg Catherine.

'We moeten nog één deur verder zijn,' zei de graaf. 'Hier links.'

Hij opende de deur en loodste haar met een galant gebaar naar binnen. 'Mijn zitkamer,' zei hij.

Er brandde een vuur in de marmeren schouw, tegenover een Chippendale-bank naast een cocktailtafeltje. Een fles Perrier Jouet lag te koelen in een zilveren ijsemmer, en op een blad stonden twee kristallen champagneflutes.

'Wat wilde je me laten zien?' vroeg Catherine, die onwillekeurig een halve stap terug deed.

'Hier,' zei de graaf, wijzend naar de cocktailtafel.

Naast de champagne lag een in stof gebonden album.

'Kijk zelf maar,' zei de graaf, terwijl hij de deur achter hen sloot.

Catherine wilde hier weg, maar het album maakte haar toch nieuwsgierig. Ze ging zitten en de graaf schoof naast haar.

Catherine sloeg het album open terwijl hij de champagne inschonk.

Het was een verzameling oude foto's van Crendals familie. Ze bladerde naar de aangegeven bladzijde. Op een sepiakleurig kiekje was een man te zien met een keurig snorretje en de vurige ogen van een halfgeschift genie of een dichter. Catherine staarde naar de foto. De man deed haar denken aan Edgar Allan Poe.

Onder het kiekje, in schoonschrift, stond zijn naam: professor Sedgwick Belk.

Was dat alles? Alleen een foto?

Ze rook de lucht van sigaren en gin en voelde de adem van de graaf op haar wang. Hij boog zich naar haar toe en keek mee over haar schouder...

Catherine negeerde hem en sloeg de bladzijde om. Op de volgende foto stond een groepje kinderen.

Ze voelde zijn lippen in haar nek toen hij haar kuste.

Catherine deinsde terug en duwde hem van zich af.

'Je weet dat we iets voor elkaar voelen,' zei hij. 'Daar kun je niet tegen vechten.'

'Ik voel me heel gevleid, maar ik ben met Benjamin.'

'Wees nou eerlijk. Je had nooit gedacht dat je hier nog eens zou zitten met iemand zoals ik: een Engelse aristocraat.'

'Het spijt me, maar je hebt de verkeerde voor.'

Zijn ogen glinsterden van drank en opwinding. 'Wil je mijn hulp dan niet?' vroeg hij.

Ze keek hem vol afkeer aan en stond op om te vertrekken.

Crendal kwam ook overeind, versperde haar de weg en sloeg zijn armen om haar heen. Hij drukte zijn mond over de hare.

Woede en schaamte borrelden in haar op als bittere gal, net als die dag in Belfast, toen die jongens haar blouse hadden opengescheurd.

Ze beet hard in de lip van de graaf, die een kreet van pijn slaakte en haar losliet. 'Kreng!' riep hij, en hij sloeg haar in het gezicht.

Verbijsterd greep ze hem bij zijn schouders en gaf hem een knietje in zijn kruis.

Crendal viel over het tafeltje heen. Het kristal en het zilver kletterden tegen de grond.

In de aangrenzende kamer draaide Jordan zich op zijn hakken om en stootte een van de antieke patroonhulzen van de plank. Hij hoorde Catherines kreet, gevolgd door het geluid van omvallende meubels. Hij liet de blokjes liggen en rende de gang op.

Catherine vluchtte zijn kant op, met haar hand om de hals van een champagnefles geklemd. Verfomfaaid en in paniek stortte ze zich in zijn armen.

'Ik haal je hier weg,' zei Jordan.

De graaf wankelde nu ook de gang in, terwijl hij wat bloed van zijn lip veegde. Met een haatdragende, zelfvoldane blik staarde hij hen aan.

Jordan deed woedend een stap naar hem toe, maar op dat moment ging er nog een deur open in de gang. Een van de gasten stak haar hoofd naar buiten.

'Kom mee, Ben,' zei Catherine, en ze trok Jordan weg.

'Jullie zullen het nooit te weten komen,' riep de graaf hen na. 'Jullie zullen nooit weten wat er met Belk is gebeurd.'

35

Tien minuten later sjokten ze de lange klinkerweg af, door de tunnel van eikenbomen, bij Pamet Hall vandaan. De nacht was koud en donker.

'Kunnen we niet iemand bellen om ons te komen halen?' vroeg Catherine.

'Geen goed idee,' zei Jordan.

'Het spijt me, Ben. Het is mijn schuld.'

'Wat een onzin. Loop nou maar door.'

'Ik mag blij zijn als ik dat baantje aan Westphall State nog krijg,' zei Catherine met galgenhumor. 'Ik had die klootzak gewoon zijn zin moeten geven.'

'Nee. Maar ik had zijn gezicht moeten verbouwen.'

De wind ruiste door de eiken en de maan kwam heel even achter de wolken vandaan, om meteen weer te verdwijnen.

'Au!' zei ze, toen ze struikelde over de keitjes, en ze greep Jordans arm.

'Je had makkelijker schoenen moeten aantrekken,' zei Jordan, die haar half opving.

'Ik zal eraan denken, de volgende keer dat ik naar Pamet Hall ga.'

Jordan knielde naast haar en streek het haar uit haar gezicht. Bij het licht van de maan zag hij haar kneuzingen.

'Laat mij maar even,' zei hij. Hij ritste zijn rugtas open, pakte een plastic fles en goot wat water op een duur, wit washandje met monogram, dat hij tegen haar wang drukte.

'Waar heb je dat vandaan?' vroeg ze.

'Het lag op mijn kamer.'

'Dat is stelen,' plaagde ze. 'Alsof een moord op een museumcurator en een aanval op een graaf in zijn eigen landhuis nog niet genoeg zijn! Nu hebben we echt problemen.'

'Hier, trek deze maar aan,' zei Jordan en hij viste haar Timberlands uit haar tas.

Ze keek nog eens om naar Pamet Hall, terwijl ze haar veters vastbond. 'Ik heb het verpest, Ben. Dit was onze laatste kans.'

'Welnee.'

'Nu zullen we nooit het geheim te weten komen van Mordecai Mandels definitieve bewijs. Ik zal geen belangrijk boek schrijven en jij zult je naam niet zuiveren.'

'O, jawel.'

'Ik heb bewondering voor je optimisme, maar we kunnen beter eerlijk zijn.'

'Catherine, we zijn heus niet met lege handen vertrokken.'

'Ja, dat zag ik. Heb je ook de handdoeken nog gestolen?'

Jordan nam haar gezicht in zijn handen en keek haar recht aan. 'Ik heb de gebedsdoosjes gevonden,' zei hij.

Ze keek in zijn ogen of hij een grap maakte, maar hij was doodernstig. 'Waar dan?' vroeg ze.

'Op een plank in Crendals werkkamer.'

'Ik begrijp het niet. Wil je dan terúg?'

'Terwijl jij nog een slaapmutsje nam met de graaf, was ik in zijn studeerkamer. Daar vond ik de gebedsdoosjes onder een paar oude patroonhulzen. Ze deden dienst als kleine sokkels. Ik betwijfel of Crendal er iets van weet. Misschien liggen ze daar al sinds de tijd van zijn overgrootvader. Kijk, Sedgwick Belk had Mandels verdwenen teksten weer in de gebedsdoosjes verborgen en ze dichtgelijmd. Alsof hij zijn belofte aan Mandel wilde nakomen en Mandels erfenis intact wilde laten. Maar ik heb een scheermesje uit het bureau van de graaf gebruikt om ze te openen en de bijlagen eruit te halen. Ik heb de bijlagen bij Mandels brief!'

'En wat zijn het?'

'Beschreven perkamentvelletjes. Een stapeltje niet groter dan een luciferdoosje. Alles aan elkaar gelijmd. En nog iets, maar dat moet je zelf maar zien.'

'Weet je wat er in die teksten staat?'

'Ik had geen tijd om ze te lezen.'

'Zou Crendal niet merken dat ze verdwenen zijn?'

'Als hij weer nuchter is, zal het hem misschien opvallen dat die patroonhulzen zijn verplaatst. En als hij dat ziet, kan hij de rest ook wel bedenken.'

'We moeten weg uit Pamet Roads,' zei Catherine. 'En uit Engeland.'

'Ja. We zullen een veilige plek moeten vinden waar we ons kunnen verbergen en uitzoeken waar het om gaat.'

Achter het landhuis, in de kennel van de graaf, begon een hond te blaffen, algauw gevolgd door andere.

Jordan stak een hand uit en hielp Catherine overeind. 'Het is zo'n vijf kilometer lopen naar het station,' zei hij. 'Als we opschieten kunnen we de eerste trein nog halen.'

'Moeten we een afgelegen plek zoeken, zoals de Schotse Hooglanden of de noordkust?'

'Daar zou het moeilijker voor ze zijn om ons te besluipen of te schaduwen, maar in een grote stad kunnen we makkelijker onderduiken. Bovendien had je gelijk met wat je zei. We moeten zo snel mogelijk uit Engeland vandaan, voordat de politie of wie dan ook ons kan tegenhouden.'

'Dan is er maar één plek waar we naartoe kunnen, het enige land dat je niet terug zal sturen. Het enige land waar de wet je voor uitlevering behoedt.'

'Israël.'

'Ja. Dus maak een beetje voort,' zei ze, terwijl ze haar pas versnelde.

Ze zaten al een uur in de trein, die door velden met balen hooi en grazende koeien reed, toen Jordan door het gangpad terugkwam uit de restauratiewagen. Hij botste tegen een paar armleuningen op, met twee cola's in zijn handen.

'Hier,' zei hij fronsend, terwijl hij Catherine haar blikje gaf en zich naast haar liet zakken.

'Wat is er?' vroeg ze.

'Er is een nieuwe terreurdreiging, dus hebben ze de bewaking op Heathrow en Gatwick verscherpt.'

'Dat betekent dat alle reizigers strenger worden gecontroleerd.'

'En hun bagage.'

'Durf je het aan?'

'De sneltrein van Londen naar Parijs door de Kanaaltunnel doet er tweeënhalf uur over. Als we die nemen, kunnen we morgen in Parijs op het vliegtuig stappen.'

'Maar dan heeft de politie meer tijd om te bedenken dat jij de man uit het museum bent. En Crendal heeft de kans om een aanklacht in te dienen.'

'Misschien zoeken ze ons al. De vraag is waar we het minst zullen opvallen.'

Buiten Londen stapten ze over, daarna namen ze twee verschillende bussen om aan ongewenste aandacht te ontkomen en ten slotte liepen ze nog een rondje door Harrod's. Op een drukke straathoek in Knightsbridge, bij het licht van een straatlantaarn, hield Jordan een taxi aan. 'Waterloo Station,' zei hij tegen de chauffeur, terwijl hij het portier openhield voor Catherine. Toen zocht hij in zijn portefeuille.

'Heb je nog genoeg geld voor een taxi?' fluisterde hij tegen haar.

'Ja. Meer dan genoeg.'

'En een creditcard voor de tickets?'

'Mijn eigen card en die van mijn moeder, die ik nog niet had opgezegd.'

'Mooi,' zei hij, en hij gaf haar een velletje papier. 'Als ik om een of andere reden niet kom opdagen, vlieg dan naar Jeruzalem, ga naar dit hotel en vraag de manager, Ari, om je de beste kamer te geven, maar zonder je officieel in te schrijven.'

Hij wilde het portier dichtslaan, maar ze hield hem tegen. 'Wat bedoel je?' vroeg ze.

'Op de terminal wemelt het van de bewakingscamera's. Wij mogen niet samen worden gezien. Als ze achter ons aan zitten, zijn ze op zoek naar mij. Dus tref ik je weer aan de andere kant, op het Gare du Nord in Parijs.'

Ze keek hem verbaasd aan.

'Geloof me nou maar,' zei hij.

'En als dat niet werkt?'

Jordan haalde zijn schouders op. 'Dan bedenk je wel iets. Maar wat je ook doet...'

'Nou?'

'Ga niet naar Westphall State.'

Voordat ze kon antwoorden had hij zich al omgedraaid en was in de menigte verdwenen.

Catherine keek door het achterraampje toen de taxi zich losmaakte van de stoeprand, maar kon Jordan nergens meer ontdekken.

Ze vertrouwde hem, stelde ze zichzelf gerust. Natuurlijk vertrouwde ze hem. Zijn reactie tegenover de graaf was oprecht geweest. Met gebalde vuisten had hij klaargestaan, woedend of misschien wel jaloers.

Of was het toch een spelletje, een manier om ongezien te kunnen verdwijnen?

Hoe dan ook, Catherine was onder de indruk van Jordans lef en doortastendheid. Het was hem gelukt, op een briljante manier. Zo briljant dat liegen en stelen bijna een verdienste leken.

Maar wát was hem precies gelukt?
Wat zat er in die gebedsdoosjes?
Stel dat ze hem nooit meer terug zou zien?

De hal van Waterloo Station leek een overdekte straat, met een imposante, gemetselde gevel aan de binnenkant en winkeltjes met veelkleurige uithangborden en markiezen. Onder een hemel van glas en ijzeren ornamenten voelde ze zich een figurante op een filmset. Ze probeerde niet naar de camera's te kijken.

Bij de terminal voor de Eurostar liet ze haar blik over de wachtende reizigers glijden, op zoek naar Jordan. Ze sloot zich aan bij de rij, maar toen ze door de ticketcontrole ging had ze hem nog altijd niet gezien. Ze keek op haar horloge. Over een paar minuten moesten ze instappen.

Een zakenman in een pak met dubbele revers stond twee meter verderop mobiel te bellen en legde een onprettige belangstelling voor haar aan de dag. Catherine probeerde hem te negeren, hoewel ze tegelijkertijd meeluisterde naar het gesprek. Ze ving maar een paar woorden op; Italiaans, zo te horen.

Ze legde haar tas op de röntgenband en liep langs de metaaldetector. Bewakers in uniform doorzochten haar bagage, controleerden haar schoenen op explosieven en haalden de sensor langs haar heen. Alleen de knopen van haar gebleekte spijkerbroek reageerden. Een vrouwelijke beambte bestudeerde haar paspoort en vergeleek de foto aandachtig met haar gezicht.

Catherine wendde irritatie voor om haar ongerustheid te verbergen.

'Wilt u even meekomen?' zei de vrouw.

O nee!

'Ja, hoor,' zei Catherine.

De vrouw ging haar voor naar een kleine, kale kamer met een tafel in het midden. Een andere beambte, een bleke vrouw van in de veertig, stond achter de tafel en keek naar een videoscherm. Toen nam ze Catherine aandachtig op en bestudeerde haar gezicht.

'Wilt u ons iets vertellen over uw reisgenoot?' vroeg de vrouw.

'Reisgenoot? Ik reis alleen.'

De beambte glimlachte neerbuigend. 'Wat is uw relatie met hem? Is hij uw vriend?'

'Ik weet niet wat u bedoelt.'

'Ik kan u helpen, als u wilt,' zei de vrouw. 'De keus is aan u.'
Wat wisten ze precies?
'Is hij een gewelddadige man?' vroeg de beambte. 'Een gevaar voor anderen?'
Catherine voelde een druppeltje zweet over haar rug glijden. 'Waar hebt u het over?'
'Dat is een heel gemene kneuzing,' zei de vrouw, wijzend naar Catherines wang. 'Huiselijk geweld is geen kleinigheid. Als u hulp nodig hebt om uit een bedreigende relatie te ontsnappen, zijn daar adressen voor. Ik ben er zelf ook geweest.'
Catherine moest bijna lachen van opluchting.
'Dank u voor uw bezorgdheid,' zei ze, 'maar ik ga gewoon naar Parijs.'

Op het Gare du Nord braakte de gestroomlijnde trein zijn passagiers uit in een soort grote schuur.
Catherine bleef staan bij een stapel koffers en deed alsof ze de vertrektijden op het bord boven haar hoofd bestudeerde.
Waar was Jordan?
Aan het eind van het perron zag ze dat de man in het pak met de dubbele revers werd begroet door een lange blonde vrouw op naaldhakken. Hij kuste haar innig, en arm in arm verdwenen ze naar de roltrap.
Eindelijk ontdekte ze Jordan, aan de andere kant van de drukke hal. Hij knikte subtiel naar de uitgang en ze liepen afzonderlijk van elkaar naar de taxistandplaats in de Rue de Maubeuge.
'Mademoiselle, mag ik deze taxi met u delen?' vroeg hij, met zo'n idioot accent dat ze in de lach schoot.

36

Pamet Hall

Het was weer zo'n bewolkte, donkere avond in Pamet Roads, een paar minuten na etenstijd. De graaf van Pamet zat onder zijn Bengaalse tijger, in een stoel die zich in de loop van de jaren comfortabel naar zijn lichaam had gevormd, omringd door die merkwaardige collectie van erfstukken waaruit zijn karakter zo goed naar voren kwam. Hij zag zichzelf als een jager, een krijger, een avonturier, een imperialist, iemand die angst en respect inboezemde, ook al hoorden die bewijzen van moed en fysieke kracht meer bij het huis dan bij hem. Als het lot hem ooit oog in oog zou brengen met het gevaar, sprak het vanzelf dat hij de situatie het hoofd zou bieden met dezelfde onverzettelijkheid als zijn voorvaderen.

Alleen waren de polsen, armen, enkels en heupen van de graaf deze avond met isolatieband aan zijn stoel gesnoerd en zat hij nog slechts in zijn bevuilde onderbroek.

'Ik zei je toch, ik weet niet waar ze zijn!' jammerde hij. 'Ik weet het niet, ik weet het niet, ik weet het niet...'

Zijn ongenode gasten droegen zwarte bivakmutsen, als IRA-terroristen, hoewel hun stemmen een heel ander accent verrieden.

De eerste was een lange, krachtig gebouwde man, de ander korter en dikker. Ze hadden gewacht tot het grootste deel van het personeel was vertrokken, op de enige avond in de week dat het landgoed was gesloten voor logerende gasten. Daarna hadden ze hem, met tussenpozen, bijna vier uur ondervraagd, maar zonder veel succes.

Ze waren begonnen met Belks papieren – de hutkoffer stond naast hen in de werkkamer, inmiddels grondig doorzocht – en geëindigd met het bezoek van zijn recente gasten. Alle details wilden ze weten: wat de Israëli en de Amerikaanse vrouw hadden gevraagd en gezegd, en voor welke voorwerpen ze bijzondere belangstelling hadden getoond.

Crendal bood niet veel verzet – daar kreeg hij ook niet de kans voor – maar als zijn geheugen hem in de steek liet hielpen ze hem een handje met een aangepast zuurstofmasker van doorschijnend plastic, zoals dat ook in ziekenhuizen en ambulances werd gebruikt. Het masker sloot luchtdicht over Crendals gebroken neus en kapotgeslagen mond.

Zodra de indringers de brief van Mordecai Mandel aan Sedgwick Belk hadden gevonden en de betekenis beseften, begonnen ze Crendal te ondervragen over de ontbrekende bijlagen. Toen hij zelfs onder druk geen antwoord gaf, vertelden ze hem exact wat ze zochten en maakten zelfs een schets van een gebedsriem, maar de graaf wist echt van niets.

Er was een moment geweest, niet meer dan een of twee seconden, toen de graaf had kunnen terugvechten, een vluchtig ogenblik waarin hij de belangrijkste beslissing van zijn leven had moeten nemen, op basis van weinig meer dan een reflex of een instinct. Het moment waarop ze zijn huis binnendrongen. Toen had hij nog overwogen het Samoeraizwaard te grijpen en zijn kans te wagen tegenover hun pistolen. Maar hij had geaarzeld en het moment was voorbijgegaan. En zodra ze hem te pakken hadden, was hij geheel aan hun genade overgeleverd.

'Ga je het me vertellen?' vroeg de langste man weer.

Crendal schudde zijn hoofd, doodsbang. De tranen stroomden over zijn gezicht. Zijn antwoord klonk gedempt door het masker. 'Ik weet het niet.'

De ondervrager gaf het teken – een kapgebaar langs zijn keel – en de kleinere man sloot het ventiel van het plastic masker.

De ogen van de graaf puilden uit en hij begon spastisch te schokken. Zijn eerste en enige impuls was naar lucht te happen. De pijn van de verstikking werd nog overtroffen door de angst, een primitieve, zuiver fysiologische angst. Erger dan de dood zelf was de langzame, onverbiddelijke nadering ervan. Anders dan de meeste martelingen was het geen test van zijn uithoudingsvermogen. Hier was eenvoudig niets tegen bestand.

Met een van pijn vertrokken gezicht klampte hij zich aan het bewustzijn vast en zag het beeld opdoemen van een soldaat in de Eerste Wereldoorlog die een afschuwelijke dood stierf, waarbij de verplegers machteloos moesten toezien. Hij wilde rennen, vluchten, aan het gifgas ontsnappen, maar de enige vlucht was dwars door het mitrailleurvuur heen.

Toen drong het tot hem door. Zijn redding was een kogel.

Zijn wereld vervaagde tot wit.

Ze namen het masker van zijn gezicht en wachtten tot hij weer bij zijn positieven was en begonnen toen van voren af aan. Zijn hoofd rolde heen en weer en braaksel droop langs zijn kin.

'Ga je het me vertellen?' zei zijn ondervrager.

Crendal knikte moeizaam. Hij tilde zijn hoofd op en wees met zijn neus. 'Daar...' zei hij hees.

De ondervrager boog zich dreigend naar hem toe. 'Je bedoelt dat je het al die tijd hebt verzwegen?'

Doodsangst blonk in Crendals ogen. 'Nee, nee,' snikte hij.

De ondervrager liep naar de boekenkast en veegde de souvenirs van Ypres 1917 van de plank. Hij pakte een van de sokkeltjes, dat zich opende als een kistje.

Crendal grijnsde als een man die de dood te slim af was geweest en God gevonden had.

'Het is leeg,' zei de ondervrager.

Crendal staarde hem ongelovig aan. Opeens voelde hij zich alsof hij was veroordeeld tot het eeuwige hellevuur.

De ondervrager opende het andere oude doosje van de gebedsriem. 'Leeg,' zei hij nog eens.

Crendal riep tevergeefs de naam van de Here aan.

De ondervrager gooide de gebedsdoosjes in de hutkoffer met Belks papieren en richtte zijn aandacht weer op Crendal.

'Waar is de inhoud gebleven?' vroeg hij kalm maar meedogenloos.

'Dat weet ik niet, dat weet ik niet,' jammerde Crendal door zijn tranen heen.

'Wat zat erin?'

'Ik zweer je, ik weet het niet...'

De ondervrager keek naar de klok. 'We hebben niet veel tijd meer, Lord Crendal. Weet u wat dat betekent?'

Crendal sperde zijn ogen wijd open. 'Ze moeten het hebben meegenomen,' zei hij. 'Ja, natuurlijk. Dat Amerikaanse kreng en die Israëlische journalist hebben het meegenomen! Zo simpel is het.'

'En wat stond erin?'

Wat stond erin? Wat moest hij antwoorden?

De ondervrager keek weer naar zijn collega en wreef met zijn duim over zijn vingertoppen. De kleinere man klemde een vuist om Crendals rechterhand en drukte die plat op de armleuning, zodat zijn vingers naar voren staken. Toen haalde hij een aansteker tevoorschijn.

'Dit gaat pijn doen, en ik denk niet dat het ooit nog geneest,' zei de ondervrager. 'Goed, nog één keer. Waar is de inhoud?'

Crendal staarde naar de aansteker, vlak onder de top van zijn wijsvinger. Ze hadden hem niet eens een prop in zijn mond gedaan. Er was niemand meer in leven op Pamet Hall die zijn kreten zou kunnen horen. 'Nee, niet doen. Niet doen,' smeekte hij.

De ondervrager knikte en de vlam van de wegwerpaansteker krulde zich om Crendals vingertop. De verzengende pijn smoorde zijn gekerm.

De kleine, gedrongen man hield de aansteker minstens tien seconden op zijn plaats. Toen hij hem wegtrok, stond Crendals vinger in brand. Crendal zag hoe zijn vlees werd geroosterd, verkoolde en wegsmolt. De stank maakte hem misselijk.

'Waar is de inhoud?' herhaalde de ondervrager.

Crendal schudde zwijgend zijn hoofd, met opeengeklemde kaken. Het vuur brandde uit. Hij had niets meer over dan een rokend, geblakerd botje, als een worstje dat was achtergebleven op een grill.

'Je houdt toch niets voor ons achter?'

'Ik weet het echt niet,' fluisterde Crendal.

'Dit is het moment om het je te herinneren.' De ondervrager wees naar het Samoeraizwaard en zijn maat tilde het van de muur. Hij testte het op de gordijnen. Het vlijmscherpe lemmet sneed moeiteloos door de stof. De korte, gespierde man liet het zwaard zakken totdat het heel licht op het tape aan de achterkant van Crendals linkerpols rustte.

'Die groeit niet meer terug,' zei de ondervrager.

Crendal jammerde in wanhoop. 'Ik zeg het je toch? Ik weet het niet! Ik kan je niet vertellen wat ik niet weet. Wat wil je hiermee bereiken? Wat dan?'

De kleine, gedrongen man bracht het zwaard omhoog.

'Het ligt in de kennel!' schreeuwde Crendal. 'Kijk in de kennel.'

'Dat verzin je ter plekke,' zei de ondervrager zacht.

Crendal stortte in. 'Wat moet ik doen?' vroeg hij.

'Vertel me wat ik weten wil.'

Crendal keek hem aan, aarzelend wat hij moest antwoorden. 'De stallen! Ga in de stallen kijken.'

De ondervrager keek hem nog steeds strak aan.

'Londen! Het is in Londen,' beweerde Crendal.

De ondervrager knikte en het staal flitste omlaag. Crendals linkerhand kwam met een doffe bons op de vloer terecht. Helderrood bloed spoot uit de stomp van zijn pols over het Perzische kleed.

Hij gilde van pijn en staarde vol afgrijzen naar de onherstelbare verminking. De plotselinge, ijzige realiteit van de verwonding was meer dan hij kon bevatten, en hij raakte in shock.

'Nog één ding,' zei de ondervrager. 'Waarom zijn je gasten naar Parijs vertrokken?'

Crendal keek hem aan en snikte. 'Ik weet het niet.'

De ondervrager knikte. Zacht en geruststellend, bijna goedmoedig, zei hij: 'Ik geloof je.' Hij trok de bivakmuts van zijn hoofd en grijnsde met scheve tanden.

Vanuit zijn delirium keek Crendal hem aan, en hij begreep het.

Weer flitste het staal van het Samoeraizwaard. Crendal stortte neer, rolde over de grond en staarde omhoog naar zijn eigen onthoofde lichaam.

37

Parijs

Vanaf het balkon van hun hotelkamer bij het Louvre zag Jordan de lichtjes van de stad weerspiegeld in de Seine, die zich onder de stenen bruggen door slingerde, langs het Île de la Cité en de Notre Dame in al haar glorie. 'Ik heb altijd naar Parijs gewild,' zei hij.

'Kom nou maar naar binnen, waar niemand je kan zien,' zei Catherine.

Met een zucht sloot Jordan de glazen balkondeuren en trok de gordijnen dicht.

'Nu we eindelijk alleen zijn,' zei Catherine, 'kun je me misschien laten zien wat je gestolen hebt?'

'Eerst moet ik mijn post bekijken.' Jordan legde zijn laptop op de schrijftafel en zette hem aan om zijn e-mail te controleren. Hij ontdekte een ongebruikelijk adres en klikte het aan:

> Waar blijft je volgende verhaal, Benjamin? Mijn geduld raakt op. Kan ik erop rekenen dat je doorzet, of moet ik mijn informatie aan een andere journalist toespelen?

Jordan typte een snel antwoord aan Farouk, zonder te weten of het zou worden gelezen: *Ik maak vorderingen, maar ik heb meer tijd nodig.*

Catherine had ongeduldig de afstandsbediening gepakt en de tv aangezet. Ze ging op een van de twee grote bedden zitten en zapte langs de kanalen. Ze waren midden in de nacht aangekomen en hun tassen lagen nog onuitgepakt op de grond.

Op CNN werd verslag gedaan van een vliegtuigongeluk in de Filipijnen, waarbij vermoedelijk 159 doden waren gevallen. Een zware orkaan in het Caribisch gebied teisterde Cuba en veroorzaakte paniek langs de Golfkust van Florida. Op de West Bank hadden Israëlische eenheden het huis van een dertigjarige man opgeblazen die als een Palestijnse terrorist was geïdentificeerd. En op het Engelse platteland stond een groot landhuis van koninklijke allure in brand.

Catherine zette het geluid wat harder.

Vlammen sloegen uit het dak en de ramen van de Great Hall en verzwolgen de westkant van het huis, tegenover de privévleugel van de graaf. Brandslangen richtten hun stralen op de historische portrettengalerij, maar de plaatselijke brandweer met haar beperkte middelen leek grotendeels machteloos. Tegen de achtergrond van de donkere nacht leverden de vlammen afschuwelijke, maar mooie televisiebeelden op.

'Volgens de plaatselijke politie is er waarschijnlijk sprake geweest van brandstichting, mogelijk om de sporen uit te wissen van een paar gruwelijke moorden in het zeventiende-eeuwse huis,' verklaarde de correspondent.

Catherine legde een hand tegen haar wang en Jordan keek ernstig toe.

'Een van de doden is Lord Crendal, graaf van Pamet, telg uit een van de oudste families van Engeland,' ging de verslaggever verder. 'Crendal was vooral bekend om zijn aandeel in een zakelijk schandaal dat beleggers honderden miljoenen dollars heeft gekost. De politie heeft nog geen idee wie de graaf en twee leden van zijn huishoudelijke staf om het leven heeft gebracht, maar Lord Crendal is een akelige dood gestorven. Zijn lichaam werd onthoofd aangetroffen en er waren sporen van een marteling.'

'O, mijn god,' riep Catherine uit, terwijl ze zich naar voren boog in een vloedgolf van emoties: angst, walging, maar ook medelijden met de graaf. Ze dwong zichzelf om niet over zijn laatste momenten na te denken. 'Dat hadden *wij* kunnen zijn,' zei ze.

CNN ging over naar het shownieuws: de scheiding tussen een Hollywoodsterretje en haar losvaste verkering, en een rockster met een drankprobleem.

'Als jij de inhoud van die gebedsriem niet had gestolen, Ben, zouden de teksten nu in handen van de moordenaars zijn geweest.'

'En als jij je niet had verzet tegen de avances van de graaf, waren we niet bijtijds uit Pamet Hall gevlucht.'

'Maar wat hebben we eigenlijk ontdekt?'

Jordan zocht in Catherines rugzak en pakte een blikje pepermunt, waaruit hij een klein, luchtdicht afgesloten plastic zakje tevoorschijn haalde.

In het zakje zat een stapeltje perkamenten, ongeveer zo lang en breed als een luciferdoosje. De velletjes waren beschreven met priegelige tekst, nog kleiner dan de aandelenkoersen in een krant, lastig te lezen met het blote oog.

'Heeft dat al die tijd in mijn tas gezeten?' vroeg Catherine.

'Sinds de treinreis naar Londen, toen je even naar de wc was.'

Jordan stak weer een hand in haar tas en pakte de gebonden editie van de bestseller *A Leaf in Autumn*. Hij sloeg het boek open en haalde er een dunne envelop uit, met Pamet Hall als afzender. In de envelop zat nog zo'n plastic zakje, met een dun, vierkant velletje bladgoud, opgevouwen om in zijn voormalige schuilplaats te passen. Het goud leek van inscripties voorzien.

'Niet te geloven,' fluisterde Catherine. 'Hoe is het mogelijk?'

Jordan legde zijn vondsten op het bureau.

'Ik durf ze bijna niet aan te raken,' zei ze. 'Bijna.'

Jordan zocht in zijn eigen tas en haalde er wat aankopen uit: een stomp pincet, een grote loep en een doos wattenstaafjes. Hij schoof ze over het bureau naar Catherine toe.

Ze maakte het plastic zakje met het bladgoud open. Langzaam vouwde ze het uit, voorzichtig om het niet te beschadigen. Het kostte haar een paar minuten. Het goud was wat dikker en steviger dan ze had verwacht; misschien was het een legering. De vouwen waren blijvend geworden, waardoor het folie niet meer plat wilde liggen. Ze schoof het weer in het plastic zakje en legde het tussen de bladzijden van het boek om het vlak te krijgen. Primitief, maar doeltreffend.

Het bladgoud was vier keer gevouwen, waardoor het in zestien rechthoekjes was verdeeld. De tekst besloeg twee kolommen, in het edelmetaal gegraveerd.

'Hoe kunnen ze zulke kleine lettertjes hebben gemaakt?' vroeg Jordan. 'En hoe konden ze die lezen?'

'Volgens mij is het een prachtig voorbeeld van een heel oude spionagetechniek,' zei Catherine, terwijl ze de loep pakte.

De tekst was geschreven in oud Hebreeuws, net als een groot aantal van de Dode Zeerollen. Ze zat een tijdje zwijgend te lezen en maakte met stijgende opwinding aantekeningen op een blok briefpapier van het hotel.

Ten slotte gaf ze het vergrootglas aan Jordan.

'Wat staat er?' vroeg hij.

'Lees zelf maar.'

Jordan had moeite met het schrift. Hij concentreerde zich op het eerste vers. '"In de Vallei van Achor"...nee, "in de *ruïne* in de Vallei van Achor... onder de treden naar het oosten... een kluis met zilver... zeventien talenten zwaar... In Kohlit, de puinhopen van Kohlit, offerschalen... en efoden."'

Hij wierp Catherine een vragende blik toe. 'Efoden?'

'Vesten,' zei ze. 'Zoals de hogepriesters die droegen.'

Jordan keek haar stomverbaasd aan. 'Bedoel je...?'

'Het bladgoud beschrijft de vindplaatsen van vierenzestig verborgen schatten,' zei Catherine. 'Sommige van die beschrijvingen vermelden een blijvend herkenningspunt, zoals het dal van Kidron, ten oosten van het oude Jeruzalem, maar er zijn ook aanwijzingen uit de Bijbel, zoals Sekaka en het ravijn van Zered, waarvan de ligging niet vaststaat. En dan heb je nog een paar plaatsnamen die ik helemaal niet ken, zoals die ruïne van Kohlit.'

'Is het een afschrift van de Zilveren Rol?' vroeg Jordan.

'Jammer genoeg niet. Het is een kopie van de Koperen Rol, met een beschrijving van de oorspronkelijke bergplaatsen, voordat de schatten van de tempel werden opgegraven en ergens anders opnieuw verborgen.'

'Verdomme.'

'Maar het is toch belangrijk,' zei Catherine. 'Alleen al het feit dat er zoiets bestaat, dat iemand een kopie of een voorloper van de Koperen Rol heeft gemaakt, in goud gegrift. Nu is er geen discussie meer mogelijk over de authenticiteit van de Koperen Rol of het bestaan van de schat.'

Ze legde het bladgoud opzij en boog zich met het vergrootglas over het perkament. Het liefst zou ze alle velletjes afzonderlijk verpakken, om ze los van elkaar te bestuderen, maar ze aarzelde nog.

'Waar denk je aan?' vroeg Jordan.

'Op een gegeven moment zal hierop een koolstofdatering worden toegepast. Er moet een analyse komen van de inkt, een DNA-onderzoek van het perkament en wat wetenschappers in de toekomst nog zullen bedenken. Ik vraag me af of we die velletjes uit elkaar kunnen halen zonder ze te beschadigen.'

'Hm. Volgens mij is de schade al geschied. Ik denk niet dat Mandel, Belk en God mag weten wie zorgvuldig met het materiaal zijn omgesprongen in de jaren tachtig van de negentiende eeuw. En zelf ben ik ook niet zo subtiel te werk gegaan in de kamer van de graaf, hoewel ik het perkament wel bij de puntjes heb vastgepakt. Doe maar gewoon voorzichtig.'

Het was een gemakkelijk antwoord en Catherine vroeg zich af of het niet werd ingegeven door Jordans ongeduld om het mysterie te ontsluieren. Maar zelf was ze net zo ongeduldig, dus sprak ze hem niet tegen.

Met het pincet verdeelde ze de velletjes over verschillende zakjes, die ze met een stift markeerde. Toen legde ze het eerste blaadje onder de loep en begon het te lezen, door het heldere plastic heen.

Het was een uittreksel uit Exodus. Catherine herkende het als een van de opvallend uiteenlopende versies van de Tien Geboden uit de Bijbel. Dit was een minder bekende variant, niet het standaardvoorbeeld zoals dat in scholen en in Amerikaanse gerechtsgebouwen was vereeuwigd en op dubbele tabletten vastgelegd, alsof het heiliger zou zijn dan de andere.

In deze passage werd niets gezegd over het eren van uw vader en moeder, het begeren van uws naasten vrouw, het plegen van overspel, het afleggen van valse getuigenissen, het stelen of het doden. Maar deze versie was wel de enige die in de Tora expliciet als de Tien Geboden werd genoemd. Volgens Exodus zou Mozes, toen hij door God werd toegesproken op de berg Sinaï, deze tekst op twee stenen tafelen hebben vastgelegd.

De passage begon met het voorschrift aan de Israëlieten om zich niet te vermengen met de vorige bewoners van het Beloofde Land, die God voor uitroeiing had bestemd:

> Gij zult hun altaren vernietigen, hun heilige zuilen slechten en hun heilige pilaren omhalen. Gij zult niet buigen voor enige andere god, want de naam van de Here is de Jaloerse God, en een naijverige God is hij. Vermijd elk verbond met de bewoners van het land of anders, als zij zich zondig met hun goden afgeven en aan hen offeren, zullen zij u of enige onder u verlokken om deel te nemen aan hun offers en uw zonen met hun dochters te laten huwen...

En het besloot met voorschriften voor de juiste wijze van het rituele offer:

> Gij zult het bloed van Mijn offer niet in aanraking brengen met iets wat gist bevat; en het offer van het Paasfeest zal niet tot de morgen blijven liggen. Gij zult de eerste en beste vruchten van uw grond naar het huis van God uw Here brengen en het lam niet in de moedermelk bereiden.

Catherine probeerde de strekking te bevatten. Voor zover ze kon nagaan, volgde deze tekst de Hebreeuwse Tora redelijk nauwkeurig, of bijna letterlijk. Er viel niets nieuws in te ontdekken.

Jordan keek haar zenuwachtig aan. 'Wat staat er?' vroeg hij.

'Het is een uittreksel uit de Tien Geboden, een fragment zoals je dat in elke gebedsriem kunt vinden. Of in je eigen bijbel.'

Ze schoof het zakje naar Jordan toe en begon aan het tweede velletje. Meteen sperde ze haar ogen open, want deze tekst had niets met de Tora of met het voorafgaande te maken.

'Wat is er?' vroeg Jordan.

'Het lijkt wel of de eerste pagina met de Tien Geboden alleen camouflage was om de rest te verbergen, voor het geval de gebedsriem in verkeerde handen zou vallen. Deze tweede pagina is de aanhef van een brief.'

Ze maakte aantekeningen terwijl ze las. Hier en daar was de tekst nauwelijks nog leesbaar. Hele woorden en zinnen waren vlekkerig of uitgewist.

Jordan keek over haar schouder. 'Het schrift verschilt niet erg van modern Hebreeuws,' zei hij.

'Nee, het lijkt er erg op. Alleen is de tekst in belabberde staat. Het perkament zal de afgelopen eeuw, in dat vochtige Britse klimaat, sterker achteruit zijn gegaan dan de voorafgaande tweeduizend jaar, toen het goed geconserveerd bleef in de droge hitte van de woestijn.'

Meer dan twee uur deden ze hun best om de velletjes te ontcijferen. Ze gaven de pagina's aan elkaar door en noteerden alles op Jordans laptop en het schrijfblok van het hotel.

Toen ze klaar waren stond de klok op 3:11.

'Misschien heb ik niet de hele archaïsche zinsbouw goed begrepen, Jordan, maar duidelijker kan ik het niet krijgen.'

Ze gaf hem haar handgeschreven vertaling, compleet met omissies.

Mijn vriend Jonatan,

Er zijn twee weken voorbijgegaan sinds de tempel voor ons verloren ging. Velen van onze vrienden zijn gedood of gevangengenomen. Mijn vader is vermoord door mijn eigen hand. Op het eind stond hij ons in de weg.

Je broer Juda, met de sterke arm en het onverzettelijke karakter, is gesneuveld, of gevangengenomen, dat weet ik niet. Hij verdedigde eenzaam de smalste tunnel om onze achtervolgers te weerhouden en onze aftocht te beschermen. Als hij had gefaald, zou jij dit nu niet lezen.

Met drie van mijn mannen, ..., heb ik me teruggetrokken naar de grot boven de wadi, je weet wel waar ik bedoel. Maar de Romeinen ...., en nu zitten we in de val. Voor mijzelf maakt dat weinig verschil. Ik ben toch al dodelijk gewond.

Probeer niet ons te redden, want dat zou zinloos zijn. Wees niet bedroefd om ons, want wij zullen sterven met voldoening in ons hart. Vrees niet, want ze zullen ons niet in handen krijgen.

Jeruzalem is verloren, maar de toekomst niet. Jij moet leiding geven aan het verzet en de strijd voortzetten totdat je ons volk de vrijheid hebt gebracht. Waag je leven om de stad te heroveren.

We hebben goed gezorgd voor .... Zoals je weet zijn grote hoeveelheden goud, zilver en andere schatten nog voor de val van de tempel de stad uit gesmokkeld. Ik geef je mijn kopie van de sleutel tot hun vindplaats.

Er is nog meer dat je moet weten. Hoewel de hogepriester het ons verbood, hebben we ook de tempelkronieken en andere heilige teksten meegenomen, zoveel als we konden dragen op onze laatste vlucht.

Waarom de hogepriester het ons verbood, weet ik niet. Misschien wilde hij niet zien wat er ging gebeuren. Mogelijk .... Wellicht kon hij Gods toorn niet verdragen. Wij zagen het wel, en we kozen ervoor om maatregelen te nemen. Wij hebben de geschiedenis van de Joden veiliggesteld, zodat onze vijanden die niet kunnen uitwissen of herschrijven. Want zonder het verleden kan er geen ....

Zo hebben wij onder meer de geschriften van Hanan, Eleazar, Kajafas, Zadok .... gered. Het leek wel of mijn vader wilde dat alles in vlammen zou opgaan of onder het puin van de tempel zou worden begraven.

Weinig priesters hebben het voorrecht gehad deze kronieken te lezen. Ook ik niet. Ik moet erkennen dat ik nieuwsgierig was. Als het mogelijk was geweest, had ik er misschien een blik op geworpen. Maar daarvoor ontbrak de tijd. Wie zal het zeggen? Misschien geven ze antwoord op het mysterie van mijn raadselachtige grootvader Kajafas en verklaren ze waarom hij zo'n boetvaardige kluizenaar werd. Wellicht beschrijven ze wat er gebeurde toen hij terugkwam van .... en wat hij precies heeft gezien toen ....

Maar ik zal dit leven verlaten zonder een antwoord op die vragen.

Wij hebben deze kostbare teksten zo veilig mogelijk verborgen, samen met de verzameling offerschalen, begraven .... Houd dit ....

Mijn vriend, volsta niet met het volgen van de andere leiders. Hoewel de een wijs, de ander moedig en een derde meedogenloos en sluw is, bezit alleen jij elk van deze eigenschappen in voldoende mate om te kunnen slagen.

Ik denk dat je ....

....

De brenger van deze boodschap is dapper en betrouwbaar. En als hij deze woorden heeft afgeleverd, is dat voldoende bewijs van zijn vindingrijkheid. Je zou er verstandig aan doen hem een belangrijke plaats aan je zijde te geven.

...... wilde dat het mij gegeven was om te zien hoe hij werd herbouwd en weer naast je te staan bij het altaar.

Moge God .... zijn licht over je laten schijnen.

Aäron ben Matthias

De professor en de journalist staarden elkaar als met stomheid geslagen aan.

'Zou Howard Carter zich ook zo hebben gevoeld toen hij het graf van Toetanchamon opende en al dat goud ontdekte?' vroeg Jordan.

'Of Maria Magdalena toen ze het graf van Jezus bezocht en de verbijsterende ontdekking deed dat het leeg was?' vroeg Catherine.

'In de brief wordt Kajafas genoemd, de hogepriester van Jeruzalem, die ook in de evangeliën voorkomt.'

'Kajafas, die voorzitter was bij de rechtszitting tegen Jezus.'

'Kajafas, die Jezus aan de Romeinen overdroeg en erop aandrong hem te executeren.'

'Kajafas, de bliksemafleider voor tweeduizend jaar Jodenvervolging.'

Kajafas.

'In de brief wordt gesuggereerd dat hij zich terugtrok in een leven van boetedoening nadat hij ergens getuige van was geweest,' zei Jordan.

'En er staat ook dat hij een soort monografie heeft nagelaten die misschien nog te vinden is.'

Jordan dacht terug aan lange middagen in het Israël Museum, toen daar een ossuarium werd tentoongesteld met een inscriptie met de naam Kajafas. De joodse hogepriester werd al lang erkend als een historische figuur, net zoals Pontius Pilatus, de Romeinse gouverneur. Maar Jordan had nooit kunnen geloven dat die stenen kist met botten werkelijk afkomstig was van de Kajafas uit het Nieuwe Testament, de man die als zo'n kwaadaardige kracht werd afgeschilderd in allerlei voorstellingen, van de paasspelen uit de middeleeuwen tot de populaire film van Mel Gibson. Jordan had nooit een concreet verband kunnen leggen met de Christuspassie.

Terwijl dit heel wat meer was dan een verband.

'Wist jij dat Kajafas een boetvaardige kluizenaar was geworden?' vroeg hij.

'In de bronnen is dat niet terug te vinden,' zei Catherine. 'Ik denk dat we hier een wereldprimeur hebben, zoals dat in jouw wereldje heet.'

'Maar waarom zou Kajafas een schuldig geweten hebben gehad?'

'Volgens de brief door iets wat hij had gezien.'

Jordan keek haar aan. 'Het is moeilijk om niet de voor de hand liggende conclusie te trekken, vind je niet?'

'Als we de evangeliën mogen geloven, Ben, is Kajafas getuige geweest van Christus' laatste dagen.'

'En van zijn dood.'

'En mogelijk ook van wat er daarna gebeurde.' Catherine slikte moeizaam. 'Stel dat ik een wonder zou hebben gezien, iets waardoor ik de overtuiging kreeg dat ik de Zoon van God ter dood had laten brengen? Dan zou ik ook niet meer kunnen slapen. Denk eens na, Ben. Deze brief kan als indirect of omstandig bewijs worden aangevoerd voor het belangrijkste artikel van het christelijk geloof!'

Ze voelde zich bijna duizelig worden, diezelfde nerveuze energie die iemand bevangt als hij vanaf griezelige hoogte een adembenemend uitzicht te zien krijgt. Nog nooit was het historisch onderzoek zo dicht bij de kern van de evangeliën gekomen. Nog nooit was ze zelf zo dicht het punt genaderd waarop ze haar scepsis opzij moest zetten. En ze had zélf aan die ontdekking meegewerkt! Ze hield het bewijs in haar handen, als een van de enige twee mensen op aarde die van dit geheim wisten.

In haar opwinding vroeg ze zich nauwelijks af wat dit voor een Jood zou kunnen betekenen.

'Je loopt te hard van stapel,' zei Jordan. 'Kalm aan. Laten we dit van alle kanten bekijken.'

'Ga je gang.'

'Als een van Jezus' aanklagers kon Kajafas met gezag een uitspraak doen over diens goddelijkheid. Dat geef ik toe. En als religieus leider kon hij ook met gezag het verhaal van de Wederopstanding ontkrachten.'

'Ja, maar waarom?'

'Heel Israël wachtte in die tijd op de messias, Catherine. Hoe logisch is het dat een geestelijke op zo'n moment een teken van God zou negeren?'

'Wat had hij dan moeten doen, het van de daken schreeuwen? Zijn volk, hetzelfde volk dat Jezus had verworpen, zou hem van godslastering hebben beschuldigd. De Romeinen zouden hen waarschijnlijk hebben gekruisigd, net als Jezus, omdat hij de Romeinse goden en de goddelijke macht van de Romeinse keizer ontkende.'

'Catherine, luister nou. Kajafas kan van alles hebben gezien,' zei Jordan. 'We kunnen niet zomaar aannemen dat hij getuige is geweest van de Wederopstanding.'

'Nee, je hebt gelijk. Maar in de brief staat wel dat hij een kroniek heeft nagelaten, zijn memoires of wat dan ook. En Aäron ben Matthias oppert dat die kroniek, die Aäron zelf uit de belegerde tempel heeft gered, ons misschien kan vertellen wat Kajafas precies heeft gezien. Daarom sprak Mandel natuurlijk over het "definitieve bewijs".'

Jordan bestudeerde haar handgeschreven vertaling. 'Die brief van Aäron ben Matthias aan de Joodse rebel Jonatan vertelt niet waar de kronieken zijn verborgen.'

'Nee, maar wel dat ze bij een verzameling offerschalen liggen. Dat moet een van de oorspronkelijke bergplaatsen zijn van het Joodse verzet, een van de plekken die in de Koperen Rol beschreven staan,' zei ze.

'En als mijn eigen verhaal klopt, zijn de schatten van de Koperen Rol weer opgegraven en opnieuw verborgen in de dagen of weken na de val van Jeruzalem.'

'Ben, als jouw verhaal klopt, zijn Meyer Elazar en zijn collega's van het instituut in bezit gekomen van een Zilveren Rol, die de sleutel vormde tot de latere bergplaatsen.'

Jordan stond op en liep naar het raam. Ze zag de spanning in zijn rug.

'Ik vraag me af,' zei ze, 'of de mannen die de sleutel bezaten wel wisten op welke deur hij paste?'

Ze dacht na over Aäron ben Matthias, die met onwetende ijver de kronieken van de tempel had gered. Als hij had geweten wat er op het spel stond, zou hij dan anders hebben gehandeld?

Ze dacht na over Aärons anonieme boodschapper, die het geheim had moeten overbrengen naar een andere leider van het verzet. Die boodschapper moest net zo dapper zijn geweest om hun schuilplaats boven de wadi te verlaten en zijn weg te zoeken door het Romeinse legioen.

Voor zover Catherine kon nagaan, was de boodschap nooit aangekomen. De teksten waren verborgen gebleven in de gebedsriemen die samen met hun drager waren begraven. Misschien was hij aan de Romeinen ontsnapt, maar omgekomen in de woestijn van Judea. Misschien had hij een andere grot bereikt, in een ander ravijn, waar hij was gestorven van hitte en dorst, achttien eeuwen lang vergeten, totdat een bedoeïen op zijn botten was gestuit.

Op zijn botten was gestuit en de gebedsriemen had gevonden, die vervolgens terecht waren gekomen bij Mordecai Mandel en Sedgwick Belk.

En wat was er van Aäron ben Matthias geworden, de schrijver van de brief? Hij had gezworen dat de Romeinen hem en zijn mannen niet levend in handen zouden krijgen. Hadden ze lootjes getrokken, net als de verdedigers van Masada, het bergfort, om te bepalen wie de anderen moest doden en ten slotte de hand aan zichzelf moest slaan? En zo ja, hoe zou die laatste man dan zelfmoord hebben gepleegd? Er waren geen kogels om er snel een eind aan te maken. Zou hij zijn polsen hebben doorgesneden of zich in zijn eigen zwaard hebben gestort? Zou hij de moed hebben gehad om uit de grot in de afgrond van het ravijn te springen? Of zou hij op het laatste moment zijn teruggekrabbeld en gevangen zijn genomen door de Romeinen, die hem hadden gemarteld tot hij doorsloeg?

De gedachte aan zo'n gewelddadige dood herinnerde haar weer aan Lord Crendal. Wat had CNN ook alweer gezegd? *Zijn onthoofde lijk, met sporen van een marteling...*

'Vind jij dat wij verantwoordelijk zijn voor Crendals dood en alles wat hij heeft doorstaan?' vroeg ze.

Jordan draaide zich abrupt om, alsof die plotselinge vraag hem weer met beide benen op de grond bracht. 'Nee. Ze zouden hem toch hebben vermoord, net als Nigel Waverly.'

Hij zei het op zakelijke toon, alsof die conclusie onherroepelijk was, maar diep vanbinnen was hij daar niet zo zeker van. Hij wilde niet te lang stilstaan bij Crendals ellendige einde, dat hij niemand toewenste. Het kostte hem niet veel moeite om zichzelf in Crendals plaats voor te stellen...

'Maar, Ben, wie zijn die "zij"? Wie zijn de moordenaars?'

'Daar hebben we nog steeds geen idee van. Minstens drie leden van de archeologische commissie wisten iets over de Zilveren Rol. De vertegenwoordiger uit Rome heeft misschien iets tegen het Vaticaan gezegd. Het Palestijnse lid heeft in elk geval de Jordaniërs ingelicht. En Meyer Elazar schijnt een bondgenoot binnen de Israëlische regering te hebben gewaarschuwd. En dan heb ik het enkel nog over de bekende mogelijkheden.'

'Maar die martelingen, Ben? Wat zegt dat jou?'

'Ik neem niet aan dat de daders hun handtekening of een visitekaartje achterlaten. Daar zou ik niet op rekenen.'

'Er zat een man in de trein naar Londen die me misschien in de gaten hield. Ik geloof dat ik hem Italiaans hoorde spreken. Denk jij dat er een connectie kan zijn met Nicolo Altieri, die vermoorde priester?'

'Het is net zo'n goede theorie als alle andere,' zei Jordan vermoeid. 'Maar als ze ons naar Parijs hadden gevolgd, zouden ze ons nu wel te pakken hebben.'

De televisie stond nog steeds afgestemd op CNN. Catherine richtte de afstandsbediening om hem uit te zetten. Het scherm ging op zwart met een groenige flits en een luid *zzzunk*.

Het geluid werkte Jordan op de zenuwen. De plotseling stilte was al even onprettig. Alsof hij zichzelf kon horen denken. Hij zag er afgetobd, gespannen en afwezig uit.

'We moeten slapen,' zei Catherine.

'Later misschien,' zei hij.

Catherine pakte wat spullen en verdween naar de badkamer.

Jordan zette de televisie weer aan, maar met het geluid uit. Verstrooid zapte hij langs de kanalen en bleef hangen bij wat videoclips zonder muziek, waar hij naar staarde zonder iets te horen of te zien.

Catherine kwam terug in een wit T-shirt dat op een van de zijne leek. Ze legde een hand op zijn schouder, maar hij scheen het niet te merken. Ze sloeg de sprei terug, stapte in bed en deed de lamp uit.

Jordan liet zich op een stoel zakken en keek uit over Parijs, met de dubbele torens van de Notre Dame. Hij had nooit geloofd in het leven van Jezus en al helemaal niet in zijn wederopstanding uit de dood. Voor hem was het christendom een mythe, een verzinsel. De kruisiging bla-bla-bla. Zelfs als je gelovig van aard was, had je wel heel veel vertrouwen nodig om te geloven in het Nieuwe Testament met al zijn tegenstrijdigheden. Het was een vorm van geestelijke acrobatiek, zoals Catherine had aangetoond in haar discussie met die student, Bryan Jennings.

Jordan meende dat het verhaal van het proces en de terechtstelling van Jezus kon worden verklaard in politieke termen, als een poging van de eerste christenen om zich af te scheiden van de weerspannige joodse meerderheid en zich geliefd te maken in Rome. In een tijd van Romeinse overheersing zou de jonge sekte haar eigen doodvonnis hebben getekend als ze Rome had beschuldigd van de dood van haar verlosser. Dus hadden de evangelisten de Joden van Jeruzalem en hun boegbeeld – de hogepriester Kajafas – met de morele schuld opgezadeld.

De beschuldiging dat de Joden Jezus hadden gedood had tot eeuwen van vervolging geleid. Nu bleek dat Kajafas zelf er misschien iets over te zeggen had.

Stel dat hij de beschuldiging bevestigde? Dat hij concludeerde dat de man die door de Joden was veroordeeld inderdaad de Zoon van God was?

Een eeuwigheid geleden, bij een meer in Michigan, had Catherine hem gevraagd of hij wel over de implicaties had nagedacht. Mandel was er immers van overtuigd dat zijn vondst een van de grote wereldgodsdiensten op haar grondvesten zou doen schudden?

Maar toen was dat nog een abstracte vraag geweest.

38

Parijs

Ze vond hem in alle vroegte, in slaap gevallen in zijn stoel. Zachtjes maakte ze hem wakker.

Hij sleepte zich naar de douche en trok schone kleren aan, maar zijn ogen bleven slaperig en bloeddoorlopen. Hij zette CNN aan.

'Kun je al schrijven?' vroeg Catherine. 'Zo niet, dan kan ik vast een ruwe versie typen en...'

Jordan leek perplex. 'Wat bedoel je?' vroeg hij.

'Ik weet niet of je samen achter het toetsenbord wil zitten, of om de beurt, of het verhaal in paragrafen wil verdelen...'

'Welk verhaal?'

'Óns verhaal. Ik weet nog steeds niet waar we het moeten publiceren, maar...'

'We hebben geen verhaal.'

'Geen verhaal? Benjamin, we hebben een van de belangrijkste verhalen in handen die ooit zijn verteld. Kajafas, de joodse hogepriester, is als boetvaardige kluizenaar gestorven nadat hij Jezus had veroordeeld, en iets heel bijzonders had gezien. Dat moeten we de wereld vertellen.'

Jordan keek bezorgd. 'Niet nu.'

'Waar wacht je dan op? De Wederkomst? Ben, de hele wereld zal hierover praten. Mensen zullen hun verstand en hun hart ervoor openstellen. Sceptici zullen hun standpunt herzien. En jij wordt nog beroemder dan Woodward en Bernstein.'

'Nog niet.'

Catherine liep rood aan en verloor haar geduld. 'Na alles wat je hebt doorgemaakt, kan ik me je voorzichtigheid voorstellen, Ben, maar...'

'Het is geen voorzichtigheid. Het zou juist voorzichtig zijn om het wél te publiceren. Goed, dan zou er een geweldige discussie ontstaan en zou onze geloofwaardigheid onder vuur komen te liggen. Dat zal toch wel gebeuren, zodra het juiste moment is aangebroken. Maar als we het nu publiceren, zou dat een laffe uitweg zijn.'

'Dat begrijp ik niet.'

'We hebben wat we hebben. Misschien is het lastig uit te leggen hoe we eraan zijn gekomen, maar ik neem aan dat de experts het gauw genoeg voor echt zullen verklaren. Het probleem is alleen wat we níét hebben: de kroniek van Kajafas. En zonder de Zilveren Rol om ons de weg te wijzen hebben we geen enkele manier om die te vinden. We hebben wat we hebben, maar we weten eigenlijk niet wat het betekent.'

'We komen een heel eind, Ben.'

'Maar het lost niets op.'

'Dat is toch niet óns probleem?'

Ze zag een flits van woede in zijn ogen. 'Wil je dan de rest van de wereld ermee opschepen?'

'Zie je het nog wel objectief, Ben? Probeer je niet het joodse geloof te beschermen?'

'In plaats van... nonchalant een lucifer in het kruitvat van het antisemitisme te gooien?'

'Waarom vertrouwen we er niet op dat het publiek het heel goed zelf kan interpreteren? Daar gaan journalisten toch van uit?'

Ze las de belangrijkste passage hardop, maar Jordan viel haar in de rede. 'Zie je niet wat hier gebeurt? Wij zitten in een wedloop om de waarheid, het antwoord, de héle verklaring. Anderen proberen ons voor te zijn, het verhaal op te eisen en te manipuleren, of te onderdrukken, en die kans lijkt groot. Als we het nu publiceren, heb je gelijk. Dan worden we allebei beroemd, jij en ik. Dan kan onze carrière niet meer stuk. Maar we zullen nooit meer de onderste steen boven krijgen.'

'Hoe denk jij die wedloop dan te winnen?'

'Dat weet ik niet.'

'En stel dat ons iets overkomt?'

'Dat moeten we voorkomen.'

'Klinkt niet als een doordacht plan.'

'Dat is het ook niet.'

'Wat moeten we dan nu?'

Daar dacht Jordan over na. 'Ik zou graag de Notre Dame zien, en het Louvre, en boven op de Eiffeltoren staan,' zei hij verlangend. 'Het liefst samen met jou.'

'Benjamin,' zei ze zacht. 'Dat kan nu niet, dat weet je wel.'

'Zullen we dan gaan ontbijten? We hebben nog een uurtje om Parijs te bekijken voordat we naar het vliegveld moeten. Als je nog steeds mee wilt, tenminste.'

Ze kon het niet over haar hart verkrijgen om nee te zeggen.

Jordan borg zijn computer en de relikwieën op. Hij stopte ze voorzichtig in zijn rugzak en zette toen de televisie wat harder om de indruk te wekken dat de kamer nog bezet was.

'Ik heb jouw telefoon,' zei ze, terwijl ze hem in haar tasje stak.

'Heb je je aantekeningen?' vroeg hij toen ze de gang in stapten.

'Ja, natuurlijk.'

Hij trok de deur achter hen dicht en hing het bordje met NIET STOREN aan de kruk. Twee stappen verder bleef hij staan, draaide zich om en ging terug om het blanco schrijfblok van het bureau mee te nemen.

'Misschien hebben we een afdruk nagelaten,' zei hij toen ze de lift in gingen.

Drie verdiepingen lager en een halve straat verderop, geparkeerd tussen een brandkraan en een zilverkleurige Audi, drukte de bestuurder van een zwarte BMW een vinger tegen zijn oor. De trillingen van het glas in het hotelraam activeerden een onzichtbare laserstraal, die de stemmen van het stel naar een kleine recorder op het dashboard van de BMW seinde. Het bandje liep.

De bestuurder stelde zijn oortje bij. Een paar seconden geleden hadden Cavanaugh en Jordan nog gediscussieerd in het Engels. Nu klonk er een tv-reclame in het Frans.

De verleiding was groot om te blijven luisteren, maar het geluid van de dichtvallende kamerdeur was zijn teken om in actie te komen. De bestuurder drukte op een knop om de laser uit te schakelen. Toen draaide hij het autoraampje dicht en legde de recorder in het dashboardkastje, naast een compact 9mm-pistool. Hij keek naar de hotelingang, wachtend tot het tweetal naar buiten zou komen, en draaide het contactsleuteltje om.

39

Een eiland in de Egeïsche Zee

Meyer Elazar keek naar het gelaat van Jezus. Het was lang, bleek en Noord-Europees, met een dunne neus, enigszins holle wangen en de verplichte gezichtsbeharing. Onnatuurlijk genoeg was het gespeend van alle karakter en persoonlijkheid, alsof die te diep verborgen lagen. En toch, in een vreemde paradox, maakte die ondoorgrondelijkheid het gezicht juist karakteristiek. Het lichaam dat aan het kruis hing was tenger en glad, eerder een symbool van menselijke zwakte dan van spierkracht of mannelijkheid. De visie van een gelovige. Haal het kruis en de doornenkroon weg, en de man zou nog steeds herkenbaar zijn.

Maar dit was slechts een eerbetoon aan een kunstzinnige conventie.

Hoe zou hij er werkelijk hebben uitgezien, die Jood uit Galilea, vroeg Elazar zich af.

Meer als een Arabier dan als een Ariër, vermoedde hij, op basis van zijn geboortestreek.

Terwijl hij naar het icoon keek, bedacht Elazar opeens dat de kerk opzettelijk een van Gods fundamentele geboden met voeten had getreden: *Gij zult geen afgodsbeelden vereren.*

Elazar had zijn toevlucht gezocht in de koelte en het halfdonker van de kapel om te mediteren en zich te bezinnen op de raadsels van de Zilveren Rol. Hij had koortsachtig doorgewerkt om de geheimen te ontsluieren, ten koste van zijn nachtrust en regelmatige maaltijden.

Vierentwintig aanwijzingen voor vierentwintig vindplaatsen. Vierentwintig verborgen schatten, waarvan er een iets bevatte wat zo diep ingreep dat het een van de grote wereldgodsdiensten op zijn grondvesten zou doen schudden.

Dat was de legende van Mordecai Mandel, doorgegeven van generatie op generatie en opnieuw verteld door Catherine Cavanaugh, zo mooi, zo briljant, zo onschuldig idealistisch.

Ach, Catherine, mooie Catherine, die zo veel op mijn Mishka lijkt. Zoek je nog altijd een reden om te geloven? Dat is een wanhopige zoektocht, neem dat van mij aan. Heb je je christelijke Bijbel dan niet gelezen? Gezegend zijn zij die geloven zonder bewijs.

En vervloekt zijn degenen die ernaar zoeken, als het leven mij iets heeft geleerd.

Hou je twijfel, lieve Catherine. Koester je onzekerheid. Geef je zoektocht op en leef je eigen leven. Want de kuilen die we zelf graven, kunnen ons in de duisternis laten storten.

40

Parijs

Ze zaten op een terrasje en deden een vergeefse poging om te genieten van het moment. Catherine at een croissantje en Jordan werkte een spinaziecrêpe naar binnen. De geur van koffie vermengde zich met de uitlaatgassen van het verkeer.

Ze had haar haar naar achteren gekamd en in een zijden sjaal gebonden, en ze droegen allebei een zonnebril. Jordan had een baard van twee dagen. Hij las de *International Herald Tribune*, maar de brand in Pamet Hall had de ochtendkranten niet meer gehaald.

De ochtend was koel en de zon scheen helder, te helder voor de emotionele kater die hen bekroop. Onbewust kneep Catherine even in de tas op haar schoot om zichzelf gerust te stellen.

'Zonder de Zilveren Rol om ons de weg te wijzen naar het ooggetuigenverslag van Kajafas zie ik niet wat we nog verder kunnen doen,' zei ze. 'We drijven maar wat, als een zeilboot op een windstille zee.'

'Dan wordt het tijd om te peddelen.'

'Ben je niet bang?' vroeg ze.

'Ja, natuurlijk,' zei hij. 'Maar vooral bang dat dit een mislukking wordt.'

'Je legt de lat zo hoog. Het lukt ons nooit.'

'We hebben geen keus.'

Ze roerde room door haar koffie, die maar langzaam mengde. 'Hoe leef je met die angst?'

Jordan sloot zijn ogen en dacht terug aan de steniging in Libanon, de rode stip in zijn achteruitkijkspiegeltje, het raam van zijn appartement dat aan scherven spatte. De moord op Nigel Waverly en het nog gruwelijker einde van Lord Crendal.

Hij dacht aan Miriam Wiesman, die wel tien jaar had gewacht op haar reisje naar Eilat, dat er nooit was gekomen. 'Ik zou graag Parijs verkennen,' zei hij.

'Laten we teruggaan naar het hotel,' zei Catherine.

Lopend verlieten ze het café.

Catherine voelde een schok, alsof er iemand tegen haar aan stootte, en toen een ruk. Het gewicht van haar handtas viel weg. Nog net op tijd draaide ze zich om en zag een man in spijkerbroek en een grijs sweatshirt ervandoor gaan.

'Mijn tas!'

Jordan had maar een fractie van een seconde nodig om te reageren. Voordat ze kon protesteren rende hij al achter de tasjesdief aan.

'Ben! Nee!'

Hij dook tussen een bejaard echtpaar door, om een kinderwagen heen, dwars door een toeristenfamilie, ontweek een aanstormende fietser, die een slinger maakte en zich herstelde. De dief sprintte door het verkeer, begeleid door een kakofonie van claxons en piepende remmen.

Jordan gaf niet op en wist maar ternauwernood voor een Peugeot en een witte bestelwagen weg te springen. De dief keek snel over zijn schouder en sloeg rechts af, een zijstraat in. Toen Jordan de hoek om kwam, zag hij de man nog net naar links verdwijnen aan het einde van het straatje. Zijn achterstand werd groter. Zijn longen brandden, maar hij deed er nog een schepje bovenop, zonder op de rugzak te letten die hem in zijn bewegingen belemmerde.

Wat zat er in Catherines tas? Haar handgeschreven vertaling van de brief? In elk geval haar paspoort.

Hij sloeg nu ook links af en rende verder. Mensen staarden hem verbaasd na. De dief was nergens meer te zien, maar te oordelen naar de blikken van de voorbijgangers in zijn kielzog moest de man rechts af zijn geslagen bij de drogist op de hoek. Jordan volgde.

Hij kwam in een lange, smalle steeg die eindigde bij een T-splitsing tussen huizen met mansardedaken, tegenover een parkje met een ijzeren hek. Nog steeds zag hij geen spoor van de dief, en ook was er geen publiek meer waaruit hij iets kon afleiden. Was de man verdwenen in een van de appartementengebouwen die met hun achterkant op de steeg uitkwamen? Was hij doorgelopen? Hield hij zich verborgen?

Jordan bleef hijgend staan, boog zich voorover en legde zijn handen op zijn branderige bovenbenen.

Wat had ze in die tas? Voor zover hij zich kon herinneren haar blauwe paspoort en de aantekeningen die ze op de hotelkamer had gemaakt.

En voor zover hij zich kon herinneren zaten de relikwieën zelf nog in zijn eigen tas.

Op zijn rug.

In een verlaten steegje.

De gebouwen leken op hem toe te komen. De schaduwen achter de hekken en vuilnisemmers kregen een dreigende betekenis. Hij hoorde een geluid achter zich, een deur die open en dicht ging. Een oude vrouw liet haar kat naar buiten.

Zonder haar paspoort kon Catherine nergens heen.

Jordan liep wat verder het steegje in en keek voorzichtig om de hoek, eerst naar links, toen naar rechts. En deed een halve stap terug.

Rechts, twee auto's verderop, stond een zwarte BMW die de ventweg blokkeerde. De man met de spijkerbroek en het grijze sweatshirt stond naar het raampje gebogen en praatte met de bestuurder. Catherines handtas bungelde aan zijn linkerhand.

Jordan probeerde in de auto te kijken, maar dat lukte niet door de weerspiegeling van de bladeren in de voorruit.

De man in het grijze sweatshirt gaf de bestuurder de handtas en stak nog even zijn hand op, bij wijze van *au revoir*. Toen draaide hij zich om naar Jordan en scheen hem een moment recht aan te kijken.

Hij was nog maar een puber.

Er gleed een verbaasde uitdrukking over het gezicht van de jongen, en bloed spoot uit zijn borst.

Voordat Jordan besefte wat er gebeurde zag hij het dode lichaam van de dief al op de grond zakken.

Een pistool met geluiddemper kwam uit het raampje en de bestuurder schoot de jongen nog een kogel door zijn hoofd.

Jordan deinsde achteruit, botste tegen een aluminium vuilnisemmer op en draaide zich op zijn hakken om toen het deksel tegen de straat kletterde.

De BMW kwam in beweging.

Jordan zette een sprint in vanuit stilstand. Hij rende het steegje door, tussen de huizen met de mansardedaken, sloeg af naar de dwarsstraat en liep een tafel omver waaraan twee oude mannen zaten te dammen. Hij dook het verkeer in, terug naar de stoep en knalde tegen een ober met een dienblad op.

Hij stormde langs etalages, negeerde alle verkeerslichten, sloeg willekeurige hoeken om en bleef rennen, zonder om te kijken, tot hij de uitputting voorbij was.

Toen hij eindelijk bleef staan, in de portiek van een poelier met gevilde konijnen achter de ruit, droop het zweet in stroompjes van hem af. Hij wachtte nog een minuut, terwijl hij naar adem hapte. Zijn longen brandden. Maar hij zag geen achtervolgers.

Waar was Catherine?

Waar was hij zelf?

Wat was er in godsnaam gebeurd?

De klanten van de zaak namen hem nieuwsgierig op. Een vrouw van middelbare leeftijd met een boodschappentas trok met haar vrije hand een klein meisje bij Jordan vandaan toen ze fronsend langs hem liep.

Hij moest Catherine vinden om haar te waarschuwen. Hij zocht naar zijn telefoon, maar herinnerde zich dat Catherine die had meegenomen.

Het toestel zat nog in de gestolen handtas, met het hare.

Hij las de straatnaambordjes en raadpleegde de plattegrond in zijn gidsje. Het was nog een heel eind lopen naar de boulevard waar hij haar had achtergelaten. Rillend bleef hij op de stoep staan in de herfstbries, koud van het zweet.

Ten slotte liep hij terug naar het café, in stevig tempo, maar zonder te rennen.

Zo moest het Waverly ook zijn vergaan. Een transactie in een steegje. Een kogel voor zijn moeite.

Het kostte Jordan bijna een kwartier om terug te komen op de plek waar Catherines tasje was gestolen. Ze was er niet meer. Hij liep naar het café waar ze hadden gezeten en keek de tafeltjes langs.

Waar kon ze naartoe zijn?

Het hotel lag voor de hand, maar dat was ook de gevaarlijkste plek nu ze werden achtervolgd. Hij liep naar een telefooncel en belde het hotel. Het toestel op hun kamer werd niet opgenomen en er lag geen bericht voor hem bij de receptie. Hij wist niet of hij wanhopig of opgelucht moest zijn.

Hij had gezegd dat hij de Notre Dame wilde zien, en het Louvre, en de Eiffeltoren. Dat leken logische plaatsen om elkaar te treffen. Tenzij...

Tenzij Catherine nog op weg was naar het hotel.

In dat geval moest hij haar onderscheppen. Maar hoe kon hij dat doen zonder in dezelfde val te lopen? Hij analyseerde het probleem alsof ze elkaar gewoon waren kwijtgeraakt en weer moesten vinden. Aan iedere andere verklaring weigerde hij te denken.

41

Een eiland in de Egeïsche Zee

In het schemerdonker gingen Meyer Elazars gedachten naar een verlaten put op de binnenplaats van een huis dat vroeger had toebehoord aan de weduwe Rebekkah. Waar kon dat zijn? Het was een herkenningspunt in de Zilveren Rol, een aanwijzing voor de zevende vindplaats, maar het zei hem niets.

De schaduwen werden steeds langer in de koele nissen van de kapel. Hij bestudeerde het kruis boven het altaar met de spijkers door Jezus' handen, die hem vastnagelden aan het hout. Het was een weergave die klopte met het evangelie van Johannes, dat als enige evangelie het verhaal van Thomas vertelde. Totdat Thomas zijn vinger in de wonden had gestoken waar de spijkers doorheen waren geslagen had de weifelende discipel niet willen geloven dat Jezus echt was opgestaan.

Het icoon kwam wel overeen met het verhaal van Johannes, maar het was historisch onjuist, dacht Elazar. Als de Romeinen iemand kruisigden, sloegen ze spijkers door zijn polsen. Het vlees, de botten en de pezen van de handen waren te zwak. Het lichaam zou zich losscheuren door zijn eigen gewicht.

'Hebben we u al kunnen bekeren, rabbi Elazar?'

Het was de stem van pater Gregorius, het hoofd van de Orde van Constantijn.

Elazar glimlachte bleek. 'Ik hoop dat u meer succes hebt in de Sinaï.'

De monnik kwam naast hem zitten en vouwde zijn handen in zijn schoot. Hij was een rustige, ernstige man, met een gezicht dat een kruising leek tussen dat van Lincoln en Rasputin: droevig, nobel en intrigerend. Zijn ogen lagen in holle, donkere kassen en diepe lijnen liepen als de rondingen van een cello vanaf zijn neusvleugels naar zijn ruige baard. Om zijn hals, tegen de eenvoudige zwarte pij van een Grieks-orthodoxe priester, hing een klein wit crucifix.

'Onze teams graven nu naar de tweede en de twaalfde vindplaats,' meldde de monnik.

'Ik was er graag bij geweest,' zei Elazar spijtig, op bittere toon.

De monnik fronste. 'Veel te gevaarlijk, rabbi. Dat risico kunnen we niet nemen.'

'U neemt zelf een veel groter risico,' zei Elazar met schorre stem en een rollende r.

'We kunnen moeilijk anders, rabbi.'

De relatie tussen de rabbi en de monnik bleef formeel en geforceerd. De omstandigheden die hen hadden samengebracht waren uitzonderlijk en zorgwekkend. Gregorius sprak Elazar respectvol aan met 'rabbi' en Elazar zei 'vader' tegen de Griek, hoewel dat Elazar altijd godslasterlijk in de oren klonk, naar de maatstaven van het Nieuwe Testament.

Matteüs 23, als hij het zich goed herinnerde: '"Gij zult geen enkele man op aarde uw vader noemen, want ge hebt slechts één Vader, hij die in de hemelen is," sprak Jezus.'

'U moet het laten rusten, vader Gregorius.'

'Nee, dat kunnen we niet. Evenmin als u. Anders dan de Kerk van Rome of de regering van Israël, die hun wereldse macht met alle middelen beschermen, zoeken wij de waarheid, waarheen die ook mag leiden.'

'Hm,' bromde Elazar sceptisch. 'Toen Croesus, de koning van Lydië, probeerde te beslissen of hij zijn vijand moest aanvallen, raadpleegde hij het orakel van Delphi. Als hij zou aanvallen, antwoordde het orakel, zou hij een groot rijk vernietigen. Croesus viel aan, en de voorspelling kwam uit. Het rijk dat hij vernietigde was zijn eigen land.'

De monnik wendde zijn blik af. 'Rabbi, maakt u zich niet zo druk. Dit is een marathon, geen sprint.'

'Jawel. Een sprint met de lengte van een marathon.'

'Ik kan u beter alleen laten.' En met een knikje trok Gregorius zich terug.

Toen de monnik was verdwenen, stapte Elazar de avondschemer in en liep naar de rotsen om de maan te zien opkomen boven het water. De witte schuimkoppen glinsterden in de zilveren weerschijn.

Hij was er nog niet aan gewend om dood te zijn. Het was al met al een verontrustende ervaring.

De Grieks-orthodoxe priesters van de Orde van Constantijn waren gulle gastheren en hij zou hen nooit kunnen vergoeden wat ze voor hem hadden gedaan. Maar hij verlangde naar Israël en vroeg zich af of hij er ooit nog terug zou keren.

De Orde had hem zo abrupt gered dat het wel een ontvoering leek. Die eerste angstige seconden had hij gedacht dat hij werd gegijzeld door militante Palestijnen, als wisselgeld voor eisen waarop de Israëlische regering toch nooit zou ingaan: de vrijlating van gevangenen of de overdracht van land. Hij was bereid geweest te sterven voor zijn volk. Met die mogelijkheid had hij zich al heel lang verzoend. Eigenlijk had hij dit moment wel verwacht. Alleen vreesde hij dat zijn dood niet snel of pijnloos zou zijn.

Die eerste benauwde seconden had hij spijtig bedacht dat sommige Israëli's niet ongelukkig zouden zijn met zijn dood. Hij was bang dat de zaken waarvoor hij vocht zouden lijden onder zijn verdwijning en dat Israël zo onverstandig zou zijn om losgeld te betalen, of dat jonge Israëlische soldaten zouden sneuvelen bij een poging hem te bevrijden. Wat ze ook vonden van zijn politiek, ze zouden hun plicht doen.

Maar al die angsten bleken ongegrond.

De werkelijkheid was nog veel erger.

Het begon op zondag, een paar minuten over zes in de ochtend. Hij was op weg voor een afspraak met de minister van Cultuur over de Zilveren Rol toen een paar mannen – gewone Israëli's, zo te zien – hem van de straat sleurden en voorover in een wit busje smeten. Ze gedroegen zich als terroristen, of als lijfwachten die een staatshoofd in een kogelwerende limousine trokken op het moment dat er schoten klonken. Het ging zo snel en met zo veel kracht – en Elazar verzette zich zo vastberaden – dat hij nog altijd blauwe plekken had. In elk geval was de actie zo strak en efficiënt georganiseerd dat er geen getuigen waren.

Hij vroeg zich af of het iets met de Zilveren Rol te maken had, die een seconde geleden nog zijn gedachten had beheerst, maar die mogelijkheid verwierp hij meteen. Dat geheim was te goed bewaard.

Toen het busje wegreed, keek een van de mannen hem ernstig aan, met oprechte bezorgdheid op zijn gezicht. 'Rabbi, u bent in groot gevaar,' zei de man.

Elazar herinnerde zich dat hij nerveus gelachen had. Het leek een belachelijke opmerking, een open deur.

De man zag dat Elazar hem verkeerd begreep en probeerde zijn woorden te verduidelijken. 'Wij willen u juist redden,' zei hij.

Elazar nam zijn ontvoerders wat scherper op. Hij kon nergens een wapen ontdekken.

'Rabbi, er zijn mensen die u dood willen hebben,' vervolgde de man.

Elazar dacht aan zijn politieke vijanden, zowel Arabieren als Israëli's, die al sinds 1985 of nog eerder op zijn dood wachtten.

'Meent u dat nou?' vroeg hij.

De man keek hem onverstoorbaar aan. 'Uw eigen regering heeft plannen u te liquideren.'

Het busje nam een bocht en reed met een zware klap door een diepe kuil.

Elazar begreep er niets van. Hij wist niet wat hij moest geloven, maar hij was niet van plan deze kidnappers zomaar als zijn redders te beschouwen. Aan de andere kant was er niemand die hem vasthield.

'Kom met ons mee,' zei de man, 'dan zullen we het u laten zien.'

'Laat me eruit.'

'Geef ons drie dagen, en beslis dan zelf. Drie dagen, in ruil voor de rest van uw leven.'

'Zet dat busje stil!' zei Elazar dringend.

De man sprak tegen de bestuurder en het busje stopte. 'U moet het zelf weten,' zei hij tegen Elazar, terwijl hij het portier op een kier opende.

Elazar keek zijn ontvoerders weer onderzoekend aan. 'Waarom zou mijn eigen regering me willen vermoorden?' vroeg hij.

'Omdat u iets weet wat een groter gevaar vormt dan geweren of bommen.'

Binnen twee uur zat Elazar benedendeks op een boot die met onbekende bestemming uit een haven in het noorden van Israël vertrok. Ze hadden hem beleefd gevraagd een blinddoek voor te doen en hij had ingestemd; waarom, dat wist hij zelf niet goed.

'Wie bent u?' vroeg hij aan de woordvoerder.

'U kunt me Alex noemen,' antwoordde de man.

'Dat is geen antwoord op mijn vraag.'

'Meer kan ik niet zeggen, vanwege onze eigen veiligheid. Voor het geval u toch een andere keus zou maken.'

Het was inmiddels elf over acht in de ochtend. De commissie zou om elf uur – dus over drie uur – bijeenkomen op het instituut, onder leiding van Elazar. Het was Elazars vergadering. Hij had al twee dagen eerder willen vergaderen, op vrijdagmiddag, maar was toen opgehouden door een gesprek met de minister. Daarna was het al bijna zonsondergang, het begin van de sabbat. De minister had hem uitgenodigd om het gesprek op zondag voort te zetten bij het ontbijt, voordat de commissie bijeenkwam.

Altieri en Ramsi hadden hem gedwongen. Zij waren zijn naaste bondgenoten binnen de commissie, zijn verstandigste adviseurs, de enige twee die hij het geheim van de Zilveren Rol had toevertrouwd. Natuurlijk waren er nog een of twee commissieleden die van het bestaan van de tekst op de hoogte waren. Maar alleen zij drieën kenden de inhoud en wisten dat het de sleutel was tot onvoorstelbare rijkdommen, kostbare relikwieën en waarschijnlijk de schatten van de tempel zelf.

Enkel Elazar was op de hoogte van het allergrootste geheim: dat zich onder die schatten een potentiële religieuze tijdbom moest bevinden. Catherine had hem dat al verteld voordat het nog echt iets betekende, voordat iemand nog reden had om te denken dat de schatten van de tempel ooit zouden worden teruggevonden. Maar die kennis had de rabbi niet met zijn vertrouwelingen gedeeld.

De schat was op zichzelf al een groot probleem. Ze hadden er weken over gediscussieerd, totdat de spanning bijna een breekpunt bereikte.

Op donderdag hadden ze tot diep in de nacht op Elazars kantoor gezeten en in een nijdige stemming alle mogelijkheden besproken. Elazar vond dat ze het geheim moesten houden om de zaak eerst discreet te onderzoeken en te zien wat dat opleverde, voordat ze het wereldkundig maakten. En hij vond ook dat het ware doel van het onderzoek zelfs voor de archeologen in het veld verborgen moest blijven. Hij was bang dat de situatie uit de hand zou lopen als het verhaal bekend werd.

Altieri en Ramsi waren het daar niet mee eens. Zij dachten dat het geheim toch wel zou uitlekken. En dan zouden ze van manipulatie worden beschuldigd om hun eigen carrière vooruit te helpen. Mensen zouden zeggen dat ze geen haar beter waren dan de wetenschappers die de Dode Zeerollen voor zichzelf hadden gehouden. Het licht van de openbaarheid was de enige manier om hun geloofwaardigheid te behouden, vonden ze.

‘Als je dit bekendmaakt, wordt het Heilige Land net zo’n pokdalig landschap als de maan,’ wierp Elazar tegen. ‘Dan pakt Jan en alleman een schop om te graven. En iedereen zal ons voor de voeten lopen.’

‘Het is geen prettig vooruitzicht, dat geef ik toe,’ zei Ramsi. ‘Maar het alternatief is nog erger.’

'Nog erger? Hoe dan?' zei Elazar. 'We zouden er geen greep meer op hebben.'

Altieri keek Elazar scherp aan. 'Is er iets wat je voor ons verborgen houdt, Meyer?' vroeg hij.

Elazar had al spijt dat hij zijn vrienden erbij had betrokken. 'Als we dit openbaar maken, zullen we er allemaal spijt van krijgen,' zei hij.

'Misschien is het onze beslissing niet,' merkte Altieri peinzend op. 'Misschien moeten we het aan de anderen voorleggen.'

'De anderen? Wat weten die er nou van?'

Elazar had gesproken op minachtende toon en zag de schrik en afkeuring op Altieri's gezicht. Op hetzelfde moment besefte hij dat Altieri een mentale grens was overgestoken.

'Voor zover ik weet, Meyer, is dit een internationale commissie en niet jouw persoonlijke koninkrijkje, of het onze.'

'Wat bedoel je?'

'Ik bedoel dat je dit in stemming moet brengen bij de voltallige vergadering. En als jij het niet doet, doe ik het wel.'

Er kwam een grimmige trek op Elazars gezicht. Hij overwoog om hun te vertellen over het grotere geheim, in de hoop dat ze van gedachten zouden veranderen. Maar dat zou de zaak nog erger maken. Wat kon hij doen? Ze hadden hem in de tang. Hij zou de commissie tot zijn standpunt moeten overhalen, dat was de enige mogelijkheid. En daartoe moest hij eerst zijn morele gezag herstellen, dat hij net had verspeeld.

'Ik zal me neerleggen bij de uitspraak van de commissie,' zei hij ten slotte, bitter.

En dat was hij ook van plan geweest. Maar algauw veranderde zijn onenigheid met Altieri en Ramsi in wantrouwen. De een was een rooms-katholiek, de ander een Palestijn. Hij zette vraagtekens bij hun motieven en vroeg zich af of zij misschien iets voor hém verborgen hielden. Wat wisten ze precies?

Elazar besloot de minister van Cultuur – een conservatief kabinetslid, dat de dingen meestal net zo zag als hij – te raadplegen. Ze waren al vrienden en bondgenoten sinds de tijd dat Elazar nog een apolitiek academicus was, en bovendien echtgenoot en vader. Hun kinderen hadden nog samen gespeeld. De minister maakte ruimte in zijn agenda om Elazar te ontvangen op zijn kantoor in de Knesset.

Dat was op vrijdagmiddag, en de minister bond hem op het hart de zaak geheim te houden. Alles.

'Je kunt geen mens vertrouwen,' zei hij.
Toen Elazar tegenstribbelde, herhaalde de minister zijn mening nog eens met klem. 'Dit is veel te belangrijk, Meyer.'
'Ik heb al toegezegd dat ik de volledige commissie zal raadplegen,' zei Elazar.
'Meyer, om hemelswil, schrap die vergadering,' drong de minister aan.
Elazar keek uit het raam. Het was bijna sabbat. Hij excuseerde zich en beloofde op zondagmorgen terug te komen, nog voor de vergadering van de commissie.

Hij had zijn belofte gebroken.
Toen de andere commissieleden op zondagochtend bijeenkwamen, bevond Elazar zich op een schip met vreemdelingen, deinend op de golven. Anderen zouden misschien zeeziek zijn geworden, maar Elazar had zich altijd thuis gevoeld op zee.
'Om elf uur word ik op het instituut verwacht,' zei hij tegen de man die zich Alex noemde. 'Ik moet ze bellen om te zeggen dat ik er niet zal zijn.'
'Het spijt me, rabbi, maar dan zou u alles in gevaar brengen,' zei Alex. 'Het is een lange reis, dus u kunt beter wat rusten. Doe uw blinddoek af, maar kom alstublieft niet uw hut uit.'
Alex verliet de kleine hut en liet Elazar alleen. Elazar deed de blinddoek af. De hut had geen patrijspoorten en de inrichting was spartaans. Hij probeerde de deur, die niet op slot zat. Ten slotte ging hij op de harde brits liggen en deed wat de man had gezegd.
Een tijdje later werd hij gewekt door een luide klop op de deur. 'Rabbi, rabbi! Wilt u aan dek komen?'
Toen Elazar boven kwam, stond de zon al bijna op zijn hoogste punt en was er nog nergens land in zicht.
Alex gaf hem een telefoon.
'We hebben zojuist bericht gekregen, rabbi, over een complot om het instituut op te blazen. We hebben geen tijd, geen keus. U moet ze waarschuwen.'
Elazar belde.
Nu hij hier stond, in de duisternis van de Egeïsche avond, turend naar de golven in het maanlicht, herinnerde Elazar zich somber zijn telefoontje naar het instituut, vlak voor de explosie. Hij had geprobeerd zijn collega's te waarschuwen, maar het was een zwak signaal, dat hele eind over zee.

'Ga weg daar!' had hij door de telefoon geroepen. 'Er ligt een bom!'
Ze schenen het niet te verstaan.

Hij wist nog dat hij had gevraagd of iedereen was gekomen en of alles goed ging. 'Is iedereen er al? Alles in orde?'

Altieri en Ramsi waren er niet, had hij gehoord. Hij schaamde zich dat hij naar zijn regering was gestapt zonder hen, en dat hij hen had gewantrouwd, maar hun afwezigheid leek hem gelijk te geven.

De waarschuwing was te laat gekomen. De verbinding viel weg en hij kreeg geen contact meer. Een halfuur later kwam Alex met een radio naar zijn hut. Samen luisterden ze naar het nieuws over de explosie.

De wereld ging ervan uit dat ook Elazar was omgekomen. Gelukkig maar, zei de monnik. Des te kleiner de kans dat iemand zou proberen hem te vermoorden.

Tegen de tijd dat ze het eiland bereikten, was de blinddoek niet meer nodig. De ontvoerders hadden besloten dat ze Elazar konden vertrouwen. Voordat ze van boord gingen, trokken ze allemaal een monnikspij met kap aan. Ook Elazar werd als monnik vermomd. Een klein kruisje bungelde om zijn hals toen ze in het nachtelijke donker van de sikkelvormige baai naar het klooster van de Heilige Constantijn liepen, een rij van spookachtige silhouetten.

Elazar was moe en buiten adem toen ze hem naar een eetzaal brachten met een ruwhouten tafel en twee banken. De dikke muren waren witgepleisterd en kaal, afgezien van een primitief icoon van de Madonna met het kindeke, op een verweerd stuk hout geschilderd. Er zat geen glas in de ramen, die met luiken waren afgesloten.

Een magere monnik met een baard bracht hem een houten plank met peren, kaas en donker, zwaar brood. Hij stelde zich voor als pater Gregorius.

'Ik ben blij dat u veilig bent aangekomen,' zei hij. 'We hebben u nodig.'

'Wie bent u?'

'Wij zijn de Orde van Constantijn,' antwoordde pater Gregorius. Elazar keek hem vragend aan. 'Wij gaan terug tot de tijd van keizer Constantijn, in het begin van de vierde eeuw. Ik voel me gevleid dat u nog nooit van ons hebt gehoord.'

'Nee, inderdaad niet,' beaamde Elazar.

'Al die tijd zijn wij in de schaduw gebleven en hebben we in het geheim geopereerd. De Orde heeft maar één enkele missie: de waarheid ontdekken over Christus.'

Pater Gregorius zag de ondoorgrondelijke blik van de rabbi.

'Ik denk dat wij een gemeenschappelijk belang hebben,' vervolgde de monnik.

Elazar had het onbehaaglijke vermoeden dat pater Gregorius al zijn geheimen kende, en nog veel meer.

'Gaat u verder,' zei de rabbi. Hij hoopte op een rechtstreeks antwoord, maar pater Gregorius hield eerst een hele verhandeling over het ontstaan van de Orde, lang geleden.

'Om ons werk te kunnen begrijpen moet u teruggaan tot het christendom van de vierde eeuw, de tijd van keizer Constantijn, toen de feitelijke herinnering steeds meer werd verweven met een mythe.'

Zoals Elazar wist, had Constantijn het Heilige Romeinse Rijk verenigd en de stad Constantinopel gesticht, in het oosten. Ook had hij zijn vrouw en zijn zoon vermoord. Maar zijn grootste erfenis was toch dat hij een kleine religieuze sekte – de christenen – had omarmd en het christendom tot het officiële geloof van het rijk had gemaakt. Het was Constantijn die een van de centrale leerstellingen van de kerk, de aard van Christus' goddelijkheid, had gedefinieerd.

'U kent de geschiedenis, neem ik aan,' zei pater Gregorius. 'Toen Constantijn aan de macht kwam, was de christelijke theologie verbrokkeld, zonder structuur. Invloedrijke bisschoppen met tegenstrijdige ideeën maakten ruzie over de leerstellingen. Ze worstelden met een probleem waarop de schrijvers van de evangeliën geen antwoord hadden gegeven: was Jezus op aarde mens of god geweest? En was hij als god te onderscheiden van God zijn Vader, zoals ook Zeus verschilde van zijn heidense nakomelingen, zoals Apollo en Afrodite? Of waren Jezus en de Vader één en dezelfde, ondeelbare God?

'Vanwege de politieke samenhang eiste Constantijn een duidelijke uitspraak. In het jaar 325 riep hij honderden kerkleiders bijeen in Nicea en dwong hen een antwoord te formuleren. De uitkomst, drie eeuwen na de tijd van Jezus, was de Geloofsbelijdenis van Nicea.'

Zelfs de rabbi kon die uit zijn hoofd opdreunen.

'"Ik geloof in één God, de Almachtige Vader, schepper van hemel en aarde en van al wat zichtbaar en onzichtbaar is. En in één Heer, Jezus Christus, de enige Zoon van God, vóór alle tijden geboren uit zijn Vader; God uit God, Licht uit Licht, ware God uit ware God; geboren, niet geschapen, één in wezen met de Vader door wie alles geschapen is; die voor ons mensen en omwille van ons heil uit de hemel is neergedaald en het vlees heeft aangenomen door de Heilige Geest uit de Maagd Maria, en mens is geworden; die voor ons ook werd gekruisigd onder Pontius Pilatus. Hij heeft geleden en is begraven, en is volgens de Schrift herrezen op de derde dag. Hij is ten hemel opgestegen en zit aan de rechterhand van de Vader. En hij zal wederkomen in heerlijkheid om de levenden en de doden te oordelen...”

‘Nog altijd wordt deze tekst door de christenen trouw herhaald, in al zijn variaties en vertalingen, waardoor het lijkt of die woorden ons zijn ingefluisterd, zo niet door God zelf, dan toch door de heilige Paulus, Matteüs, Marcus, Lucas of Johannes,’ zei pater Gregorius.

‘Maar Constantijns invloed was nog groter. Drie eeuwen na de dood van Jezus was hij het ook die het kruis tot symbool van het christendom maakte. Hij beweerde dat hij aan de vooravond van zijn beslissende veldslag ’s middags een kruis van licht aan de hemel had gezien met de boodschap “*In Hoc Signo Vinces*”, Overwin onder dit teken.

‘Jaren later reisde zijn moeder Helena als zijn afgezant door het Heilige Land. Volgens de legende zou ze een aantal Bijbelse plaatsen en relikwieën hebben ontdekt, waaronder het Ware Kruis, het graf van Jezus en de stoffelijke resten van de Drie Wijzen uit het oosten. Later bouwde Constantijn de eerste Heilige Grafkerk op een rots die dezelfde zou zijn als Golgotha, de heuvel waar Jezus was gekruisigd.

‘Die legenden gingen een eigen leven leiden en gaven de mensen een nieuwe band met Christus. Nog altijd oefenen ze een grote aantrekkingskracht uit op pelgrims en toeristen en vormen ze een baken in de chaos van het Midden-Oosten.

‘Maar sommige theologen uit de vierde eeuw hadden toch persoonlijke bezwaren. Ze vonden dat die nadruk op de heilige plaatsen in Jeruzalem de aandacht afleidde van Gods universele aanwezigheid. En ze waren bang dat de mensen Gods water zouden vertroebelen. Daarom stichtte een van hen heimelijk deze orde, om feiten en verzinsels van elkaar te scheiden.

‘In zijn geest, en in de geest van Jezus Christus, wijden wij ons aan de zoektocht naar de christelijke waarheid in al haar zuiverheid.’

Gregorius zweeg en wachtte op Elazars reactie.

‘En als die waarheid nu niet christelijk zou zijn?’ vroeg Elazar.

‘Wij zijn gehouden de waarheid te volgen, waarheen die ons ook leidt, en haar aan de wereld bekend te maken. Hopelijk wilt u ons daarbij helpen.’

'Waarom hebt u mijn hulp nodig?'

'Wie zou beter in staat zijn de schatten van de Zilveren Rol te lokaliseren?'

Elazar voelde het bloed uit zijn gezicht wijken. 'Ik toch niet?' zei hij. Zijn zware stem was niet meer dan een gemompel.

'U bent te bescheiden, rabbi Elazar. Maar er is meer. Zoals de keuze van de boodschapper.'

Elazar begreep niet wat hij bedoelde.

'Als de waarheid joods zou zijn en het joodse standpunt bevestigt, dan zijn onze christelijke vrienden heel goed in staat om die boodschap te verkondigen,' zei pater Gregorius. 'Maar als de waarheid christelijk is, wie zou haar dan met meer gezag kunnen uitdragen dan een vooraanstaande, orthodoxe, zionistische jood?'

42

Parijs

In een internetcafé in de Rue des Halles zocht Jordan een plaatsje in de hoek, met zijn rug naar de muur, zodat niemand zijn scherm kon zien of hem ongemerkt kon naderen. Hij trok het toetsenbord naar zich toe en logde in op zijn mailbox.

Hij doorzocht de berichten die ertoe deden, in de hoop op een mailtje van Catherine. Algauw zag hij een onbekend adres en klikte het aan:

> Benjamin, mijn geduld is op. Je hebt mijn vertrouwen beschaamd. Misschien zal een andere journalist wel slagen waar jij hebt gefaald.

Farouk.

'Ik kom in de buurt,' typte Jordan als antwoord. 'Als iemand anders nu vragen gaat stellen, breng je misschien het verhaal in gevaar.'

Hij scrolde langs pagina's met spam, terwijl zijn boosheid met de seconde toenam. Hij keek op zijn horloge.

De computer liep vast en Jordan kreeg hem niet meer aan de praat. Met een zucht schakelde hij het apparaat uit en startte het opnieuw. Het kostte minuten voordat alles weer was opgestart. Toen opende hij zijn mailbox weer. Tussen de oproepen van afzenders als FoxyKittensXXX en C1alis V1agra Bulk Orders ontdekte hij een bericht van AnnRxxx123. Was het te vergezocht om te veronderstellen dat het een verwijzing naar Ann Arbor was? Hij opende het bericht.

> Doe mee aan onze prijsvraag en win een gratis vakantie naar Parijs. Tweiffel niet. Reageer meteen en verdien een etentje in een restaurant naar keuze.

Er zat ook een hotlink bij. Jordan klikte op de link, maar er gebeurde niets.

Het leek een van die talloze pogingen van een halfgeletterde oplichter, maar toen Jordan nog eens keek vond hij de verwijzing naar Parijs wel heel opvallend.

Tweiffel niet.

Spellen was ook een kunst. Of ging het daar juist om? Als het een of andere code van Catherine was, wat wilde ze hem dan vertellen?

Tweiffel niet?

Jordan had het irritante gevoel dat het antwoord voor de hand lag. Opeens zag hij het, en meteen maakte hij zich zorgen dat het té doorzichtig was. Hij wilde al opspringen en wegrennen, maar hij had nog niet al het kaf van het koren gescheiden. Zijn blik viel op een ander bericht en zijn adem stokte. Het onderwerp vermeldde een cruise op de Rode Zee.

Inshallah, je zult vinden wat je nodig hebt. Laten we samen bidden.

Donderdag, net als de vorige keer.

Het leek een antwoord op een gebed, een bericht van Samir of misschien wel de koning zelf. Wat had hij nodig? Of beter gezegd: wat dacht Samir dat hij nodig had? Het antwoord op beide vragen was duidelijk genoeg: de tekst van de Zilveren Rol, die hem naar de schat kon brengen en zijn naam zou kunnen zuiveren. Maar daar durfde Jordan niet op te hopen.

Donderdag, net als de vorige keer.

Morgen, in een moskee in Jeruzalem.

Voordat hij vertrok keek Jordan nog even naar het nieuws op de website van de BBC. Hij typte 'Pamet Hall' en 'Crendal'. Zijn optimisme van een paar seconden geleden verdween als sneeuw voor de zon.

De politie is op zoek naar een Amerikaanse professor in Bijbelse archeologie, die de avond voor de verwoestende brand op Pamet Hall logeerde.

Volgens bronnen zou Catherine Cavanaugh dringend hebben verzocht om toegang tot de uitgebreide collectie kunst, antiek en historische documenten van het landgoed, waaronder het beroemde familiearchief.

Cavanaugh reisde vermoedelijk in het gezelschap van een zekere Michael Barnes, die al wordt gezocht voor ondervraging in verband met de gewelddadige dood van een curator van het British Museum. De eigenaresse van een bed & breakfast waar het stel op weg naar Pamet Hall logeerde, verklaarde dat ze een royale fooi hadden achtergelaten, maar niet hun namen hadden opgegeven.

De politie vermoedt dat Barnes een schuilnaam is en werkt nu aan een compositietekening van de man, gebaseerd op signalementen en beelden van een beveiligingscamera van het museum, hoewel die van slechte kwaliteit zijn.

Een doorbraak in het onderzoek was de melding van een professor uit Oxford die getuigde dat hij twee dagen voor de afschuwelijke moorden bezoek had gekregen van Cavanaugh.

Cavanaugh werkte aan de universiteit van Michigan, maar een woordvoerder deelde mee dat ze daar niet langer in dienst was, zonder antwoord te geven op de vraag of ze was ontslagen of zelf ontslag had genomen. Volgens een bron aan de universiteit zou Cavanaugh kort geleden te horen hebben gekregen dat haar werk niet van voldoende kwaliteit was om haar aanstelling te continueren.

De politie bevestigde eveneens dat het lichaam van de graaf was verminkt voordat hij stierf, en...

Boven het artikel stond een persfoto van de universiteit van Michigan, waarop Catherine een glimlach onderdrukte en probeerde serieus te kijken.

Nu was zij opeens besmet, gezocht door de politie, achtervolgd door moordenaars, vermist in Parijs. Hij moest haar vinden, en snel. Het vliegtuig wachtte.

De vraag was alleen: welk vliegtuig? En hoe kwamen ze langs de beveiliging?

Online reserveerde hij een aantal tickets, voor vier vluchten met vier verschillende maatschappijen naar vier verschillende bestemmingen, die allemaal binnen één uur zouden vertrekken vanaf het verre vliegveld Nice, aan de kust van de Middellandse Zee. Hij gebruikte de namen Cavanaugh en Barnes.

Toen zocht hij de vluchten vanaf de luchthaven Orly bij Parijs. Hij vond er een die in aanmerking kwam, vijfenvijftig minuten eerder dan hun eerste zogenaamde vlucht vanaf Nice. Ze zouden pas op het allerlaatste moment hun tickets voor Orly kopen.

Als ze geluk hadden, zou deze list hun mysterieuze achtervolgers op een dwaalspoor brengen, maar de politie zou er niet intuinen. Integendeel. Een lastminuteboeking viel juist op, terwijl Interpol toch al klaarstond op Orly om Catherine te onderscheppen.

Nog een probleem dat om een oplossing vroeg.

Hij verliet het internetcafé en rende naar de metro.

Tussen een grote groep voetgangers, allemaal dezelfde kant op, kwam hij het station weer uit. Hij zou graag een van die mensen zijn geweest, een toerist op weg naar de bezienswaardigheden, met geen andere zorgen dan de lange rij en het onmogelijke aantal plekken dat in te weinig tijd moest worden bezocht.

Langzaam liep hij rond en hield de menigte in de gaten. De aanwijzing had duidelijker kunnen zijn. Catherine was nergens te bekennen. Misschien had hij zich toch vergist of het mailtje over de gratis vakantie verkeerd begrepen. Hij versnelde zijn pas en wrong zich door de mensenzee, zonder zich iets aan te trekken van de ontstemde commentaren.

Heel even week de menigte uiteen en opeens zag hij haar. Ze liep bij hem vandaan. Jordan gebruikte zijn ellebogen om zich een weg te banen. Hij had haar bijna bereikt en wilde al een hand op haar schouder leggen toen ze zich naar links draaide.

Verdomme.

Het was Catherine niet, hoewel de vrouw erg op haar leek. Uit haar ooghoek zag ze dat Jordan naar haar keek, en ze lachte tegen hem. Ze hield de riem van haar tasje stevig omklemd, en verraadde zich daardoor. De klep van het tasje hing los, en Jordan kreeg een idee. Hij wachtte tot ze zich weer omdraaide en stak toen zo behoedzaam mogelijk zijn hand in haar tas. Behendig haalde hij eruit wat hij nodig had en verdween weer in de mensenmassa.

Hij wierp een blik op het Canadese paspoort. Misschien zou het lukken; als de toeriste de diefstal niet te snel opmerkte en zou rapporteren.

Twee handen grepen hem van achteren beet en sloten zich over zijn ogen.

'Eén keer raden,' fluisterde Catherine in zijn oor.

Ze viel in zijn armen en hun lippen raakten elkaar onder de Eiffeltoren.

DEEL 4

43

Tel Marevah – Israël

De mannen naderden de ruige helling vanuit het westen, met de duisternis als dekking. Zwijgend slopen ze door een olijfbosje waarvan de bladeren spookachtig glinsterden in het sterrenschijnsel.

Het groepje van zeven bewoog zich gedisciplineerd en efficiënt. Ze droegen onopvallende vrijetijdskleding en hadden tassen met gereedschap bij zich. Ze volgden hun leider, pater Gregorius, die met zijn levendige ogen de duisternis verkende.

Vanaf de weg in de verte zou een passerende automobilist hun silhouetten misschien hebben gezien tegen het kale landschap. Maar er was niet veel verkeer en voor zover ze konden nagaan had niemand hen nog opgemerkt.

Toen ze bij de top van de heuvel kwamen, werd de weg versperd door een ijzeren hek. Zonder veel moeite sneed een van hen de ketting door die het hek gesloten hield. De grond knerpte onder hun voeten toen ze weer vijftig meter verder liepen.

Voor hen opende zich een smalle kloof. Gregorius gaf een teken om af te dalen, en een voor een leken ze in de aarde te verdwijnen. Beneden wachtten ze met hun zaklantaarns. Gregorius bleef achter. Hij liep zestig passen naar het noordoosten en vond daar nog een spleet in de grond, waar hij een stuk zeildoek overheen legde. Toen keerde hij terug.

In zijn eentje bleef hij onder de sterrenbeelden staan, in stilte biddend voor een goede afloop. Ze waren hier om de achttiende bergplaats op te graven en hij hoopte dat de rabbi hen naar de juiste plek had gestuurd. Heimelijk had Gregorius zijn twijfels over de conclusies van de rabbi. Maar hij had respect voor Elazars deskundigheid en zou het niet prettig vinden om diens ongelijk aan te tonen.

De aanwijzing in de Zilveren Rol was ongebruikelijk overdrachtelijk, bijna poëtisch: *'Bij Marevah, waar de gebeden van de armen vleugels krijgen.'*

Gregorius vond het een simpele metafoor, waarschijnlijk een verwijzing naar een gebedshuis in een arme wijk van de stad Marevah of, nog waarschijnlijker, ergens in de nederzettingen eromheen. Maar Gregorius gaf toe dat ze met die logica niet veel verder kwamen. Er waren geen zichtbare resten meer van de stad of de nederzettingen, die allang waren vervallen en van de aardbodem verdwenen. Het enige wat resteerde was een functioneel netwerk van ondergrondse kamers.

En daar had rabbi Elazar hen naartoe gestuurd. Als hij gelijk had, zouden ze terechtkomen in een wereld waar zelfs vleermuizen vroeger met enige aarzeling een toevlucht zochten.

Hij rolde nog een zeildoek uit over de opening in de grond en trok het achter zich dicht om geen licht te laten ontsnappen. Met enige bewondering daalde hij de treden af die de steenhouwers van vroeger in de rotsen hadden uitgehakt.

Toen hij op de vloer van de kamer stond, gaf hij een teken aan de anderen, die hun zaklantaarns aandeden. Ze stonden in een spelonkachtige ruimte die uit de massieve rots was gehouwen, bijna twee verdiepingen hoog. De wanden van de kamer waren recht en vormden rechte hoeken, als van een gebouw. Maar hun oppervlak was van onder tot boven doorboord met duizenden uniforme nissen, in de rots uitgehouwen als de vakjes van een antieke postkamer. De eerste kamer kwam uit in een tweede, die net zo was ingedeeld.

Tot aan zijn eerste verkenning, een paar dagen geleden als toerist, had Gregorius zich aangesloten bij de theorie dat het een graftombe was, met nissen voor grafurnen. Maar nu hij beter keek, besefte hij dat het wel héél kleine urnen moesten zijn geweest en vroeg hij zich af wat ze met de overtollige resten hadden gedaan.

Hij schrok van het geklapwiek en de roep van een vogel boven zijn hoofd. Een veertje dwarrelde naar de grond. Gregorius zag dat er hele rijen duiven in de nissen sliepen en begon iets te voelen voor de uitleg van de rabbi. Elazar beweerde dat het een broedplaats van duiven was, tortels, zoals de Bijbel de bonte vogels meestal omschreef.

Maar hoe je ze ook noemde, ze hadden een belangrijke rol gespeeld in het godsdienstig leven van Jeruzalem voordat de Romeinen in het jaar 70 de tempel hadden verwoest. De voornaamste functie van de tempel was het brengen van rituele dierenoffers. Uit heel Judea maakten gelovige joden een bedevaart naar de stad om brandoffers aan God te brengen. Wie het zich kon veroorloven nam koeien, schapen of geiten mee. Anderen offerden duiven.

Hoewel die traditie uit het joodse geloof was verdwenen, waren brandoffers wezenlijk voor Gods wetten zoals neergelegd in de Tora.

Hele paragrafen in de heilige tekst waren eraan gewijd. Als een vrouw moest bevallen of onregelmatige bloedingen had, die haar onrein maakten in Gods ogen, kon ze zich reinigen door tortels te offeren. Volgens het evangelie van Lucas waren ook Maria en Jozef naar Jeruzalem gereisd om tortels te offeren na de geboorte van Jezus.

Als iemand onbedoeld zondigde, zei de Tora, kon Gods vergiffenis worden gevraagd door een stier of een geit te offeren.

Zo zorgde de wet er overigens ook voor dat de priesters goed gevoed bleven, omdat zij deelden in de offers.

God was kieskeurig in zijn rituele offers. Het vee mocht in het algemeen geen smetten vertonen. Ook waren er regels voor de bereiding. Bij het offer van een duif, schreef God voor, moesten de priesters de kop van het dier trekken en op het altaar verbranden, het bloed laten weglopen, de vogel openscheuren bij de vleugels – maar niet helemaal – en de krop naar de oostkant van het altaar gooien.

Gregorius had die passages nog eens herlezen toen hij nadacht over Elazars theorie. Hij vond het merkwaardig dat de hedendaagse joden die offerriten negeerden. Zoals Gregorius het zag was de Tora het woord van God, of niet. In het eerste geval moest het ook volledig worden nageleefd. In het tweede geval verdiende het niet meer respect dan enig ander door de mens geschreven boek.

En Gregorius herinnerde zich nog iets anders. Toen Jezus als volwassene de tempel bezocht en klaagde dat het een dievenhol was geworden – waarna hij de tafels van de geldwisselaars omver wierp – was hij op dezelfde manier tekeergegaan tegen de duivenverkopers, die met hun aanwezigheid de diensten van de geldwisselaars noodzakelijk maakten. Mensen hadden nu eenmaal geld nodig om offers te kopen.

Eén ding leek hem duidelijk. Voor de val van de tempel moest er een grote vraag naar duiven zijn geweest in Jeruzalem. Was de spelonk van Marevah de legbatterij van die tijd geweest? Was dit de plek waar 'de gebeden van de armen vleugels kregen'?

Zo ja, dan kon de schat hen gemakkelijk ontgaan in dit uitgestrekte complex. Want veel tijd hadden ze niet. Als ze eenmaal gingen graven of in de steen begonnen te hakken, hadden ze niet langer dan één nacht om de schat te vinden. De volgende morgen, als de toeristen kwamen, moest iemand wel zien wat er was gebeurd.

Het was niet praktisch om de hele vloer van elke kamer op te graven en alle vogelpoep weg te halen. Metaaldetectors hadden ook weinig zin, omdat ze niet door de rotswand drongen.

Gregorius maakte een snelle berekening en concludeerde dat er ongeveer tweeduizend nissen moesten zijn. Hoelang hadden ze nodig om die allemaal te doorzoeken? Elk van die nissen zou een dubbele achterwand kunnen hebben.

'Er zijn geen vleermuizen,' fluisterde broeder Alex.

'Het gekoer van de duiven verstoort hun sonar en jaagt ze weg,' zei Gregorius.

Hij kwam steeds weer terug bij de tekst van de aanwijzing. Als het echt op het columbarium van Tel Marevah sloeg, moest dat voldoende zijn. Alle informatie voor het vinden van de schat moest in die paar woorden liggen besloten.

Waar vlogen de vogels weg?

Bij zijn verkenning had Gregorius gezien dat ze door een spleet in het dak van een van de aangrenzende kamers naar buiten vlogen, de opening waar hij het zeildoek overheen had gelegd. Daar wilde hij beginnen.

Het team was goed uitgerust. Ze zouden hun werk vastleggen op foto's en video. Hoewel het een haastige, illegale opgraving werd, wilden ze zich zo goed mogelijk aan de wetenschappelijke procedures houden. Anders zou alles wat ze ontdekten altijd verdacht blijven.

Gregorius nam hen mee naar de volgende kamer, onder de spleet in de zoldering. Ze installeerden hun lampen. Gregorius kreeg een akelig voorgevoel.

De vloer van de kamer was verstoord, recht onder de spleet in het dak. Dat moest kort geleden zijn gebeurd, na zijn eigen verkenning. De daders hadden hun sporen goed uitgewist. Wie er niet naar zocht, zou het misschien zijn ontgaan, maar er was hier een gat gegraven en weer opgevuld.

Ongeveer ter grootte van een graf.

Gregorius boog zich naar voren en bestudeerde de wand. Hoog tegen de zijkant, waar de wanden zich versmalden naar de opening en de nissen ophielden, zag hij iets vreemds. Een van de mannen maakte foto's met een zoomlens, terwijl een ander de videocamera op Gregorius gericht hield toen hij om een uitschuifladder vroeg en naar boven klom voor een nader onderzoek.

De rots rondom zes aangrenzende nissen – drie boven drie – was uitgehakt en primitief hersteld. De breuken en krassen leken nog vers, zonder de oude, doffe glans van de overige wanden van het columbarium.

Toen hij scherper keek, viel Gregorius nog iets op. Er waren rechte naden van metselwerk te zien, alsof het hele stuk een keer was weggehaald en weer teruggeplaatst. Aan de kleur en structuur van de steen – en de laag vuil – te oordelen moesten die rechte naden al oud zijn, bijna zo oud als het columbarium zelf.

Met zijn blote hand duwde Gregorius de scheidingswanden tussen de bovenste drie nissen weg. Hij haakte een zaklantaarn van zijn riem en testte de achterwand.

Achter de gebroken nissen zat een holle ruimte.

Leeg.

44

Jeruzalem

In het hart van de ommuurde stad, in de schaduw van de Tempelberg, kwam een patrouille van Israëlische militairen voorbij, gewapend met automatische geweren. Overal waar hij keek zag hij uniformen en wapens, waardoor hij zich nog onveiliger voelde.

Inshallah – als God het wil – *zul je vinden wat je nodig hebt*, had er in de e-mail gestaan. *Laten we samen bidden.*

Tegenover hem was de Klaagmuur, een bedevaartsoord voor alle joden in de wereld. Met hun rug naar de Jordaan stonden enkele *chassidim* in zwarte pakken met zwarte hoeden tegen de muur te bidden, heen en weer wiegend in rituele overgave. Boven de muur, op de achtergrond, op het verhoogde stenen platform dat vroeger als fundament van de tempel had gediend, zag Jordan het gouden dak van de Rotskoepel, een van de heilige plaatsen van de islam.

Uit ervaring wist hij dat je, als je dicht genoeg bij de muur stond – zo dicht dat je een opgevouwen gebed in een spleet tussen de zware stenen kon steken – alleen maar de muur en de hemel zag als je omhoog keek, zodat je kon vergeten dat er een islamitisch heiligdom op de heiligste plek van het joodse universum stond. Maar als je een stap terug deed, stond de Rotskoepel er nog steeds en bleef de tempel verdwenen.

Was er enige andere plek op aarde waar de last van de geschiedenis zo zwaar woog?

Jordan stak het grote plein voor de Klaagmuur over naar een controlepost bij de ingang van een looppad naar het hoger gelegen platform. Hij voelde zich als een misdadiger in een politiestaat, die schichtig zijn zaken afhandelde onder oplettende maar nietsvermoedende ogen. Het was middag en de zon brandde meedogenloos. Je kon er niet voor schuilen.

Rechts, hoog boven zijn hoofd, staken de gekliefde overblijfselen van een oude boog een eindje boven de zware muur uit, als getuigenis van Herodes' grootse ontwerp. De meester-bouwer had kaarsrechte muren neergezet om het lagere gedeelte te scheiden van een rechthoekige binnenplaats, meer dan vijf voetbalvelden lang en ruim drie voetbalvelden breed. De Klaagmuur of Kotelet, zoals de Hebreeuwse naam luidde, was een onderdeel van het midden van de westelijke muur. Vroeger hadden joden daar hun geloof beleden, gedoogd door moslims. Nu had Israël de controle over de Kotelet en de omgeving van de Tempelberg, terwijl de Palestijnse autoriteiten het hoger gelegen deel beheerden. Zij noemden het anders: Haram al-Sharif, het Nobele Heiligdom.

Jordan had Catherine overgehaald om in het hotel te blijven, voor het geval dat hij misschien in een val zou lopen.

Boven hem verhief zich de plek waar hij moest zijn, het op twee na belangrijkste heiligdom van de hele islam, niet de Rotskoepel, maar de Al-Aqsa Moskee, aan de zuidkant van de Haram. Vergeleken bij de blauw met gouden schittering van de Rotskoepel was de Al-Aqsa heel bescheiden. De met lood bedekte koepel was dof als het metaal van een geweer en had de vorm en de kleur van een afgevuurde kogel.

Die vergelijking was al eerder bij Jordan opgekomen, jaren terug, toen hij samen met de koning de moskee was binnengegaan.

Jordan herinnerde zich die gelegenheid nog duidelijk. Het uitstapje naar de moskee was niet gepland, maar een opwelling van de koning tijdens een diplomatiek bezoek. Aan het einde van het interview, dat anderhalf uur had geduurd, vroeg de koning Jordan om hem te vergezellen. Onaangekondigd en bijna niet herkend waren ze bij de moskee aangekomen, met in Jordans ogen een gevaarlijk kleine escorte van maar drie lijfwachten, plus Samir. Jordan wist dat de koning het prettig vond om incognito rond te lopen en zich zo een beter beeld van zijn volk te vormen. Maar dat was niet zijn enige overweging. Hij wilde de indruk vermijden dat het om een politieke daad ging; zijn interesse in de moskee was zuiver persoonlijk.

En er was nog iets. Op weg naar de Al-Aqsa vertelde hij Jordan dat hij zich dikwijls veiliger voelde door niet op te vallen.

Voor de moskee bleven ze staan op de plek waar in 1951 een Palestijnse schutter drie kogels had afgevuurd op het hoofd en het lichaam van de Jordaanse koning Abdullah. De moordenaar had Abdullah als een verrader gezien omdat hij naar vrede streefde met de Joden.

Abdullah's kleinzoon Hoessein was die zomerdag in 1951 bij hem geweest en de moordenaar had van dichtbij ook op Hoessein geschoten. Die vierde kogel had dodelijk moeten zijn voor de toekomstige koning, maar ketste af tegen een medaille.

Hoessein had die onderscheiding gedragen op verzoek van zijn grootvader.

Voor Jordan was het allemaal historie, en het verhaal ging nu door zijn hoofd als een oud bioscoopjournaal. Voor de huidige koning van Jordanië, erfgenaam van Hoessein en Abdullah, was het zijn eigen verleden geweest, en mogelijk ook zijn toekomst. Toen ze voor de moskee stonden, probeerde de journalist de gedachten van de vorst te raden, maar de koning liep zwijgend verder.

Bij de deur deed hij zijn schoenen uit, zoals iedere gelovige, en gaf ze aan de bediende, die grote ogen opzette maar besloot dat hij zich moest vergissen. Het was tegen één uur 's middags toen ze knielden voor het gebed.

Laten we samen bidden. Donderdag, net als de vorige keer.

De e-mail had geen tijdstip genoemd, maar Jordan ging ervan uit dat het dezelfde tijd moest zijn. Hij liep het pad op, langs een controlepost, en kwam via een poort in een stad binnen de stad, de voormalige tempelwijk.

In de tijd van de tempel was er een stenen plaat met een inscriptie geweest die niet-joden waarschuwde om weg te blijven, op straffe des doods. Tegenwoordig zou geen enkele vrome jood zich begeven waar Jordan nu stond, uit angst om per ongeluk voet te zetten in de vroegere Devir, het heilige der heiligen, waar alleen hogepriesters toegang hadden.

Jordan dacht aan het bezoek van Ariel Sharon aan de Tempelberg, de vonk in het kruitvat van de tweede *intifada*, en vroeg zich af hoe anders het misschien zou zijn gelopen als Sharon vromer was geweest.

Hij liep naar de moskee, trok zijn schoenen uit en liet ze achter op de daarvoor bestemde plaats. Bij de deur vroeg een bediende hem of hij elektronische apparatuur – een camera, cassetterecorder of telefoon – bij zich had, maar Jordan schudde zijn hoofd. Toen stapte hij de moskee binnen. Het interieur was veel rijker dan de buitenkant. De lange, brede, hoge ruimte werd doorsneden door enkele rijen decoratieve zuilen, en de binnenzijde van de koepel was ingelegd met een mozaïek. Na de felle zon moesten Jordans ogen even aan het schemerdonker wennen. Langzaam liep hij de moskee door, terwijl hij de trouwe gelovigen en verspreide toeristen aandachtig opnam. Niemand viel hem op en niemand scheen in hem geïnteresseerd. Maar hij was nog vroeg.

Hij ging op het kleed zitten, bij het midden van de moskee, met zijn rug naar de deur. Vanuit die positie kon hij de nieuwkomers moeilijker zien, maar was hij zelf wel beter zichtbaar. Hij probeerde zijn hoofd leeg te maken. Het enige wat hij kon doen was wachten.

Hij zat hier op een kruispunt van drie grote religies, een klein gebied dat eindeloos van eigenaar had gewisseld. Bijna niets wat de mens hier bouwde doorstond de tijd. Ook de Al-Aqsa zelf was in de loop der eeuwen herhaaldelijk door aardbevingen verwoest en weer herbouwd.

Jordan was onder de indruk van deze plek, het middelpunt van zo veel historie, spiritualiteit en menselijke conflicten. Maar meer nog was hij zich bewust van de tragedie. De Tempelberg was imposant, maar de strijd die erom woedde leek zo'n verspilling. Wat maakte het uit of Abraham en Isaak hier waren geweest? Of David en Salomo? Of Jezus, die de geldwisselaars in de tempel had aangevallen? Of Mohammed, die naar de hemel was opgestegen?

Ze waren allemaal verdwenen. Ze waren overal of nergens, en ze zouden voortleven in de harten van de mensen, ongeacht wat er met deze paar hectaren gebeurde. Jordan kon zich voorstellen dat mensen vochten om water, vruchtbaar land, fossiele brandstoffen of een militair strategisch punt. Zelfs over het huis waar iemand was opgegroeid. Maar dit was zo onzinnig.

Hoewel de overlevering leerde dat God op deze plek had gewoond, in de tempel van Salomo, zei de Schrift iets anders. Jordan had het een keer nagelezen voor een artikel. De dag waarop de tempel werd gewijd had Salomo gezegd dat het belachelijk zou zijn voor God om op aarde te leven, laat staan in een woning gebouwd door mensenhanden. 'Maar kan God werkelijk op aarde wonen?' had Salomo retorisch gevraagd. En vervolgens had de wijze Salomo zijn eigen vraag beantwoord: 'De hemel zelf, de hoogste hemel, kan U nog niet bevatten, laat staan dit huis dat ik heb gebouwd!'

Daarna kwam de tempel van Herodes, gebouwd door een Romeinse marionet, honderden jaren na de val van Salomo's tempel. Hoe zou iets wat door Herodes was gebouwd heilig kunnen zijn?

In de tijd dat de Israëli's en Palestijnen nog onderhandelden en een goed woordje deden voor het concept van land voor vrede, was de Tempelberg de noot die niemand kon kraken. Net als hun islamitische tegenpolen weigerden vrome joden de berg op te geven. Maar anders dan de islamieten waren ze bang om er een voet te zetten.

Het was een hopeloos dilemma. Jordan probeerde rationeel te blijven, maar zelfs die poging was al irrationeel, wist hij. Je kon religieuze hartstochten niet onderwerpen aan de test van de redelijkheid.

Maar kan God werkelijk op aarde wonen?

Jordan was bijna vergeten waarvoor hij hier was.

Onopvallend keek hij nog eens om zich heen. Toen stond hij op en liep wat rond. Hij zag geen bekende gezichten, en niemand kwam naar hem toe.

Opgesloten op haar kamer in het Hotel Morad zapte Catherine langs de tv-kanalen. De manager had een mand fruit en chocola gestuurd, maar ze was te nerveus om iets te kunnen eten. De kamer had een eigen dakterras met een schitterend uitzicht op de heuvels in het zuidoosten, maar Catherine had beloofd binnen te blijven. Ze waren de gasten van de bedrijfsleider, Ari, een oude vriend van Jordan uit hun diensttijd. En ze hadden zich niet ingeschreven toen ze kwamen.

Jordan had haar verzekerd dat ze in goede handen was, maar dat maakte haar niet minder ongerust om hem. Ze had geprobeerd hem tegen te houden, omdat ze die anonieme uitnodiging om te komen bidden niet vertrouwde. Zij was degene die rekening hield met een valstrik.

Toch was zijn vastberadenheid om wél te gaan ook geruststellend...

Ze voelde zich een beetje schuldig, maar in Parijs was ze echt gaan twijfelen aan zijn inzet. Catherine vond dat ze meer dan genoeg informatie hadden om te publiceren, en Jordans aarzeling had haar in verwarring gebracht. Wilde hij de waarheid omzeilen? Was hij bang dit verhaal bekend te maken? Probeerde hij bewust of onbewust zijn volk en zijn geloof te beschermen?

Nee, zeker niet.

Of alleen met groot gevaar voor zijn eigen leven.

Tegen drie uur begon Jordan zijn geduld te verliezen. Om vijf uur maakte hij zich ernstige zorgen. Om zes uur wist hij niet meer wat hij ervan moest denken. Had hij te veel in het bericht gelezen? Had hij het niet goed begrepen? Had iemand de hele middag gewacht om met Jordan te bidden in een andere moskee in een andere stad? Of had iemand zijn contactman verhinderd om de afspraak na te komen?

Tegen zonsondergang stroomde de moskee vol met mannen voor het avondgebed. Ze knielden en bogen, bijna met hun voorhoofd tegen de vloer, in nederige onderwerping. Jordan vond het moeilijk om zich geen deel te voelen van iets wat groter was dan hijzelf, ook al was hij een buitenstaander. Maar juist als buitenstaander was hij zich bewust van die intimiderende macht.

Toen de menigte aangroeide, kreeg Jordan weer even hoop. Aan de andere kant: hoe moest iemand hem nog vinden in deze drukte?

Niemand meldde zich.

Binnen een uur loste de mensenmassa zich weer op.

Verslagen en teleurgesteld verliet Jordan de moskee. Hij wilde zo snel mogelijk naar Catherine terug om zich ervan te overtuigen dat alles goed met haar was. Hij was zo diep in gedachten dat hij al op weg ging voordat hij zich herinnerde dat hij zijn schoenen had uitgetrokken. Het duurde even voordat hij ze had teruggevonden en heel even was hij bang dat iemand anders ermee vandoor was gegaan.

Hij strikte de veters van zijn rechterschoen en stak zijn voet afwezig in de andere. Daar zat iets in. Hij voelde het kreuken.

Het was een envelop.

45

Jeruzalem

‘Vooruit, kijk zelf maar,’ herhaalde Jordan.

Ze stak nerveus een hand uit en pakte de envelop aan.

Er stond geen adres op en hij had een rafelige rand waar Jordan hem had opengescheurd zonder briefopener. Ze haalde de inhoud eruit en vouwde de vier velletjes open.

Het eerste was een kleurenkopie van een foto van een verweerd stuk zilvermetaal, dat langs een liniaal was gelegd. Ondanks de slechte staat van het metaal herkende ze twee kolommen met keurige inscripties. Het zilver was hier en daar gebarsten of geribbeld, waarschijnlijk op plaatsen waar het was uitgerold en vlak gestreken.

Ze gaf de kopie aan Jordan terug.

Het tweede vel was een schets van het eerste, maar zonder alle onvolkomenheden: een oud maar duidelijk Hebreeuws handschrift. Het derde vel was de vertaling in modern Hebreeuws, het vierde de Engelse vertaling.

Vierentwintig aanwijzingen voor vierentwintig vindplaatsen.

Ze waren weer terug in de wedstrijd.

Dit was de Zilveren Rol. Op het instituut in Jeruzalem had de ontdekking ervan collega’s tot vijanden gemaakt en de vernietiging van het hele gebouw ingeluid. Voor zover ze wisten, was dat het begin geweest van een keten van geweld die zich uitstrekte van Israël tot Amerika en van Engeland tot Parijs, met de dood van Altieri en Ramsi, de beschieting op de weg vanuit Ramallah, de vermoedelijke inbraak bij Catherine thuis, en de moord op Nigel Waverly, Lord Crendal en de Parijse tasjesdief. Het had mysterieuze krachten wakker gemaakt en de lont ontstoken van een mogelijk heel explosieve onthulling.

Als Jordan gelijk had, zou de Zilveren Rol kunnen vertellen waar de schatten van de tempel in het jaar 70 waren gebleven nadat ze waren weggehaald uit de bergplaatsen die stonden beschreven op koper en goud. En als de Zilveren Rol naar de schat leidde, was daar ook informatie te vinden over de wereld van Kajafas en misschien een ooggetuigenverslag van iets wat voldoende ontzagwekkend was geweest om Jezus' belangrijkste aanklager, de joodse hogepriester, in een boetvaardige kluizenaar te veranderen.

Catherine keek sceptisch. 'Hoe weten we dat dit echt is?' vroeg ze.

Jordan leek verbaasd door die vraag. 'Waarom zou iemand het vervalsen?'

'Om ons op het verkeerde been te zetten, op een dwaalspoor te brengen.'

'Maar zonder deze teksten waren we nergens geweest.'

'En nu?'

Jordan bestudeerde de vertaling. 'Nu zijn we in het voordeel,' zei hij.

'O ja? De concurrentie, wie het ook mag zijn, heeft een geweldige voorsprong. Waarschijnlijk hadden ze dit document al in handen vóór de bomaanslag op het museum.'

Jordan grijnsde. 'Kijk,' zei hij, en hij gaf haar het vel. 'Er zijn vierentwintig aanwijzingen. Dat is niet gering, zelfs als je ervan uitgaat dat ze precies zouden weten waar ze moeten graven.'

'Ja, en?'

'Op maar vijf van die vindplaatsen zijn offerschalen begraven.'

Catherines gezicht klaarde op. 'En uit de brief die jij uit Lord Crendals studeerkamer hebt meegenomen, weten we dat de geschriften bij de offerschalen lagen,' zei ze opgewonden. 'Toen de kronieken van Kajafas werden opgegraven en opnieuw verborgen, zijn ze waarschijnlijk weer bij die offerschalen terechtgekomen. Zo kunnen we onze zoektocht drastisch beperken.'

'Precies,' zei Jordan.

'Maar de oppositie ook. Ben, we zijn ons voordeel kwijtgeraakt in Parijs, toen mijn tasje is gestolen. Ga er maar van uit dat zij mijn aantekeningen hebben.'

'Laat nog eens zien,' zei Jordan. Hij pakte het bewuste vel en bekeek de vijf relevante aanwijzingen.

> *De derde vindplaats.* 'De leeuw van Egypte bewaakt meer dan 100 talenten aan gouden munten, 50 talenten aan zilveren munten en 6 offerschalen.'

> *De vierde vindplaats.* 'Waar de karavaan van de roverkoopman in de woestijn verdween; 130 talenten aan gouden munten, 90 talenten aan zilveren munten en 15 offerschalen.'

De zestiende vindplaats. 'In de Vallei van Asher, begraven onder de stenen demon; 120 talenten aan zilveren munten, 100 talenten aan gouden munten en 26 offerschalen.'

De eenentwintigste vindplaats. 'Waar de weg van Timna de weg naar Kadesh Barnea kruist, zet daar 10 stappen naar de ondergaande zon en vind 300 talenten aan zilver, 230 talenten aan goud en 19 offerschalen.'

De drieëntwintigste vindplaats. 'In de tombe van Jezebel; 20 talenten aan gouden munten en 3 offerschalen.'

Jordan voelde zich alsof hij weer op school zat en een proefwerk kreeg waarvoor hij niet gestudeerd had. Toen hij de problemen bekeek, had hij geen idee van de oplossing. Met één uitzondering.

'Denk je dat de Egyptenaren ons toestemming zullen geven de Sfinx te verplaatsen?' vroeg hij gefrustreerd.

'Waarom niet?' zei Catherine. 'Als we hem maar weer terugzetten.'

'Zeggen die aanwijzingen jou iets?'

'Tot op zekere hoogte. Te beginnen met de leeuw van Egypte. De beroemde Sfinx is grondig onderzocht, net als het terrein eromheen. En hij wordt goed bewaakt. Je moet je eerst door een politiek en bureaucratisch mijnenveld worstelen om opgravingen te mogen doen op het plateau van Gizeh.

'Een karavaan die verdwaald is in de woestijn? Dan kun je net zo goed op het strand naar een zandkorrel zoeken na een storm van honderd jaar. Aangenomen dat je zou weten wélk strand.

'De stenen demon? De Vallei van Asher is een kaal, verraderlijk landschap. Als er daar zo'n beeld staat, hebben ze dat goed verborgen weten te houden. Hmm.'

'Ja?' vroeg hij.

'Het slaat nergens op.'

'Wat?'

'Dat beeld van een demon zou een schending zijn geweest van de Joodse wet.'

'Ja. Afgodsbeelden zijn verboden.'

'Precies,' zei ze. 'Tenzij het daar juist om ging. Tenzij de Zeloten vonden dat zo'n godslastering een goede dekmantel vormde.'

'En dat kruispunt in de Negev?'

'Of in de Sinaï? Het zou overal kunnen zijn, binnen een gebied van honderden of misschien wel duizenden vierkante kilometers. Die vage beschrijving zegt me niet veel. Maar met toegang tot de duurste satellietbeelden die commercieel beschikbaar zijn, zouden we het misschien kunnen traceren. Als het een drukke route was.'

Jordan beet op zijn lip. 'Dan blijft er nog maar één over,' zei hij. 'Het graf van Jezebel.'

Catherine schudde mismoedig haar hoofd.

'Waar zou je dat moeten zoeken?' vroeg Jordan.

'De Bijbel is daar heel duidelijk over, Benjamin.'

'Nou?'

'Jezebel had geen graf.'

'Wat bedoel je?'

'God vond dat ze geen fatsoenlijke begrafenis verdiende.'

'Wat is er dan met haar lichaam gebeurd?'

'Volgens de profeet Elia gaf God bevel haar resten te laten liggen "als mest op de grond", zodat niemand ooit nog iets zou kunnen aanwijzen en zeggen: "Dit was Jezebel."'

'Nu herinner ik het me weer. Ze had een godsdienstoorlog verloren en haar lichaam werd achtergelaten als voer voor de honden.'

'Juist. De naam "Jezebel" is synoniem geworden voor een wilde, verdorven verleidster, de ultieme nymfomane, maar in het Oude Testament waren Jezebels zwaarste zonden godsdienstig van aard. Ze was een Fenicische, en zelfs na haar huwelijk met een koning van Israël bleef ze vreemde goden aanbidden. De verering van andere godheden was een gruwel in de ogen van de Heer en werd door de Bijbel vaak gelijkgesteld met wellustigheid.'

'Als ik me goed herinner, was Jezebel haar oude goden zo toegewijd dat ze zelfs profeten van de joodse God doodde.'

'Klopt. De profeet Elia sloeg terug door Jezebels profeten te liquideren. Jezebel zon op wraak, maar de joodse God triomfeerde en Jezebel werd van grote hoogte in een afgrond gegooid. Toen haar bedienden haar wilden begraven, vonden ze alleen nog haar schedel, haar voeten en haar handpalmen. Haar grafsteen was de verschroeide aarde.'

'Een monument van valse rechtschapenheid.'

'Een monument van godsdienstijver en een waarschuwing aan iedereen die daar passeerde.'

Jordan boog zijn hoofd.

'Het spijt me, Benjamin.'

'We hebben hulp nodig,' zei hij.

Catherine dacht na. 'Dan moeten we Zev bellen,' zei ze.

Jordan trok een wenkbrauw op. Hij kende de archeoloog Zev Galil alleen van naam. 'Ken je hem?' vroeg hij.

'Meyer heeft ons aan elkaar voorgesteld,' zei Catherine. 'Zo zijn we in contact gekomen.'

'Was hij een vriend van Meyer?'

'Dat zou ik niet willen zeggen.'

'Kunnen we hem vertrouwen?'

'Ja, ik denk het wel.'

'Dat dénk je?'

'Dat weet ik zeker.'

'Hoe dan?'

'Ben we zullen toch íémand moeten vertrouwen.' Catherine ritste haar plunjezak dicht. 'Hij woont in Kfar Devar,' zei ze. 'We kunnen er vanavond zijn.'

Jordan wierp een blik door de luxueuze kamer die Ari hun had gegeven en slaakte een zucht. Het hotel had roomservice en de kamer een eigen dakterras onder de sterren. Het grote bed was nog keurig opgemaakt. Hij pakte de telefoon.

'Ari, met Ben... Ja, geweldig, hartelijk bedankt... Maar nog één ding. Kan ik een auto lenen?'

46

Noord-Israël

Zev Galil was een goedmoedige beer van een man, met een ruige bruine baard die zijn wangen bedekte en bijna naadloos overging in zijn warrige haar, met nog net genoeg ruimte voor zijn warme, vrolijke ogen. Hij had een vriendelijk karakter en lachte graag. Bovendien was hij een briljant archeoloog. Jordan had dikwijls vraaggesprekken met hem gezien op televisie.

Hij stond bekend als oorlogsheld, maar was actief geweest in de geheimzinnige wereld van de inlichtingendiensten, zodat niemand precies scheen te weten wat hij had gedaan om zijn militaire onderscheidingen te verdienen.

Hij was begonnen als beschermeling van Meyer Elazar, maar de politiek had een wig tussen hen gedreven. Galil was een vredesduif, die zich fel verzette tegen de bouw van Israëlische nederzettingen op de bezette West Bank. Elazar was juist een belangrijk voorvechter van die politiek. Net zoals de Amerikaanse ex-president Jimmy Carter hamer en spijkers pakte om huizen te bouwen voor de armen, zo had Elazar zijn beperkte kwaliteiten als timmerman ingezet in Palestijns gebied. In het jargon van de Midden-Oostenpolitiek werkte hij aan 'feiten op de grond'. Als je maar genoeg Joodse huizen bouwde, werd die grond vanzelf wel Joods. Tenminste, in theorie.

Galil had felle discussies met de rabbi over de nederzettingen, en toen Elazar hem delegeerde naar een van de minder populaire opgravingen zochten sommige collega's daar politieke motieven achter.

Maar Galil accepteerde de opdracht zonder morren en stortte zich enthousiast op zijn werk. Uiteindelijk bleek dat Elazar hem een grote dienst had bewezen. Bij zijn onderzoek naar sporen van het dagelijks leven in de heuvels en dalen van Israël verrichtte Galil baanbrekend werk, dat twijfel zaaide aan de historische juistheid van de verovering van Kanaän zoals die in het Oude Testament werd weergegeven. De Bijbel beschreef een aantal platgebrande, bloeddoordrenkte steden waar Jozua en zijn binnenvallende Israëlieten 'niemand in leven lieten en alles vernietigden wat adem had, zoals de God van

Israël had bevolen.' Volgens de Bijbel werd zelfs het Kanaänitische vee gedood. God had enkel genade met de bomen. Dood de mensen, maar spaar de bomen, luidde het devies.

Maar Galil ontdekte bewijzen van vreedzame samenleving en misschien zelfs een gemeenschappelijke afstamming.

Critici beweerden dat zijn conclusies waren beïnvloed door zijn eigen politieke ideeën en dat hij zag wat hij wílde zien.

'Hoe heb je hem ontmoet?' vroeg Jordan.

Het was avond en ze reden door de hooglanden in het noorden van Israël. De kibboets waar Galil woonde lag in het noordelijkste puntje van het land, uren rijden vanaf Jeruzalem, bij de Libanese grens.

Catherine probeerde zich hun eerste ontmoeting te herinneren. 'We hebben een tijdje samen gegraven.'

Jordan glimlachte. 'Hij was zeker verliefd op je?'

Hij zei het geamuseerd, niet jaloers. In het donker voelde hij dat Catherine bloosde.

'Neuh,' zei ze, niet overtuigend.

'O, jawel.'

'Oké, een beetje, misschien.'

'En jij?'

Catherines blos maakte plaats voor een peinzende uitdrukking. 'Ik denk...'

'Ja?'

'Ik denk dat ik verliefd was op Meyer.'

Ze arriveerden toen Galil net zijn kinderen naar bed bracht. De archeoloog ontving hen hartelijk, maar een beetje verbaasd.

'Cavanaugh!'

'Zevi!' riep Catherine blij en ze verdween in zijn omhelzing.

Ze stelde Jordan voor en de mannen gaven elkaar een hand. 'Een eer u te ontmoeten,' zei Jordan.

'Insgelijks,' zei Galil, en hij meende het.

'Dit is Annie en dit is Jesse,' zei Galil trots, wijzend naar zijn kinderen van vier en drie. 'Zeg eens welterusten, kinders.'

'Welterusten kinders!' riep de peuter van vier grijnzend, voordat ze haar zusje achterna ging naar de slaapkamer.

Even later zaten ze in de tuin van Galils kleine, uit blokken opgemetselde huis, onder de linden en een windorgel. Galil maakte limonade. Zijn vrouw was naar familie en hij was niet erg handig in de keuken, zei hij verontschuldigend.

'Ik neem aan dat jullie niet toevallig in de buurt waren,' zei hij terwijl hij zijn grote gestalte in een stoel liet vallen.

'We hebben je hulp nodig, Zev,' begon Catherine, op ernstiger toon dan haar bedoeling was. Galil rechtte zijn rug en boog zich naar voren.

Ze zag de bezorgdheid in zijn ogen, de bereidwilligheid om te helpen, en ze voelde een zwarte wolk over zich neerdalen. Het was een grote fout geweest om hier naartoe te komen en Zev bloot te stellen aan dit gevaar, wat het ook mocht zijn. Ze herinnerde zich dat ze Jordan oneerlijk had beschuldigd dat hij zomaar naar haar toe was gekomen in Michigan, maar nu was ze zelf nog roekelozer. Jordan kon er niets aan doen dat hij haar opzocht; ze was toch al deel van het verhaal, of ze dat nu wist of niet. Maar Zev was een onschuldige omstander, of zelfs dát niet eens.

Ze wierp een blik naar het raam van de slaapkamer, waar Zevs kinderen sliepen, en stond op uit haar stoel.

'Het spijt me, Zev, we hadden hier nooit moeten komen. Dat was een vergissing. We gaan meteen weer weg, en met een beetje geluk heeft niemand ons gezien.'

Galil stak een krachtige arm uit en greep Catherines hand. Zachtjes trok hij haar terug in haar stoel. 'Was het de limonade?' grapte hij. 'Want je kunt ook ijsthee krijgen, of in elk geval ijswater.'

'Ze heeft gelijk, Zev,' zei Jordan nuchter. 'We hebben hier niet goed over nagedacht.'

'Jullie hadden een reden om te komen.'

'Dank je, Zev,' zei Catherine, en ze stond weer op, 'maar het spijt me. Kom mee, Ben.'

Galil liet zich in zich stoel terugzakken, strekte zijn benen en vouwde zijn handen over zijn buik met de kalmte van een Boeddha.

'Jullie maken me wel nieuwsgierig,' zei hij nonchalant. 'Krijg ik geen hint?'

Jordan en Catherine keken elkaar aan en Jordan knikte.

Ze gaf Galil een handgeschreven kopie die ze had gemaakt van de vijf belangrijkste aanwijzingen, maar zonder context of verklaring. Galil bestudeerde de pagina, onverstoorbaar en zonder van houding te veranderen. Zo nu en dan knikte hij, en ten slotte bewoog hij ritmisch zijn hoofd, als op de maat van een lied dat alleen hij kon horen. Een heel lang lied.

'Schenk jezelf nog een limonade in,' zei hij, voordat hij opstond en naar binnen verdween.

Jordan en Catherine keken elkaar verbaasd aan. Ze gingen zitten en wachtten af. Door de hordeur zagen ze Galil bezig een rommelig bureau en een uitpuilende archiefkast te doorzoeken.

'Aha!' riep hij uit en hij viste een vel papier uit een map.

Het lied klonk nog steeds in zijn hoofd toen hij terugkwam naar de tuin en zich weer in zijn stoel liet zakken. Aan het stijve witte papier te zien hield hij een grote foto in zijn hand, met de achterkant naar hen toe. Hij gaf hem aan Catherine, net zo luchtig alsof het een advertentie uit een tijdschrift was, en pakte toen zijn limonade. Meteen trok hij een zuur gezicht en knipte met zijn vingers.

'Suiker! Dat was ik vergeten.'

Catherine bekeek de glanzende foto, die sporen van paperclips en een koffievlek vertoonde.

Het was een mozaïek. Een heel groot mozaïek, te oordelen naar de schaalverhouding in de hoek. Ergens – het was niet duidelijk waar – bestond deze reusachtige vloer, zorgvuldig ingelegd met tienduizenden kleine, kleurige tegeltjes, die samen een afbeelding vormden. Het was een voorstelling van een rijkversierde kaart. Catherine had zoiets al eens eerder gezien, in Madaba in Jordanië, maar dit was veel groter, veel strakker en met veel meer details.

Boven de Middellandse Zeehaven Alexandrië stak een cobra zijn kop omhoog. Bij het huidige Cairo verhieven zich drie piramiden uit de vlakte. Zeilboten voeren op de Nijl en krokodillen ontblootten hun tanden langs de oevers van de rivier. De valkengod Horus zweefde boven de tempel van Edfu en vier beelden van Ramses II op een stenen troon markeerden de kolos van Abu Simbel.

Oases van palmen lagen verspreid door de Sahara en dolfijnen sprongen uit de golven van de Rode Zee. In de Arabische woestijn stak een rij kamelen de zandheuvels over en in het midden van het mozaïek, naast de piramiden, lag een monumentale sfinx.

Aan de zuidelijkste rand van de kaart, vlak bij de grens van het oude Egypte, was een leeuw met gouden manen afgebeeld.

Catherine gaf de foto aan Jordan.

'De leeuw van Egypte?' fluisterde hij.

'Zou kunnen,' zei Galil.

'Waar is dat?' vroeg Catherine.

'Aan de westkust van de Rode Zee. Hij is een paar jaar geleden ontdekt, maar weer begraven door een zandstorm. Archeologen zijn pas kort geleden begonnen met een grote schoonmaak en een grondig onderzoek.'

'Niet te geloven,' zei Catherine.

Galil bewoog zijn glas in een ellips om de ijsblokjes door de limonade te slingeren. 'Willen jullie echt niet liever ijsthee?' vroeg hij.

Tot laat in de avond zaten ze te praten onder de linden, terwijl de peuters van drie en vier in dromenland waren. Catherine en Jordan vertelden het hele verhaal, van begin tot eind, en Galil luisterde zonder iets te zeggen, terwijl hij zijn glas ronddraaide tot al het ijs in de limonade was gesmolten en hij afwezig het bittere bocht naar binnen sloeg. Toen ze uitgesproken waren, keken ze hem vol verwachting aan.

'Het is heel simpel,' zei hij. 'We moeten het vinden.'

'Was het maar zo eenvoudig,' verzuchtte Catherine.

'Binnen een dag of twee kunnen we een team bij de ruïnes aan de Rode Zee hebben. Ik neem een paar van mijn beste studenten mee. Ze hoeven niet te weten waar het om gaat. Met een beetje geluk is dat het einde van het verhaal. Afgezien van de schat en die drieëntwintig andere vragen.'

'En stel dat de Kroniek van Kajafas niet onder het mozaïek ligt?' zei Catherine.

Galil staarde fronsend in zijn glas. 'Laten we maar hopen van wel,' zei hij.

De kibboets had een gastenverblijf, maar het was veel te laat voor de vermoeide reizigers om nog een kamer te krijgen. Catherine installeerde zich op Galils sofa en Jordan strekte zich uit op de vloer. Voordat ze haar ogen sloot keek ze nog even naar hem, en ze wist bijna zeker wat er door zijn hoofd ging. Hij dacht niet aan leeuwen, mozaïeken of verdwaalde karavanen. Hij dacht aan het bed in het Hotel Morad, groot genoeg voor twee. Jordan glimlachte en draaide zich op zijn zij.

Ze sliepen niet lang. Bij het ochtendkrieken excuseerde Galil zich, loodste zijn kinderen naar buiten en verdween. Hij moest nog wat veldwerk doen. Het waterpeil in de Kinneret was in tientallen jaren nog niet zo laag geweest en zo waren de ribben van een oude boot zichtbaar geworden, begraven onder de modderige kustlijn. Galil en zijn studenten wilden de boot stabiliseren en vrijmaken voordat het water weer zou stijgen. Het was een bijzonder gevoelige operatie, omdat het hout de structuur had van een spons, maar zonder de veerkracht. Aan de lucht blootgesteld konden de kwetsbare resten snel uiteenvallen. Koolstofdatering toonde aan dat de boot uit de tijd van Jezus dateerde. Hij deed de archeoloog denken aan Rembrandts *Storm op het Meer van Galilea.*

Galil zei dat hij een jongere collega het toezicht over het project zou toevertrouwen. Zij was blij met de promotie. Maar ze zou minder blij zijn als ze hoorde dat hij haar halve team wilde meenemen. Eerst moest hij nog een overtuigend verhaal verzinnen.

Jordan en Catherine ontbeten met yoghurt en cornflakes in de gemeenschappelijke eetzaal, waar Jordan de ochtendkranten vond. De ongeduldige Farouk had gedreigd zijn informatie naar een andere journalist te laten lekken en Jordan spreidde bezorgd de kranten uit.

Hij las *The Shofar*, maar er stond niets op de voorpagina. Toen pakte hij een andere krant, *Maariv*. Hij vond niets over de bomaanslag op het museum, of over de Zilveren Rol, maar iets anders trok wel zijn aandacht. TERREURGROEP INFILTREERT DE MEDIA, luidde de kop op pagina 5:

> Volgens inlichtingenbronnen zou een van de vooraanstaande journalisten van dit land een undercoveragent voor het terreurnetwerk van de Tranen van God kunnen zijn.
>
> De agent zou zijn positie al hebben gebruikt om de regering te bespioneren en het beleid te ondermijnen met valse of vertekende berichtgeving, aldus de bronnen.
>
> Een vermoedelijke terrorist die onlangs op de West Bank is opgepakt, zou tijdens een ondervraging de missie van deze agent hebben beschreven. De verdachte beweerde dat hij de identiteit van de agent niet kende.
>
> Inlichtingenbronnen hebben een discreet onderzoek ingesteld, dat gisteren door enkele hoofdredacteuren desgevraagd als een heksenjacht werd bestempeld.
>
> 'Als uw beweringen over zo'n onderzoek kloppen, is het een brutale poging om de critici van het regeringsbeleid te intimideren. Dat zou ernstige gevolgen kunnen hebben,' verklaarde een hoofdredacteur die anoniem wilde blijven.

Jordan sloeg de krant weer dicht en staarde in zijn bakje cornflakes.

Het artikel werd toegeschreven aan 'inlichtingenbronnen'.

Er was niet veel voor nodig om een anoniem verhaal in de krant te krijgen en iemand in een kwaad daglicht te stellen. Zeker niet als die persoon al onder verdenking stond, zoals Jordan.

Misschien wilde iemand uit de regering zich indekken en de basis leggen voor de definitieve vernietiging van Jordans geloofwaardigheid, voor het geval hij nog meer schadelijke verhalen zou schrijven. Als hij durfde.

Misschien was het een waarschuwing.

Als mensen binnen de inlichtingendiensten de juiste leugens verspreidden, konden er nog veel ernstiger beschuldigingen op Jordan worden losgelaten dan 'bevooroordeeld' of 'incompetent'. Dan kon hij voor een terrorist worden aangezien en zou hij veel meer verliezen dan zijn kans op een internationaal televisiepubliek, zijn vrijheid, bijvoorbeeld.

En alles wat hij had geschreven zou door de bril van het verraad worden bekeken.

Het leek of de strop om zijn hals werd aangetrokken.

Als het artikel een verhuld dreigement was, bevatte het nog een andere, onbedoelde belediging. Starend in zijn ontbijtkommetje zag hij donkere, mistige visioenen, herinneringen of vermeende herinneringen aan de moordenaars die hem een weeskind hadden gemaakt. De gezichten van zijn ouders.

Een dodelijke vijand die de trekker had overgehaald en hen had weggenomen.

'Gaat het?' vroeg Catherine. 'Je ziet er niet goed uit.'

Jordan glimlachte bleek. 'Zure melk,' zei hij.

In gedachten verzonken liepen ze door de kibboets terug naar Galils huis.

Het weelderige, door palmen overschaduwde landschap deed haar denken aan een campus waar ze een keer was geweest in Californië. Toen de Zionistische pioniers hier voor de oorlog arriveerden, op de vlucht voor de toenemende macht van de nazi's, was dit land een moeras geweest, een poel van malaria. De jonge Joden hadden muggen, modder en andere ellende getrotseerd om het moeras droog te leggen. Het waren jaren van ontberingen, maar ten slotte was er een welvarende gemeenschap ontstaan. Vanaf het eerste begin hadden de Arabieren zich verzet tegen de Joodse aanwezigheid, maar zelf hadden de Arabieren nooit iets met het land gedaan. Zoals dikwijls werd gezegd hadden de Joden van een waardeloos bezit iets waardevols gemaakt.

Jordan en Catherine liepen langs een buitenzwembad met banen en spelende kinderen. Voor Catherine leek het een tafereel uit een Amerikaanse buitenwijk. Maar ze wist dat die rust bedrieglijk was.

In het noorden lanceerde een onzichtbare vijand raketten over de heuvelrug van de Libanese grens en zaaide zo dood en verderf in het omringende platteland. Naar het oosten werd het landschap gedomineerd door de Golanhoogte. Het vlakke boerenland dat zich eronder uitstrekte, scheen aan de genade van de Golan overgeleverd. Het grootste deel van de geschiedenis van Kfar Devar hadden de Syriërs de hoogte bezet. Hun bunkers lagen nog overal. Hier beneden leek het of de Syriërs door de ramen van de kibboets naar binnen konden kijken. Alleen al de gedachte aan een vijand die zo dichtbij lag en zo in het voordeel was, maakte Catherine nerveus.

Veel van de keurige kleine huizen in de kibboets hadden beveiligde kamers met extra dikke muren, waar de bewoners een goed heenkomen zochten bij een terreuraanval. En die waren er genoeg geweest. De schutters kwamen in het donker en bewogen zich van huis tot huis.

Catherine kende die geschiedenis maar al te goed. Meyer Elazar had vrouw en kind verloren bij zo'n aanval. Meyer zou waarschijnlijk zijn gesneuveld bij de verdediging van zijn gezin, maar hij was van huis geweest, bij een opgraving.

De kibboets had de aanvallen van buitenaf overleefd, maar nu werd de leefwijze bedreigd van binnenuit. De jongere generaties trokken weg, waardoor de gemeenschap steeds meer moeite had haar bejaarde pioniers te ondersteunen. En het geweld was fnuikend voor de bescheiden inkomsten die de kibboets verdiende met een motel voor toeristen.

Niet ver van het zwembad slingerde de rivier de Jordaan zich langs de kibboets, nauwelijks breder dan een beek.

'Niet te geloven dat zo'n klein stroompje al dit leven in stand houdt,' zei Catherine.

47

Een eiland in de Egeïsche Zee

Meyer Elazar sloot zijn ogen en stelde zich voor dat hij door een ondergronds kanaal waadde. Het koele water was reden voor de hoogmoed van de snoevende Jebusieten. Dat was zowel hun kracht als de achilleshiel van hun verdediging. In zijn gedachten droeg het water hem naar de zeventiende vindplaats.

Waar de broer van Abishai uitrustte toen hij naar de macht klom; 30 talenten aan gouden munten en 6 kruiken wierook.

Vanuit een stenen cel in het klooster van de Heilige Constantijn dompelde Elazar zich onder in de claustrofobische kilte van het kanaal.

De broer van Abishai was Joab. Dat was niet moeilijk. En dankzij een bijzondere heldendaad kreeg Joab het bevel over het leger van koning David. Dat speelde zich af in het begin van Davids bewind, toen David vanuit zijn basis in Hebron naar de versterkte stad Jebus optrok. Vanaf de muren riepen de Jebusieten dat David de stad nooit zou binnenkomen. Ze waren ervan overtuigd dat ze het beleg van de Israëlieten zouden kunnen doorstaan.

David beloofde dat de eerste Israëliet die de stad binnendrong zou worden beloond met het bevel over zijn leger. Joab slaagde daarin en Jebus werd bekend als de Stad van David: Jeruzalem.

Maar hoe had Joab dat aangepakt? De Bijbel zei dat niet precies, maar als je de verslagen in I Kronieken en II Samuël combineerde, kon je wel een conclusie trekken. Volgens I Samuël had David zijn soldaten toegeroepen: ‘Laat een ieder die de Jebusieten wil aanvallen door de waterschacht kruipen...’

De suggestie was dat Joab de stad was binnengekomen via de geheime, ondergrondse waterwerken die in de rots waren uitgehakt om het water van een verborgen bron buiten de muren naar de stad te brengen. Vanaf de bron stroomde het water door een lange, aangelegde tunnel. Eenmaal in de stad, diep onder de grond, kruiste de tunnel een verticale schacht naar de oppervlakte.

Als die schacht Joabs route naar het succes was geweest, moest er volgens de aanwijzing van de zeventiende vindplaats een plek zijn geweest waar hij onderweg had uitgerust: een richel, een zijgang, een holte in de rots...

Dat was allemaal nog vrij eenvoudig te beredeneren. Het probleem was die plek te vinden. Delen van de waterwerken waren in de moderne tijd gesloopt, andere delen afgesloten. Enkele trajecten waren opengesteld voor toeristen. Het was goed mogelijk dat de relevante sectie nooit was ontdekt. Uitgerust met een mijnwerkershelm had Elazar zich in een vorig leven door de tunnel gewrongen, kruipend en klimmend, maar op dit moment moest hij het antwoord schuldig blijven.

'Rabbi?'

Achter de zware houten deur van zijn cel hoorde hij de gedempte stem van pater Gregorius.

'Ja, komt u binnen.'

'Goedemiddag, rabbi Elazar.'

'Goedemiddag, vader Gregorius.'

'Hoe vordert de arbeid?'

Elazar schudde zijn hoofd. 'Het zou makkelijker zijn in het veld, met u en uw broeders.'

De monnik knikte begrijpend. 'Ik weet het,' zei hij.

'Wat is het laatste nieuws uit de Sinaï?'

'De schatten uit de tweede en twaalfde vindplaats zijn in veiligheid gebracht,' zei de monnik met enige bitterheid. 'We kunnen met recht zeggen dat zulke geweldige ontdekkingen nog nooit met zo veel teleurstelling zijn begroet.'

'En Marevah?'

Gregorius glimlachte bleek. 'U had gelijk, rabbi.'

'Maar?'

'Maar iemand anders is ons voor geweest.'

Elazar sloot zijn ogen, boog zich over zijn bureau en begroef zijn hoofd in zijn handen.

'We moeten volhouden. Meer kunnen we niet doen,' zei Gregorius. 'En hopen dat ze wel een goudschat hebben gevonden, maar verder niets.'

'Als u een gokker was, vader Gregorius, zou u daar dan geld op zetten?'

'Als ik een gokker was, rabbi Elazar, zou ik mijn geld op u zetten.'

Elazar glimlachte een beetje om dat compliment.

'Maar ik ben geen gokker,' vervolgde de monnik, 'dus stel ik mijn vertrouwen in God.'

Elazar lachte om deze poging tot humor.

Gregorius keek zorgelijk. Hij wilde nog niet gaan, maar eigenlijk ook niet blijven.

'Is er verder nog iets?' vroeg Elazar.

De monnik beet op zijn lip. Hij leek nerveus, worstelend met een dilemma. Ten slotte ging hij op de rand van Elazars brits zitten. In de kleine kloostercel raakten hun knieën elkaar bijna.

'We hebben nog meer concurrentie,' zei Gregorius.

'Van wie?'

'Een voormalige collega van u, en een journalist.'

'Wie?'

'Een professor Cavanaugh uit Michigan en Benjamin Jordan van *The Shofar*.'

'Catherine?'

Elazar voelde het bloed uit zijn gezicht wijken. Hij leek van streek.

'Hebt u haar in vertrouwen genomen, rabbi?'

'Of ik... Nee!' sputterde hij. 'Integendeel. Zij heeft míj in vertrouwen genomen.'

'Hoe ernstig is dit probleem?'

'Probleem? Ze is geen tegenstander, maar een bondgenoot, dat kan ik u verzekeren.'

Gregorius keek sceptisch. 'Ik weet het niet, rabbi.'

'We zouden onze inspanningen moeten bundelen, vader.'

'Bent u zo zeker van uw zaak?'

'We kunnen die hulp goed gebruiken.'

'Misschien. Maar ik ben bang dat het al te laat kan zijn. Als we nu contact met hen opnemen, zouden anderen dat opmerken, met alle gevaren vandien. Het spijt me, maar uw vriendin heeft grote risico's genomen. Er zijn al doden gevallen.'

'Dan moeten we haar helpen,' zei Elazar geschrokken. 'U hebt mij geholpen. Helpt u haar nu ook.'

'Als we haar kunnen beschermen, zullen we dat doen. Maar op dit moment weten we niet eens waar ze zijn, of zelfs...'

Elazar slikte moeizaam.

'We hebben hen een tijdje in de gaten gehouden in Parijs en hen afgeluisterd op een terras. Indirect hebben we dus al geprofiteerd van hun werk,' zei Gregorius.

'U hebt ze bespioneerd, bedoelt u?'
'Wij waren niet de enigen.'
Elazar was ontsteld. Hoewel hij er niets mee te maken had, voelde hij zich medeplichtig. Alsof hij Catherine had verraden. Maar verbaasde het hem echt dat de monniken zo ver gingen? Hij probeerde te bepalen of het doel de middelen heiligde. Maar zijn nieuwsgierigheid was sterker.
'Hoe vorderen zij?' vroeg hij.
'Verrassend goed.'
'Hebben ze al iets gevonden?'
Gregorius aarzelde, alsof hij bang was voor Elazars reactie.
'Ze weten waar ze naar zoeken,' zei hij.
'En dat is?'
'Het ooggetuigenverslag van Kajafas, de hogepriester van Jeruzalem.'

48

Het Sinaï-schiereiland

Zev Galil tuurde naar de videocamera en leverde hardop commentaar terwijl hij op blote voeten over het stoffige mozaïek liep.

'Ik sta nu op een werkelijk buitengewone kaart van het Midden-Oosten, die drie jaar geleden hier is ontdekt aan de westkust van de Rode Zee. Samen met mij en mijn studenten zijn hier aanwezig professor Catherine Cavanaugh en journalist Benjamin Jordan. Hun onderzoek heeft ons vandaag hier gebracht.

'We leggen deze gebeurtenis vast als primair verslag van ons werk op deze plaats, gezien de bijzondere omstandigheden en de onorthodoxe methoden waartoe we onze toevlucht moeten nemen. Om redenen die binnenkort wel duidelijk zullen worden, heb ik die omstandigheden niet aan de leden van mijn team uitgelegd. Laat ik volstaan met te zeggen dat ik de volledige verantwoordelijkheid aanvaard voor alle juridische of ethische risico's die aan dit onderzoek kleven. Ik laat het aan het publiek over om te beslissen of die risico's terecht zijn geweest.

'Heb je dat, Hannah?'

Hannah, een slank en lenig meisje van negentien, gebronsd door de woestijnzon, keek op van de camera en stak haar duim omhoog. 'Ga door, professor.'

Galil keek op zijn horloge, een grote digitale knol met een plastic bandje dat met zwart isolatieband bijeen werd gehouden. Hij droeg een T-shirt, een kakishort en een slappe hoed met brede rand, die nog eens bewezen dat hij geen last had van stijlgevoel of ijdelheid. Hij sloeg de ochtendkrant open en hield de voorpagina naar de camera toe.

'De plaatselijke tijd is 11:14 uur, de datum is 2 november, en we staan op het punt om te beginnen.'

Het was een karakteristieke hete, onbewolkte dag. De diepblauwe hemel sloot bijna naadloos aan op de diepblauwe zee. De plek lag ten zuiden van Eilat, in Egypte, op de kale kustvlakte tussen de rode bergen en de vakantieplaatsen langs de kust, waar op koraalriffen werd gedoken. Het mozaïek leek vroeger deel te hebben uitgemaakt van een klein paleis, mogelijk een strandhuis, van een rijke Egyptische functionaris.

De teamleden en hun karavaan van suv's en pick-uptrucks vielen op in het kale landschap, maar ze konden zich onmogelijk verbergen.

'Als er toeristen langskomen, moeten we maar een saai verhaal ophangen,' had Galil gezegd. Hannah ging door met filmen.

Ze hadden besloten niet 's nachts te graven, omdat ze dan een verdachte indruk zouden maken op zo'n openbare plek.

Doron Druri, de archeoloog die hier de leiding had, wachtte nog op voortzetting van zijn subsidie en op een normale dag zou hij niet meer dan vijf of zes medewerkers hebben gehad. De vrijwilligers uit Europa en de Verenigde Staten waren vertrokken voor het seizoen.

'Hoe heb je Doron hier weg gekregen?' vroeg Catherine.

'Ik zei dat we hem nodig hadden bij de Kinneret, voordat het water begint te stijgen,' zei Galil. 'Hij was me nog wat schuldig.'

'En wat heb je gezegd tegen je mensen bij de Kinneret?'

'Dat Doron onze hulp nodig had bij de Rode Zee.'

Catherines mond viel open.

'Ik weet het, geen sterk verhaal,' zei Galil schaapachtig.

Voorzichtig liep hij langs de rand van het mozaïek naar het zuidelijkste hoekje, waar de leeuw met de gouden manen zich verhief alsof hij een jager confronteerde.

'Het is een opvallend levendige voorstelling,' merkte Galil op. 'Zie je het verschil met de zittende leeuwen bij de tempel van Isis in Philae?'

Jordan wist helemaal niets van de zittende leeuwen bij Philae, maar hij hurkte naast Galil als een honkbalcatcher en bewonderde het artistieke vakmanschap.

'Hoe konden onze helden de schat hier begraven zonder het mozaïek te verstoren?' vroeg hij.

'Een heel goede vraag,' zei Galil. 'Ik denk dat ze vanaf de zijkant hebben gegraven om eronder te komen.'

'En wil jij dat ook doen?'

'Dat kost te veel tijd,' zei Galil. Hij wees naar zijn studenten, die hun apparatuur opstelden bij de leeuw. 'Een bodemradar,' legde hij uit, toen ze een paar peilingen uitvoerden. 'Zodra ze een basislijn hebben, kunnen ze een patroon vaststellen.'

Een andere student, een jongen van begin twintig, fotografeerde het mozaïek met een macrolens, heel systematisch, beeldje voor beeldje, om vast te leggen hoe elke afzonderlijke tegel met de volgende was verbonden.

'Hier, professor!' riep een van de studenten opgewonden.

Galil liep snel naar het radarscherm en bekeek de uitslag.

'We hebben een paar veelzeggende afwijkingen,' zei hij. 'Allemaal binnen een straal van enkele meters vanaf de leeuw.'

Catherine kneep Jordan in zijn arm en de journalist balde zijn vuisten, in gespannen afwachting.

'Oké, pak de spullen,' beval Galil.

Twee van de studenten haalden cilinders uit de truck en gooiden ze over hun schouders als duikflessen. Elke cilinder was verbonden met een slang die ongeveer twee keer zo dik was als een tuinslang.

'Spuiten maar,' zei Galil.

De archeologen-in-spe spoten een dikke witte schuimlaag over de zuidkant van het mozaïek, totdat het schuim een driehoekige sector boven de afwijkingen bedekte.

'Het heeft even tijd nodig om uit te harden,' zei Galil. 'Ondertussen nemen de studenten gewone handtroffels om een schone rand uit te graven langs de buitenkant, waar de tegels ophouden, en een deel van de omringende stenen weg te halen. De afmetingen en de vorm maken het nogal lastig.'

'Heb jij die techniek uitgevonden?' vroeg Jordan.

Galil grinnikte om dat idee. 'Nee. Ik heb het van dieven gestolen.'

Het wachten was een kwelling. Jordan gebruikte de tijd om de rest van het mozaïek te bekijken. Catherine hield zich onledig met Zevs ochtendkrant. Onder de dagelijkse dosis ellende kwam één verhaal wel heel afschuwwekkend over. Een fundamentalistische rechtbank in Nigeria had een jonge vrouw veroordeeld tot de doodstraf door steniging, wegens overspel.

'Niet te geloven. Wat barbaars!' zei ze. 'Hoe kunnen mensen zo denken?'

'Het is niet veel anders dan de wet van Mozes,' zei Galil.

'Het verschil is dat wij zulke absurde ideeën niet uitvoeren.'

'Als we de Tora zouden gehoorzamen zouden wij overspeligen – en bruiden die in de huwelijksnacht geen maagd blijken te zijn – ook ter dood moeten brengen.'

Hij had gelijk, maar hij zei het om haar te provoceren. Catherine sloeg haar ogen ten hemel. 'Ach, klets niet,' zei ze, terwijl ze hem een klap gaf met de krant.

Galil nam hem van haar over en begon te lezen.

De temperatuur moest al aardig naar de 40 graden lopen, maar Catherine kreeg het plotseling koud. 'Wacht eens. Geef hier,' zei ze, en ze griste de krant weer terug.

Galil haalde zijn schouders op en liep weg. Als een chef-kok die de structuur van een soufflé of meringue testte, drukte hij voorzichtig een vinger in het uithardende schuim.

Catherine keek op van haar krant. Haar gedachten gingen razendsnel, net als haar polsslag.

'Het is zover,' zei Galil.

Het zuidelijke dal van de Nijl was nu bedekt met een rubberachtige laag die aan de tegels plakte. Galil knielde op de punt van de driehoek en zijn studenten stelden zich langs twee zijden op. Met een soort grote spatels begonnen ze het mozaïek los te wrikken van de ondergrond. Toen legden ze een grote plastic slang over het schuim, als de kartonnen huls van een reusachtige toiletrol.

De studenten grepen de randen van het mozaïek, en op een teken van Galil begonnen ze te tillen. Het schuim hield de tegeltjes bijeen. Voor het eerst in tweeduizend jaar of langer kwam het mozaïek los van het metselwerk eronder.

'Rustig aan. Voorzichtig. Oké, wikkel het maar op.'

Twee van de studenten wikkelden een vel rubber om de buitenkant van de rol om de vrijgekomen onderkant van het mozaïek te beschermen. Catherine leek het allemaal niet te zien, maar Jordan volgde het gefascineerd.

'Dieven, zei je?'

'Die zijn er met een paar kostbare mozaïeken vandoor gegaan alsof het kleden waren uit de bazar.'

Jordan liep naar het groepje toe om te helpen. Toen ze twee meter van het mozaïek hadden weggehaald, gaf Galil een teken om te stoppen. Hannah liep om de vrijgekomen ondervloer heen, filmde die vanuit verschillende hoeken, en de fotograaf schoot plaatjes.

Galil bekeek het resultaat en vergeleek het met het radarbeeld.

'Graven,' beval hij toen.

Normaal gebeurde dat heel behoedzaam, maar Galils team had maar enkele uren om een klus te klaren die anders weken zou hebben geduurd.

De studenten haalden de dunne stenen platen weg die de ondervloer vormden van het mozaïek. De ruimte eronder leek op een kelder, gedeeltelijk gevuld met zand. De holte was uit de rots gehakt, afgezien van de westelijke wand, die uit stenen blokken was opgebouwd. Een groot deel daarvan was opzij gezakt, waardoor in de loop der tijden steeds meer zand naar binnen was gekomen.

Op de bodem van de kelder, verspreid over het golvende zand, lagen wel tien of twaalf stenen kruiken, kort en breed, met een korte hals en oren. Als ze niet in het zand waren weggezakt zouden ze ongeveer tot heuphoogte zijn gekomen.

Fronsend liet Galil zich in de kuil zakken. Met zijn blote handen veegde hij het zand van de bovenste kruiken weg en met zijn vingertoppen voelde hij naar barsten. Toen richtte hij een kleine zaklantaarn in een van de kruiken.

'De derde vindplaats?' vroeg Jordan.

'Nee,' zei Galil, 'het geheime middel tegen hartkwalen.'

Jordan keek verbaasd.

'Let op de verschillende verhoudingen,' zei Galil, en hij wees. 'De kruiken met een slanke hals zijn voor wijn en olijfolie, die andere voor bloem of graan. In deze kruik zit zelfs nog volle tarwe, als ik me niet vergis.'

'En de munten, de offerschalen, de...'

'Zo te zien zijn we aan het verkeerde adres. Dat aardewerk is heel alledaags, niet geschikt voor ceremonies of de opslag van munten. Maar organische chemici zullen er wel blij mee zijn.'

De studenten stonden te tollen van verbazing, maar Jordan en Catherine keken bedrukt.

'Kan er niets anders in die kruiken zitten, of onder het zand?' vroeg Jordan.

'Geef me de metaaldetector,' zei Galil.

'Professor,' riep een van de studenten. 'Let op.'

In de verte sloeg een witte Humvee van de kustweg af en kwam in een wolk van stof naar de opgraving toe.

Galil keek over de rand van de kuil en zag de auto naderen. 'Oké, gooi dit gat maar dicht,' zei hij. 'Geen paniek.'

Hij klom uit de kruipruimte en twee studenten haalden een zeildoek uit een pick-uptruck.

'Zev,' zei Catherine.

'Verzwaar het met stenen. Gebruik desnoods de vloerplaten,' zei Galil.

'Zev,' herhaalde Catherine.

'Denk erom, dit is een doodgewone werkdag. Zand zeven en de vloer aanvegen. Geen haast, geen zorgen.'

'Zev,' zei Catherine, zwaaiend met de krant.

'Ja, wat is er?'

'Hoe zit het met de *sharia*?'

'Wat bedoel je?'

Ze liet hem het artikel over het doodvonnis in Nigeria nog eens zien. 'Weet jij of de bepalingen van de *sharia* ouder zijn dan de islam zelf?'

'Kan dit niet wachten? Yossi, dek die hoek af,' zei Galil wijzend.

'Geef nou antwoord.'

'Hm.'

'Nou?'

'De *sharia*. We kunnen ervan uitgaan dat de islamitische wet is gebaseerd op oudere tradities.'

'Uit de eerste eeuw?'

'Zou kunnen. Waarschijnlijk nog ouder. Hoezo?'

'Ik denk dat ik de verdwaalde karavaan van de vierde vindplaats heb gevonden.'

Galil verstijfde en keek haar aan. Toen dacht hij na. 'Ja... ja, natuurlijk! Ik denk dat je gelijk hebt.'

'Kun je de zaak hier opruimen?'

'Oké, wij redden ons wel. Jij en Ben nemen de jeep. We halen jullie later wel in.'

Jordan keek op vanaf de andere kant van de kuil, waar hij bezig was zand te zeven.

'Kom mee, Ben. We moeten weg,' zei Catherine. Ze liep naar de jeep en beduidde hem om achter het stuur te gaan zitten. Ze had haast, dat was duidelijk.

'Wat is er dan?' vroeg Jordan.

'De vierde vindplaats. De karavaan van de roverkoopman. Volgens mij is dat ergens bij Wadi Rum, in de Jordaanse woestijn.'

Jordan draaide zich van Catherine naar Galil en zag het ernstige gezicht van de archeoloog.

'Ga jij maar,' zei Jordan. 'Dan help ik hier.'

'Dit is míjn zandbak,' zei Galil op een toon die geen tegenspraak duldde. 'Wat weet jij nou van zandkastelen?'

Jordan aarzelde. 'Zev, de mensen in die Humvee kunnen gevaarlijk zijn.'

‘Ben, beste jongen, de studenten en ik houden ze wel bezig. Maar iedereen is op jacht naar jóú.’

Jordan gaf toe. Hij liep naar de jeep, heel rustig, zoals Galil gezegd had.

De Humvee kwam dichterbij.

‘Ben, wacht!’ zei Galil.

Jordan draaide zich om.

‘Je vergeet deze nog,’ zei Galil, en hij gooide hem de sleuteltjes toe.

49

Een eiland in de Egeïsche Zee

Meyer Elazar stelde zich voor dat hij geboeid in een kerker lag, wachtend op de Spaanse Inquisitie en de ultieme test van zijn geloof. De eenzaamheid van zijn kloostercel was het vagevuur geworden.

Al sinds zijn jeugd was hij in zijn verbeelding in de voetsporen van zijn voorvaderen getreden om antwoord te geven op die onmogelijke vraag: Wat zou hij hebben gedaan als hij in hun positie was geweest en dezelfde beproevingen had moeten doorstaan?

Stel dat hij Job was geweest en God hem had veroordeeld tot diepe armoede, zijn familie had gedood en hem had bezocht met afschuwelijke zweren, alleen maar om zijn geloof te testen en een weddenschap met de duivel te winnen? Zou hij God hebben afgezworen?

Stel dat hij Abraham was geweest en God hem had bevolen zijn zoon Isaak te offeren. Zou hij hebben gehoorzaamd? Zou hij Isaak hebben vastgebonden, op een brandstapel hebben gezet en zijn mes hebben getrokken, totdat God hem tegenhield?

Trouwens, stel dat hij Isaak was geweest. Zou hij Abraham dan hebben vergeven?

En als hij een jood was geweest onder de Syrische koning Antiochus, gedwongen om Gods wet te overtreden door varkensvlees te eten? Zou hij dat hebben gedaan? Want anders zou Antiochus hem hebben gescalpeerd, zijn tong afgesneden en hem levend hebben gebraden in een grote pan, net als de helden uit de overlevering.

En als hij in een gaskamer van de nazi's had gestaan toen het dodelijke gas vrijkwam? Zou hij met zijn laatste adem zijn joodse geloof hebben beleden of God hebben vervloekt?

Het was onmogelijk die vragen hypothetisch te beantwoorden. Maar als Elazar eerlijk was, moest hij toegeven dat hij zelfs in hypothetische gevallen Gods beproevingen niet doorstond. Dat besef was op zichzelf al een kwelling. Daardoor voelde de rabbi zich zwak en onwaardig, misschien zelfs een bedrieger. Was dat de reden waarom hij compensatie zocht?

Als jongeman had hij gegraven naar zijn religie, terwijl anderen gewoon geloofden. Later, toen de Arabieren zijn vrouw en dochter hadden vermoord, had zijn verbittering hem tot de *yeshiva* en uiteindelijk tot het rabbinaat gebracht. Het had zijn haat tegen Israëls vijanden gevoed en zijn vastberadenheid om voor de Joodse staat te vechten nog versterkt. Maar diep vanbinnen vermoedde hij nog steeds dat hij de ultieme test niet zou doorstaan.

Nu was het hypothetische kwaad opnieuw werkelijkheid geworden, erger nog dan hij ooit had kunnen voorzien. En Meyer Elazar speelde een centrale rol in een onderneming die het jodendom zou kunnen ondermijnen en het christelijk geloof versterken.

Als hij en de Orde van Constantijn slim en sterk genoeg waren, als ze niet opgaven, zou de Zilveren Rol hen naar de persoonlijke getuigenis kunnen brengen van Kajafas, hogepriester van Jeruzalem en hoogste rechter in het proces tegen Jezus. Als Elazar gelijk had, kon dat moment niet ver meer zijn.

En dan?

Bijna tweeduizend jaar was het relaas over de dood en wederopstanding van Jezus in het Nieuwe Testament de oorzaak geweest van de haat en de razzia's tegen Elazars volk. Het was de voedingsbodem geweest voor de nazi-ideologie en het had de Joden en het jodendom op de rand van de uitroeiing gebracht.

Nog altijd verwierpen de Joden de christelijke Schrift. Het ging immers om hun eigen identiteit, hun bestaan als volk.

Misschien zou de Kroniek van Kajafas de evangeliën ontkrachten. Misschien zou het de Joden in een sterkere positie brengen.

Maar misschien ook niet. Het kon ook een bevestiging zijn van het verhaal uit het Nieuwe Testament.

Als de inlichtingen van vader Gregorius klopten, had Kajafas iets gezien wat hem tot een boetvaardige kluizenaar had gemaakt. En Elazar werd gevraagd die onwillige getuige voor het voetlicht te slepen.

De christelijke Bijbel zou een getuigenis moeten zijn van broederliefde. Maar dat was een selectieve interpretatie, wist Elazar. Het bewijs was in zijn geheugen geëtst, de woorden uit het Nieuwe Testament van Jezus zelf, toen hij de oude orde omver wilde werpen:

Indien er iemand tot mij komt die niet zijn vader en moeder haat, en zijn vrouw en kinderen, en zijn broeders en zusters, ja zelfs zijn eigen leven, dan kan hij niet mijn discipel zijn.

Want ik ben gekomen om tweedracht te zaaien tussen een man en zijn vader en tussen een dochter en haar moeder en tussen een schoondochter en haar schoonmoeder; en iemands huisgenoten zullen zijn vijanden zijn.

Meent gij dat ik gekomen ben om vrede op aarde te brengen? Nee, zeg ik u, veeleer verdeeldheid.

Ik ben niet gekomen om vrede te brengen, maar het zwaard.

En het punt van dat zwaard was gericht op het hart van het Jodendom. Hoewel Jezus was geboren uit een Joodse familie, veroordeelde Jezus zijn mede-Joden omdat ze hem en zijn woord niet als goddelijk accepteerden.

Slangen, addergebroed! Hoe zult gij ontkomen aan het oordeel der hel?

Over u kome al het onschuldige bloed dat vergoten werd op de aarde.

Gij hebt de duivel tot vader en wilt de begeerte van uw vader doen. Hij was een moordenaar vanaf het begin... en de vader der leugen.

Jezus' scherpste woorden waren bedoeld voor een bepaald deel van het joodse establishment, de strenge en ritualistische Farizeeën, maar die nuance was in de passie verloren gegaan.

Hoewel Mozes verklaarde dat de Tora het laatste woord over Gods wetten was, hadden de volgelingen van Jezus andere ideeën. Het Nieuwe Testament bespotte de leer van het Oude als 'vreemde leerstellingen'. Dat gold onder meer voor de voedselwetten, 'die nooit ten gunste zijn geweest voor hen die ze in acht namen'. De besnijdenis werd verworpen als 'verminking', en degenen die het toepasten werden 'honden' genoemd. Ook de regels voor de inachtneming van de sabbat vonden geen genade. Het Nieuwe Testament leek het Oude te bespotten als een verzameling 'onjuiste leerstellingen... fabels en eindeloze geslachtsregisters'.

Het deed een aanval op het fundament van het joodse geloof, de Wet van Mozes, hem door God gegeven op de berg Sinaï. 'Want indien dat eerste verbond onberispelijk ware, zou er geen plaats zijn geweest om te zoeken naar een tweede,' verklaarde de christelijke Bijbel. In plaats daarvan had God 'het eerste voor verouderd verklaard'.

Het Oude Testament leerde joden hoe ze met godslasteraars moesten omgaan. Voor hen was er geen genade. Hun reactie op iemand als Jezus was dus voorspelbaar, een artikel van het geloof, voorgeschreven in Deuteronomium:

Wanneer onder u een profeet verschijnt, of iemand die dromen heeft, en u een teken of een wonder aankondigt, en u oproept om andere goden achterna te lopen die gij niet kent om hen te dienen, zelfs als het teken of het wonder komt, luister dan niet naar de woorden van die profeet of dromer. Want de Here God, uw God, stelt u op de proef om te weten of gij de Here, uw God, liefhebt met heel uw hart en ziel...

Die profeet of dromer moet ter dood worden gebracht.

Toen de Romeinse gouverneur Pontius Pilatus een menigte Joden vroeg wat er met Jezus moest gebeuren, zou hun antwoord volgens de evangeliën duidelijk zijn geweest: 'Kruisig hem! Kruisig hem!' riepen ze. 'Wij hebben een wet, en naar die wet moet hij sterven, want hij heeft zichzelf tot Gods zoon verklaard.'

En zo legde het Nieuwe Testament de schuld voor Gods dood bij een hele natie en haar afstammelingen, alsof de mens de macht zou hebben om God te doden. Alsof de kruisiging tegen Gods plan zou indruisen, of tegen Jezus' missie zoals die door de christenen werd begrepen.

Nog geniepiger gaven de Joden volgens het evangelie van Matteüs zichzelf de schuld: 'En al het volk antwoordde en zeide: "Zijn bloed kome over ons en over onze kinderen."'

Meyer Elazar vroeg zich af wat er zou gebeuren als hij de Kroniek van Kajafas vond.

Hij keek naar zijn handen en zag dat ze dropen van het bloed, het bloed van onschuldige Joden, vergoten in naam van Jezus. Het zou heel goed de nekslag voor Israël kunnen zijn.

50

De Jordaanse woestijn

Ze reden over een brede, rode rivier van zand, omringd door roestkleurige rotsen, gebeeldhouwd door de tijd. Dit zand had ooit bergtoppen gevormd, maar de wind en het water hadden het tot stof vergruisd. Links dropen stralen van zandsteen langs de rotsen, bevroren als ijspegels na een vroegtijdig ingevallen dooi. Rechts markeerden duizenden horizontale groeven het verstrijken van miljoenen jaren.

De rivier kwam uit in een meer van rood, golvend zand, dat tegen de voet van de grillige stenen bergen klotste. Hier en daar waren die bergen gesmolten tot pilaren, van elkaar gescheiden door diepe, smalle kloven.

De middagzon drong door tot de geheimen van het bergland en wierp een onheilspellend licht over nissen en spleten, terwijl andere in de schaduw bleven.

Catherine raadpleegde haar geheugen. 'Nu een bocht naar links, door die opening daar.'

Jordan loodste de jeep naar de monding van een volgende zijrivier.

Dit was het land van de nomaden. Op hun eindeloze reizen, van onheuglijke tijden tot nog betrekkelijk kort geleden, hadden de bedoeïenen hier hun tenten opgezet en hun kampvuren aangestoken op de bodem van het dal. Net zo snel pakten ze alles weer bij elkaar om verder te trekken. Zelfs hun grote tentensteden verplaatsten zich zonder een spoor na te laten. Ze lieten het land achter zoals ze het hadden aangetroffen, gevormd door de natuur en onaangetast door de mens.

Bijna.

Er was een tijd geweest, eind jaren negentig, toen Catherine vreesde dat het toerisme het gebied zou bederven. Zoals haar bedoeïenenvriend Ali in gebroken Engels uitlegde, werden de vreemdelingen aangelokt door de *gravities*. Eerst begreep ze niet wat hij bedoelde, maar ze zag wel het kleine bedoeïenendorp dat was opgekomen als de poort naar het gebied: keurige rijen kleine huisjes, een soort stacaravans, over de hele breedte van een smal ravijn. En ze kon de toekomst al voor zich zien.

Maar voorlopig was de toekomst uitgesteld. Toen het geweld terugkeerde naar andere delen van het Midden-Oosten, keerden ook de rust en de zuiverheid van dit gebied terug. De woestijn had nog even respijt gekregen.

Jordan keek in zijn spiegeltje naar het spoor van zijn eigen banden. Het leek of hij een wond had geslagen, maar hij wist dat die zou helen.

'Volgens mij moet het hier ergens links zijn, voor ons uit,' zei Catherine, speurend naar herkenningspunten in de rotsformaties. 'Ja, dit is het.'

Tegen de tijd dat Jordan de motor afzette rende Catherine al door het zand. De zon stond laag aan de hemel en ze wierp een schaduw die haar vier meter lang maakte. De rots voor haar uit leek terug te wijken en weg te zakken in de woestijnbodem, aangetast door erosie.

Catherine bleef staan en keek omhoog naar de gladde wand. Jordan haalde haar in.

'*Gravities*,' zei ze.

De wand was beklad met petrogliefen, prehistorische graffiti.

Hoog boven hun hoofd waren rijen vreemde symbolen in de steen uitgehakt: een heel oud schrift, dat nog altijd niet was ontcijferd.

Een paar meter lager, maar nog steeds buiten bereik, stak een kudde kamelen de rotswand over. Het was een primitieve tekening, die door kinderen kon zijn gemaakt, of door Picasso. Maar de bulten waren onmiskenbaar. Sommige dieren waren heel simpel en tweedimensionaal weergegeven, met maar twee poten, van opzij gezien. Uit andere bleek een rudimentair gevoel voor diepte en perspectief, omdat zowel de linker- als de rechterpoten in draf waren getekend. Deze dieren hadden ook een vaste vorm.

De eerste kameel leek doormidden gehakt. De voorkant ontbrak omdat een deel van de rots was afgebroken. Wat voor kunstwerk daar ook te zien was geweest, het was voorgoed verdwenen.

Er waren ook menselijke figuren bij, nauwelijks meer dan lucifermannetjes. Ze leken achter de kamelen aan te lopen. Twee ervan hadden voldoende details om hun mannelijkheid te herkennen. Eentje had zijn armen boven zijn hoofd en hield iets in zijn rechterhand, een soort kromme stok. Misschien een zweep om de dieren voort te drijven.

De andere man hield zijn armen op dezelfde manier omhoog, gebogen in een rechte hoek, met zijn onderarmen loodrecht ten opzichte van de grond. In zijn rechterhand had hij een stok, maar zijn linkerarm eindigde bij de pols.

Hij miste een hand.

Hij was zonder hand getekend.

Waar de karavaan van de roverkoopman in de woestijn verdween; 130 talenten aan gouden munten, 90 talenten aan zilveren munten en 15 offerschalen.

'Begrijp ik het nou goed?' vroeg Jordan. 'Het primitieve volk dat deze tekeningen heeft gemaakt strafte dieven door hun handen af te hakken?'

'Nee, dat is het punt niet,' zei Catherine. 'Ik denk dat de auteurs van de Zilveren Rol veel later, in de eerste eeuw, toen de schat werd begraven, die amputatie met de Arabische wet hebben geassocieerd. Ze hebben die kamelendrijver zonder hand in de Arabische woestijn waarschijnlijk voor een veroordeelde dief aangezien.'

Catherine zag het niet, maar in de schaduw gleed er een bewonderend lachje over Jordans gezicht. 'Laten we maar gaan graven,' zei hij.

Ze renden terug naar de jeep en grepen hun spaden.

De zon ging onder boven de bergen en de jeep wierp een abstracte schaduw, die over het rimpelende zand kroop als een schilderij van Dalí.

Ze begonnen te graven.

De zon raakte een grillige top, leek even te aarzelen en explodeerde toen in vurige stralen. Even later verdween hij achter de berg. Wat overbleef was een gele lichtkrans en een donkere vallei.

Jordan keek op naar de petrogliefen. 'Hoe oud zijn ze eigenlijk?' vroeg hij hijgend.

'Ik denk dat de vroegste wel tienduizenden jaren oud zijn.'

Jordan floot. 'Waarom zo hoog? Daar was moeilijk bij te komen.'

'De tekenaars stonden waarschijnlijk nog met hun voeten op de grond.'

Verbaasd dacht Jordan even na over het verstrijken van de geologische tijd.

Maar hij begon ook te beseffen dat die geologie niet in hun voordeel werkte.

Ze kwamen gewoon niet dieper. Hoe ze ook hun best deden, het schoot niet op. Jordan verhoogde zijn tempo, maar het zand stroomde steeds weer terug in de kuil. Hij gooide al zijn energie in de strijd, maar het enige resultaat was dat hij nog heviger begon te zweten.

Hijgend van inspanning leunde Catherine met een hand op zijn schouder om op adem te komen. 'Dit heeft geen zin, Ben.'

Hij bracht zijn schop weer omhoog en ramde hem in het zand met alle woede van zijn frustratie. De woestijn maakte zijn poging weer ongedaan.

'Het geeft niet, Ben.'

Hij legde een hand op de hare en boog zijn hoofd.

Achter hem was de gele lichtkrans nu verdwenen, en de hemel verkleurde van blauw naar zwart.

'We slaan hier ons kamp op voor de nacht,' zei hij berustend.

'Hier?' vroeg ze.

Jordan keek om zich heen en tuurde over het grote zandmeer naar de toppen aan de overkant.

'Nee, hier is geen beschutting,' zei hij. 'We moeten een schuilplaats zoeken.'

Ze kozen een naburige vallei, waar een paar rotsformaties een beschermende muur vormden. In de woestijnlucht, onder de heldere hemel, begon de temperatuur snel te dalen. Er was geen vocht in de atmosfeer om de warmte vast te houden.

Jordan zocht op de bodem van het dal naar de kleine, verdroogde struiken, die hier en daar in het zand groeiden. Ze vormden het enige teken van leven in het dorre landschap, de enige aanwijzing dat er ergens, diep onder de grond, nog een stroompje water uit de oertijd te vinden moest zijn.

Hij maakte een vuurtje, niet te groot, om brandhout te sparen. Catherine spreidde een paar dikke wollen dekens uit, naast het vuur. Ze ritste hun enige slaapzak open en legde die over de dekens bij wijze van sprei.

Toen probeerde ze haar mobieltje, maar klapte het gefrustreerd weer dicht. 'Geen bereik,' zei ze.

Ze gingen op de slaapzak zitten, dronken water uit plastic flessen en aten mueslirepen. De maan kwam op boven de bergen. Hij was bijna rond, verblindend wit, en leek zo dichtbij dat ze hem konden aanraken.

'Ik maak me zorgen over Zev,' zei ze.

'Ja, ik ook. Maar je zult zien dat hij hier morgenochtend opduikt om ons probleem op te lossen.'

'Daar ben ik niet zo zeker van.'

Jordan gooide nog een miezerig takje op het vuur.

Hij keek op de lichtgevende wijzerplaat van zijn horloge. Het was negenentwintig uur geleden dat ze Galil hadden achtergelaten bij de kruiken en de naderende toeristen. Ze waren langs de Egyptische kust gereden en door Eilat, waar ze voorraden hadden ingeslagen en even hadden uitgerust. Daarna was de tocht verdergegaan naar het Arava Crossing Point op de grens tussen Eilat en Akkaba.

Shalom! Peace! Bon Voyage! schreeuwden de borden hen toe in het Engels, Hebreeuws en Arabisch toen ze de Israëlische kant achter zich lieten. Stoffige, groene veewagens kwamen hen tegemoet, voorafgegaan door hun stank.

Jordan kneep zijn neus dicht en Catherine hield haar adem in toen ze over de smalle weg door een omheind stuk niemandsland reden, voorzien van borden met GEVAAR – LANDMIJNEN.

Toen waren ze in Jordanië.

Catherine keek naar het zieltogende vuurtje op de bodem van de woestijn. 'En als het geen toeristen waren?' vroeg ze.

Jordan gaf haar een geruststellend kneepje in haar hand. 'Galils studenten zijn Israëli's,' zei hij. 'En dus soldaten. Toen wij vertrokken, hield een van hen zich verscholen achter op een pick-uptruck.'

'Verscholen?'

'Met een automatisch geweer.'

Catherine huiverde.

'Als ze niet in Egypte waren geweest,' zei Jordan, 'had hij het gewoon om zijn schouder gedragen.'

Hij legde het laatste hout op het vuur. De dorre, broze takjes krulden zich tot gloeiende ranken.

Ze voelden een lichte bries, en in de volmaakte stilte van de woestijnnacht hoorden ze het geluid van ontelbare zandkorrels die spontaan van plaats verschoven.

De takjes doofden en de laatste vonk loste zich op in een sliertje rook dat in de kristalheldere lucht verdween.

Vreemd genoeg leek de nacht daardoor nog helderder.

Boven hun hoofd hingen een miljard glinsterende sterren, duizend keer zoveel als Jordan ooit had gezien, en veel feller dan hij gewend was. De hemel boven de woestijn leek zuiver, niet gefilterd door het weerkaatste licht van de menselijke schepping. Vrij van aardse vervuiling was de intieme relatie van de mens met de sterren gemakkelijk te begrijpen.

Het lag voor de hand om ze als godheden te zien, of in een Hemelse Schepper te geloven. Hier was het bewijs.

Catherine strekte zich uit en staarde naar de hemel. Jordan boog zich over haar heen en streek met zijn vingers door haar haar.

'Het spijt me, maar het is niet het Hotel Morad,' zei hij.

'Nee, dat is zo.'

'En niet Pamet Hall.'

'Je hebt gelijk.'

'Zelfs niet The Black Rabbit.'

'Ach...' zei Catherine, zonder een spoor van spijt.

Langzaam kuste hij haar hals. Ze pakte zijn hand en hun vingers strengelden zich ineen.

Ze kwam op hem liggen en keek in zijn ogen, die smeulden met een hemels vuur. Hij tilde zijn gezicht naar het hare, maar zij keek naar de sterren. Langzaam maar onverbiddelijk trok hij haar naar zich toe. Bijna raakten hun lippen elkaar, en de vonk sprong over. Ze wisselden een ademtocht.

Toen kusten ze elkaar.

Een lange, diepe kus.

Catherine maakte zich los en verhief zich boven hem. Met haar rug naar de sterren gekromd trok ze haar shirt en haar sweater over haar hoofd en gooide ze opzij. Hij maakte haar beha los, die wegviel.

De nacht was koud, maar ze merkten het geen van beiden.

Toen ze zich uitgeput lieten terugzakken, voelde het als ochtend, maar het was pas middernacht. Even dacht Jordan dat een breed lint van wolken hun volmaakte hemel had verstoord, maar toen vermoedde hij wat het was. De Melkweg was opgekomen als nooit tevoren en baadde hen in zijn koele witte licht.

Ze viel in zijn armen in slaap, luisterend naar zijn hartslag.

Jordan lag nog een tijdje wakker, terwijl hij naar de sterren keek en nadacht over de eeuwigheid. Hij verwonderde zich over de bruisende werkelijkheid van het moment en de vergankelijkheid van het leven. Hij hield Catherine dicht tegen zich aan, om het moment zo lang mogelijk te laten duren. En hij dacht aan de talloze generaties die onder dezelfde sterren hadden geslapen, vanaf de tekenaars van de petrogliefen of nog verder terug in de geologische tijd.

Zou iemand ooit hetzelfde hebben gevoeld als hij, op dit moment?

En opeens, in het schijnsel van de Melkweg en de warmte van Catherines lichaam, had hij een openbaring.

Toen hij wakker werd, waren de sterren verdwenen en was de maan nog maar een schim van zichzelf. De ochtend brak aan.

Hij boog zich opzij en keek naar Catherine terwijl ze sliep. Hij kuste haar, heel voorzichtig. Haar lippen plooiden zich tot een glimlach. Ze sloeg haar armen om hem heen en trok hem tegen zich aan, vragend om een diepere kus.

'Kom met me mee,' fluisterde hij, terwijl hij zich losmaakte uit haar omhelzing.

Ze opende haar ogen toen hij zijn broek dichtknoopte. Hij stak een hand uit en trok haar overeind. Ze was naakt, mooier dan ooit. Jordan gooide haar haar shirt en sweater toe, en ze kleedde zich haastig aan.

Hij pakte haar hand en ze beklommen de dichtstbijzijnde rotsformatie, een miniatuurberg die zich steil boven de plaats van hun bivak verhief. Het zandsteen had een merkwaardige structuur, niet zacht of bros, maar opvallend stevig, als hardgebakken porselein, en bijna muzikaal, met een hol timbre dat de echo's versterkte. Catherine vermoedde dat het een toon zou voortbrengen als ze erop sloeg. Ze klommen hand over hand, gebruikmakend van alle treden en grillige steunpunten van de natuur. Waar de natuur geen hulp bood, greep Jordan haar hand en trok haar met zijn sterke arm omhoog. Zijn verwondingen leken hem geen last meer te bezorgen.

Ze naderden de top. Een oranje lichtkrans vormde zich achter de bergen in het oosten, als voorbode van de opkomende zon.

'Ben?'

'Ik ben hier.'

'Ben?'

'Volhouden. We zijn er bijna.'

Hij keek over zijn schouder. Ze waren de zon nog één stap voor.

'Ben, er is iets wat ik...'

'Pak mijn hand.'

Ze stak een arm uit, en met zijn krachtige hulp stond ze even later naast hem op de bergtop. De zon kwam net boven de oostelijke heuvelrug uit.

Catherine keek omlaag, voor het eerst sinds ze met de beklimming waren begonnen. Het uitzicht was duizelingwekkend. Ze bevonden zich bijna zestig meter boven hun bivak, en de jeep leek een speelgoedauto naast hun dekens. Catherine bedwong haar hoogtevrees en nam het vergezicht in zich op. Ze keek naar het noorden, speurend naar de rode rivier van zand, maar die ging schuil achter de rotsen. Ze keek naar het westen en de naburige vallei. Ze keek naar het grote zandmeer, waar de karavaan van de roverkoopman in de woestijn was verdwenen.

En ze slaakte een kreet. 'Ben!'

'Je mist de zonsopgang.'

'Ben, kijk. Daar is Zev!'

'Wat?'

Hij keek in de richting waarin ze wees. Een colonne van vier SUV's stond bij de petrogliefen geparkeerd en het team had zich verzameld aan de voet van de rots.

'Dat zei ik je toch?' Jordan omhelsde haar.

Een van de leden maakte zich uit het groepje los en leek de bodem te bestuderen. Hij draaide zich om, sprak even met de anderen en wees naar een paar vage bandensporen die de woestijn doorkruisten naar de ingang van het dal waar ze hun kamp hadden opgeslagen.

'Dat is Zev niet,' zei Jordan.

'Jawel. Dat...'

Ze wilde al een hand opsteken om te zwaaien, maar hij greep haar arm als in een bankschroef.

'Dat is Zev niet,' herhaalde hij. 'Snel, kom mee.'

Ze doken weg achter de rotsen en daalden de berg af.

'Niet te snel,' zei Jordan.

Algauw kwam Catherine erachter dat bergbeklimmen tegen de wetten van de natuur indruiste. Dalen was veel lastiger dan klimmen, en veel gevaarlijker. Bovendien moest je steeds omlaag kijken.

'Ik ben vlak bij je,' zei hij. 'Pas op waar je loopt.'

Ze gebruikte zijn schouder als steun. 'Als het Zev niet is, wie dan wel?' vroeg ze.

'Ik wacht liever niet tot ze zich voorstellen.'

Ze waren halverwege de helling.

Catherine zette haar voet op een paar losse steentjes die weggleden. Jordan brak haar val. 'Gaat het?'

Ze knikte en liep weer door.

Eindelijk bereikten ze de voet van de rotsformatie en ze renden een steile zandheuvel af. Het mulle zand dempte hun voetstappen. Ze sprintten naar het kamp en gooiden de dekens in de jeep. Catherine griste haar beha van de grond en hing hem om haar hals toen ze de portieren opengooiden en in de auto sprongen.

Jordan wierp een blik op haar uitmonstering en startte de motor. 'Staat je goed,' zei hij.

In een wolk van zand stoven ze bij hun bivak vandaan.

Jordan reed naar het noorden, in de richting van de ravijnen die een uitweg vormden uit de bergen. Catherine keek achterom, maar kon geen achtervolgers ontdekken. Ze reden langs hoge rotsen en door een natuurmuseum van abstracte kunst. Terwijl Jordan zijn spiegeltje in de gaten hield, trok Catherine haar beha weer aan met een serie Houdini-achtige capriolen waardoor ze niet uit de kleren hoefde.

Een paar kilometer vanaf het bivak lieten ze de bergen achter zich. Voor hen uit, in een hoek van minstens 160 graden, lag de eindeloze woestijn, bijna vlak, met alleen wat groene struiken die een subtiele verandering in de contouren markeerden. Jordan stak een lage heuvel over.

De jeep liep vast.

Voorzichtig gaf hij gas, maar de wielen draaiden door. Hij schakelde de wagen in zijn achteruit. De jeep schokte, maar zakte weer terug. Hij schakelde vooruit en gaf gas bij, maar dat leverde niets anders op dan een fontein van zand.

'Neem jij het stuur,' riep hij, en hij sprong uit de auto.

Hij probeerde te duwen, terwijl Catherine het gas intrapte, maar ook dat hielp niet.

'Wacht,' zei hij, alsof ze ergens naartoe ging, en hij rende bij de jeep vandaan.

Verderop rukte hij wat dunne takken uit de grond, kwam struikelend weer terug en wrikte de takken onder de banden voor meer grip.

'Geef maar gas. Heel voorzichtig,' instrueerde hij.

De jeep verhief zich uit het zand en kwam in beweging. Jordan rende erachteraan. Catherine was bang om te stoppen en weer weg te zakken. Ze remde af tot wandeltempo en gooide het portier open. Jordan sprong aan boord.

'Rustig aan nu,' zei hij, met een blik over zijn schouder.

Ze waren nog steeds alleen.

Binnen een uur hadden ze een tweebaans autoweg bereikt. Het zand waaide eroverheen en de weg was verlaten. Ze sloegen af naar het noorden.

Catherine probeerde haar telefoon, maar ze had nog steeds geen bereik.

Bij een benzinestation langs de hoofdweg belde Jordan het nummer van Zev. Hij kon hem nauwelijks verstaan boven het lawaai van het verkeer uit.

'Met ons alles oké, Zev. En met jou? Geen problemen?'

'Een beetje buikloop, maar dat gaat wel over.'

'Hebben jullie nog iets gevonden?'

'Ja, de mooiste dingen. Maar niet waar we naar zochten.'

'Wat heb je ermee gedaan?'

'We konden ze moeilijk bij de douane aangeven, dus hebben we ze maar verborgen. Vanavond zijn we bij jullie. We staan op het punt de grens van Eilat naar Akkaba over te steken.'

'Een verandering in de plannen, Zev. Rij naar En Bokek. Wij komen daar zo snel mogelijk naartoe.'

De spanning in Jordans stem ontging Galil niet. 'En de verdwaalde karavaan?'

'Het ligt niet meer in onze handen, Zev. Maar ik denk dat ik het raadsel van de stenen demon heb opgelost. Laten we hopen dat het daarom gaat.'

'Waar is het?'

'Ik leg het je wel uit als we je zien. Catherine zei dat we al jullie technologie hard nodig zullen hebben.'

'Pas goed op haar, Ben.'

'En pas jij op voor onbekenden.'

51

Een eiland in de Egeïsche Zee

'Ik kan het niet,' zei Elazar. 'Ik kan u niet helpen.'

Vader Gregorius keek hem aan met een mengeling van empathie en streng moreel gezag.

'Rabbi, u kunt het. U hebt bovendien geen keus. Ik weet dat het moeilijk is, ook voor mij. Maar toch moet u doorzetten, al was het maar ter wille van uw volk.'

'Juist ter wille van mijn volk kan ik dit niet doen.'

Ze liepen langs de rots. Onder hen braken de golven tegen de stenen.

De Grieks-orthodoxe monnik bleef staan en keek over de rand. 'Rabbi, ik geloof niet dat het toeval is dat u en ik samen voor deze beproeving staan. Ik denk dat de Here het zo heeft gewild.'

'Vader Gregorius, als u en ik over de Here spreken, weet ik niet of wij dezelfde God bedoelen. Jezus is niet mijn verlosser.'

'Rabbi, ik heb hier ook mee geworsteld. We kunnen de vraag niet ontlopen. Wat zou er gebeuren als ons onderzoek de evangeliën ondermijnt? Wat zou er gebeuren als bleek dat Jezus nooit was opgestaan? Zou dat de ondergang van de kerk inluiden? Zouden de gelovigen weglopen en de leer van Christus afzweren? Zouden ze gaan twijfelen aan de verlossing? Zou dat het einde van het christendom zijn?

'Zouden we ooit nog boete kunnen doen voor onze zelfgenoegzaamheid, onze kruistochten en de eeuwen van geweld uit naam van Christus? En wat zou het betekenen om het geloof te vervangen door een religie gebaseerd op feiten en rede alleen?

'Ik zal u zeggen tot welke slotsom ik ben gekomen. Ik geloof dat wij het licht moeten zoeken en omhelzen, zoals God het ons laat zien.

'Ik geloof dat we onze les moeten leren uit het Oude Testament, dat steeds opnieuw Gods woede demonstreert als zijn uitverkoren volk Zijn tekenen negeert. Ik geloof dat we ons moeten richten op de God van de berg Sinaï. Tegen die tijd had hij de plagen over Egypte gebracht, de Rode Zee gescheiden en de Israëlieten uit de slavernij bevrijd. Met vuur en donder had hij de Tien Geboden uitgevaardigd en de Israëlieten gezegd dat ze geen afgodsbeelden mochten aanbidden. Maar de Israëlieten wilden nog steeds niet luisteren. Aan de voet van de Sinaï smolten ze hun sieraden om voor een gouden kalf, waarvoor ze knielden. En God liet de Israëlieten boeten voor hun blindheid en ongehoorzaamheid door drieduizend levens te nemen.

'Als God de wateren kon scheiden, hoe moeilijk zou het dan voor hem zijn geweest om ons zijn zoon te zenden? En hoe zou iemand van ons dat geschenk kunnen weigeren?

'Rabbi, ik weet wat u denkt. Als wij de Wederopstanding kunnen bewíjzen, worden het joodse geloof en de Joodse staat in diskrediet gebracht. U denkt dat de Joden opnieuw de schuld zullen krijgen van de dood van Christus en dat er een nieuwe golf van geweld tegen hen zal losbarsten. U denkt dat het Jodendom, dat toch al wordt bedreigd door assimilatie, gemengde huwelijken en een verlies van identiteit bij de kinderen, van binnenuit zou worden uitgehold.

'Misschien bent u zelfs bang dat de islamitische wereld de strijd met Israël zou gaan winnen. En dat dit bewijs een wig kan drijven tussen de Joodse staat en haar christelijke bondgenoten, waaronder de belangrijkste beschermer van Israël, de Verenigde Staten. Maar...'

'Nee, vader Gregorius, u vergist zich. Ik denk niet dat we een bewijs zullen vinden voor de Wederopstanding, omdat die volgens mij nooit heeft plaatsgevonden, maar wel dat we iets zullen vinden waardoor het waarschíjnlijker lijkt, met precies dezelfde gevolgen. Kijk naar Josephus. Pas na honderden bladzijden van zijn historische kroniek wijdt hij drie zinnen aan wat hij de komst van de Messias noemt. Hij zegt dat Jezus wonderen verrichtte, werd gekruisigd en uit de dood herrees.'

De monnik knikte begrijpend. 'We zijn het er samen over eens, rabbi, dat Josephus weliswaar in de eerste eeuw schreef, maar dat deze terloopse verwijzing later door christelijke redacteuren moet zijn toegevoegd om een onbegrijpelijke omissie te herstellen. Hoe kon Jezus immers niet zijn vermeld in het meest gezaghebbende historische werk uit zijn eigen tijd?'

'Maar, vader Gregorius, de mensen geloven die falsificatie, hoe primitief die ook is.'

'En dat is precies de reden waarom u ons moet en zúlt helpen.'

'Vader Gregorius, bent u gek geworden?'

'Rabbi Elazar, u moet Israël tegen zichzelf beschermen. Daartoe bent u in staat; wij kunnen dat niet voor u doen. Terwijl wij hier staan te discussiëren, probeert de Israëlische regering de bewijzen in handen te krijgen, waarschijnlijk om ze te onderdrukken of te vernietigen.

'De geschiedenis heeft de Joden nu bijna vergeven dat ze Christus hebben gedood. Maar de geschiedenis zou het de Joden nooit vergeven als ze het bewíjs van Christus zouden vernietigen. Er is een gezegde in Washington, rabbi. De doofpot kan erger zijn dan het misdrijf zelf. En niemand van ons kan zich nog een doofpot veroorloven.'

Elazar keek hem verbijsterd aan. 'Nóg een doofpot?'

'De eerste wordt beschreven in het evangelie van Matteüs. Pontius Pilatus had Romeinse soldaten bij Jezus' graf opgesteld, omdat Jezus zelf had voorspeld dat hij uit de dood zou herrijzen. En inderdaad hebben die wachtposten de opgestane Jezus gezien. Dat meldden ze ook aan de belangrijkste priesters van Jeruzalem, en we kunnen ervan uitgaan dat Kajafas daartoe behoorde. De priesters overlegden met de Joodse oudsten. Vervolgens kochten ze de wachtposten om en betaalden hen om te zeggen dat Christus' discipelen het lichaam hadden gestolen in de nacht, toen de bewakers in slaap waren gevallen.'

'Ik ken het verhaal, vader Gregorius. In ruil voor dat geld beloofden de wachtposten elke suggestie over de Wederopstanding tegen te spreken, zodat de Joden niet bang hoefden te zijn voor wraak. Natuurlijk hebben de Joden er sindsdien zwaar onder geleden.'

'Hebben wij u echt nodig om het relikwie te vinden, rabbi? Waarschijnlijk niet. Als het ons zelf niet lukt, lijkt de kans steeds groter dat uw vriendin, professor Cavanaugh, ons naar de juiste plaats zal leiden.

'Maar zoals ik al eerder zei, moeten we ons goed rekenschap geven van de boodschapper. Niet alleen zou een orthodoxe rabbi en vurig Zionist – bovendien een vooraanstaand archeoloog – de boodschap veel geloofwaardiger maken, maar ook zou u op die manier het Joodse volk in de ogen van de wereld kunnen rehabiliteren en Israël immuun maken voor een mogelijke reactie.

'Ook wij maken ons zorgen over de gevolgen. We wensen de Joden geen kwaad toe. Wij willen u deze kans geven, rabbi. Maak er gebruik van.'

Elazar voelde zich duizelig. Hij keek uit over de zee en zocht naar een zwak punt in de logica van de monnik.

Vader Gregorius liet hem achter aan de rand van de rots en liep de heuvel op, terug naar het klooster van de Heilige Constantijn. Hij was ongeduldig, maar vol vertrouwen. Elazar zou zijn argumenten wel accepteren. Iets anders was ondenkbaar.

52

De Dode Zee

De lichtjes van En Bokek glinsterden in de verte, maar de afstand was moeilijk te peilen. De duisternis van de nacht hing als een zware deken over de Dode Zee, waardoor alles vreemd en afgelegen leek. In het donker gingen de zee en de hemel naadloos in elkaar over. Er waren geen wolken of sterren, alleen een ondoordringbare nevel.

Ze reden naar het zuiden, met het water ergens links van hen en een dreigende aanwezigheid rechts. Een muur van rotsen en bergen strekte zich uit vanaf Qumran, op het noordelijkste puntje van de Dode Zee, langs En Gedi en Masada naar de verre enclave waar Jordan met Galil had afgesproken. Voor hen uit zagen ze geen koplampen of achterlichten, alleen de zigzaggende autoweg, die soms recht naar de zee toe liep en dan weer afboog. Pas na een tijdje drong het tot Jordan door dat de weg zelf niet zigzagde, maar de grillige kustlijn volgde.

Ze waren afgedaald tot het laagste punt op aarde, bijna vierhonderd meter onder zeeniveau, en Jordan besefte dat het geen toeval kon zijn dat dit gebied zo ver terugging, tot in een mythisch verleden. Het land was zo ruig en ongastvrij dat het in al die eeuwen nauwelijks was aangetast. Op de afgeplatte berg van Masada had je niet veel fantasie nodig om de vervallen vesting weer leven in te blazen waar een groep Joodse rebellen het Romeinse leger had weerstaan. En de vesting was niet eens zo spookachtig als de kale grond beneden. Aan de voet van de berg waren de silhouetten van de Romeinse kampementen – hoekige wallen van aarde en steen – nog altijd te zien, alsof het leger maar pas was opgebroken.

In En Gedi was een grot waar David zich volgens de Bijbel voor Saul had verborgen. Verder naar het zuiden, in een andere grot, hadden volgelingen van de legendarische Joodse rebel Simon Bar Kochba zich in de tweede eeuw voor de Romeinen schuilgehouden. David had geen sporen nagelaten, maar de aanhangers van Bar Kochba hadden een stapel brieven verborgen, een tijdcapsule voor twintigste-eeuwse archeologen, die het bewijs vormde dat de held echt had bestaan. En in de grotten van Qumran, met uitzicht over het grote zoutmeer, waren oude teksten bewaard gebleven die pas in de twintigste eeuw aan het licht waren gekomen als de 'Dode Zeerollen'.

Jordan geloofde dat er nog veel meer te vinden was.

In de Vallei van Asher, begraven onder de stenen demon; 120 talenten aan zilveren munten, 100 talenten aan gouden munten en 26 offerschalen.

De zestiende vindplaats. Als ze geluk hadden, lag daar ook de Kroniek van Kajafas, het einde van hun zoektocht, het laatste woord over Jezus.

De Vallei van Asher doorsneed de woestijn van Judea voorbij En Bokek, landinwaarts van het zuidelijkste puntje van de Dode Zee. Jordan hoopte er bij het eerste ochtendlicht te zijn.

Ze namen de afslag vanaf de smalle autoweg, naar En Bokek.

'Probeer Zev eens te bellen,' zei Jordan.

Catherine belde en Zev gaf hun instructies.

'We zijn er zo,' zei ze, en ze hing op.

Ze reden langs een hoog hotel, afgetekend tegen een donkere, hoge rotswand. En Bokek was een moderne indringer in het vijandige landschap, waar zelfs het water geen leven in stand hield, een kleine kolonie van hotels en motels langs het strand van de Dode Zee, of wat daarvoor doorging.

Niemand kwam hier om te zwemmen. Mensen kwamen om de unieke ervaring om op het zoute water te drijven en de vermeende helende werking van de zon als remedie tegen huidziekten. Sommige toeristen hielden hier even halt op weg naar Masada.

Jordan stelde zich voor hoe de oude reizigers bij de oevers van de Dode Zee waren aangekomen in de veronderstelling dat ze levenbrengend water hadden gevonden, een zuidelijk Meer van Galilea, om tot hun schrik de ondrinkbare waarheid te ontdekken.

Catherine wees. 'Daar, rechts,' zei ze.

Jordan draaide een klein parkeerterrein op en zette de auto naast een laag, rond gebouw. Ze hadden onmiddellijk het gevoel dat En Bokek een spookstad begon te worden. Het hernieuwde geweld in het gebied hield de toeristen weg, zoals het ook de Jordaanse woestijn respijt had gegeven. Ze sloten de portieren van hun geleende auto af en gingen naar binnen.

Galil zag hen al voordat ze hem zagen en begroette hen met een verpletterende omhelzing. Toen wees hij hun een tafel in de onopvallende eetzaal.

Haastig wisselden ze hun ervaringen uit. Galil vertelde hoe hij de kruiken met dadels en walnoten had verborgen en hoe het was afgelopen met de Humvee die ze hadden zien naderen toen ze met het mozaïek bezig waren.

'Nieuwsgierige toeristen, dat was alles,' zei hij. 'Zo nieuwsgierig dat ze zich niet lieten wegsturen.'

'Weet je ook wie het waren?' vroeg Jordan.

'Vakantiegangers uit Italië. Drie mannen van middelbare leeftijd. Heel serieus.'

'Hoe ben je ze kwijtgeraakt?'

'Door mijn college over bodemgradaties,' zei Galil met een knipoog. 'Of door de laxeermiddelen die een van de jongelui in de hummus had gedaan die we ze gaven.'

'Zev!' zei Catherine verwijtend.

'Tja, nou ja...' Hij haalde zijn schouders op. 'We moesten van ze af.'

Jordan vertelde over hun belevenissen in de Jordaanse woestijn, maar niet alles. Hij was verbitterd, boos en ongerust, en te moe om dat te verbergen.

'Wat daar ook lag, we hadden het binnen handbereik,' zei hij. 'Maar ze hebben het onder onze neus vandaan gestolen. Wie zal het zeggen? Misschien is dat wel het einde van de zaak.'

Galil ondervroeg hen rustig en objectief, nieuwsgierig naar alle details over de indringers. 'Wie denk je dat ze waren?' vroeg hij.

'Geen idee,' zei Jordan duister. 'Misschien wel toeristen uit Italië.'

Catherine had een andere theorie. 'Ik zet mijn geld op Meyer Elazars bondgenoten bij de regering.'

'Waarom?' vroeg Galil.

'Volgens mij willen ze de schatten van de Zilveren Rol niet in vijandelijke handen laten vallen. En ze nemen zeker geen risico met een mogelijk explosieve onthulling. In elk geval willen ze die eerst zelf kunnen beoordelen. Daarom besloot Meyer ook meteen het bestaan van de tekst verborgen te houden, neem ik aan.'

Galil dacht na over de mogelijkheden. Er gleed een onheilspellende uitdrukking over zijn gezicht. 'Zoals je al over de telefoon zei, Ben, mogen we hopen dat de volgende vindplaats de juiste is. Hoe zit dat met die stenen demon?'

'Ik kwam erop door die rotstekeningen,' zei Jordan. 'Ik dacht aan de mensen die ze hadden gemaakt, duizenden jaren geleden, en vroeg me af hoe ze eruit hadden gezien en hoe ze zelf hun wereld zagen. Ik herinnerde me de prehistorische afbeeldingen in een grot in Frankrijk en de Neanderthalers die ze hadden getekend. Ik dacht aan de fossielen die ik in musea had gezien. Ik heb heel wat tijd in musea doorgebracht, moet je weten.

'Heb jij je ooit afgevraagd hoe dat vóór de moderne wetenschap ging, als mensen de resten van uitgestorven wezens ontdekten? Dinosaurussen, bijvoorbeeld? Hoe werden die door onze voorouders geïnterpreteerd? Wat voor legenden verzonnen ze als verklaring?

'Toen ik wakker lag in de woestijn kwam me vooral één bepaald fossiel voor de geest, een schedel in het Israël Museum. Bijna menselijk, maar net niet. Heel griezelig, als een waterspuwer. Demonisch, zou je kunnen zeggen.

'Bij die teksten van de Zilveren Rol dachten we natuurlijk aan een stenen demon als een beeld of een sculptuur, een afgod of een totem. Daar kwamen we niet verder mee, want voor zover wij weten staan er geen beelden in de Vallei van Asher.

'Maar als die stenen demon nu een voorhistorische mens was, begraven in een nog onontdekte grot, waar de schrijvers van de Zilveren Rol hem naar buiten hadden zien staren? Stel dat de stenen demon een fossiel is?'

'Hmm,' zei Galil peinzend.

'Stel dat je gelijk hebt,' zei Catherine, 'hoe moeten we die plek dan vinden? Wat schieten we ermee op?'

'Het is wel een bruikbare theorie,' zei Galil, en zijn gezicht klaarde op. 'Laten we uitgaan van de veronderstelling dat het een nog niet ontdekte grot is. Dan hebben we twee mogelijkheden. Als de hele grot is ingestort, zouden we hem topografisch wel kunnen vinden, maar zal het niet meevallen om hem uit te graven. Maar als alleen de íngang is ingestort, kunnen we zonder veel moeite binnenkomen.'

'Maar hoe vind je die grot?' vroeg Jordan.

'Vertrouw maar op mij. We hebben de technologie.'

'En je team?'

'Drie van mijn mensen kamperen nu in de woestijn bij de Vallei van Asher, in afwachting van jullie komst. De anderen zijn vertrokken om extra apparatuur te halen.'

'En jij?'

'Ik heb hier een paar hotelkamers geboekt.'

'Mooi. Dan kunnen we morgen beginnen?'

'Zo vroeg mogelijk. Ik zie jullie om vier uur in de lobby van het hotel.'

53

In bed, met de wekker ingesteld, zou Jordan het liefst de tijd hebben stilgezet, net zo eenvoudig als de klok. Hij wilde zich vastklampen aan de nacht, om de antwoorden te ontlopen die de nieuwe dag misschien zou brengen. En hij klampte zich vast aan Catherine.

Ze liet haar hand onder de dekens glijden en streelde heel langzaam zijn huid. Haar vingers waren zacht, plagerig en aarzelend. Ze voelde zijn lichaam reageren. Hij hield zijn adem in toen ze hem in haar vuist nam.

Haar lippen streken langs zijn oor. 'Ik wil nog zo veel van je weten,' fluisterde ze. 'Vertel me iets wat ik nog niet weet, iets persoonlijks.'

'Je weet alles al,' zei Jordan.

Ze kneep wat harder.

'Oké, als je het zo stelt...' kreunde Jordan. Hij wilde iets zeggen, maar aarzelde toen. 'Ik ben in een kibboets opgegroeid, als wees.'

'Dat vertelde je, ja.'

'En na mijn dienstplicht heb ik nog een tijdje bij de commando's gezeten.'

Ze kneep weer. 'Je verdient alleen punten als het echt persoonlijk is, Ben.'

Hij hapte naar adem, maar de emotionele wonden gingen weer open, pijnlijker dan ooit. Zo bleef hij liggen, onzeker en worstelend met zijn angsten.

Moeizaam probeerde hij het opnieuw. 'Mijn vader en moeder zijn gedood toen ik nog heel klein was. Hij was een schim en zij een slaapliedje. Een half slaapliedje, eigenlijk. Geen woorden, enkel een wijsje.'

'Ga door,' zei Catherine, en ze streelde hem bemoedigend.

'Het enige wat anderen me wilden vertellen was dat ze patriotten waren en hun leven hadden gegeven voor hun volk.

'Een van de vrouwen in de kibboets, Ellie Bromberg, gaf me een foto en liet me zweren dat ik die nooit aan iemand zou laten zien. Ik keek ernaar als ik me eenzaam voelde. Mijn vader was lang en sterk. Mijn moeder was mooi. En ze waren allebei nog zo jong! Ik zag wel dat ze moedig waren, maar niemand vertelde me de details.'

Catherine legde een hand op zijn borst.
'Ik wilde hun missie volbrengen, mijn leven leiden in het teken van hun offer. Zodat ze trots op me konden zijn. Hun voorbeeld vormde een grote inspiratie en stimulans.
'Ik had je al verteld dat ik een vriend had, Daniel, die een soort grote broer voor me was. Een Amerikaan die *aliyah* had gedaan en voor ons kwam vechten. Daniel sneuvelde toen ik acht was. Niemand wilde me vertellen wat er was gebeurd.
'Op een dag, jaren later, toen ik in het leger zat, patrouilleerde ik op de West Bank. Dat was in Ramallah, tijdens de eerste *intifada*. Het leek wel een oorlogszone. We gingen een huis binnen, een Palestijns huis, op zoek naar wapens. En terwijl we zochten, zat er een jonge moeder met haar baby op schoot, die ze probeerde te troosten.
'Ze zong een slaapliedje. Míjn slaapliedje, het wijsje dat mijn moeder altijd zong. Maar de woorden waren Arabisch. Arábisch. En ik hoorde ze voor het eerst.
'Ik weet nog dat ik terugging naar de kibboets en Ellie Bromberg ermee confronteerde. Ze wilde geen antwoord geven op mijn vragen. Er lag een fotoalbum op haar boekenplank en ik griste het weg. Ze probeerde het terug te pakken, maar ik bladerde het album door en scheurde de bladen bijna stuk. Ik vond kiekjes van mijn ouders in Amerika, en officiële foto's bij familiegelegenheden. Voor mijn ogen zag ik hen ouder worden. Ten slotte zag ik foto's van hen met hun volwassen kinderen en kleinkinderen.
'Ze waren helemaal geen familie van mij, maar van Ellie. Ze huilde van verdriet. Om mij. Maar nog altijd wilde ze me de waarheid niet vertellen.
'Later spoorde ik een van Daniels vrienden op, een jongen die met hem bij de commando's had gediend. Net als dat van Daniel had zijn uniform de kromme, zwarte dolk waarvan ik later ontdekte dat het een insigne was van de Sicarii, de moordenaars. Hij was bij Daniel toen hij sneuvelde, maar ook op een andere missie, meer dan zeven jaar daarvóór. Die vroegere missie was nog steeds een soort staatsgeheim, maar de globale feiten waren al uitgelekt. Hij vertelde me wat er was gebeurd.
'Daniels eenheid moest voor een opdracht naar het hart van Libanon, om een van de terroristen op te sporen en te doden die achter de aanslag op de Israëlische sporters tijdens de Olympische Spelen van München hadden gezeten. En ze hadden goede informatie.

'Ze vonden hem in bed, in het holst van de nacht. Toen hij naar zijn wapen greep, schoten ze hem dood. Ze doorzeefden hem met kogels. In alle stilte, met geluiddempers.

'Onbedoeld, misschien onvermijdelijk, doodden ze ook zijn vrouw, die naast hem lag te slapen.

'Toen hoorden ze een geluid, het huilen van een baby. Ze vonden het kind in een wieg. Bloedend. Blijkbaar was het geraakt door een afketsende kogel. Ze pasten eerste hulp toe, maar waren bang dat het kind zou sterven als ze het lieten liggen. Ze konden moeilijk hulp halen. Dus besloten ze de baby mee te nemen.

'Daniel en de andere commando's brachten me naar Israël. Terug naar de kibboets, waar ik vervolgens werd grootgebracht als Israëli en als Jood.

'Het antwoord op je vraag is dat ik ben geboren als moslim. Als zoon van terroristen, die Israëli's hebben gedood en zijn gestorven voor de Palestijnse zaak.'

Catherine hapte naar adem.

In de duisternis van de kamer voelde hij zijn lichaam verslappen.

In de duisternis van de kamer was hij weer zeventien en verliefd op een meisje van achttien dat zo *hot* was dat ze spetterde in haar legeruniform. Ze zouden samen gaan kamperen. Haar ouders behoorden tot de oudsten van de kibboets en om een geheimzinnige reden hadden ze een hekel aan hem, een grote hekel. Het meisje ging niet mee en ze maakte een einde aan de relatie.

In de duisternis van de hotelkamer was hij weer vierendertig en verliefd op een vrouw met wie hij wilde trouwen. Ze was briljant en mooi, de beste schrijfster die hij ooit had gekend. Ze hadden alles gemeen en alles om voor te leven. Maar toen hij Leah de waarheid vertelde over zijn ouders, wilde ze niet meer met hem trouwen.

In de duisternis van de hotelkamer had het lot hem verenigd met Catherine Cavanaugh, die hem alles kon laten vergeten, en ze lagen naakt in elkaars armen.

Hij keek op naar de sterren, maar het plafond zat ertussen.

Hij staarde naar het plafond.

Net als zijn lichaam voelde hij zijn emoties verslappen. Hij was alleen. Opnieuw.

'Wat erg,' zei Catherine, en ze kuste zijn wang, zacht als een fluistering.

Hij voelde een hete traan langs zijn gezicht glijden, terwijl hij niet dacht dat hij ooit nog zou kunnen huilen. Totdat hij besefte dat het haar traan was.

Ze kuste hem opnieuw. Ze kuste haar eigen traan weg. Toen drukte ze haar lippen op de zijne, haar lichaam tegen hem aan, en in de duisternis van de hotelkamer keerde de hartstocht terug.

54

Haar hoofd rustte op zijn schouders en eindelijk leek hij in slaap te vallen.

'Ben je nog wakker?' vroeg ze.

Jordan sloeg zijn armen om haar heen en gaf haar een kneepje.

'Hoe was het als kind, Ben, om wees te zijn? Hoe voelde dat? Ik bedoel, hoe ging je daarmee om?'

Jordan zuchtte. 'Het is al lang geleden.'

Ze streek weer met haar lippen langs zijn oor en fluisterde: 'Beschrijf het eens.'

Hij zuchtte weer, met zijn ogen gesloten.

'Ik probeerde er niet aan te denken. Ik voelde me een buitenstaander, geloof ik. Een paria, soms. Bij het joodse paasfeest, als families samenkwamen en hun huizen openden voor vreemden, was ik kwáád.'

'Omdat je alleen was?'

'Dat niet alleen. Op school werd het verhaal van het paasfeest verteld. De geschiedenis van Mozes die in een biezen mandje in de rivier werd gelegd en in het paleis van de farao werd grootgebracht sprak me wel aan. Maar ik voelde ook mee met die Egyptische kinderen. Ik was kwaad om de zinloze moord op de kinderen. Ik weet niet waarom, misschien uit instinct of intuïtie, het gevoel om nergens bij te horen. Soms leek het wel of ik de enige was in de kibboets die zo dacht.'

'Dat moet moeilijk zijn geweest.'

'Het maakte me sterker. Ik zette vraagtekens bij dingen.'

'Zoals je geloof?'

Jordan keek op. 'Mijn geloof? Waarom noem je het míjn geloof?'

In het donker, tussen de koele witte lakens, voelde hij haar ineenkrimpen.

55

Een eiland in de Egeïsche Zee

Meyer Elazar zat in de middernachtelijke duisternis van de kapel en staarde naar het kruis. Het deed hem denken aan een zwaard.

In hoc signo vinces.

Eeuwenlang was zijn volk met bruut geweld vervolgd. Na de val van Jeruzalem hadden de Joden zich verspreid, overgeleverd aan de genade van vijandige gastheren en buren. Steeds opnieuw waren ze de vervolgingen te boven gekomen en hadden ze een goede plek in de grotere samenleving gevonden. En steeds opnieuw waren hun illusies weer verbrijzeld. Ze waren in getto's bijeengedreven en naar de slachtbank geleid.

En toch hadden ze overleefd als volk. Nu hadden ze hun eigen staat, maar als een ironische speling van de geschiedenis hadden de meeste Israëlische Joden hun religie afgezworen.

In Amerika, het land van de vrijheid, was de situatie nog kritieker, bedacht de rabbi met zorg. Net als andere minderheden hadden de Joden zich met zo veel succes aan de discriminatie ontworsteld dat ze het gevaar liepen om te worden geassimileerd in de omringende cultuur.

Eén keer, één kort maar glorieus moment, was de moderne staat Israël als underdog gezien, heldhaftig strijdend voor zijn voortbestaan, met steun van alle Joden in de wereld. Nu, in het dodelijke gevecht met de Palestijnen, werd Israël bedreigd door een tweesnijdend zwaard. Het kon ten onder gaan aan zijn zwakte of aan zijn sterkte. Hoewel Israëls vijanden onschuldige burgers als doelwit kozen, werd Israël door diezelfde vijanden als een machtige agressor afgeschilderd. Als de Joden in de wereld dat beeld accepteerden en Israël gingen zien als dader in plaats van slachtoffer, zou de toch al kwetsbare identiteit van het volk gevaar lopen.

En daarin lag de paradox.

Eeuwenlang was de vervolging van de Joden ook de sleutel geweest tot hun voortbestaan. Het had hun identiteit en hun eigenheid bekrachtigd. Het had de verwatering van hun tradities voorkomen en hun wil om te overleven versterkt.

Elazar vroeg zich af of de Jodenvervolgingen een essentieel deel van de Joodse ervaring waren geworden. Of waren ze de weg tot de vernietiging van het Jodendom?

Hij bevond zich op een moreel kruispunt, verscheurd door besluiteloosheid. Wat hij ook deed, hij was bang dat de zoektocht naar de Kroniek van Kajafas een nieuwe, gewelddadige golf van antisemitisme zou kunnen oproepen. Als hij meehielp die vondst aan het licht te brengen, zou de inhoud een bevestiging kunnen zijn van de ernstigste historische veroordeling van de Joden, en het hele joodse geloof ondermijnen. Maar als hij passief bleef, zou Israël zijn vijanden misschien in de kaart spelen, met nog veel kwalijker gevolgen.

Er was nog een derde mogelijkheid, als hij de gok aandurfde. Zou de Kroniek het christelijk geloof op losse schroeven kunnen zetten?

Niet met Israël als boodschapper.

Elazar, moe en van streek, merkte dat hij steeds verder wegzakte in wanhoop en verwarring. Hij redeneerde en rationaliseerde in kringetjes.

Hij dacht aan de woorden van vader Gregorius: 'Ik geloof dat wij het licht moeten zoeken en omhelzen, zoals God het ons laat zien.'

En de monnik had nog iets anders gezegd, net zo pregnant in al zijn kille waarheid: 'De geschiedenis heeft de Joden nu bijna vergeven dat ze Christus hebben gedood. Maar de geschiedenis zou het de Joden nóóit vergeven als ze het bewijs van Christus zouden vernietigen.'

Een moment van helderheid.

Elazar had respect voor vader Gregorius, dat moest hij toegeven. De man was oprecht in zijn zoektocht naar God. Hoewel de monnik duidelijk hoopte op een andere uitkomst – een christelijke uitkomst, zou hij zelf zeggen – benaderde hij het probleem met wijsheid en inzicht.

Ook wij maken ons zorgen over de gevolgen. We wensen de Joden geen kwaad toe. Wij willen u deze kans geven, rabbi. Maak er gebruik van.

Elazar voelde dat hij niet meer alleen was.

'Rabbi, ik had niet verwacht u hier te vinden.'

Elazar keek op naar de monnik. 'Ik moest nadenken.'

Vader Gregorius knikte. 'Ik ben eerst naar uw kamer gegaan om u te zoeken. Er zijn nieuwe ontwikkelingen.' Hij keek grimmig. 'Uw vriendin, professor Cavanaugh, is op weg naar de Vallei van Asher. En de Israëli's willen haar achterna gaan.'

'Wat betekent dat?'

‘Als ze zo slim is als u zegt, zal het haar misschien lukken om de Kroniek van Kajafas te vinden. En in dat geval nemen de Israëli’s hem van haar over. Zij zullen de vondst verbergen of vernietigen. En ze hebben geen andere keus dan iedereen te elimineren die er vanaf weet.’

‘Catherine.’

‘Ja. Het spijt me.’

‘U moet haar redden.’

‘Maar hoe? Het enige wat wij kunnen doen is toekijken en bidden.’

‘U kunt haar beschermen.’

‘Rabbi, u overschat onze mogelijkheden.’

‘Vader, ik ben niet achterlijk. We weten allebei dat u ertoe in staat bent. Maar u wilt het niet.’

‘Rabbi, ik leef met u mee, maar wat moeten we dan doen? Haar ontvoeren?’

‘U hebt mij ook ontvoerd.’

‘U bent uit vrije wil meegegaan. Zou zij dat ook doen, denkt u? Of zou ze ons als vijanden zien? Stelt u zich de situatie voor. Wij duiken op in de woestijn van Judea en vertellen haar dat ze met ons mee moet komen om niet alleen haar leven, maar ook de oude teksten in onze handen te leggen. Denkt u zich in haar plaats in. Hoe zou u reageren?’

Elazar dacht na. ‘Vader, in haar plaats zou ik luisteren naar iemand die ik kende en vertrouwde. Ik zou wel luisteren naar een vriend.’

‘Rabbi, ik ben geen vriend van haar.’

‘Nee, maar ik wel.’

‘Wat stelt u dan voor?’

‘Laat mij meegaan. Laat mij de reddingsactie leiden.’

De monnik keek sceptisch. ‘Veel te gevaarlijk. En het zou ook niet werken.’

‘Misschien wel.’

‘Ik heb bewondering voor uw moed als vrijwilliger, maar daar komt niets van in.’

‘Hoe kunt u anders voorkomen dat de tekst in Israëlische handen valt?’

Daar had de monnik geen antwoord op. Elazar zag aan zijn gezicht dat hij moeite had met de dreigende nederlaag. Hij scheen te aarzelen.

‘Misschien zijn we al te laat,’ zei Gregorius.

‘Vader, ik smeek het u.’

De monnik boog even zijn hoofd en vertrok. Bij de deur van de kapel bleef hij staan en draaide zich om naar Elazar. 'Meyer, je bent een dapper man.'

Vader Gregorius liep een donkere gang door en opende de zware houten deur van zijn kloostercel. Door een smal venster viel maanlicht naar binnen.

Als God het wilde, zou het plan kunnen slagen, dacht hij met groeiend optimisme.

Hij haalde een kleedje onder zijn brits vandaan en rolde het uit op de koude stenen vloer. Toen deed hij zijn crucifix af en ontdeed zich van zijn pij met capuchon. Hij knielde op het kleedje en boog zich voorover totdat zijn voorhoofd bijna de grond raakte.

In nederige onderwerping begon hij te bidden in het Arabisch.

Tot Allah.

56

De woestijn van Judea

Uit En Bokek reden ze eerst naar het zuiden en toen naar het westen. Van de zoutzee klommen ze naar de heuvels van de woestijn van Judea. Daar lieten ze hun auto's achter langs een stille hoofdweg.

Lopend gingen ze verder, zonder een woord te zeggen.

In het eerste ochtendlicht voelde Catherine zich gespannen en nerveus. In het donker kon ze alleen zijn met haar dromen en zich verstoppen voor de wereld, als een kind onder de dekens. Dan was ze samen met Benjamin. Maar de beschermende duisternis van de nacht viel nu van haar af.

Nog maar een paar uur geleden had ze zich meer met Benjamin verbonden gevoeld dan ooit. Nu, terwijl de troosteloze schoonheid van de woestijn zich langzaam openbaarde vanuit het donker, kwam de eerste twijfel bij haar op, als een reptiel dat uit een rotsspleet kroop.

Ze had Benjamin gekend als Israëli en als Jood. Nu wist ze niet meer hoe ze hem moest zien. Was hij een Israëli of een Arabier? Een moslim of een jood? En deed het er iets toe?

Ze schaamde zich voor haar gedachten. En toch...

En toch raakte die vraag de kern van hun missie. Had hij bewust of onbewust een verborgen agenda? Zou hij de waarheid volgen, waar die hem ook leidde, met de onwrikbare neutraliteit van een journalist? Of zou hij partij kiezen? En zo ja, voor wie?

Als hij de kans kreeg, zou hij dan proberen de aanslag van zijn vader tegen Israël goed te maken? Verklaarde dat zijn onwil om het verhaal over Kajafas' schuldige geweten te vertellen, zijn angst voor een mogelijk antisemitische reactie?

Of zou hij wraak nemen op Israël voor de moord op zijn ouders en al die andere Palestijnen? Zou hij desnoods bereid zijn de feiten te verdraaien, rabbi Elazar en de Israëlische regering als schurken af te schilderen en het verhaal te bewijzen dat hij al geschreven had?

Ze voelde zich schuldig over die gedachten. Per slot van rekening was hij nog altijd Benjamin.

Tenminste...

Catherine besefte dat er nog iets was wat ze niet wist. Zijn ware naam. Zou hij die zelf wel weten?

De zon ging nog schuil achter de heuvels, maar ze voelden allemaal dat het warmer werd. Het landschap was gerimpeld van ouderdom en ze lieten de rimpels hun gids zijn. Het kostte hun een halfuur, het grootste deel bergafwaarts, om de plek te bereiken.

De Vallei van Asher was een diepe, smalle kloof, uitgesleten door het geweld van talloze heftige overstromingen. Een droge rivierbedding slingerde zich door het dal. Een paar stugge struiken markeerden de loop van de rivier, maar verder was het land levenloos en kaal, variërend in kleur van vuilwit tot bruin. De zon had het gebakken tot een structuur tussen kalk en klei.

Drie van Galils assistenten waren al vooruitgegaan en met hun werk begonnen.

Amnon droeg een rugzak met een merkwaardig apparaat. Hij had een vierkant, krachtig postuur en een zelfvertrouwen dat aan brutaliteit grensde. In zijn rechterhand hield hij een schotelvormige ontvanger, die met het apparaat op zijn rug was verbonden. In zijn linkerhand had hij een ander ding, dat op het uiteinde van een staafmicrofoon leek.

Yossi stond naast Amnon en bekeek een kleine display die ook aan het apparaat was gekoppeld. Hij tuurde door een draadmontuur met ronde brillenglazen, dat contrasteerde met zijn smalle, jongensachtige gezicht en hem een geleerde uitstraling gaf. Zijn rugzak puilde uit met bergbeklimmersspullen en een paar ingeklapte spaden. Hij zat in het leger en droeg zijn geweer over zijn schouder.

Hannah, lenig en zongebruind, bediende de videocamera. Ook zij had een zware rugzak, maar ze scheen het gewicht niet te voelen. Ze droeg een fotografenvest. Ze bewoog de camera van Amnon en Yossi naar een holte hoog tegen de wand van het ravijn, links van hen, waar Amnon zijn ontvanger op had gericht.

'Wat doen ze?' vroeg Jordan.

'Ze luisteren.'

'Waarnaar?'

'Leegte.'

Het apparaat liet een luide *ping* horen, die door de vallei echode. Yossi bestudeerde de display en schudde zijn hoofd.

'Kan die sonar holle plaatsen vinden?' vroeg Jordan.

'Dat is wel de bedoeling.'
Galil begroette zijn studenten.
'Waar zijn de anderen?' vroeg Hannah.
'Die komen zo snel mogelijk, maar daar wachten we niet op.'
'Als we iets groots vinden,' zei Yossi, 'hoe vervoeren we dat dan?'
'Vertrouw maar op mij,' zei Galil, 'zoals Abraham tegen Isaak zei, op weg naar de bergtop.'
'"Hier is het vuur en het hout, maar waar is het lam voor het brandoffer?"' citeerde Yossi. '"Geen zorg, mijn zoon, God zal daarin voorzien."'
'Spreekt u een introductie in, doctor Galil?' vroeg Hannah.
Galil sprak in de camera, net zoals hij aan de kust van de Rode Zee had gedaan, om een verklaring te geven voor het ongebruikelijke karakter van hun onderzoek en alle verantwoordelijkheid op zich te nemen.
Ze gingen achter Amnon en Yossi aan, dieper de vallei in, om een bocht. De wanden verhieven zich steil aan beide kanten, tot ze bijna verticaal werden. De archeologen onderzochten de rots op afwijkingen, waar mogelijk de opening van een grot was ingestort.
Het was een traag en hortend proces.
De zon steeg hoger en de temperatuur in het dal liep op tot boven de veertig graden. Ze zweetten hevig, maar hun zweet verdampte bijna onmiddellijk. Tegen het einde van de ochtend hadden ze nog niet eens een kilometer afgelegd.
De *ping* van de sonar galmde weer door de vallei, maar nog voordat de echo's waren verstorven wees Yossi al opgewonden naar de monitor.
'Nog een keer,' zei Galil.
Ze herhaalden de procedure. Yossi keek grijnzend op van de display. 'Geen twijfel mogelijk,' zei hij.
In de hoogte, een beetje naar links, kromde de rots zich naar voren boven het dal. De bovenkant van het vooruitstekende gedeelte was gevormd als een koepel. In de zijkant van die koepel zat een deuk, waar de bodem en de rots naar binnen waren gezakt. Ongeveer drie meter daaronder, tegen de rotswand, zagen ze een overschaduwde holte, meer dan manshoog. Het leek de ingang van een grot.
Jordan deed een paar stappen opzij en bekeek het uit een andere hoek. De holte was nog geen meter diep. Als het een grot was, moest die door de natuur zijn afgesloten.

Galil scheen zijn gedachten te lezen. 'Het kan een aardbeving zijn geweest, of het gewicht van de jaren,' zei hij.

'Is dit het?' vroeg Catherine.

'Moeilijk te zeggen. Het is in elk geval een mogelijkheid.'

'En nu?'

'Eerst zoeken we naar een minder lastige mogelijkheid.'

Jordan keek opgelucht. De grot – als het dat was – bevond zich ter hoogte van de tiende verdieping van een torenflat. Hij hoopte op iets wat dichter bij de grond lag.

Amnon en Yossi zochten verder. De anderen gingen met hen mee, nog verder het dal in.

Catherine keek naar Jordan, die het landschap bestudeerde, en vroeg zich af wat hij dacht. Hij merkte dat ze naar hem keek en glimlachte. Ze lachte terug, maar het kwam een beetje geforceerd op hem over. Alsof ze afstand nam. Zou het een verlate reactie zijn op de onthulling van zijn geheim? Zou het haar tegen hem hebben ingenomen? Hij had het moedeloze gevoel dat het verleden zich herhaalde.

'Hier,' zei Yossi, met een blik op de monitor.

'Nog eens,' zei Galil.

Een *ping* echode door de vallei en Yossi fronste.

'En nog een keer.'

Weer een *ping*, en Yossi schudde zijn hoofd.

Ze liepen verder en kwamen langs de opening van een smaller ravijn naar links, meer een spleet in de aarde dan een echte vallei. Hier en daar kon je met gestrekte armen de twee zijkanten aanraken als je in het midden stond.

'En hier?' vroeg Catherine.

'Verleidelijk. Maar het is niet de Vallei van Asher,' zei Galil. 'Dit is de Wadi Abiram.'

Binnen een uur hadden ze het einde van het dal bereikt, waar de helling van een indrukwekkende berg begon. De wanden van de kloof eindigden bij een dubbele richel.

De hitte was dodelijk vermoeiend. Galil drukte iedereen op het hart voldoende water te drinken.

Ze klommen tot halverwege de helling om de omgeving te verkennen.

De overhangende koepel leek toch de enige kandidaat, hoe lastig ook.

'Wat nu?' vroeg Catherine.

Galil bestudeerde de topografie om te bepalen of ze hun doelwit beter van bovenaf konden naderen. De rotspunt was een uitloper van een klein plateau boven de vallei dat ze als basis konden gebruiken. Ze zouden er zelfs hun kamp kunnen opslaan als het nodig was. Maar de Wadi Abiram doorsneed de Vallei van Asher, waardoor het plateau niet vanaf de berg bereikbaar was.

'Helaas kunnen we hiervandaan niet bij die rotspunt komen,' zei Galil. 'Het is veel te gevaarlijk om de Wadi Abiram over te steken.'

Het leek alsof de aarde hier was opengebarsten. De breedte van de Wadi Abiram varieerde, maar bovenaan scheen hij het breedst.

Galil pakte zijn telefoon en probeerde de andere helft van zijn team te bellen. Maar het mobieltje had geen bereik en hij klapte het weer dicht.

'Dan blijven er maar twee mogelijkheden over,' zei hij. 'We kunnen een andere keer terugkomen met een uitrusting om het kleinere ravijn te overbruggen. Of we proberen het vanaf beneden.'

Jordan overwoog het dilemma. Hij dacht terug aan de vorige dag, toen de schat waarschijnlijk onder hun neus vandaan was gestolen. Zijn blik ontmoette die van Galil, en ze hadden geen woorden nodig.

Galil keek hen een voor een aan. 'Wil iemand liever wachten?' vroeg hij. De anderen schudden het hoofd.

'Kom mee dan,' zei Galil.

Hij ging voorop en in een straf tempo liepen ze terug naar de rots met de overhangende koepel. De losse grond gleed weg onder hun voeten en Catherine moest zich concentreren om niet een enkel te verzwikken. Ze was moe en ze had het warm, terwijl het zwaarste gedeelte nog moest komen.

Ze kruisten de Wadi. Galil bleef staan en bedacht zich. Hij liep een eindje de smalle, bochtige kloof in en keek op.

Jordan, die zijn bewegingen volgde, besefte opeens dat iemand zou kunnen verdrinken in de woestijn. Bij zware regens, hoe zeldzaam ook, zou het smalle ravijn bliksemsnel vollopen.

Galil kwam terug en schudde zijn hoofd.

Toen ze bij de voet van de rots kwamen, keken ze met ontzag omhoog en bereidden zich op de uitdaging voor. Catherine was zich bewust van een bedwelmende mengeling van spanning en verwachting. Vergeleken bij deze klim was haar expeditie met Jordan, de vorige ochtend, een boswandeling geweest.

Ik lijk wel gek.

'Geen zorg,' zei Galil. 'Jij kunt je voeten aan de grond houden.'

Amnon en Yossi deden hun rugzakken af en maakten hun klimspullen gereed. Amnon haakte een portofoon aan de kraag van zijn T-shirt.

Hannah keek onderzoekend om, in de richting waaruit ze gekomen waren. 'Ze zouden er nu toch moeten zijn,' zei ze.

'Daar kunnen we weinig aan doen,' zei Galil. 'Waarschijnlijk zijn de wegen versperd.'

'Met hoe minder we zijn, des te meer eer voor onszelf,' zei Amnon. Hij grijnsde naar Hannah. 'Maak er een mooie film van.'

Amnon begon te klimmen. Hand over hand, met hamer, pitons en nylonkoord, kroop hij omhoog langs de rotswand. Onderweg sloeg hij metalen haken in de steen als houvast voor de anderen. Hij klom heel zelfverzekerd en maakte er een wedstrijdje van, als een sporter. Hannah hield de camera op hem gericht.

Catherine keek zenuwachtig toe en kreeg beneden al hoogtevrees.

Amnon hield halt bij de opening, die op een ingestorte ingang leek. Hij stapte op de richel die een soort drempel vormde.

'Wat zie je?' vroeg Galil over de portofoon.

Met zijn hamer testte Amnon de achterwand van de holte. Een regen van vuistgrote stenen kletterde over de rand omlaag.

'Pas op!' riep hij.

Jordan trok Catherine weg en wierp zich over haar heen, terwijl de anderen opzij stoven om de vallende stenen te ontwijken.

Ze maakten zich zo klein mogelijk en sloten hun ogen, in afwachting van nog meer stenen. Toen het stil bleef, keken ze voorzichtig omhoog en klopten het zand van hun kleren.

'Alles in orde?' riep Amnon.

'Voorzichtig,' antwoordde Galil via de radio. 'En vertel me wat je ziet.'

'Een heleboel losse stenen. Misschien kunnen we ze wegruimen.'

'Goed. En kijk nu wat hoger,' zei Galil.

Amnon klom verder. Hij bereikte de top, hees zich op de vooruitstekende rotskoepel en inspecteerde de plek waar de zijkant was ingestort. Toen richtte hij zich op, onbevreesd en enthousiast. Op de smalle rotspunt waar hij stond kon hij hooguit twee stappen naar links, naar rechts of naar voren doen voordat hij in de diepte zou storten.

Hij negeerde de radio. 'Kom maar omhoog,' riep hij.

'Wat stel je voor?' vroeg Galil.

'Yossi en ik kunnen de zijkant nemen, terwijl u aan de bovenkant werkt.'

Galil keek naar Yossi. 'Ga maar,' zei hij.

'Na u,' zei Yossi. 'U moet hoger dan ik.'

Galil pakte een spade uit Yossi's rugzak en bond die aan zijn eigen bepakking. Toen maakte hij zijn gordel vast en haakte zich aan een van de touwen die van de rots omlaag bungelden. Het maakte een lus door een haak die Amnon boven in de rotspunt had geslagen. Yossi en Jordan grepen het andere uiteinde als tegenwicht voor Galil.

Galil testte het touw en keek naar Jordan en de vrouwen. 'Jullie blijven hier totdat we roepen.' Toen sprak hij in de radio: 'Ik kom eraan.'

Hij gaf de radio aan Jordan en begon aan de klim. Erg sierlijk ging het niet, maar het was efficiënt genoeg. Jordan zag hoe de grote man zijn hoofd bewoog op de maat van een stille symfonie.

Dankzij Amnons voorbereidende werk ging het redelijk snel. De piton had een beetje speling onder Galils gewicht, maar dat mocht geen naam hebben. Jordan en Yossi hielden het touw zo strak mogelijk, zodat Galil niet ver kon vallen als het fout ging. Even later hoorden ze hem al via Amnons portofoon. 'Jouw beurt, Yossi.'

Yossi deed zijn rugzak om en haakte zich vast. Hij testte het touw en wilde gaan klimmen. Toen aarzelde hij. 'Geef me mijn geweer,' zei hij. Het was een gewoonte die er bij Israëlische soldaten was ingehamerd.

Hannah hing het om zijn schouder, maar dat zat niet lekker, dus bond ze het aan de zijkant van zijn rugzak vast. Yossi gaf een ruk aan het touw, keek eens naar Jordan, die het andere eind vasthield, en schatte hem zwaar genoeg om zijn gewicht te kunnen houden. Toen klom hij naar boven.

Hier en daar schopte hij wat zand en steentjes omlaag. De anderen stapten terug om het vallende gruis te ontwijken. Jordan gaf het touw meer ruimte, maar hield het stevig vast.

Yossi bereikte Amnon op de richel van de ondiepe holte. Ze overlegden even met Galil boven hun hoofd en Yossi gaf de instructies via de portofoon aan Jordan door.

'Zoek wat schaduw, als je die kunt vinden. En blijf uit de buurt als we gaan graven.'

Jordan en Catherine trokken zich terug naar de andere kant van de kloof, waar ze in het zand gingen zitten. Hannah zocht het beste standpunt en zoomde in op de actie hoog tegen de rotswand, terwijl ze zelf commentaar gaf.

'De klim betekent een zware opgave voor het team,' zei ze. 'Hoe is het mogelijk dat mensen tweeduizend jaar geleden die rotsrichel hebben bereikt, en waarom hebben ze dat geprobeerd? Maar andere grotten en andere expedities hebben aangetoond dat oude volkeren tot zulke dingen in staat waren, dus geven we het niet op. Met wat meer tijd en betere apparatuur is er misschien een eenvoudiger oplossing, maar die luxe hebben we nu eenmaal niet.'

Yossi en Amnon gingen aan de slag met spaden en blote handen. Er kwam nu een gestage lawine van stenen omlaag. Toen Yossi en Amnon veilig onder de overhangende rand waren verdwenen, begon Galil in de holte daarboven te graven en gooide het zand naar beneden.

Een bezorgde blik gleed over Catherines gezicht. Ze nam de portofoon van Jordan over en riep de jongens op. 'Yossi, kijk eens omhoog. Is dat dak wel stabiel? Of kan het nog verder instorten?'

Yossi tikte met de steel van zijn spade tegen de zoldering van de nis. 'Het voelt wel stevig,' meldde hij.

Ze groeven verder. Jordan en Catherine keken in ongemakkelijk stilzwijgen toe. Er lag al een hele berg stenen op de bodem van de vallei.

'Mag ik je wat vragen?' zei ze.

'Als ik het antwoord weet.'

'Het klinkt misschien stom...'

'Zeg het maar.'

'Hoe heet je eigenlijk?'

Die vraag overviel Jordan. Hij wist niet wat hij moest zeggen en zocht verlegen naar een antwoord. 'Ik denk...'

'Ja?'

De radio kraakte in Catherines hand.

'Herhaal dat even?' zei ze.

'Zeg tegen Hannah dat Amnon klaar is voor zijn close-up,' zei Yossi.

Ze keek naar Jordan.

'Ik zal het haar zeggen,' zei hij, terwijl hij opstond. Hij liep naar Hannah toe en zei: 'Ze wachten op je.'

Galil liet een gordel zakken en Hannah klom naar boven, tot aan de richel voor de nis. Daar greep Amnon haar vast en trok haar naar binnen.

Tussen de berg stenen en het dak van de nis hadden ze een opening vrijgemaakt die bijna groot genoeg was voor een mens om zich doorheen te wringen. Aan de andere kant bevond zich duidelijk een holle ruimte.

Hannah tilde haar camera naar het gat en richtte hem naar binnen. De omgeving begon zwaar te trillen, er klonk een geluid als van een aardverschuiving, een stofwolk steeg op en opeens viel er licht naar binnen.

Galil had een gat in de zoldering geslagen waardoor het daglicht kwam.

'Wat gebeurt er?' vroeg Catherine via de portofoon.

'We zijn er doorheen gebroken,' zei Yossi. 'Het is een grot, dat staat wel vast.'

Weer stortte er een lawine van stenen omlaag toen Yossi en Amnon de opening groter maakten.

'Genoeg!' riep Galil van boven. 'We kunnen er hier ook in.'

'Dan zie ik u binnen,' riep Amnon terug, en hij klom naar de opening die hij had gemaakt.

'En nu?' vroeg Catherine door de radio.

'We gaan naar binnen.'

'Laat een gordel zakken, dan kom ik ook.'

Jordan keek haar aan. 'Weet je hoe het moet?'

'Ze hebben een klimwand in Michigan.'

'Om te oefenen?'

'Ja. Ik heb het een paar keer gedaan.'

'Een paar keer?'

Ze keek hem vastberaden aan en probeerde haar eigen twijfels weg te wuiven, net als de zijne. 'Ben, ik mag dit niet missen. Echt niet.'

Jordan hielp haar de gordel vast te maken en controleerde de haak nog eens goed. Ze duwde hem de portofoon in zijn hand en gaf een ruk aan het touw. Ze keken elkaar aan.

'Jordan,' antwoordde hij.

Catherine staarde. 'Als het land, Jordanië? Of als de Jordaan, de grensrivier tussen de twee landen?'

'Wat denk je zelf?'

Ze gaf geen antwoord, maar keek hem afwachtend aan.

'Ik zie je boven,' was alles wat hij zei.

Teleurgesteld sloeg ze haar ogen neer en begon te klimmen.

Ze dacht aan de Benjamin uit de Bijbel. Zijn vader, Israël, had hem die naam gegeven, maar zijn moeder noemde hem anders. Voordat ze in het kraambed was gestorven had ze hem Benoni genoemd, 'Zoon van mijn Verdriet'.

Catherine keek alleen strak voor zich uit, of naar boven. Galil riep aanmoedigingen. Beneden hield Jordan het touw stevig vast en sloeg haar bewegingen gade. Ze was doodsbang, maar toch klom ze verder. Ze sneed haar handen open, schaafde haar knieën en ellebogen tegen de rots en kreeg stof in haar neus. Maar de angst versterkte ook haar euforische gevoel.

Op driekwart van de route, toen haar longen en spieren brandden van uitputting, vond ze een stevig steunpunt en hield ze even rust om uit te blazen. Tegen beter weten in keek ze toch over haar schouder naar de droge rivierbedding, zeven verdiepingen beneden haar.

De wereld tolde voor haar ogen.

Haar voet schoot van het steunpunt, ze verloor haar houvast en ze begon te vallen. Wanhopig greep ze naar de rots, maar haar vingers graaiden in het niets. Ze zag de wand langs zich heen suizen.

Een harde, krachtige ruk brak haar val. Ze bleef aan het nylonkoord bungelen en stuiterde tegen de rots. De schok en de pijn brachten haar weer bij haar positieven. Ze zwaaide heen en weer als de slinger van een klok en gebruikte haar voeten om de klappen op te vangen.

'Hou vol!' schreeuwde Jordan.

Hij klonk heel ver weg.

Het touw hield haar tegen, en hij had het touw. Ergens in zichzelf vond ze nieuwe kracht. Ze wist haar slingerbeweging tot staan te brengen en negeerde haar hoogtevrees. Ongelooflijk hoe de menselijke geest in staat was alle paniek te onderdrukken als het erop aankwam. Catherine concentreerde zich op wat ze moest doen.

Ze klom weer verder en trotseerde de zwaartekracht, maar eigenlijk leunde ze op Jordan. Hij hield het touw strak terwijl zij omhoog liep tegen de rotswand.

Opeens leken al die inspanningen haar absurd. Hannah's woorden klonken overtuigend in haar oren: *Hoe hadden die holbewoners dit voor elkaar gekregen en waarom hadden ze het geprobeerd?*

Ze hield halt bij de richel. Yossi trok haar naar binnen en sloeg een beschermende arm om haar heen. Ze was nog net op tijd om te zien hoe Amnon voorover door de opening tussen de berg stenen en de zoldering dook. Hij lag op zijn buik en zijn benen verdwenen de grot in.

'Wacht even. Ik zit klem,' zei hij spartelend.

Catherine had helemaal geen zin om te wachten. Haar nieuwsgierigheid was sterker dan haar angst en ze klom verder naar de top, waar het volgens Galil gemakkelijker was de grot binnen te komen. Hij hees haar op de rotspunt.

Zodra ze veilig was, zocht alle opgekropte paniek zich een uitweg. Bevend omhelsde ze Galil, alsof haar leven ervan afhing. Toen liet ze zich door haar knieën zakken om haar zwaartepunt te verlagen en haar blikveld te verkleinen, zodat ze niet meer omlaag kon kijken. Ze sloot haar ogen en haalde diep adem. Voorzichtig keek ze weer op. De wereld draaide niet meer.

Met haar angstige klimpartij en al haar inspanningen was ze niet verder gekomen dan zeeniveau. Boven het ravijn, aan de andere kant van de kloof, strekte de vlakke woestijn zich uit naar een glooiend landschap van heuvels en dalen. Aan haar kant van het ravijn sloot de rotspunt aan op een plateau dat een paar honderd meter breed was voordat het abrupt afdaalde naar de volgende kloof. Na die onderbreking zette de rotsvlakte zich eentonig voort, tot in de verte.

Ze deed haar klimgordel af.

Galil grijnsde tegen haar. 'Het ziet er veelbelovend uit,' zei hij.

Hij had een schacht gegraven die in de grot uitkwam. Toen de ingeklonken aarde losraakte, had de zwaartekracht het meeste werk gedaan.

Met een grote steen als hamer sloeg Galil een klimhaak in de top van de rotskoepel, vlak bij de haak waaraan het klimtouw hing. Hij bond een nylonkoord om de nieuwe haak en liet het uiteinde in de schacht zakken. Ze hadden het niet echt nodig, maar het touw maakte het makkelijker om in de grot af te dalen en terug te klimmen.

Met een zwierig armgebaar liet Galil haar voorgaan. 'De eer is aan jou,' zei hij.

Catherine was geroerd door zijn gebaar, maar deed geen stap. 'Nee, Zev. De eer is aan Ben.'

Galil knikte. 'Dat is waar.'

'Maar wacht... wie moet hem helpen?'

Ze besefte dat er beneden niemand meer was om het touw voor Jordan vast te houden. Ze keken over de rand.

Jordan was al aan de klim begonnen, zonder zekering.

Maar nauwelijks zes meter boven de grond leek hij al gestrand. Tevergeefs zocht hij naar een volgend houvast, en terug kon hij ook niet meer. Hij voelde zich fysiek en psychisch verlamd. Hij had geen ervaring met deze manier van klimmen en de hoogte had een onverwachts effect op hem. Hij kon zelfs niet meer om hulp roepen, omdat hij bang was om te schreeuwen. En als hij de portofoon wilde gebruiken moest hij de rots loslaten.

Galil pakte het touw dat door de haak liep en wikkelde het om zijn middel. Toen haalde hij het in, totdat Catherine hem een teken gaf dat het strak stond. Hij liet zich op zijn knieën zakken om eventuele schokken beter te kunnen opvangen. Catherine riep naar Yossi, beneden hen, die het bericht via de radio aan Jordan doorgaf.

'Zev vangt je op,' zei Yossi. 'Je kunt het touw gebruiken.'

Jordan stelde zijn vertrouwen in de grote man en de kleine piton tussen hen in. Hij liet de rotswand los. Het nylontouw ving zijn gewicht op.

'Omhoog of omlaag?' vroeg Yossi.

Jordan keek op, en toen naar beneden. 'Omhoog,' riep hij.

Met dezelfde techniek als Catherine klom hij hand over hand naar boven, langzaam en systematisch.

Galil moest zich schrap zetten, maar hij gaf geen krimp. Zijn gezicht liep rood aan en hij ademde diep en regelmatig, als een gewichtheffer bij het tillen en drukken. Hij sloot zijn ogen in concentratie. Het leek of zijn longen zouden barsten en zijn uitpuilende nekspieren zouden knappen onder de spanning, maar eindelijk stapte Jordan de richel op en verdween de spanning van het touw.

'Waar wachten jullie op?' riep Amnon vanuit de grot.

De anderen kwamen achter hem aan, een voor een. Jordan bedankte voor de eer om als tweede te gaan en nam liever de tijd om op adem te komen. Catherine liet zich door de schacht zakken, die schuin genoeg liep om beheerst te kunnen afdalen. Jordan ging als laatste, door de zij-ingang, kruipend over de berg stenen onder de zoldering van de grot.

De holle rotspunt vormde een natuurlijk halletje. Onder het plateau verbreedde de grot zich tot een hoge ruimte, bezaaid met grote stenen. Het klonk er als binnen in een zeeschelp. Het licht door de schacht in het dak reikte niet verder dan de ingang en de onderzoekers haalden hun zaklantaarns tevoorschijn om de vloer, de wanden en de zoldering van de grot systematisch te verkennen.

Ze waren volledig afgesloten van de buitenwereld, maar Jordan voelde vanbinnen dat anderen hen lang geleden waren voorgegaan. Hun aanwezigheid zweefde hier nog rond. Hij leek deel van een menselijke traditie die ouder was dan de mensheid zelf, wat hem een gevoel gaf van respect en ontzag, net als toen hij in de woestijn onder de petrogliefen had gestaan.

Catherine voelde zich veilig als in een cocon, alsof niets hen nog kon deren in deze afgelegen schuilplaats. Maar toen bedacht ze dat anderen naar hetzelfde op zoek waren als zij en vroeg ze zich af of ze ooit nog érgens veilig zou kunnen zijn.

Jordan had half verwacht de verkoolde resten van een prehistorisch kampvuur aan te treffen, met de lucht van roet en de schaduwen van de oude bewoners nog flakkerend tegen de wanden. Maar de grot vertoonde geen sporen van vroegere bewoning. Het was zelfs niet duidelijk hoe mensen hier ooit langere tijd hadden kunnen verblijven. Er was geen ruimte om te zitten of te slapen tussen de stenen op de vloer.

Aan de andere kant van de kamer splitste de grot zich in twee smallere tunnels.

Amnon koos voor de linkertunnel. Langzaam en voorzichtig sloop hij verder, speurend bij iedere stap. De tunnel maakte een bocht en helde omlaag. Amnon verdween uit het zicht.

'Hij is versperd,' meldde hij even later. Zijn woorden weergalmden door de ruimte.

De anderen volgden het geluid van zijn stem. Een eindje verderop waren delen van de wanden en de zoldering ingestort.

'Nog meer bewijzen van seismische activiteit,' zei Galil. 'Tijdens een aardbeving kun je hier beter niet zijn.'

Amnon richtte zijn zaklantaarn tussen het gevallen gesteente. Hannah volgde zijn beweging met haar camera. Door de openingen zagen ze dat de tunnel aan de andere kant van de versperring verderliep.

'Geen idee hoe diep hij is,' zei Galil. 'Misschien is er wel een achteruitgang.'

Jordan stelde zich een opening voor, hoog in het smalle ravijn dat het plateau doorsneed. Voor iemand die zo'n ingang wist te vinden zou de grot veel toegankelijker zijn.

Ze liepen terug naar de centrale kamer en Galil ging hen voor door de tweede tunnel, die in het begin nog breed genoeg was voor drie mensen naast elkaar. Maar na een bocht versmalde hij snel, voordat hij uitkwam in een volgende ruimte. Deze kamer was min of meer rond, en kleiner dan de eerste, ruim acht meter in doorsnee en vierenhalve meter hoog in het midden. Yossi liet zijn lichtbundel over de vloer glijden, die vlak was en vrij van losse stenen.

'Wat is dit?' zei hij, wijzend met zijn zaklantaarn, die een lichtcirkel op de grond vormde.

De anderen verzamelden zich om hem heen. Galil liet zich op handen en knieën zakken om het van dichtbij te bekijken. Toen keek hij op naar hun verwachtingsvolle gezichten.

Zijn glimlach zei duidelijk *eureka.*

Hij hield het omhoog, zodat iedereen het kon zien. Het was een stukje leer, een klein en onbeduidend strookje, niet meer dan drie centimeter lang en ruim een halve centimeter breed. Er stond niets op geschreven, maar het sprak boekdelen.

Iemand was hier geweest.

'Moeilijk te zeggen wat het is,' zei Galil. 'Misschien afkomstig van een sandaal, van de riempjes die om een kuit werden gebonden. Maar het doet er ook niet toe.'

Hij borg het in een plastic zakje voor later onderzoek. Toen stond hij op. 'We mogen geen enkel detail over het hoofd zien.'

Ze stelden zich naast elkaar op aan het einde van de kamer bij de ingang en liepen in een rij naar voren, als de politie die naar sporen zocht op de plaats van een misdrijf. Maar er was niets te vinden. Vervolgens waaierden ze uit om de wanden van de grot te onderzoeken.

Yossi bestudeerde een gedeelte van de wand rechts van de ingang. Er lag een berg stenen tegenaan, waaronder grote brokstukken.

'Kijk hier eens,' zei hij.

'Hm,' mompelde Galil. 'Je zou denken dat iemand die stenen opzettelijk heeft opgestapeld. Misschien is dit deel van de vloer daarom redelijk schoon.'

'De wand van de grot lijkt naar achteren te wijken, als het schuine dak van een zolder,' zei Catherine.

Jordan wees naar een lichtstraal boven de berg stenen en de anderen onderdrukten een kreet.

In de wand zat een fossiele schedel ingeklemd.

Hij lag op zijn kant, onder een hoek, alsof hij net wakker werd uit een lichte slaap. Het moest een menselijk hoofd zijn, maar toch kwam het grotesk en griezelig over. Holle oogkassen gaapten onder de richel van een zwaar, eenvormig voorhoofd. De restanten van de grote boven- en onderkaak leken bevroren in een schreeuw.

'De stenen demon,' fluisterde Catherine.

Hannah zoomde in om het beeld vast te leggen.

Jordan verlichtte een groter deel. Er staken ook andere fossiele botten uit de wand, een suggestie van ribben, de bovenkant van een heup, de kop van een dijbeen. De stenen demon had plat op zijn rug gelegen.

Galil inspecteerde de omringende rotswand. 'Het lijkt of het graf ooit een richel was, een plateau in de wand van de grot,' zei hij. 'Je had gelijk, Ben. *Mazzeltov.* De vraag is alleen wat er achter die stenen ligt. Zou de vindplaats nog intact zijn?'

Jordan raakte een van de stenen aan die de doorgang versperden. 'Dat is moeilijk vast te stellen,' zei hij.

'*Au contraire,*' wierp Galil tegen.

Hij deed zijn rugzak af en pakte een apparaatje. Het was een kleine monitor, verbonden met een lange, dunne, rubberen slang. Het uiteinde was voorzien van een klein optisch oog. Galil zette het ding op de grond en nam de stapel stenen aandachtig op. Toen koos hij een plek en stak het slangetje door de opening.

Jordan bekeek de apparatuur met verbazing. 'Heb je dat zelf ontwikkeld?' vroeg hij.

'Nee. Het is bedoeld voor onderzoek van de menselijke ingewanden. Een endoscoop.'

'Nooit geweten dat je belangstelling had voor dat soort dingen,' zei Catherine.

'Het is niet mijn verdienste. Maar als we geluk hebben, komen we er op deze manier misschien achter of de geschriften hier liggen voordat we moeite moeten doen om al die stenen weg te halen.'

De studenten spitsten hun oren.

'Welke geschriften?' vroeg Yossi.

Galil wisselde een blik met Jordan en Catherine, die allebei knikten.

'Jullie hebben nu wel het recht om het te weten,' zei Galil. 'We zijn op zoek naar documenten die uit de tempel in Jeruzalem zijn gesmokkeld voordat de stad door de Romeinen werd veroverd. We zoeken met name naar de memoires van een zekere Kajafas.'

'Dé Kajafas?' vroeg Hannah, en ze liet haar camera zakken.

'Inderdaad.'

'Die ervan wordt beschuldigd dat hij Jezus heeft veroordeeld?'

'Met wat geluk vinden we misschien meer informatie over die zaak.'

'Allemachtig,' zei Amnon.

Galil bewoog het de endoscoop door de spleten en openingen van de berg stenen. Maar het werd ergens tegengehouden en Galil begon opnieuw.

'Heb jij wel eens zoiets ondergaan?' vroeg Galil aan Jordan.

'Een colonoscopie?'
'Moet je laten doen. Dat is heel nuttig.'
'Ik zal het onthouden.'
'Wie weet wat daar te vinden is,' zei Catherine. 'Misschien kun jij het wel voor hem doen, Zev, als we hier klaar zijn.'
'Kijk daar!' riep Galil.
Het elektronische oog was tot de ruimte achter de stenen doorgedrongen en registreerde twee rijen uitpuilende zakken.
En de glinstering van goud.
Galil stelde de scherpte bij. Ze konden de inscripties op de munten bijna lezen. Galil bracht het oog wat dichterbij. Een afbeelding van een gouden granaatappel trok hun aandacht.
'Prachtig,' zei Galil. 'Zoiets heb ik nog nooit gezien.'
Hij werkte het slangetje nog verder naar binnen. Het scherm verkleurde naar groen.
'Koper of brons,' zei Galil, terwijl hij de kleine camera manipuleerde. 'Dat zijn jullie offerschalen, zou ik denken.'
Het oog richtte zich op een soort versierde koekenpan. Er leken genoeg potten en pannen aanwezig voor een heel banket.
'Voor de brandoffers,' zei Galil. 'Daarvan moet de tempel een heel pakhuis hebben gehad.'
'En de geschriften?' vroeg Amnon.
'Geduld.'
De kleine camera bewoog zich dieper de bergplaats in.
'Verdomme!' riep Zev uit.
De camera had het deksel van een stenen kruik gevonden, rond en onversierd. Het deed Jordan vaag denken aan het gestileerde dak van het Heiligdom van het Boek in Jeruzalem. Het dak van dat museum had niet toevallig die vorm. Het was gebaseerd op de kruiken waarin enkele van de Dode Zeerollen waren teruggevonden.
Galil draaide het oog naar rechts. Daar stond nog zo'n kruik. Het deksel was gebarsten en er ontbrak een klein stukje klei. Galil schoof de kleine camera naar de opening toe.
'Perkament,' fluisterde hij.

57

De Vallei van Asher

Steen voor steen braken ze de stapel af die hen scheidde van de zestiende vindplaats.

Na een tijdje hadden ze allemaal pijn in hun rug en geschaafde handen. Het ging niet alleen om brute kracht. Ze moesten zich concentreren om geen stenen op elkaars voeten te laten vallen. Stof dwarrelde op van de vloer van de grot en drong in hun ogen en longen. Hoestend werkten ze verder.

Om beurten namen ze rust, behalve Jordan, die van geen ophouden wist.

'Neem even pauze, Ben,' zei Amnon.

'Nee, het gaat wel.'

Jordan klapte dubbel door een hevige hoestbui. Rochelend richtte hij zich weer op.

'Doe wat hij zegt, Ben. Ga even frisse lucht happen,' zei Galil.

Jordan veegde het zweet en het vuil van zijn voorhoofd. 'Misschien heb je gelijk,' zei hij. 'Bovendien wil ik iets onderzoeken.'

'Wat dan?' vroeg Catherine.

'Het is maar een vermoeden. Ik denk dat er een eenvoudiger ingang – of uitgang – moet zijn. Roep me maar op als jullie de vindplaats hebben uitgegraven.'

Jordan verliet de kamer en stapte de betrekkelijk frisse lucht van de tunnel in. Het was balsem voor zijn brandende longen. Hij liep terug naar de grote ruimte en gebruikte zijn zaklantaarn om de gang te zoeken die ze met Amnon hadden verkend. Hij volgde dezelfde route en stapte over obstakels heen totdat hij de berg stenen bereikte die de doorgang versperde. Hij richtte zijn zaklantaarn op de duisternis erachter, haalde diep adem en hoestte nog eens.

Er kwam een smerige lucht uit de afgesloten gang. Mest. Vleermuizenpoep. Als er vleermuizen aan de andere kant van die berg stenen waren, maar niet hier, moest de gang dus een andere toegang hebben. Hij wist niet goed waarom, maar een stem in zijn achterhoofd zei dat het belangrijk was. Meer uit nieuwsgierigheid dan ergens anders om testte hij een van de stenen die de doorgang versperden en duwde hem weg. Toen een tweede en een derde. De stenen vielen naast hem op de grond. Binnen een paar minuten had hij een opening vrijgemaakt waar hij zich doorheen kon wringen.

'We komen in de buurt,' zei Yossi, turend in de ruimte onder de stenen demon.

'Wacht eens,' zei Hannah.

Yossi en Amnon tilden nog een steen op en lieten hem met een zware klap in het midden van de kamer vallen.

'Stil!' beval Hannah.

'Wat is er?' vroeg Amnon.

'Luister. Wat is dat voor geluid?'

'Ik hoor niets.'

'Daar is het weer.'

Catherine liep de kamer uit, met de anderen op haar hielen. Ze haastte zich de tunnel door naar de grote ruimte, met het licht van de twee openingen die ze hadden gemaakt. Daar aangekomen konden ze het geluid duidelijk horen: rotorbladen. Het zwol aan en werd weer zwakker. Catherine probeerde de positie van de helikopter te bepalen, maar de echo's in de grot maakten dat onmogelijk. Weer hoorden ze het geluid van de rotors naderen.

'Hij cirkelt, of hij vliegt heen en weer over de vallei,' zei Yossi.

'Kan het de rest van jullie team zijn?' vroeg Catherine.

'In een helikopter? Niet erg waarschijnlijk,' zei Amnon.

'Weet iemand anders dat we hier zijn?' vroeg Hannah.

'Verdomme, tot vanmiddag wist ik zelf nog niet eens waar "hier" was,' zei Amnon.

'Ze zullen onze touwen zien,' zei Galil.

'En de rugzakken die we beneden in het dal hebben achtergelaten,' zei Yossi.

'En de gordel die ik op de rots heb laten liggen,' zei Galil.

Yossi tastte naar zijn geweer. 'Ik ga eens kijken,' zei hij.

'Nee, jij blijft hier. Ik ga wel,' zei Galil.

Het geratel van de rotorbladen werd steeds luider. De helikopter hing nu recht boven hun hoofd. Galil hees zich door de schacht naar het daglicht. Yossi liep naar de richel. Van achter de opening in de rotswand zocht Yossi positie met zijn geweer, maar hij kon de helikopter niet zien. De rotspunt benam hem het zicht.

'Ben, ben je daar?' vroeg Yossi door de portofoon.

'Ja, hier,' antwoordde Jordan.

'Waar?'

'Ik verken de andere tunnel vanuit de grot. Hoe gaat het?'

'We hebben bezoek.'

'Wie dan?'

'Dat weet ik niet. Het is een helikopter.'

'Ik kom eraan.'

'Blijf maar waar je bent, op de achtergrond,' zei Yossi. 'Misschien hebben we je nog nodig.'

'Ben je gewapend?'

'Mijn geweer staat op scherp.'

'Hou de lijn open.'

In de grot draaide Amnon zich naar Catherine. 'Het gaat zeker niet om het goud?'

'Nee, dat denk ik niet.'

Galil had zich door de schacht omhooggewerkt, maar probeerde verborgen te blijven in de schaduw. De helikopter hing inderdaad recht boven hen. Het was een commercieel toestel, zoals oliemaatschappijen dat gebruikten om naar hun boorplatforms te vliegen. Het lawaai was oorverdovend en de rotorbladen veroorzaakten een zandstorm.

Hellend naar achteren daalde de helikopter naar de vlakke bovenkant van het plateau, dat een natuurlijke heliplatform vormde, en de piloot maakte een zachte landing. Twee grote kerels sprongen naar buiten, doken onder de rotorbladen door en bleven staan om een derde passagier naar buiten te helpen.

Een zwaargebouwde man van in de zeventig stapte uit de helikopter. Zijn dunne, grijze haar wapperde woest in de wind. Hij hield zijn hand tegen zijn voorhoofd, om zijn ogen te beschutten tegen de zon. Toen hij om zich heen tuurde, vermenigvuldigden de rimpels rond zijn ogen zich als barstjes in het ijs van een bevroren vijver.

Galil had het gevoel dat hij een geest zag. Hij boog zich wat verder naar voren om beter te kijken en hees zich toen langzaam uit de schacht.

De piloot zette de motor af en de rotorbladen sneden met een nadrukkelijk *zwap zwap zwap* door de lucht toen ze snelheid verloren. De geest bukte zich om niet te worden onthoofd en rende naar Galil toe.

'*Sjalom*, Zev,' zei hij.

'Verdomme. Meyer!'

'Blij dat ik je zie, Zev. Heel verstandig van Catherine om jou erbij te halen.'

'Waar kom jij vandaan?'

'Wil je me naar haar toe brengen?'

De twee mannen in Elazars gezelschap wilden met hem meelopen, maar de rabbi stak een hand op en ze bleven bij de helikopter staan.

In het diepst van de grot keek Jordan over zijn schouder in de richting waaruit hij gekomen was en toen weer naar voren. Hoe zou de tunnel verdergaan? De zoldering en de wanden van de grot leken te bewegen.

Ze waren bedekt met vleermuizen.

De stank was verschrikkelijk en hij drukte zijn onderarm tegen zijn mond en neus. Toen richtte hij zijn zaklantaarn voor zich uit. Een zwart gat. Een brede kuil versperde de weg, waar de bodem was ingestort.

Hij draaide zich weer om naar de ingang en hurkte naast de berg stenen die hij gedeeltelijk had weggehaald. Het liefst zou hij zo snel mogelijk naar de groep teruggaan, maar hij besefte dat Yossi gelijk had. Dus hield hij de portofoon tegen zijn oor gedrukt en luisterde.

Galil ging voorop. Met het nylontouw om zijn val af te remmen liet hij zich door de schacht in de grot zakken. Hij werd begroet door een halve cirkel van bezorgde gezichten en zag dat Yossi vanuit de hoek zijn wapen gericht hield. 'Geen paniek,' zei Galil.

'Wat is er aan de hand?' vroeg Catherine.

'Dat vraag ik me ook af,' zei Galil verbijsterd.

Hannah hield de camera langs haar lichaam, maar omhoog gericht naar Galil. Ze filmde nog steeds.

Twee benen kwamen uit de schacht. Galil greep ze beet en hielp ze het laatste eindje. De rest van de zwaargebouwde gestalte volgde.

Catherine staarde in het gezicht van Meyer Elazar.

'Gefeliciteerd, Catherine, ik ben trots op je,' zei hij met uitgestoken armen.

'Maar jij... jij had dood moeten zijn,' stamelde Catherine.

'Ja, dat was de bedoeling. Maar zo ging het dus niet.'

Door de portofoon hoorde Jordan de bekende diepe stem. Verbaasd sperde hij zijn ogen open, terwijl hij bliksemsnel dit nieuwe feit probeerde te verwerken.

'Klootzak!' riep Catherine uit. 'Vuile etterbak!'

De anderen schrokken van haar heftige uitbarsting. Ook Elazar deinsde terug.

'Ik vertrouwde je. Ik heb je het verhaal van Mordecai Mandel verteld. Maar jij... jij hebt me verraden. Eerst maakte je mijn onderzoek belachelijk en toen heb je alle stukjes aan elkaar gepast, zonder mij iets te zeggen! Je bent een smeerlap, Meyer.'

Via de portofoon voelde Jordan haar woede en in gedachten zag hij haar tranen.

'Het spijt me, Catherine. Je hebt gelijk, ik heb het voor je verzwegen. Misschien heb ik je vertrouwen beschaamd, dat is waar. Maar voor je eigen bestwil. Om deze situatie te voorkomen. Ik wilde je niet in gevaar brengen.'

'Je wilde niet dat ik het zou wéten. Of dat de wereld het wist,' zei Catherine minachtend. 'En nu? Wil je het van ons stelen?'

'Ik vraag je niet om me te vergeven, Catherine. Maar luister goed, want je leven staat op het spel.'

'O, kom je me nu bedreigen?'

Galil legde sussend een hand op haar schouder. 'Kalm nou maar,' zei hij. 'Laat hem uitspreken.'

'Ík bedreig je niet,' zei Elazar, 'maar de regering. De regering van Israël.'

'De regering?' vroeg Galil.

'Ze hebben geprobeerd mij te elimineren, maar ik ben ontkomen. Ik vraag me af of ze dat weten. Maar nu zitten ze achter jullie aan. Ze zijn al onderweg, op dit moment. Ze weten waar jullie naar op zoek zijn: de Kroniek van Kajafas. En ze willen tot elke prijs voorkomen dat de inhoud daarvan bekend wordt.'

'Waarom zou ik jou geloven?' zei Catherine.

'Om Gods wil, Catherine. Als je me ooit hebt vertrouwd en me tot je vrienden hebt gerekend, geloof me nu dan ook. Kom mee, alsjeblieft. Ik probeer je te redden.'

De emotionele oproep van de rabbi maakte grote indruk op de anderen. Ze staarden hem angstig aan.

'Je denkt toch niet dat je je voor hen kunt verbergen?' vroeg Elazar. 'Of dat ze je zullen laten gaan?'

'Ik ga hier niet weg,' zei Catherine.

'Ik heb Mishka verloren, en mijn dochter. En mijn collega's van het instituut. Ik heb niemand kunnen redden. Maar jou kan ik nog in veiligheid brengen. Ik wil niet jouw bloed ook nog aan mijn handen. Doe me dat niet aan.'

Er stonden tranen in de ogen van de rabbi.

Catherine was geschokt. Ze had hem nog nooit zien huilen. Sterker nog, ze had zelden enige emotie bij hem bespeurd, behalve zijn woede tegenover de Arabieren. Ze had altijd gedacht dat zijn gevoelens waren begraven met het kind dat bij een terreuraanslag om het leven was gekomen.

'Ik ga hier niet weg zonder de geschriften,' verklaarde ze.

Galil slaakte een zucht van opluchting. Het was een stap vooruit.

De rabbi trok een wenkbrauw op. 'Dus ze liggen hier,' fluisterde hij.

Ze gaf geen antwoord.

'Graaf je nog steeds naar een reden om te geloven, Catherine?'

'Een gevaarlijk motief voor een archeoloog, Meyer. Ik weet het.'

'Laat het rusten, Catherine. Stop ermee.'

'Nee.'

'Er is geen tijd meer.'

'Dan moeten we opschieten.'

58

Yossi en Amnon tilden nog een zware steen opzij en de graftombe onder de stenen demon lag vrij. De zestiende vindplaats bestond uit een ondiepe kuil die in de vloer van de grot was uitgegraven, onder de overhangende rots.

Catherine bukte zich en stapte in de kuil.

Ze pakte de eerste stenen kruik en hoorde het geritsel van de oude geschriften die in de kruik verschoven. Ze gaf hem aan Amnon, die hem doorgaf aan Galil.

Daarna reikte ze Amnon de tweede kruik aan, met het gebarsten deksel. Hij wierp een blik door de opening. De kruik zat vol met strak opgerolde teksten, als stokjes van perkament.

Elazar wachtte buiten de grot, waar Catherine hem naartoe had verbannen. Ze voelde zich wel schuldig. Hij hoorde er eigenlijk bij te zijn als de vondsten tevoorschijn kwamen.

Ze bukte zich weer en greep een van de geitenleren zakken bij de dichtgesnoerde hals. Toen ze hem omhoog trok, scheurde de bodem en viel de inhoud eruit: een hele berg glinsterende gouden munten.

'Laat maar liggen,' zei Galil.

Catherine pakte toch een paar munten op en stak ze in haar zak als voorbeeld van de vondst en een bevestiging van de details in de Zilveren Rol.

'En nu wegwezen hier,' zei Galil.

Catherine nam nog een lapje geitenleer mee voor de koolstofdatering. Toen klauterde ze terug over de stenen en pakte Hannah's uitgestoken hand, die glibberig was van het zweet.

'Heb je alles gefilmd?'

'Ja,' zei Hannah.

'Mooi. Dan kunnen we weg.'

Ze lieten de endoscoop en Galils rugzak op de vloer van de grot achter en renden de tunnel door naar de grote ruimte, waar Yossi de wacht hield.

'Waar is Ben?' vroeg Catherine.

'Die blijft uit het zicht, voor alle zekerheid,' antwoordde Yossi, en hij knikte naar de andere tunnel van de grot.

'Zeg hem dat we vertrekken,' zei Galil en hij loodste Catherine naar de schacht.

Ze greep het bungelende koord.

'Vooruit,' zei hij, en hij gaf haar een kontje toen ze begon te klimmen.

'Wacht,' zei Catherine opeens, en ze hield halt. 'Hoe krijgen we die kruiken naar boven?'

'Ga maar door,' zei Galil. 'Op mijn teken trek je voorzichtig het touw omhoog.'

Catherine verdween door de schacht.

'Ben, ben je daar?' vroeg Yossi over de portofoon.

Galil draaide zich om naar Amnon. 'Geef me je broek.'

'Wat?'

'Trek je broek uit,' zei Galil. 'Ik zou de mijne wel gebruiken, maar mijn benen zijn te dik.'

Amnon begreep er niets van, maar Galils toon duldde geen tegenspraak.

Hannah gunde Amnon zijn langverbeide close-up en floot ondeugend. Amnon wierp de camera een kushand toe.

Galil bond de pijpen van de broek dicht en liet een kruik in elke broekspijp glijden, stevig tegen de knoop aan. De kruiken werden breder naar boven toe en op het breedste punt pasten ze precies in een broekspijp. Galil trok het uiteinde van het touw onder het kruis van Amnons broek door en legde er een schuifknoop in.

'Trekken. Maar langzaam!' riep Galil naar boven.

Boven op de rots, knielend naast de opening, trok Catherine het touw hand over hand omhoog. De kruiken stootten tegen de zijkant van de schacht en Catherine maakte een grimas, maar ze braken niet. Toen ze de broek had opgehaald, maakte ze het touw los en hing de broekspijpen om haar hals, met een pijp over elke schouder, zodat ze haar handen vrij hield. Daarna gooide ze het touw weer omlaag.

'De volgende,' riep ze.

Galil gaf Hannah een zetje omhoog. De camera bungelde om haar hals en stootte zachtjes tegen de rots. Even later stak Hannah haar hoofd het zonlicht in. Catherine greep haar ene arm, Elazar de andere, en ze hesen haar op het dak van de grot.

'Ga maar,' zei Galil tegen Amnon.

'Na u.'

Galil begon te klimmen.

'Ben, ben je daar?' vroeg Yossi nog eens via de radio, uit een andere hoek van de grot.

Galil kwam uit de schacht, geholpen door de anderen. De piloot startte de motor en de rotorbladen kwamen in beweging. Elazars mannen renden naar hen toe en wezen dringend in de richting van de open woestijn.

Twee jeeps kwamen hun kant uit over het plateau.

'Stap in de heli!' riep Elazar tegen Catherine. Hij sloeg een arm om haar middel en sleurde haar een paar meter naar het toestel toe.

Catherine verzette zich en bleef staan. 'Niet zonder Ben,' riep ze boven het gebulder van de motor uit.

'Er is geen tijd meer,' zei Elazar, en hij wilde haar weer meesleuren.

Hannah zoomde in op de jeeps. Ze waren van het Israëlische leger.

Catherine hing de broek om Elazars nek, worstelde zich los en rende terug naar de schacht. De wind van de helikopterbladen blies het zand in hun gezicht.

Elazar gaf zijn kameraden een teken. Ze haalden Catherine in, grepen haar bij haar bovenarmen en droegen haar terug naar de heli.

'Ik haal Ben wel!' riep Galil.

De jeeps waren gestopt aan de andere kant van de kloof, bekend als de Wadi Abiram, die een beschermende slotgracht vormde. Een stuk of tien, twaalf Israëlische soldaten sprongen eruit.

Hannah volgde hen door de lens. Ze richtten hun geweren.

Galil deed een stap naar de schacht toe en zakte op zijn knieën. De soldaten hadden het vuur geopend.

Galil greep naar zijn borst en keek in de richting van de helikopter, waar Elazars mannen Catherine aan boord tilden. Ze keek om naar Galil.

'Zèèèèèèv!' riep ze. Galil hief een hand op en gebaarde dat ze moest vluchten. Hun blikken kruisten elkaar heel even, voordat Galils hoofd explodeerde in een roze wolk.

'Neeeee!' gilde Catherine.

Galils dode lichaam stortte door de schacht omlaag.

Elazars vrienden sleurden Catherine de helikopter in en de rabbi volgde.

Galils bloed en kleine weefseldeeltjes spatten over Hannah's gezicht. Hoewel ze mentaal en emotioneel totaal ontredderd was, wist ze toch het klimtouw te grijpen dat over de rotsrand hing. Ze kroop naar de afgrond en keek omlaag.

Ze zag mannen op de bodem van de vallei, nog honderd meter verderop. In hoog tempo kwamen ze naar de voet van de rotswand toe. Door de met bloed bespatte lens kon ze zien dat het soldaten waren.

Kogels floten langs haar oren vanaf het plateau en vanuit het dal beneden. Ze veroorzaakten kleine explosies van zand en steensplinters.

'Ze komen van twee kanten!' gilde ze naar de mannen die nog in de grot waren achtergebleven.

Wanhopig kwam Hannah overeind en rende naar de helikopter, de oprukkende soldaten tegemoet.

De militairen hadden ladders over de smalle kloof gelegd en kropen over de afgrond. Een van hen richtte zijn geweer op de helikopter, die zich van het plateau verhief en naar voren kantelde, in Hannah's richting.

Ze zwaaide wanhopig naar de piloot, maar het toestel begon al hoogte te winnen.

Catherine, die aan de rechterkant van de helikopter zat, in bedwang gehouden door Elazars mannen, staarde omlaag naar Hannah, die opkeek. Ze zag dat Hannah's lichaam door kogels aan flarden werd gereten. Bloedend en levenloos zakte ze in elkaar. Het volgende moment bestormden de soldaten het plateau.

De helikopter klom nog hoger en zwenkte scherp opzij, naar de berg toe, totdat Catherine niets anders meer zag dan de wolkenloze hemel.

Op de vloer voor haar voeten stond een open koelbox met sandwiches en frisdrank. Ze boog zich eroverheen en begon over te geven. Toen verloor ze het bewustzijn.

In de grot hoorden Amnon en Yossi de eerste schoten. Voordat ze konden reageren tuimelde Galils bebloede, levenloze, zwaar verminkte lichaam door de schacht en sloeg tegen de bodem van de grot.

Amnon klapte dubbel van schrik en afschuw.

Yossi rende naar de richel en tuurde door de opening in de rotswand naar het dal beneden. Kogels ketsten tegen de stenen, vlak bij zijn gezicht. Steensplinters sneden in zijn wangen. Hij zocht dekking in de grot, zonder terug te vuren.

'Ben, ben je daar?' riep hij weer door de portofoon. 'We worden aangevallen.'

'Ik zit in de val, Yossi. Het dak is ingestort.'

'Ik kom eraan.'
'Nee, Yossi! Probeer jezelf te redden.'
'Er is geen andere manier.'
'Maar de gang is versperd.'
'Maak hem dan vrij.'
Yossi greep Amnon bij zijn arm. 'Kom mee!' riep hij.
'Nee. Dit is de enige plek waar we stand kunnen houden,' zei Amnon.
'We kunnen ze toch niet tegenhouden.'
'Als ze binnenkomen, zijn we er geweest.'
'Ik waag liever mijn kansen in de tunnel.'
Amnon pakte Yossi's geweer. 'Ik zal ze zo lang mogelijk tegenhouden.'
Yossi liet het geweer los en knikte tegen zijn vriend. Toen rende hij de tunnel in en klom over de neergestorte stenen, de helling af en de smalle bocht om. Een nieuwe berg stenen versperde de doorgang op de plek waar Amnon al eerder was gestrand.
'Ben, kun je me horen?'
'Yossi?' riep Jordan schor vanaf de andere kant van de muur. 'Verdomme, Yossi, ga daar vandaan!'
'Help me die stenen weg te krijgen.'
'Maar je kunt hier nergens naartoe. Zelfs als je door die wand heen breekt, is de vloer verderop verdwenen.'
'Shit.'
Automatisch geweervuur galmde door de grot toen de soldaten probeerden binnen te komen en Amnon het vuur opende. Hij beperkte zich tot korte, beheerste salvo's, om munitie te sparen.
'Amnon probeert ze tegen te houden,' zei Yossi.
'Wie zijn het?'
'Israëlische militairen.'
Yossi ging wanhopig de berg stenen te lijf, gooide er een paar opzij en rukte aan de andere. Tegen beter weten in begon Jordan van zijn kant hem te helpen, hoewel hij daardoor zijn eigen bescherming tegen de aanval van de militairen uit de weg ruimde.
'Waar zijn de anderen?' vroeg Jordan.
'Zev is dood. Hannah en Catherine... dat weet ik niet.'
Een explosie deed de grot trillen. Yossi verloor bijna zijn evenwicht. Kruitdamp dreef de tunnel binnen.
In het donker drukte Jordan zijn handen tegen de berg stenen, als-

of hij met zijn vingertoppen de beelden en geluiden vanaf de andere kant kon opvangen. Zijn oren tuitten nog. De soldaten moesten een granaat door de schacht hebben gegooid.

Heel in de verte hoorde hij stemmen. Hij kon niet verstaan wat ze zeiden, maar hij veronderstelde dat commando's zich door de schacht lieten glijden of door de opening in de rotswand kropen.

Amnons geweer liet zich niet meer horen.

'Ze komen eraan,' fluisterde Yossi.

Hij was goed te verstaan op nog geen meter afstand, door de openingen tussen de stenen heen. Jordan luisterde hulpeloos, niet in staat te antwoorden. Hij zag Yossi voor zich, die tegen de wand leunde.

Er klonk een scherp salvo en het volgende moment hoorde hij het gerochel van iemand die in zijn eigen bloed stikte. Hij kon zich voorstellen hoe Yossi in elkaar zakte.

Een onbekende stem vervloekte Yossi met een korte krachtterm. Toen stortten er nog meer stenen uit de zoldering naar beneden.

Jordan verloor het bewustzijn.

59

Doof en blind zweefde hij door een niemandsland, ergens tussen coma en bewustzijn.

In zijn droom gloeide hij van koorts, maar voelde hij zich toch veilig en geborgen. Zij wiegde hem in haar armen, troostte hem en hield hem tegen zich aan. Hij keek op, zoekend naar haar gezicht, maar dat lag in de schaduw, tegen het zonlicht in.

Hij hoorde een stem die zichzelf herhaalde, mooi en melodieus. De stem van een moeder. Ze zong een opgewekt, geruststellend wijsje, dat hem in vrolijke kleuren dompelde. De woorden fladderden als vlinders. Hij stak er een hand naar uit, maar ze zweefden weg. Altijd zweefden ze weg.

Toen hij eindelijk de drempel van het bewustzijn overstak, zat hij op de grond met zijn benen onhandig onder zich gevouwen en zijn bovenlichaam leunend tegen de hoek tussen de wand van de tunnel en de blokkade van neergestorte stenen. Hij had geen idee hoelang hij buiten westen was geweest. Zijn ogen waren van weinig nut in de pikzwarte duisternis.

Hij voelde zich duizelig en licht in het hoofd, waarschijnlijk door een hersenschudding, uitdroging of de totale afwezigheid van visuele herkenningspunten. Hij betastte zijn hoofd, dat pijnlijk bonsde. Zijn haar was plakkerig. Hij miste de Arabische dokter die zijn verwondingen in Libanon – of was het Syrië? – had behandeld.

Na een tijdje drong er een onbekend geluid tot hem door en voelde hij iets bewegen om zich heen, alsof de lucht een levend, golvend wezen was.

Het was het geklapper van ontelbare vleermuisvleugels in de duisternis. In een dichte wolk nestelden de vleermuizen zich op hun plekken tegen de wanden en de zoldering. Ze keerden terug van hun nachtelijke voedseltocht, dus moest het nu ochtend of bijna ochtend zijn. Wat voor opening ze ook gebruikten als toegang tot de grot, hij lag voorbij het diepe gat in de tunnel en was dus voor Jordan onbereikbaar.

Hij trok zijn mouw op en stofte zijn horloge af. De lichtgevende wijzerplaat vertelde hem dat het bijna zes uur 's ochtends was. Hij probeerde de gebeurtenissen te reconstrueren waardoor hij in deze griezelige gevangenis terecht was gekomen. In gedachten zag hij Yossi, gestrand aan de andere kant van de barrière, en de vuurflits van het dodelijke salvo.

En Catherine? En de oude geschriften?

Had iemand van hen de aanval overleefd? En had hij zelf nog een kans? Of zou deze grot zijn graf worden, zijn botten een mysterie voor toekomstige archeologen?

Op handen en knieën zocht hij zijn weg over de bodem van de grot. Hij vond zijn zaklantaarn en deed hem aan. Het glas was kapot, maar hij werkte nog. Jordan inspecteerde het gat in de vloer van de tunnel. Het was te groot om overheen te komen. Hij mocht van geluk spreken dat hij er niet onverhoeds in gevallen was.

Hij bestudeerde de blokkade van de berg stenen. Sommige leken klein genoeg om te verwijderen. Hij trok er een weg en gooide hem in het gat. De andere begonnen te schuiven en dreigden zich boven op hem te storten. Hij wachtte tot alles weer rustig was en koos de volgende steen met meer zorg. Het was opvallend broze zandsteen, niet zo dicht als de stenen die ze met zo veel moeite uit de tombe onder de stenen demon hadden weggehaald. Jordan verwonderde zich over de geologie. Hij gooide de steen in de kuil en hoorde hem met een dof geluid breken toen hij de bodem raakte.

Hij pakte er nog een.

Het was een traag en moeizaam proces, maar hij weigerde om zomaar op zijn dood te wachten in deze grot. De zaklantaarn flikkerde en het schijnsel werd zwakker. Hij schudde hem heen en weer, waardoor het licht helemaal doofde en hij zijn werk in het donker moest voortzetten.

Uren later, duizelig en met pijn en kramp in zijn hele lichaam, half gestikt door het stof in zijn longen en kokhalzend door de stank van de vleermuizenmest, brak Jordan uit zijn gevangenis.

Hij vond Yossi's lichaam en voelde zijn pols, hoewel hij wist dat het zinloos was. Met zijn laatste krachten strompelde hij de tunnel door, struikelend over stenen, en bereikte de centrale grot. De middagzon die door de schacht in het dak naar binnen viel deed pijn aan zijn ogen. Hij had een moment nodig om zijn ogen te laten wennen.

Op de vloer lagen de verminkte resten van drie doden.

Twee van hen waren bijna onherkenbaar. Jordan kon Galil alleen nog aan zijn forse gestalte identificeren. Hij lag voorover en het grootste deel van zijn hoofd was weggeschoten. De rest van zijn lichaam was door granaatscherven uiteengereten. Het licht uit de schacht was als een soort schijnwerper op hem gericht.

Amnon – of wat Jordan voor zijn restanten hield – leek het zwaarst getroffen door de granaat. Een arm en een been waren van zijn lijf gerukt, zijn bovenlichaam was een bloederige massa en zijn gezicht was verdwenen. Hij was gesneuveld terwijl hij de aanval probeerde af te slaan.

Hannah's met kogels doorzeefde lichaam lag in het midden van de grot. Ze was blijkbaar niet door de granaat getroffen. Iemand had haar hier neergelegd. Haar knappe gezichtje was bedekt met het geronnen bloed van iemand anders. De verbrijzelde videocamera lag een paar meter verderop.

Jordan werd overmand door een wanhopig, misselijkmakend gevoel van verlies. Met een kille angst in zijn hart doorzocht hij de rest van de grot, half in de verwachting nog een lichaam te vinden. Maar er was geen spoor van Catherine.

Hij wilde onderzoeken of er nog iets restte van de zestiende vindplaats, de schat in de holte onder de stenen demon, maar hij had geen licht. Hij wilde de lijken bedekken, maar hij zou niet weten waarmee.

Waren de commando's in achteloze haast vertrokken of zouden ze terugkomen? Het touw bungelde nog omlaag door de schacht. Misschien waren de militairen nog in de buurt.

Hij luisterde, maar het enige wat hij hoorde was de vage echo van de leegte, als de binnenkant van een zeeschelp. Hij testte het touw, maar aarzelde toen en knielde bij Hannah's lichaam om de zakken van haar vest te doorzoeken. Hij vond drie van de minivideocassettes die ze had gebruikt om hun expeditie vast te leggen. Hij inspecteerde de camera zelf, die door een kogel was verbrijzeld, en haalde het bandje eruit. De plastic cassette was gebroken, maar de tape zelf leek nog intact. Hij stak de bandjes in zijn zak.

Zijn gedachten gingen naar Galil, naast de leeuw van Egypte, toen hij hem bezorgd had bevolen om met Catherine te vertrekken voordat de Humvee de plek van hun opgravingen had bereikt.

'Dit is *míjn* zandbak,' had Galil gezegd, een beetje arrogant, maar met een ondertoon van zelfspot en warmte. 'Wat weet jij nou van zandkastelen?'

Hij pakte het touw.

Voordat hij uit de schacht klom, keek hij voorzichtig om zich heen.

Geen mens te zien. Hij hees zich op de rotspunt. De woestijn leek nog leger dan hij zich herinnerde, en op een subtiele manier ook anders. Er stond een duidelijke bries en het was koeler nu.

Jordan voelde zich licht in het hoofd en zo gedesoriënteerd dat hij even moest gaan zitten. Hij zag een plek geronnen bloed en wist dat een van zijn vrienden hier was omgekomen.

Zijn blik viel op het touw waarlangs ze de rotswand hadden beklommen. Het zat nog steeds door de stalen haak en verdween aan de andere kant omlaag. Hij keek over de rand, het dal in.

Het was de enige uitweg.

Zonder gordel bond hij het ene eind van het nylontouw tot een acht en stak een been in elke lus. Daarna wikkelde hij het touw om zijn middel en legde er nog een knoop in voor de stabiliteit. Toen testte hij de piton, die stevig genoeg leek.

Hij greep de lijn een paar meter voorbij het punt waar hij door de stalen haak ging, stapte naar de afgrond en draaide zijn rug naar de vallei toe. Zonder omlaag te kijken liet hij zich ruggelings over de rand zakken.

Hij greep het touw stevig vast en bedacht met een surrealistische afstand dat hij nu zijn leven in eigen hand hield. Het was zwaar genoeg.

Voorzichtig begon hij aan de afdaling, met kleine stappen, om niet te veel snelheid te krijgen. De lijn schuurde zijn handen en sneed in zijn dijen. Hij kwam langs de nis in de rotswand waar Amnon en Yossi een opening hadden gemaakt, en hij ging door.

Hij telde zijn stappen om alle gedachten aan gevaar uit zijn hoofd te bannen. Vijftien, twintig... zesenvijftig...

De vorige dag was de beklimming al angstig genoeg geweest, maar toen werd hij nog gemotiveerd door hoop en verwachting. De afdaling was alleen maar doodeng.

...Vijfenzeventig... tachtig... drieëntachtig...

Hij was er bijna. Nog minder dan vijf meter.

Er ging een lichte trilling door de lijn en Jordan hield halt. Toen schoot de piton los. Hij greep zich aan het touw vast, maar dat had geen zin meer. Hij tuimelde achterover. Op de een of andere manier wist hij op het laatste moment nog de hoek van zijn lichaam te veranderen.

Met een zware klap en het geluid van brekende botten sloeg hij tegen de grond. Daar bleef hij een tijdje liggen, starend naar de hemel.

Pijn had hij niet, en hij begreep dat hij in shock moest zijn. Misschien was hij wel verlamd.

Hij durfde zich niet te bewegen en nauwelijks adem te halen, uit angst dat hij een mogelijke fractuur van zijn ruggengraat nog ernstiger zou maken. Voorzichtig probeerde hij de schade vast te stellen. Zijn tenen bewogen nog op zijn bevel.

Toen hij diep uitademde, voelde hij een felle pijn, als een verblindend wit licht. Hij hapte naar lucht en hoorde het akelige geluid van bot dat langs bot schuurde. Er stak iets door zijn borst.

Instinctief tilde hij zijn armen omhoog naar zijn gebroken ribben en spande zijn buikspieren. Een nog heviger pijn schoot door zijn hersenen. Met opeengeklemde kaken slaakte hij een schreeuw van pijn, die door het ravijn weergalmde.

Ten slotte dwong hij zichzelf om rechtop te gaan zitten. Het was een marteling. Hij liet zich weer terugzakken en bleef een paar lange minuten doodstil liggen. Eerst gaf hij zich over aan de pijn en daarna probeerde hij die met wilskracht te overwinnen.

Het begon te waaien en de hemel betrok. Er kwamen wolken opzetten.

Met een uiterste inspanning stond hij op. Hij voelde zich zwak en licht in het hoofd. Met een hand beschermend tegen zijn gebroken ribben gedrukt deed hij een stap, en toen nog een. Elke ademtocht was pijnlijker dan de vorige en leverde minder zuurstof op. Hij wankelde nog een paar passen en liet zich op zijn knieën zakken.

Met een zwoegende borstkas hapte hij naar lucht. Zijn doorboorde long vulde zich met bloed. Hij ging liggen en probeerde op adem te komen. Hij moest uitrusten. Hij had vreselijke dorst, maar hij kon zich niet meer bewegen.

Wolken boven de woestijn.

Hij keek naar de wanden van de vallei, die zich verhieven naar de vlakte van de woestijn. Het ravijn was niet veel meer dan een droge rivierbedding, in de aarde uitgesleten door ontelbare millennia van schaarse regenbuien die de kloof veranderden in een diepe, kolkende rivier, gevoed door het water van een kilometers lang achterland.

De wolken zouden koele regen brengen. Een stortbui.

Gevolgd door een overstroming.

60

Een basis in de woestijn

'Hier, drink wat,' zei Elazar, en hij gaf Catherine een fles met water.

Ze lag op een veldbed in een witte tent, ineengerold in foetushouding. Elazar zat naast haar op een linnen klapstoeltje. Ze hees zich op een elleboog en nam een slok.

Ze onderdrukte een snik. 'Had ik maar naar je geluisterd. Waren we maar eerder vertrokken.'

Elazar legde een hand op de hare en kneep erin. Zijn gezicht vertoonde rimpels van zorgen en woede. 'Ik heb mijn hele leven gedacht "had ik maar..." Die fout mag jij niet maken.'

Catherine dacht aan Galils dochters, Annie en Jesse. Welterusten, kinders! had het meisje van vier vrolijk geroepen, voordat ze achter haar zusje aan naar hun kamer rende.

Ze dacht aan Jordan en de droom die ze had gehad, de nacht dat ze samen in de woestijn hadden geslapen. Die droom was gestorven. Tenzij hij geluk had gehad of zichzelf had weten te redden. Ze herinnerde zich dat hij was verdwenen voordat het schieten begon. Dat gaf haar hoop, maar bracht haar ook aan het twijfelen.

Had hij geweten wat er ging gebeuren?

'Hij zal een plaats in de geschiedenis krijgen, Catherine. Naast jou.'

Elazar doelde op Galil. Hij had Jordan nooit gezien in die grot en besefte misschien niet eens dat hij erbij was geweest. Hij had geen idee wat Jordan voor haar betekende. Ze had geprobeerd het hem te vertellen, boven het lawaai van de helikopter uit, toen ze haar aan boord sleurden.

'Waar zijn we, Meyer?'

De basis was een tentenkamp midden in de woestijn, omgeven door bergen. Het leek een militair bivak, of eerder nog een opvangkamp van hulpverleners. Alle tenten waren wit, sommige lang en smal, als barakken, andere vierkant en betrekkelijk privé, als officiersverblijven. In het midden van het kamp stond de grootste tent, die als eetzaal diende. Een paar andere waren uitgerust met moderne laboratoria.

Een hete wind blies vanuit de woestijn en deed de wanden van de tent golven en klapperen.

'We zijn hier te gast bij de Orde van Constantijn, Grieks-orthodoxe geestelijken. Zonder hen zou ik op het instituut zijn geweest toen de bom ontplofte. Zij hebben me gered.'

'Waarom?'

'Ze zoeken naar Jezus, of naar bewijzen over Jezus. Ze hadden gehoord over de Zilveren Rol en ze wilden mijn hulp. Die hadden ze niet nodig, want uiteindelijk hoefden ze alleen maar jou te volgen. Maar ze vinden mij een nuttig symbool.'

'En de soldaten?'

'Toen de Israëlische overheid ontdekte dat de Zilveren Rol mogelijk het Jodendom kon ondermijnen, besloot iemand binnen de regering de zaak in handen te nemen. Blijkbaar zijn ze inmiddels bereid alle noodzakelijke middelen te gebruiken om te voorkomen dat de wereld te horen krijgt wat Kajafas te zeggen had. Maar dat wist je al, neem ik aan.'

'Vertrouw je die Orde van Constantijn?'

'Ik dank mijn leven aan hen. Net als jij.'

'Mag ik binnenkomen?' Het was de stem van vader Gregorius.

'Maar natuurlijk,' zei Elazar.

De monnik opende de tentflap, bukte zich en stapte naar binnen. Elazar stelde hen aan elkaar voor.

'Catherine, dit is vader Gregorius.'

'Het is vreselijk wat er met uw vrienden is gebeurd, professor Cavanaugh. Ik leef met u mee. Maar ik ben blij dat u in elk geval veilig bij ons bent.'

'Dank u, vader. Ik ben u veel verschuldigd.'

'Nee, het is rabbi Elazar die uw dank verdient. Wij waren bang om tussenbeide te komen, maar hij vond dat noodzakelijk. En hij stond erop om zelf in actie te komen en u terug te halen.'

De woorden van de monnik verrasten haar. Opeens zag ze Elazar in een nieuw licht. Een pijnlijk gevoel van schaamte maakte zich van haar meester. Ze herinnerde zich dat hij zelfs zonder de oude documenten uit de grot had willen vertrekken.

'Wat doen we nu?' vroeg ze.

'Ik hoop dat u de reikwijdte van uw ontdekking beseft,' zei vader Gregorius. 'Het ziet ernaar uit dat u de kronieken van de tempel hebt gevonden, en de getuigenis van Kajafas. Nu hoeven we nog slechts zijn woorden aan de wereld bekend te maken, voordat iemand de stukken kan stelen of vernietigen.'

Catherine keek verontrust. 'Waar zijn de kruiken en de geschriften nu?' vroeg ze.

De monnik glimlachte welwillend. Hij antwoordde met zijn ogen en Catherine volgde zijn blik.

'Rabbi Elazar heeft ze onder zijn hoede. Ze zijn geen moment uit uw nabijheid geweest. Hij moet misschien getuigen over hun authenticiteit, dus is het belangrijk om ze niet uit het oog te verliezen.'

Een grote aluminiumkoffer, van het type waarin kostbare apparatuur werd vervoerd, met een dikke, voorgevormde voering van schuimplastic, stond aan Elazars voeten.

'Wat staat erin?' vroeg ze.

De monnik trok verbaasd zijn wenkbrauwen op. 'Ik zou het niet weten, professor Cavanaugh. We hebben nog niet gekeken.'

'U hebt nog niet gekeken?'

'Een kwestie van vertrouwen. Het lijkt ons niet verstandig om dat zelf te doen. Daar horen getuigen bij te zijn.'

'Wie dan?'

'Laat me u allereerst verzekeren, professor Cavanaugh, dat niemand iets kan of wil afdoen aan de roem die u toekomt. Dit is uw ontdekking en dat zal de wereld ook erkennen. Maar u bent het wel met me eens dat deze vondst belangrijker is dan welk individu ook.'

De monnik richtte zich tot Elazar. 'Rabbi, we hebben een lijst opgesteld voor uw goedkeuring, een lijst met tweeëndertig namen uit vijftien landen. Daaronder zijn vooraanstaande mensen op dit vakgebied, die de christelijke, joodse en islamitische traditie vertegenwoordigen. Er zijn ook natuurwetenschappers bij, deskundigen op allerlei terrein. Ik denk dat u hen allemaal wel kent. Sommigen hebt u geholpen bij hun carrière door hun toegang te geven tot opgravingen en objecten. Anderen hebt u de voet dwars gezet. We zoeken naar eerlijke, geloofwaardige mensen die, individueel en collectief, het respect van de wereld kunnen afdwingen. We vragen u deze lijst te bewerken. U kunt namen toevoegen of schrappen. Daarna nodigt u die mannen en vrouwen hier uit, in strikt vertrouwen, om aan deze analyse deel te nemen.'

'Wat kan ik tegen ze zeggen?'

'Bijna niets. We gaan ervan uit dat ze de uitnodiging wel zullen aanvaarden op basis van uw status, uw reputatie en uw persoonlijke verzekering dat het een uiterst belangrijke zaak is. Dat zal – nee, dat móét – voldoende zijn.'

'En hoe komen ze hier?'

'We zullen tickets voor ze regelen op lijnvluchten naar grote steden in dit gebied. Daarna worden ze door onze mensen opgehaald en hierheen gebracht.'

'Ze zullen denken dat ik uit de dood ben opgestaan.'

'Des te meer reden om u serieus te nemen.'

De monnik verliet Catherines tent en liep vastberaden het kamp door naar de rand van het tentendorp, waar hij zich bekendmaakte en in de tent naast het heliplatform verdween.

De sjeik verschoof even op de kussens van zijn stoel en keek op van de televisie, waarop de herhaling van een Amerikaanse basketballwedstrijd te zien was.

'Waardeloze Lakers,' zei hij nijdig. 'Ik had vijfhonderdduizend dollar op die wedstrijd gezet.'

De geestelijke maakte een grimas maar onderdrukte zijn gevoelens. 'Na ons laatste succes kunt u zich zulke verliezen wel veroorloven,' zei vader Gregorius.

'Dat kon ik voor die tijd ook al,' weersprak sjeik Waleed hem. 'Het gaat me om het principe. Niet te geloven. Vier gemiste vrije worpen in de laatste minuut.'

Waleed zette de televisie af en de gehate Lakers verdwenen van het scherm. Hij zag er ongemakkelijk uit in zijn kakikleren, die niet ruim genoeg waren bemeten voor zijn forse postuur. Hij had zijn traditionele wapperende mantel verruild voor een meer geschikte combinatie, maar nog altijd paste hij niet echt in de omgeving. Zijn baard vormde een klein accent onder de eerste van zijn onderkinnen en de dubbele punten van zijn gespleten snor wezen omlaag in een uitdrukking van permanente verbazing.

Hij was een van de meest geslaagde industriëlen in de Arabische wereld, met wijdvertakte belangen in het bank- en scheepvaartwezen. Zijn fortuin was gebouwd op relaties, en de gebruikelijke vergoedingen aan zijn weldoeners. Hij was rijk geworden door contracten met de koninklijke families van Koeweit en Saudi-Arabië. Zijn bouwbedrijven leverden belangrijke en lucratieve diensten aan een grote archipel van olievelden en raffinaderijen, maar hij had nog grotere ambities. Hij droomde ervan om ooit zijn eigen oliebronnen te exploiteren.

Als jongeman had hij geen grote interesse gehad in politiek, religie of liefdadigheid, maar al vroeg had hij beseft dat die drie zaken van doorslaggevend belang konden zijn voor zijn positie. Hij had hechte banden ontwikkeld met het Huis van Saud en wist alles van hun onvoorstelbare weelde, die zijn afgunst wekte maar waar hij zelf ook naar streefde. Toch had hij voldoende afstand gehouden om de kwetsbaarheid van de Saudische macht te beseffen. Het smeulende fundamentalisme in het land zou ieder moment kunnen oplaaien tot een revolutie die de Saudische koninklijke familie kon wegvagen zoals dat een generatie eerder ook met de sjah van Iran was gebeurd.

Waleed kon zonder probleem een half miljoen dollar verliezen bij een weddenschap op de Lakers, maar op zakelijk gebied was hij minder luchthartig. En dus investeerde hij zowel in mullah's als in vorsten.

Hij zag het als een vorm van durfkapitaal. Als je er snel bij was en een beetje geld investeerde, kon je de oogst binnenhalen zodra een op de twintig van die fundamentalistische groepjes de hoofdprijs won. En die tactiek werkte nog beter dan hij zelf had voorzien. Hij kende andere rijke Arabieren die zulke groeperingen hadden verwaarloosd en later werden afgeperst voor bedragen waarmee ze veel minder goodwill kweekten.

Vooral Waleeds investeringen in één specifieke groep had zich in de loop van de jaren terugbetaald. Hij had een stem gekregen in de morele variant van hun raad van bestuur, met het voorrecht om steeds meer en steeds grotere cheques uit te schrijven. Eerlijk gezegd had hij zijn twijfels over de richting waarin de organisatie zich ontwikkelde en joegen sommige doelstellingen hem zelfs angst aan, maar hij had een passieve rol en was er al te nauw bij betrokken om nu nog bezwaar te maken.

Dat besef had hem naar deze tent in de woestijn gebracht, op een missie die hij gemakkelijk aan anderen had kunnen overlaten. Maar hij zag het als een kans, een gelegenheid om de relatie te verstevigen. Hij werkte samen met bijzonder gevaarlijke mannen, maar dat hoefde geen nadeel te zijn. Je kon beter gevaarlijke vrienden hebben dan gevaarlijke vijanden.

Zijn ogen, zwart als olie en net zo stroperig van structuur, richtten zich op vader Gregorius. 'En, Yassin, hoe hebben onze strijders het gedaan in de woestijn van Judea?'

'Heel overtuigend. Onze gasten hadden geen enkele twijfel dat het om Israëlische commando's ging.'

‘Slachtoffers?’

‘Eén martelaar.’

‘En de uitkomst?’

‘Een gezond rendement op uw investering, sjeik Waleed. De munten worden al naar uw helikopter overgebracht. En er ligt nog veel, veel meer te wachten.’

‘Het zal wel even duren voordat ik het te gelde kan maken. Maar goed, als teken van mijn geloof en mijn naastenliefde zal ik eenderde overmaken aan de strijd.’

‘Heel ruimhartig van u, dat moet ik zeggen.’

‘Een regeling die voor iedereen acceptabel is. In ruil voor mijn financiële steun krijg ik het goud en jullie de geschriften.’

‘Meer dan acceptabel. Het is nog maar een kwestie van tijd voordat het Huis van Saud zal vallen, sjeik Waleed. En als dat gebeurt, zal de Mullah zich uw toewijding aan Allah’s zaak zeker herinneren.’

‘Ik reken erop dat hij zich ook mijn belangen in de aardolie herinnert.’

‘Maar natuurlijk.’

Zoals veel mannen in zijn positie meende Waleed dat zijn rijkdom te danken was aan zijn talent om anderen te manipuleren. In werkelijkheid was minstens zo’n groot deel het gevolg van de manier waarop ze hém manipuleerden.

‘Het spijt me dat ik geen getuige kon zijn van de operatie,’ zei hij. ‘Maar ik moet jou en de Mullah feliciteren, Yassin. Het was een briljant plan, en uitstekend uitgevoerd. Als je klaar bent, zullen zelfs de vrienden van de Zionisten geen goed woord meer voor hen over hebben.’

‘Inderdaad, sjeik Waleed. Als Allah het wil en alles volgens plan verloopt, zal de invloed van het internationale Jodendom snel afbrokkelen en de regering van Israël ten val komen. De staat Israël zal al zijn geloofwaardigheid verliezen. Sterker nog, Israël zal zijn eigen ondergang bewerkstelligen.’

‘Zodat er alsnog gerechtigheid geschiedt.’

‘Het zou de ultieme beloning zijn van een lange, geduldige strijd,’ zei Yassin. ‘Hoewel sommigen van onze broeders dachten dat we middelen onttrokken aan de militaire strijd, beseften wij wat er op het spel stond. Het was van groot belang om de archeologie van Palestina te volgen en het instituut te infiltreren en af te luisteren, voor het geval er iets zou opduiken wat de territoriale aanspraken van de Joden kon ondersteunen. Op die dag hadden we ons voorbereid. De ontdekking van dit andere bewijs was een meevaller. Het komt ons nog beter uit.'

Er gleed een sardonische grijns om Waleeds lippen. 'Als ik je niet beter kende, Yassin, zou ik denken dat je trots was op jezelf. En terecht,' voegde de sjeik er haastig aan toe, fronsend om zijn eigen indiscretie.

Hij had gelijk. Yassin was tevreden over zichzelf om deze gedurfde en trefzekere strategie, vanaf de rekrutering van Benjamin Jordan en Meyer Elazar tot aan de moorden op Nigel Waverly en Lord Crendal, bedoeld om angst en walging op te roepen, en de handig georganiseerde aanval in de Vallei van Asher. Yassin had een foutloze maskerade opgevoerd. Zelfs wat een tegenslag leek, zou een succes blijken te zijn. Het verhaal dat ze Jordan hadden voorgespiegeld over een Israëlische doofpotaffaire – het artikel dat als een boemerang tegen hem had gewerkt – zou binnenkort een nuttige context vormen voor alles wat daarna was gevolgd.

Toch trok Yassin een vroom gezicht. 'Wat wij nederige dienaren tot stand brengen is slechts mogelijk dankzij Allah's genade,' zei hij.

'Natuurlijk. Maar er is iets wat ik niet begrijp.'

'Wat dan?'

'Stel dat de Kroniek van Kajafas het joodse standpunt ondersteunt?'

'Maak je geen zorgen, mijn vriend.'

'Waarom niet?'

'Omdat het er in feite niet toe doet.'

61

De Vallei van Asher

Donkere wolken verduisterden de zon.

Jordan voelde een regendruppel op zijn gezicht spetteren. Toen nog een. In de verte rommelde de donder.

Hij had pijn en hij zag geen uitweg uit zijn situatie. Zijn hart ging wild tekeer en zijn lichaam snakte naar adem. Hij probeerde overeind te komen, maar uit hurkzit zakte hij alweer in elkaar. Kruipen ging ook niet, omdat de pijn ondraaglijk was. Hij bleef op zijn zij liggen.

Een lichtstraal brak door een opening in het wolkendek, als een teken van God. Maar de jagende wolken verdwenen naar het oosten en het gat sloot zich weer.

Jordan sloot zijn ogen. Waterdruppels spatten tegen zijn oogleden. Het regende nu gestaag, en steeds harder. De wind wakkerde aan en de temperatuur daalde. Hij kreeg het koud. De regen doorweekte zijn kleren.

In gedachten lag hij tot aan zijn nek begraven in het natte zand van een strand, niet in staat zich te bewegen, terwijl de vloed opkwam...

De regen vormde plassen op de bodem van de vallei, en de plassen regen zich langzaam aaneen.

Hij lag nu in een laagje water.

Stroompjes klaterden over de rots in het westen. Het water kwam langs de rotswand naar beneden en werd door de wind tot een fontein geblazen. Het was nog maar een voorspel. Het zou niet lang meer duren voordat er een stortvloed zou naderen vanaf het begin van de vallei, waar de hellingen bijeenkwamen als een trechter.

Jordan bestudeerde het dichtstbijzijnde gedeelte van de rotswand. Het patroon van erosie moest een aanwijzing geven over de hoogste waterstand in moderne tijden. Dat lag op ongeveer drie meter, de hoogte vanwaar hij naar beneden was gestort.

Een bliksemflits werd gevolgd door een donderslag, en Jordan stelde zich voor dat er ergens stroomopwaarts een dam doorbrak. De wolken lieten een stortbui los.

Hij vroeg zich af of hij zou verdrinken of dat de kracht van het water hem tegen de rotsen zou smijten. In beide gevallen zouden zijn gebroken botten hem tot het laatste, verpletterende moment blijven kwellen. Hij merkte dat hij al bijna onder water lag. Hij had nog maar één hoop: dat Catherine dit ergens, op wat voor manier dan ook, had overleefd, zodat ze hun werk zou kunnen afmaken en verder kon gaan met haar leven.

Het stijgende water smeet hem heen en weer. Scheuten van pijn sloegen door zijn botten.

Het was afgelopen.

Hij voelde zich wegglijden en hoorde vreemde stemmen, zwevend op de bulderende storm. Verre kreten van verbazing en paniek, overstemd door het loeien van de wind. Fantomen die in tongen spraken.

De stenen demon, ontwaakt uit zijn ondiepe slaap.

Hij staarde door de vallei naar het gordijn van regen, dat kolkend overging in het water van de stroom.

De demonen vlogen voor de storm uit, in volle vlucht.

De demonen kwamen hem halen.

De stemmen klonken vertrouwd, en toch ook niet.

De demonen cirkelden.

Ze hadden hem bereikt.

62

De woestijn van Judea

'Wie bent u?' vroeg de stem.

Een demon of een engel, vroeg Jordan zich af.

De stem herhaalde de vraag wat luider, boven het lawaai van de storm uit.

Jordan opende zijn ogen.

De wind huilde en de regen striemde. Hij beefde onbeheerst en hij zag nog maar vaag. Hij probeerde het water uit zijn ogen te knipperen en zijn blik scherp te krijgen.

De stem had bruine ogen en dik, golvend haar, dat nat tegen zijn hoofd plakte. Hij sprak Hebreeuws en hij droeg het uniform van een soldaat van het Israëlische leger.

Jordan voelde een bonzende pijn en herinnerde zich de botbreuken.

Hij lag op rotsachtig terrein naast een groene, bemodderde jeep, waarschijnlijk ergens boven de vallei. Hij wist nog dat hij door sterke armen uit het stromende water was getild. Andere gestalten verzamelden zich nu om hem heen. Jonge soldaten in uniform.

'Wat is uw naam?' vroeg de eerste soldaat weer.

Jordan zakte weg in een nevel. De soldaat schudde hem bij zijn schouder en herhaalde zijn vraag.

'Jordan,' bracht hij uit. 'Benjamin Jordan.'

De soldaat trok zijn wenkbrauwen op toen hij de naam herkende. 'U had geluk dat wij in de buurt waren. Wat deed u in de vallei?'

'Klimmen.'

'En verder?'

'Vallen.'

De soldaat lachte en legde een hand losjes op Jordans arm. 'U moet behoorlijk veel pijn hebben. U hebt een dokter nodig, misschien wel een chirurg.'

'Een ziekenhuis,' fluisterde Jordan.

'Wat is er precies gebeurd?' De soldaat moest zich naar Jordan toe buigen om zijn antwoord te kunnen verstaan.

'Het touw schoot los. De haak kwam uit de rots.'

'Zijn er nog meer vermisten?'

'Ja, maar...'

Een alarm ging af in Jordans hoofd en drong door de nevel heen. *De mensen die hen in de grot hadden aangevallen waren Israëlische soldaten geweest, had Yossi gezegd.*

In gedachten beleefde Jordan weer de explosie van de granaat en het salvo van geweervuur dat een einde maakte aan Yossi's leven.

'Maar wat?' vroeg de soldaat.

Jordan schudde zwijgend zijn hoofd. De soldaat bracht zijn oor bij Jordans lippen, maar er kwam geen antwoord.

'Maar wát?' herhaalde de soldaat. Hij schudde Jordan door elkaar, zonder rekening te houden met zijn pijnlijke botten.

Jordan kermde. Zijn schreeuw vervloog op de wind.

'We hebben geen tijd meer, Benjamin. Het water stijgt. Als er nog mensen van je groep worden vermist, moeten we ze nu redden. Dus waar zijn ze?'

'Verdwenen.'

'Waarheen?'

Jordan keek zwijgend op. Catherine was zoek, waarschijnlijk gevangengenomen. Maar zijn intuïtie waarschuwde hem om niets te zeggen.

Ze zullen haar vermoorden, net zoals ze Zev, Hannah, Yossi en Amnon hebben gedood. Ze zullen haar vermoorden, net zoals ze mijn vader en moeder en de weeskinderen van El-Adir hebben afgeslacht.

Ze zullen haar doden, net als mij.

Als ze haar nog niet hebben vermoord.

'Hij zakt weg,' zei de soldaat. 'Help me hem in de jeep te leggen.'

Ze tilden Jordan op de achterbank. Een van hen raakte hem met de kolf van een geweer tegen zijn gebroken rib.

De pijn sloeg door zijn zenuwen als een bliksemflits en trof hem als de donder. Het verdreef de nevel uit zijn hoofd en verving die door de folterende beelden van vier met bloed besmeurde lichamen in een grot, en nog twee anderen, zonder gezicht. Als een lasbrander sneed de pijn door alle conflicten en verwarring heen, en er kwam een oerdrift bij hem boven, woest en genadeloos. Al zijn energie richtte zich nog maar op één verzengende passie: wraak!

De Israëli's moesten boeten.

63

Saudi-Arabië

De Mullah wist dat ze luisterden.

Ze luisterden en keken altijd mee. Ze spioneerden en lagen op de loer om de boodschapper uit de weg te ruimen.

Goed. Ze mochten meeluisteren. Ze mochten het woord van Allah horen. De waarheid. Ze mochten hun best doen om de betekenis te leren. Want hoelang ze ook luisterden, ze zouden het nooit begrijpen. Daar waren de ongelovigen eenvoudig niet toe in staat. Hun elektronische oren waren doof voor de waarheid.

In hun pogingen anderen te bedriegen, bedrogen ze zichzelf.

Ze dachten dat ze de jihad konden verslaan, maar hun verzet was gedoemd te mislukken. Ze vergisten zich juist in het wezen van hun vijand. De jihad was een strijd om perfectie, een proces van onderwerping, een erkenning van de waarheid, en uiteindelijk zou die waarheid overwinnen.

Sommige ongelovigen meenden dat er meer dan één versie van de waarheid kon bestaan. Dat noemden ze 'vrijheid' of 'tolerantie', alsof je fouten kon tolereren. Het was een bewijs van hun zwakte en gebrek aan logica. De Koran wees de weg.

O, Profeet! Verzet u met kracht tegen de ongelovigen en hypocrieten. Geef nooit aan hen toe. Hun woning is de hel en het kwaad is hun bestemming... Voorwaar hebben wij voor de ongelovigen kettingen gereedgemaakt, en boeien en een brandend vuur.

Ondertussen had de grote kruisvaarder Churchill gelijk gehad. Binnen de jihad moest de waarheid reizen met een lijfwacht van leugens.

De Mullah voelde zich bijzonder voldaan. Hij was ervan overtuigd dat zijn rol in de grote strijd garant stond voor een legendarische overwinning. De rivier van de geschiedenis zou worden omgeleid, en wee degenen die in haar pad stond. De kruisvaarders zouden zich tegen de Joden keren, en als de Joden de eerste zondvloed overleefden, zouden ze worden getroffen door een eeuwige zandstorm.

De Mullah was vastbesloten Hitlers schade te herstellen. Hitler had tragisch gefaald, en door te falen had hij meer kwaad dan goed gedaan. Hij had de Zionistische agenda naar voren geschoven en medeleven opgewekt met die duivels. Heel passend, dat de volgende akte juist het symbool van dat misplaatste medeleven zou treffen.

De Mullah sloot zijn ogen en zag een visioen van de toekomst, die nu snel naderde. In dat visioen was de ongelovige uit Jeruzalem verdreven en de Haram al Sharif het centrum van een nieuw Palestina, dat slechts gehoorzaamde aan Allah. Vanaf de minaret van de Al-Aqsa verkondigde de muezzin de grootheid van Allah, en iedereen die hem hoorde gaf gehoor aan zijn roep.

De bevrijding van Palestina zou een bouwsteen zijn voor toekomstige triomfen. Glorieus zouden ze de hoererende prinsen in Riad verjagen en de ongelovigen uit het land van Mekka verdrijven. Ze zouden Arabië bevrijden van de vervuilende aanwezigheid van Amerika, de controle over de Saudische olie overnemen en daarmee het Westen vernederen. Amerika zou beven voor hun macht.

Als de legers van de kruisvaarders zouden proberen de olie te stelen, zouden die pogingen stranden in een inferno, want de gelovigen zouden de olievelden in brand steken omdat zij geen olie nodig hadden.

Het gebod van de Profeet kon eindelijk worden opgevolgd zonder bemoeienissen van buitenaf. De gelovigen zouden hun bedevaart naar Mekka, Medina en de Al-Aqsa Moskee maken.

Op de achtergrond, vanaf een minaret, riep een muezzin de gelovigen op tot het gebed. Laat de ongelovigen zijn stem maar horen, dacht de Mullah. Laat het een teken en een waarschuwing zijn.

Hij pakte de telefoon en belde een nummer. Ver weg, in een kamp in de woestijn, rinkelde een satelliettelefoon. Een soldaat uit het leger van God nam op.

'Gegroet, broeder,' zei de Mullah.

'Vrede met u,' antwoordde de man die Yassin heette.

'Hoe vordert Gods werk?'

'De dag is bijna aangebroken. Het zal een grote en glorieuze gebeurtenis zijn. Gods dienaren zijn al in het veld. De krachten van de waarheid verzamelen zich. Het zal niet lang meer duren voordat de waarheid de leugen heeft verdrongen. Een dappere, onzelfzuchtige broeder zal de eerste daad stellen.'

De woorden waren zorgvuldig uitgeschreven, en Yassin herhaalde ze getrouw.

'God met u, mijn broeder.'

'En met u.'

64

Yad Vashem

De oude man en de jongen liepen tussen de johannesbroodbomen.

Het was een rustige, vredige plek. Zelfs de vogels schenen de heiligheid ervan te respecteren. De oude man sloeg zijn arm om de schouder van de jongen. Zijn benen waren niet meer wat ze ooit waren geweest en zijn ademhaling ging wat moeizamer.

De jongen bleef staan, zogenaamd om een boom te bewonderen, maar in werkelijkheid om zijn grootvader de kans te geven om uit te rusten. Ze hadden bijna een hele lus door het park gemaakt.

'Dank je, Nathan, dat je me hier gebracht hebt.'

De oude man haalde diep adem en keek langzaam om zich heen, alsof hij de omgeving in zijn geheugen wilde prenten. 'Van alle plaatsen die we in Israël hebben gezien betekent deze toch het meest, denk ik.'

'Meer nog dan de Klaagmuur?' vroeg de jongen met een New Yorks accent.

'Ik heb altijd de Klaagmuur willen zien, en ik ben trots dat jij daar morgen je bar mitswa hebt. Maar als je ouders naar Jeruzalem kwamen, zou ik ze het eerst hier naartoe brengen. Niet alleen naar Yad Vashem, maar vooral naar dit gedeelte.'

'Waarom, opa?'

Opa Jack vouwde de brochure open die een beschrijving gaf van de Israëlische Holocaust-gedenkplaats. Zijn handen trilden een beetje.

'Dit heet de Laan van Rechtschapenen. Elk van deze bomen eert een van de "Rechtschapenen onder de niet-joden".'

Nathan had de folder ook gelezen, maar hij liet zijn grootvader het zelf vertellen. Hij hield van de manier waarop hij dingen uitlegde.

'Het gaat om een bepaald soort rechtschapenheid, Nathan. Niet over een goede bar mitswa, of bidden in het Hebreeuws, of een *kipah* dragen naar de *shul*. Het gaat er niet om of je nog conservatiever bent dan de hervormers, of nog orthodoxer dan de conservatieven. Zelfs niet of je een jood bent of in de Tora gelooft.

'Het gaat om menselijkheid, Nathan. Die niet-joden waren ménsen. Ze waagden hun leven om anderen te redden van de vernietigingskampen. Ze liepen groot gevaar, voor mensen van een ander geloof en een andere traditie.'

De oude man keek naar de rij bomen langs het pad. 'Dat is iets moois, Nathan. Maar God, ik zou willen dat het een heel bos was geweest.'

Ze liepen de heuvel op, de grootvader leunend op zijn kleinzoon.

Boven aan de Laan van Rechtschapenen was een monument in de heuvel gebouwd. Ze gingen naar binnen door een poort met wanden van steen en kwamen in de stille, sombere duisternis van een kunstmatige grot. Het was een monument voor de kinderen.

Het ontwerp bracht hen dieper de heuvel in. Ze stapten een zaal met spiegels binnen, waar een licht werd gereflecteerd dat zich vermenigvuldigde tot een miljoen eeuwige vlammen, zwevend in het duister, één voor elke kinderziel die door de nazi's was uitgedoofd. Anonieme stemmen noemden namen, leeftijden en geboorteplaatsen:

Malka Altman, 10, Polen
Alvaro Coen, 7, Italië
Lev Dobrinski, 8, Letland

Nathan luisterde en probeerde zich voor te stellen wat de kinderen hadden willen worden als ze groot waren, en wat voor gruweldaden ze hadden meegemaakt. De meesten waren nog jonger dan hij.

Efraim Elstein, 16, Polen
Nina Gitel, 4, Polen

Opa Jack dacht aan de familieleden die hij nooit gekend had, de neven uit Lodz in Polen, die in het inferno waren omgekomen. Ze voelden net zo nabij en ver weg als die vierjarige Nina.

De oude man pakte Nathans hand.

Een andere jongen stond naast Nathan in het donker, turend naar die oneindigheid van lichtjes. Hij was een paar jaar ouder en had een olijfkleurige huid en krullend haar. Nathan vermoedde dat hij een *sabra* was, een geboren Israëli. Een student, net als hij, te oordelen aan zijn rugzak.

Nathan keek weer naar al die lichtjes en probeerde hun bron te achterhalen. Hij merkte niet dat de *sabra* een hand naar zijn rugzak bracht en hij stond te dichtbij om iets te voelen toen de bom explodeerde en het monument voor de kinderen in een miljoen glasscherven explodeerde.

Twee dagen later was de rouwdienst voor de slachtoffers van de bomaanslag. Maar het ging om meer dan alleen de doden. Het was een dienst voor het monument zelf, en voor de kinderen van de Holocaust van wie de eeuwige vlammen waren gedoofd. In zekere zin, schreven de kranten, waren ze voor de tweede keer gestorven.

'In een land waar het doden van mensen niet langer de macht heeft te shockeren, is de vernietiging van het kindermonument als een terugkeer naar Auschwitz,' schreef een commentator, die daarmee stem gaf aan de gevoelens van het Israëlische volk.

Onder zware veiligheidsmaatregelen kwamen duizenden Israëli's bijeen in Yad Vashem om eer te bewijzen: haviken en duiven, seculieren en chasidim, soldaten en burgers, kinderen en bejaarde overlevenden van de Shoah. Een echtpaar van middelbare leeftijd uit New York, dat elkaar vasthield in hun verdriet, werd door de menigte getroost, ergens langs de Laan van Rechtschapenen.

Toen de minister-president van Israël op een provisorisch podium stapte, op maar enkele meters afstand van de puinhopen, boog de Amerikaanse vice-president zijn hoofd en liet de koning van Jordanië zijn tranen de vrije loop. Maar de meeste buitenstaanders waren weggebleven. De buitenstaanders begonnen het beu te worden.

'We zullen het nooit vergeten,' zei de minister-president. 'De wereld zal het nooit vergeten, omdat wij dat niet zullen toestaan. En er zal gerechtigheid geschieden. Met gerechtvaardigde macht zal de staat Israël de terroristen vernietigen die deze laffe aanval hebben voorbereid.'

65

Tel Aviv

Een uur nadat hij het podium had verlaten nam de premier plaats in het commandocentrum, omringd door zijn belangrijkste ministers en generaals.

Generaal Itzhak Goren zat aan het einde van de tafel, het verst bij de premier vandaan. Zijn oude, vertrouwde pijn kwam terug. Was het een verlate reactie op de aanslag op Yad Vashem? Of, voor het eerst in lange tijd, misschien een voorgevoel?

Toen niemand keek, slikte Goren een maagtablet, die hij wegspoelde met zwarte koffie. Hij verfrommelde het kartonnen bekertje.

'De straf zal aan duidelijkheid niets te wensen overlaten,' zei de minister-president. 'We zullen een boodschap sturen die niemand verkeerd kan begrijpen. De vraag is of we de doelen hebben geïdentificeerd.'

Het hoofd van de inlichtingendienst, generaal Avi Arad, stond op. Hij was een onschuldig ogende man met een ontspannen houding en een zachte stem, waar mensen toch naar luisterden. Hij werd kaal en de rimpels in zijn schedel bewogen zich welsprekend als hij aan het woord was. Als Goren hem met één woord had moeten typeren zou dat 'redelijk' zijn geweest. Avi Arad klonk altijd redelijk. Dat gaf anderen het vertrouwen om belangrijke beslissingen te baseren op zijn advies, dankbaar voor zijn aanwezigheid. Niemand maakte de fout om zijn redelijke houding voor zwakte of onverschilligheid aan te zien. Zoals bijna iedereen hier had hij onder vijandelijk vuur gelegen en daar effectief op gereageerd.

Arad drukte op een knop en een rechtstreeks satellietbeeld vulde een scherm aan de muur.

'Dit is het doelwit,' zei hij.

Ze keken neer op een tentenkamp in een vallei van een woestijn, omringd door ruige bergen. Vanuit de lucht gezien, en onder een flauwe hoek, zagen ze een helikopter naderen door een bergpas. Het toestel landde.

Vier mensen stapten uit. Ze bleven staan, alsof ze zich wilden oriënteren, en doken toen snel onder de rotorbladen door. Ze hadden tassen van verschillende vorm en afmetingen bij zich.

Een man begroette hen op het open terrein met een handdruk en een omhelzing. Hij nam hen mee door het kamp naar een van de grotere witte tenten, waar ze naar binnen gingen. Het beeld schakelde naar infrarood, zodat de Israëlische bevelhebbers de silhouetten van de lichamen konden zien, door het tentdak heen. Ze sloten zich aan bij enkele anderen, begroetten elkaar en gingen aan een tafel zitten.

'Dit hebben we de afgelopen vierentwintig uur vijf keer herhaald gezien,' zei Arad.

'Wat is het verband?'

'We hebben een telefoongesprek onderschept vanuit de moskee in Saudi-Arabië. Een gesprek van deze man.'

Arad drukte weer op een knop en het sombere gezicht van de Mullah verscheen in een venster in de hoek van het scherm.

Er steeg een gemompel op rond de tafel.

'U kent hem al, begrijp ik,' zei Arad. 'De Mullah belde naar een satelliettelefoon die zich hier in de woestijn bevond. Op basis van een stemanalyse konden we vaststellen dat het toestel werd opgenomen door de terrorist Yassin, een van de meer schimmige agenten binnen het netwerk van de Mullah. We hebben Yassin nooit rechtstreeks in verband kunnen brengen met een aanslag. Hij blijft op de achtergrond. Hij is geboren in Tunis en heeft gestudeerd in Athene, vergelijkende godsdienstwetenschap, nota bene. Volgens onze tipgever gebruikt, of gebruikte, hij onderduikadressen op Cyprus, maar het is al drie jaar geleden dat we hem voor het laatst tegenkwamen. In die tijd had hij contact met mensen rond de terrorist Khalid Farouk, die vanuit Libanon en Syrië opereerde. Dit is Yassins pasfoto van zes jaar geleden, maar we vermoeden dat de man op de foto eigenlijk iemand anders is.

'Zoals ik al zei, nam Yassin de telefoon op. En dit was het hoogtepunt van het gesprek.'

Arad speelde de opname af.

'Hoe vordert Gods werk?'

'De dag is bijna aangebroken. Het zal een grote en glorieuze gebeurtenis zijn. Gods dienaren zijn al in het veld. De krachten van de waarheid verzamelen zich. Het zal niet lang meer duren voordat de waarheid de leugen heeft verdrongen. Een dappere, onzelfzuchtige broeder zal de eerste verklaring afgeven.'

Er klonken onderdrukte kreten van woede en verbazing in de vergaderzaal.

'Er is nog meer,' zei Arad. 'Nog geen vijf minuten na de explosie in het Kindermonument kreeg Yassin een tweede telefoontje via hetzelfde toestel. Dat gesprek kwam vanuit een telefooncel in Jeruzalem, niet ver van Yad Vashem. Het was heel kort. Een onbekende man zei enkel: "De verklaring is afgegeven." Yassin bedankte hem en hing op.'

Arad zweeg om de anderen de kans te geven die informatie te verwerken.

'Wat bedoelde hij met de waarheid die de leugen zal verdringen?' vroeg de minister-president.

'Dat kan van alles betekenen. Het zou een algemene verwijzing kunnen zijn naar de triomf van de islam. Of naar de Holocaust. Onze vijanden zouden graag ontkennen dat de Holocaust ooit heeft plaatsgevonden. Ze willen de wereld doen geloven dat we het hebben verzonnen. Daarom hebben ze vermoedelijk Yad Vashem als doelwit gekozen.'

'Denk je dat de aanslag op Yad Vashem de "eerste verklaring" was?'

'Het lijkt me wel duidelijk dat ze iets anders van plan zijn, iets groters. Daarom hebben ze hun eenheden – Yassins "krachten van de waarheid" – samengetrokken in de woestijn.'

Goren kuchte en schraapte zijn keel. 'Ik heb een vraag,' zei hij. 'Waarom denk je dat die mensen via een open telefoonlijn overleggen? Weten ze niet dat we meeluisteren, Avi? Of anders de Amerikanen wel?'

De minister van Defensie sloeg met zijn vuist op tafel. 'Die schoften denken dat ze ongestraft maar álles kunnen doen,' zei hij. 'En waarom ook niet? Ze functioneren nog steeds.'

'We hebben deze discussie al eens eerder gehad,' zei Goren. 'Heb je rekening gehouden met de mogelijkheid dat wij horen wat zij wíllen dat we horen?'

'Izzy heeft misschien gelijk,' zei de minister van Buitenlandse Zaken. 'Belde de Mullah via een landlijn?'

'Ja, vanuit de moskee,' zei het hoofd van de inlichtingendienst.

'Misschien daagt hij ons uit om aan te vallen,' zei de minister van Buitenlandse Zaken. 'Misschien hoopt hij dat we een aanval uitvoeren op Saudi-Arabië. Op een moskee, zelfs. Zo kan hij een veel grotere oorlog provoceren. Of hij denkt dat we zoiets niet durven.'

'Het lijken me allemaal redelijke veronderstellingen,' zei Arad. 'En we moeten nog een andere factor overwegen, een element van psychologische oorlogvoering. Een deel van de provocatie, zou je kunnen zeggen. Misschien nemen ze aan dat we hen horen, maar denken ze dat we toch niet luisteren.'

De minister van Defensie keek hem niet-begrijpend aan.

'Onze technologie registreert hun elektronische contacten, maar het is een redelijke gok dat wij daar niet live naar luisteren. We verzamelen veel te veel gegevens om alles onmiddellijk te kunnen verwerken. Ze gokken misschien op die vertraging en gebruiken die om ons als nalatig af te schilderen in de ogen van onze eigen bevolking. Ze hebben geleerd dat wij meestal pas achteraf de theeblaadjes lezen. En zo is het in dit geval ook gegaan.'

De minister van Defensie vloekte. 'Als we die gesprekken van Yassin live hadden gevolgd, hadden we misschien iets kunnen doen.'

'Zoals?' vroeg de minister van Buitenlandse Zaken.

'Precies,' zei Arad. 'Die informatie is te vaag om op te reageren.'

De minister-president legde zijn handen op tafel. 'De vraag is wat ons nu te doen staat. Stelt iemand voor om die moskee aan te vallen?'

Op die vraag volgde een diepe stilte. De ministers en generaals staarden verlegen naar de tafel.

'We hebben subtielere manieren om de Mullah aan te pakken,' zei het hoofd van de Mossad.

'Niet té subtiel, hoop ik?'

'Het zal niet eenvoudig worden, maar de boodschap zal wel overkomen.'

'Goed, hou me op de hoogte. En die basis in de woestijn? Waar ligt die?'

'In Egypte,' zei Arad. 'Diep in de Sinaï.'

'Die hadden we nooit moeten teruggeven,' brieste de minister van Defensie.

'Een kwestie van land voor vrede,' zei de premier. 'Die ruil heeft ons tientallen jaren van vrede met Egypte opgeleverd.'

'En nu dit,' zei de minister van Defensie.

Zijn collega van Buitenlandse Zaken boog zich over de tafel. 'Wil je die vrede soms op het spel zetten?' vroeg hij.

De minister-president leunde naar achteren in zijn stoel en overwoog de mogelijkheden. 'Is er enige reden om aan te nemen dat de Egyptische regering hierbij betrokken is?'

'Nee,' antwoordde Arad.

Op het grote scherm verhief de helikopter zich uit de woestijn en vloog naar de bergpas, het beeld uit.

'Wie stappen er uit die helikopters?'

'We hebben maar één persoon kunnen identificeren. Hij belde zijn vrouw in Saudi-Arabië toen hij aangekomen was. Volgens ons is ze familie van de Mullah.'

'Zijn er aanwijzingen dat de regering van Egypte hiervan op de hoogte is?'

'Nee.'

De premier zuchtte diep en ademde langzaam uit. 'Ik wil een directe lijn met de Egyptische president zodra onze eenheden het Egyptische luchtruim binnendringen, om hem te verzekeren dat wij geen oorlog hebben met Egypte en dat onze toestellen niet het Suezkanaal zullen oversteken. Breng al onze troepen in staat van paraatheid voor het geval hij mijn woorden niet gelooft.

'Het gaat hier om een preventieve actie, geen vergelding. Ik ben het met Avi eens dat er iets groters op stapel staat. Dus moet ik actie ondernemen, voor de veiligheid van onze bevolking.

'Generaal Goren, ik geef u bevel tot een luchtaanval. Dit is uw doelwit. Zorg dat het vernietigd wordt.'

66

Een woestijnbasis in de Sinaï, Egypte

'Ze wachten op u,' zei pater Gregorius.

Elazar haalde diep adem. Op voorstel van Gregorius en met zijn hulp had hij een paar welkomstwoorden opgesteld. Hij hoopte dat hij er niet over zou struikelen. Hij maakte graag oogcontact als hij een verhaal hield voor een zaal, maar na al die jaren kostte het hem nog altijd moeite om zonder papiertje te spreken. Mishka had hem daar altijd mee geplaagd. 'Denk aan de mensen!' zei ze dan. 'Je praat tegen ménsen.'

Het verbaasde hem dat hij zo zenuwachtig was. Wellicht maakte hij zichzelf te belangrijk, maar hij had toch het gevoel dat dit een historisch moment was, misschien wel het hoogtepunt van zijn carrière. Hij had het zo graag met Mishka gedeeld.

'Wat je ook tegen ze zegt, Meyer, ik weet zeker dat het goed zal overkomen,' zei Catherine.

Ze sprak als een dochter. Catherine deed hem aan zijn eigen dochter denken, en alles wat nooit had mogen zijn. Hij zou graag geloven dat ze zou zijn opgegroeid als Catherine.

'Wil je me helpen met de koffer?' vroeg hij.

'Het is me een eer.'

Catherine tilde de aluminiumkoffer op. Elazar stak ook een hand uit, maar daar wilde ze niets van weten.

De vorige avond, nadat ze het laatste nieuws over Yad Vashem hadden gezien – veel nieuwe feiten waren er niet – hadden ze samen naast de koffer gezeten, bij het licht van een petroleumlamp, en zich afgevraagd wat erin zat.

'Wil jij hem openmaken?' had Elazar gevraagd.

Het duurde even voordat ze antwoord gaf. 'Nee. Jij?'

'Ik kan wachten.'

Toen zwegen ze weer.

'Ik hoop dat je je niet bedrogen voelt,' zei Elazar ten slotte.

Haar antwoord gaf hem een gevoel van vaderlijke trots. 'Zoals vader Gregorius al zei, is deze ontdekking veel belangrijker dan één enkel individu.'

Elazar had de koffer bij haar gelaten. In het holst van de nacht, toen ze de slaap niet kon vatten, had ze de aantrekkingskracht gevoeld. Ze streek met haar handen over het kille aluminium. Een snelle blik dan, probeerde ze zichzelf te excuseren, alleen om de inhoud te controleren. Stel dat de koffer leeg was? Of dat hij enkel het lekkerste recept van iemands moeder bevatte voor gegrilde lamsbout?

Ze probeerde de koffer te openen, maar hij zat op slot.

De volgende morgen wilde ze het tegen Elazar zeggen, of het hem vragen, maar ze schaamde zich.

Jaren geleden, in Zürich, had ze Meyer over haar broer verteld, en hij had heel afkeurend gereageerd. Niet om Ian, maar vanwege haar eigen motieven. 'Jij zoekt niet naar geschiedenis,' had hij gezegd, 'maar naar absolutie. Je wilt genoegdoening voor je broer, of verlichting van je eigen gewetensnood. Eén van die dingen is al niet eenvoudig, en allebei zal je zeker niet lukken.'

En nu vroeg Elazar haar een groep wetenschappers toe te spreken. Maar Catherine had nee gezegd. Hij moest zelf het woord maar voeren, voor hen beiden. Ze vertelde hem over Jordans rol en vroeg hem Jordan de eer te geven die hem toekwam, ook al werd haar achterdocht tegenover Jordan steeds dieper, net als haar verdriet.

'Hij was meer dan een collega voor je,' zei Elazar. Het was een conclusie, geen vraag.

Catherine knikte. Niemand kon haar verdriet beter begrijpen dan Elazar.

Samen met vader Gregorius verlieten ze de tent en liepen het kamp door naar de grote tent die als eetzaal dienstdeed. Het geroezemoes verstomde toen de mensen hen zagen binnenkomen.

De gasten zaten aan rijen klaptafels tegenover een centrale tafel met een lessenaar. Elazar maakte oogcontact met Gunther uit Wenen, Turner van Harvard en Diaz uit Mexico-stad, die als een van de laatsten was gearriveerd. Diaz was aangekomen sinds de vorige keer dat ze elkaar hadden gezien. Ach, de geneugten van het huwelijk.

Er waren in totaal vierentwintig gasten. Het was een hele prestatie om hen in het geheim hier bijeen te krijgen, een bewijs van Elazars overredingskracht en het organisatietalent van vader Gregorius.

Elazar had enkele namen van de lijst geschrapt omdat hij twijfelde aan hun capaciteiten of mentaliteit. Hij had Tullio uit Rome eraan toegevoegd, omdat hij nog steeds spijt had dat hij Tullio's aanvraag voor een nieuwe opgraving bij Lachish jaren geleden had afgewezen. Ook hadden enkele kandidaten geen behoefte gehad om op zo'n geheimzinnige uitnodiging in te gaan. Iemand had hem naar zijn hoofd geslingerd dat hij niet goed snik was.

Het was heet in de tent, maar het witte nylon brak de felle straling van de zon.

Vader Gregorius nam de aluminiumkoffer van Catherine over en zette hem op de tafel naast de lessenaar. Met een snelle, onopvallende beweging maakte hij hem open. Toen ging hij achter in de tent zitten, met twee van zijn monniken, een paar rijen achter de verzamelde geleerden.

Elazar zag een cameraman en een geluidstechnicus met een tv-camera op een statief. Ze hoorden bij het team. Vader Gregorius had hem gezegd dat er opnamen zouden worden gemaakt.

Elazar keek op zijn tekst, een paar handgeschreven velletjes. 'Wil jij die voor me vasthouden tot ik klaar ben?' vroeg hij.

Catherine glimlachte en pakte zijn toespraak aan.

Elazar liep naar de lessenaar.

Hij tikte voorzichtig tegen de microfoon en liet zijn blik over de gezichten van zijn gasten glijden.

'Sommigen van u vragen zich misschien af waarom ze hier zijn,' begon hij doodernstig.

Er werd zenuwachtig gelachen en Elazar voelde de spanning wat wegebben. Zijn vertrouwde, zware stem had de juiste toon gevonden.

'Vanuit het diepst van mijn hart wil ik u danken dat u gekomen bent en mij uw vertrouwen hebt gegeven. Het werk dat ons wacht kan een test zijn van onze capaciteiten en ons ook veel dieper raken, maar ik voel me vereerd dat ik eraan kan beginnen met de mensen hier om me heen. En ik ben dankbaar dat ik nog leef, maar dat is een ander verhaal.

'Laat ik beginnen met een eerste verklaring. U kent allemaal mijn achtergrond. Ik zal proberen mijn vooroordelen en persoonlijke ideeën opzij te zetten en deze kwestie zo objectief mogelijk te benaderen. Ik hoop dat we samen vooruitgang kunnen boeken in een sfeer van vrede, broederschap en de zucht naar kennis. Laat de waarheid onze gids zijn.'

De gasten waren geroerd, maar hij zag dat ze geen idee hadden waar hij over sprak.

'Dagen geleden, in de woestijn van Judea, heeft onze collega Catherine Cavanaugh een paar stenen kruiken ontdekt.'

Er ging een rimpeling door de rijen. Wie was zij? En wat had ze ontdekt?

Hij knikte naar Catherine.

'Professor Cavanaugh had assistentie van Zev Galil, die u allemaal kent van naam, en vaak ook persoonlijk. Het doet me pijn u te moeten zeggen dat hij is omgekomen bij de opgraving van deze vondsten.'

Er ontstond enig gemompel, maar Elazar stak een hand op.

'Als u nog even wilt wachten met uw vragen? Deze ontdekking was de bekroning van een buitengewoon onderzoek door professor Cavanaugh en een Israëlische journalist, Benjamin Jordan. Dat onderzoek leidde tot een duidelijke en adembenemende conclusie. Hoogstwaarschijnlijk bevatten deze kruiken teksten die in het jaar 70 uit de tempel in Jeruzalem zijn gered. En niet zomaar teksten, maar kronieken van de hogepriesters zelf. Onder wie... Kajafas.'

Iedereen begon nu door elkaar heen te praten.

Weer hief Elazar een hand op en vroeg om stilte.

'Ja, wij gaan ervan uit dat professor Cavanaugh de persoonlijke getuigenis van Kajafas heeft gevonden. Haar eerdere ontdekkingen, samen met Benjamin Jordan, wijzen erop dat Kajafas als boetvaardige kluizenaar is gestorven. We kunnen alleen maar hopen dat de inhoud van deze kruiken ons zal vertellen waarom. Ik zal u laten zien waar het om gaat.'

Elazar opende de koffer en tilde een van de kruiken eruit, die in een doorschijnende plastic zak was opgeborgen.

'Professor Cavanaugh en ik hebben de kruiken nog niet geopend of de inhoud onderzocht. Die reis willen we samen met u allen ondernemen, vanaf morgen. Ik meen dat onze Grieks-orthodoxe gastheren voor alle technologie hebben gezorgd die daarvoor nodig is. Ik wil vader Gregorius nog eens persoonlijk dankzeggen voor een schuld die ik nooit zal kunnen inlossen.'

Elazar borg de kruik weer op en sloot de koffer.

'En nu, voordat we ons terugtrekken, heb ik nog één verzoek. Ik wil iedereen vragen om met mij een moment van stilte in acht te nemen voor de slachtoffers van Yad Vashem.'

De verbijsterde wetenschappers bogen het hoofd, maar het was wel duidelijk dat niemand van hen op dat moment aan Yad Vashem dacht.

Elazar zei een stil gebed en keek weer op. 'Dank u,' zei hij. 'Dat is voorlopig alles wat ik wilde zeggen.'

Hij wilde bij de lessenaar vandaan stappen, maar werd onmiddellijk bestookt met vragen.

'Hoe is Zev gestorven?'

'We dachten dat u dood was. Waar hebt u gezeten?'

'Wat heeft dit te maken met de aanslag op het instituut?'

'Waarom al die geheimzinnigheid?'

'Ja, waarom zo geheimzinnig?'

Elazar gebaarde met beide armen om de zaal weer rustig te krijgen, maar de geleerden lieten zich niet het zwijgen opleggen.

'Alstublieft, alstublieft,' zei hij. 'Niet allemaal tegelijk.'

'Waarom hebt u ons hier laten komen, op deze afgelegen plek?' vroeg Gunther uit Wenen.

Elazar worstelde met die meest voor de hand liggende vraag. Hij had liever even gewacht met een antwoord en probeerde zich zo veel mogelijk op de vlakte te houden.

'Ik had een instituut, maar dat is er niet meer. Ik had een commissie van leden, maar nu zijn ze dood. Ik had een vriend die Zev heette, maar ook hij is er niet meer. Ik ben al te veel collega's verloren vanwege deze zaak. Aan dat risico wilde ik u niet blootstellen.'

Hij wrong zich door de menigte en verliet de tent.

67

Het noorden van Israël

Generaal Goren zag het zesde gevechtsvliegtuig opstijgen vanaf zijn basis in het noorden van Israël en hoog over Galilea verdwijnen. Het volgde de andere in een scherpe bocht van 270 graden en stormde toen naar het zuiden, in de richting van de Sinaï.

De generaal bad voor zijn vliegers.

Op rechtstreeks bevel van de minister-president had hij ieder van hen een streng geheime order meegegeven, die uniek was in de Israëlische geschiedenis en volgens sommigen misschien wel grensde aan verraad. Goren had erop gestaan die order persoonlijk over te brengen. Als ze door de Egyptische strijdkrachten onder vuur werden genomen, drukte hij zijn bemanningen op het hart om niet terug te schieten. De minister-president hoopte dat die zelfbeheersing een oorlog zou kunnen voorkomen.

Geen van de mannen protesteerde.

Goren verliet het observatieplatform en daalde af naar zijn ondergrondse commandocentrum. Hij moest een heel leger mobiliseren. Als de premier zich had misrekend, zou Israël spoedig in oorlog kunnen zijn met al zijn Arabische buren, want een aanval op de een zou vermoedelijk worden beantwoord als een aanval op allemaal.

Saudi-Arabië

Een Amerikaanse militaire AWACS, die zoals altijd op grote hoogte zijn rondjes boven het Saudische koninkrijk beschreef, volgde alle activiteit van het luchtverkeer van horizon tot horizon en seinde de gegevens door naar een basis bij Riad.

In de controlekamer bekeek een lagere Saudische officier de informatie, speurend naar enige activiteit op de drie Israëlische vliegbases. Zijn belangstelling was clandestien en zijn instructies kwamen van buiten de officiële militaire kanalen. De reden was de officier niet meegedeeld, maar hij deed trots wat er van hem werd gevraagd.

Hij keek nu al vier uur, sinds het begin van zijn wacht, en hij had niets bijzonders kunnen ontdekken. Maar opeens volgden zes Israëlische jagers in een strakke formatie een ongebruikelijke koers over de Negev, in de richting van de Egyptische grens.

Hij excuseerde zich voor een sanitaire stop, verdween uit de zaal en liep naar een telefoon.

De Sinaï

In de heldere kou van de vallende avond keek Meyer Elazar omhoog naar de sterren die opkwamen boven de bergen. Hij was zich bewust van de aanwezigheid van zijn voorouders.

Veertig jaar lang hadden ze door deze wildernis gedwaald, in een niemandsland tussen de slavernij en het Beloofde Land. Ondanks Gods talrijke tekenen hadden velen toch het geloof verloren. Elazar vroeg zich af of hij ook zijn geloof kwijtraakte. Of misschien stond hij aan de rand van een nieuw en dieper inzicht. In elk geval voelde hij zich koud en eenzaam.

Hij had de tent verlaten voor een wandeling, en zijn dwalende gedachten voerden hem dieper de nacht in.

Hij dacht aan Korach, die in opstand was gekomen tegen Mozes. Korach, die de privileges van de priesters en de voorgeschreven verering van de Here in twijfel had getrokken.

Wat maakt u vromer dan wij, de anderen? wilde Korach weten. *Waarom zouden gij en uw broeder Aäron alleen het voorrecht genieten om offers te brengen aan de Here?*

'Laat het u genoeg zijn,' sprak Korach, *'want de gehele vergadering, zij allen zijn heiligen, en de Here is in hun midden.'*

Elazar herinnerde zich hoe God Korach en zijn bondgenoten had geantwoord. De aarde had zich geopend en hen verzwolgen. Degenen die wierook wilden offeren aan God, en zo de rol van de door God aangewezen middelaars voor zich opeisten, trof een even dramatisch lot. Zij werden verteerd door een vuurbal.

'Hieraan zult gij weten dat de Here mij gezonden heeft om al deze daden te verrichten,' verklaarde Mozes.

Dat had zich hier afgespeeld, in de Sinaï. Waren het echt tekenen van God geweest, of manipulaties van de priesterklasse, de afstammelingen van Aäron, die hun privileges wilden beschermen?

Elazars vraag zweefde over de wildernis naar het land van Midjan, waar Mozes de Israëlieten naartoe had geleid in een bloederige veroveringsoorlog. Het was Gods bevel geweest, een heilige oorlog, zei de Tora, omdat de Midjanieten andere goden aanbaden en de Israëlieten wilden verleiden hetzelfde te doen. De Here eiste wraak.

Bij een opsomming van de plunderingen vermeldde het boek Numeri ook het aandeel van de Israëlitische priesters: 675 schapen, 72 stuks vee, 61 ezels en 32 maagden.

Die menselijke buit had groter kunnen zijn, want de Israëlieten namen talloze Midjanieten gevangen. Op bevel van Mozes werden ze allemaal afgeslacht, behalve de maagden.

Vroeger, voordat God hem tot grotere dingen riep, was een jeugdige Mozes gedwongen geweest zijn eigen land te ontvluchten. Hij was verdwaald in de wildernis. Daar had hij zijn toevlucht gezocht bij vreemden, die hun tenten voor hem openden. Hij was opgevangen door de Midjanieten.

En hij had een van hen als vrouw genomen.

De maan kwam op boven de bergen en de witte tenten glansden in het zuivere, heldere licht. Elazar trok de kraag van zijn wollen jas – gekregen van vader Gregorius, en een maat te groot – wat dichter om zich heen. Hij liep terug naar het kamp.

Even later herkende hij het silhouet van de monnik, die hem tegemoet kwam in het gezelschap van twee anderen. Elazar vermoedde dat een van hen broeder Alex moest zijn, die had deelgenomen aan zijn reddingsoperatie. Ja, broeder Alex.

'We zochten u al,' zei vader Gregorius kortaf. 'Kom, u gaat met ons mee.'

'Hoezo? Wat is er dan?'

De broeders pakten hem bij de armen.

'Israëli's,' zei pater Gregorius. 'Ze komen ons bombarderen.'

Ze trokken hem mee en sleurden hem bijna van zijn voeten. Elazar voelde zich overmand door angst en verdriet. Hij liep zo snel als hij kon. Ze namen hem mee, bij het kamp vandaan. Zo'n honderd meter vanaf de tenten stonden twee Ford Explorers in de woestijn geparkeerd.

'En Catherine en de anderen?' vroeg hij in paniek.

In het kamp leek alles rustig. Door de wanden van de tenten zag hij lichtjes en silhouetten: mensen die zaten te lezen en te praten, of zich gereedmaakten voor de nacht.

‘Snel nu!’ fluisterde vader Gregorius.

‘U moet ze waarschuwen,’ zei Elazar ongelovig. ‘U moet het kamp evacueren!’

‘Meyer, er is geen tijd meer, en we hebben maar één helikopter. Catherine is al aan boord en wacht op ons.’

‘Zeg dat ze zich verspreiden. Zeg dat ze vluchten uit het kamp!’

‘We moeten weg. Nú.’

Elazar groef zijn hakken in het zand. ‘We kunnen ze niet zomaar achterlaten...’

Vader Gregorius knikte en broeder Alex sloeg een hand over Elazars mond. Elazar probeerde zich te verzetten, maar ze waren te sterk. Hij voelde een scherpe steek in zijn zij. Hij gaf het niet op, maar zijn krachten vloeiden weg...

De aarde opende zich om hem te verzwelgen.

Het noorden van Israël

Generaal Goren luisterde mee via een stille lijn terwijl de premier op de president van Egypte wachtte. Hij bad vurig dat de redelijkheid zou zegevieren. Hij bad dat de president *nu eindelijk de telefoon zou opnemen, verdomme.*

De vertrouwde stem meldde zich: ‘Meneer de minister-president, *sjalom.*’

‘Meneer de president, *mesa al-kheir*. Ik bel u vanwege een vredesmissie. Over enkele minuten zullen zes van onze vliegtuigen een terreurbasis in de Sinaï aanvallen. Zodra ze het doelwit hebben geraakt, zullen ze naar Israël terugkeren. Ze vormen geen bedreiging voor Egypte en wij hebben geen vijandelijke bedoelingen tegen uw land. Ik vraag u daarom onze vliegtuigen ongehinderd te laten passeren.’

‘Uw vliegtuigen in ons luchtruim?’

‘Jawel, meneer de president. Om een op handen zijnde terreuraanslag op de staat Israël te voorkomen.’

‘Wij hebben geen terreurbases in de Sinaï.’

‘Wij gaan er ook van uit dat u niet op de hoogte bent, meneer de president. We houden u niet verantwoordelijk.’

‘Geen bombardementen op Egyptische bodem, meneer de minister-president. Geen Israëlische vliegtuigen in ons luchtruim.’

‘Maar, meneer de president...’

‘Meneer de minister-president, roep uw vliegtuigen terug.’
‘Maar, meneer de president...’
‘Roep ze terug.’

In de kilte van de airco in zijn commandocentrum volgde Goren op zes kleurenmonitors de rechtstreekse beelden uit de cockpits van de vliegtuigen. Via de satelliet waren op een groter scherm spookachtige, groene opnamen te zien van mensen in tenten, die zich verrieden door hun lichaamswarmte.

De eerste bom miste zijn doel op ruime afstand en explodeerde in een indrukwekkende vuurbol. Toen de flits doofde, zag Goren de geschrokken reacties van de mensen in de tenten. Sommigen werden door de schokgolf opzij gesmeten, anderen probeerden in blinde verwarring dekking te zoeken, weer anderen bleven als verlamd van schrik. Hij voelde hun paniek.

De tweede, derde en vierde bom volgden in hoog tempo en met dodelijke nauwkeurigheid. De bewegende lichamen verdampten voor Gorens ogen. Een paar overlevenden probeerden het kamp te ontvluchten, maar het vijfde en zesde toestel legden een tapijt van clusterbommen, die als een vuurstorm dood en verderf zaaiden in de vallei.

De tenten waren verdwenen. De mensen ook. Het gevaar was geneutraliseerd en de jets zetten weer koers naar huis.

De triomf in het commandocentrum was voelbaar, maar de staf van de generaal bleef geconcentreerd. Ze hadden nog zes bemanningen in de gevarenzone.

‘Drie Egyptische jagers op een onderscheppingskoers,’ meldde de chef-vluchtleider.

‘Kunnen we ze vóór blijven tot aan de grens?’

‘Misschien nog nét.’

Goren zag zijn jongens naar huis stormen terwijl de Egyptenaren naderden. Als het een gevechtssituatie was geweest, bestond er weinig twijfel aan de uitkomst, dacht Goren. De Israëli’s hadden een numeriek overwicht, beter materiaal en waren beter opgeleid.

De staf in het commandocentrum had er alle vertrouwen in. Zij dachten dat het een gevechtssituatie wás.

Goren wilde een maagtablet, maar hij beheerste zich om een voorbeeld te stellen.

De Israëli’s waren nog minder dan vijftien seconden van de grens verwijderd toen de Egyptenaren binnen schootsafstand kwamen.

De Israëlische jets bereikten het Israëlische luchtruim.

'Ja!' riep de vluchtleider.

Goren hield het scherm in de gaten. De Egyptenaren zetten hun achtervolging voort.

De vluchtleider liet zich terugzakken op zijn stoel. 'Ze zitten op je staart! Ze vliegen boven Israël. Knal ze uit de lucht! Schiet dan!' riep hij.

De Israëlische vliegers negeerden de instructie.

'Wat krijgen we nou?' vroeg de vluchtleider ongelovig.

De Egyptenaren richtten hun wapens.

'Schieten!' riep de vluchtleider nog eens.

De Israëli's reageerden niet.

Toen, een voor een, dropen de Egyptenaren af.

Er steeg een gejuich op onder Gorens staf. Iedereen omhelsde elkaar. Via een beveiligde telefoon bood de minister-president zijn felicitaties aan. Maar de generaal was merkwaardig zwijgzaam. Toen niemand keek, nam hij toch maar een tablet. De missie was een succes geweest en al zijn jongens keerden veilig terug. Toch had hij een akelig gevoel in zijn maag, en nu pas wist hij waarom.

Volgens de inlichtingenrapporten hadden zich eenheden verzameld in de woestijn, de 'krachten van de waarheid', zoals die onderschepte stem had gezegd. Maar waarom midden in de woestijn? Misschien om te trainen en plannen te maken. Maar als ze een aanslag wilden uitvoeren, zouden ze zich toch wel hebben verspreid?

Jeruzalem

Binnen enkele uren werd de cockpitvideo van de vuurbol in de Sinaï over de hele wereld uitgezonden.

De minister-president legde een korte verklaring af.

'Vanavond heeft Israël een vergeldingsactie uitgevoerd voor de aanslag op Yad Vashem en daarmee een nog zwaardere terreuraanval voorkomen. Zoals aangekondigd, was die vergelding absoluut. We zijn onze belofte aan de zes miljoen – en aan de kinderen – nagekomen. Opnieuw hebben onze vijanden hun kwaadaardige bedoelingen gedemonstreerd, maar ze zullen nooit zegevieren.'

68

Tel Aviv

Generaal Goren draaide zich om en wilde weer verder slapen, maar de telefoon gaf hem de kans niet. Het ellendige ding bleef maar rinkelen en zijn vrouw snurkte gewoon door. Hij opende een slaperig oog en keek op de wekker: bijna halfzes in de ochtend.

Geen goede manier om de dag te beginnen.

'Generaal, kijkt u naar het nieuws?' vroeg zijn adjudant.

'Eerlijk gezegd keek ik naar de binnenkant van mijn oogleden. Wat is er aan de hand?'

'Kijkt u naar Pan Arab News en bel me dan terug.'

Goren vond de afstandsbediening onder het bed en zapte langs de kanalen.

'Tot zover onze correspondent Jemal Kemal op Cyprus,' zei de nieuwslezeres. 'En dan schakelen we nu naar Ankara voor het laatste nieuws over de reddingsoperaties na de recente aardbeving...'

Goren drukte op de voorkeuzetoets van Lipmans huisadres. 'Ik geloof dat ik het heb gemist. Waar ging het over?'

'Een religieuze groepering op Cyprus beschuldigt ons ervan dat we een civiel onderzoekscentrum hebben aangevallen.'

'Moslims?'

'Nee. Grieks-orthodoxe christenen.'

'Yassin heeft een tijdje op Cyprus gezeten.'

'Het zou een dekmantel kunnen zijn.'

Goren ging rechtop zitten en krabde zich op zijn hoofd. 'Is het mogelijk...'

'Ik zou niet weten hoe, generaal. Het is schaamteloze propaganda.'

'Zijn er ook andere zenders die het melden?'

'We hebben al een telefoontje gekregen van CNN.'

'Overleg maar met de inlichtingendienst en help die leugen de wereld uit voordat iemand het gaat geloven.'

'Ik zal de Mossad bellen.'

'Wacht,' zei Goren, en hij pakte een badjas. 'Ik doe het zelf wel.'

Avi Arad, die opnam alsof hij al uren wakker was, hield vol dat publicatie van de onderschepte telefoongesprekken zijn bronnen en werkwijze in gevaar zou brengen.

'Hoe dacht je dat we de Mullah in de gaten kunnen houden om de volgende aanslag te voorkomen als we bekendmaken hoe we werken?' vroeg het hoofd van de Mossad.

'Je zei toch dat ze al weten dat ze worden afgeluisterd?' wierp Goren tegen.

'Ja, maar misschien vergis ik me.'

De discussie tussen de generaal en het hoofd van de inlichtingendienst ging door tot laat in de middag, toen de onbewezen beweringen van een obscure Grieks-orthodoxe geestelijke op Cyprus inmiddels twee keer per uur de hele wereld over gingen, zij het in korte berichten van nog geen halve minuut.

Woordvoerders van de Israëlische regering weigerden op de beschuldigingen van de Cyprioot in te gaan tot vroeg in de avond, toen de minister-president het meningsverschil beslechtte. Inmiddels had de ongefundeerde beschuldiging zijn nieuwswaarde al bijna verloren. De media wachtten op een bevestiging of ontkenning vanuit Egypte, maar de Egyptenaren hadden de afgelegen plek voor de buitenwereld afgesloten en zwegen in alle talen.

De minister-president besloot de leegte in te vullen en gaf een verklaring uit waarin hij de berichten vanuit Cyprus als 'absurde desinformatie' van de hand wees.

Vervolgens liet de Israëlische regering transcripties circuleren van het gesprek waarin Yassin waarschuwde voor een 'eerste verklaring' en het latere telefoontje waarin een niet-geïdentificeerde mannenstem meldde dat 'de verklaring was afgegeven'.

Volgens het officiële persbericht waren de onderschepte gesprekken 'een duidelijke aankondiging van een terroristisch complot' en 'een bewijs voor pogingen om de Holocaust te ontkennen'.

De minister-president was ervan overtuigd dat hij de juiste beslissing had genomen. Hij wilde de wereld duidelijk maken wat de rol van de Mullah was. Het stilzwijgen van Egypte verbaasde hem niet. Egypte voelde zich opgelaten – schaamde zich misschien zelfs – dat het dit terroristische tuig onderdak had verleend.

Tegen de tijd dat generaal Goren naar bed ging, hadden de internationale media plichtsgetrouw de Israëlische ontkenning bekendgemaakt.

De volgende middag zat Goren bij een gewone vergadering op het ministerie van Defensie over de situatie aan de noordgrens, toen een van zijn medewerkers iets op de televisie zag en het geluid harder zette.

'Wij herhalen nog eens, wat u ziet is een video die zojuist in Cairo is vrijgegeven,' zei de Amerikaanse nieuwslezer. 'Egyptische woordvoerders hebben tegenover World News verklaard dat deze beelden zijn gemaakt in het kamp in de Sinaï, enkele uren voor de aanval van de Israëlische gevechtsvliegtuigen.'

Op het scherm verscheen het bekende gezicht van rabbi Meyer Elazar. Hij had donkere wallen onder zijn ogen en zijn karakteristieke schorre stem klonk nog zwaarder dan anders.

'Laat ik beginnen met een eerste verklaring. U kent allemaal mijn achtergrond. Ik zal proberen mijn vooroordelen en persoonlijke ideeën opzij te zetten en deze kwestie zo objectief mogelijk te benaderen. Ik hoop dat we samen vooruitgang kunnen boeken in een sfeer van vrede, broederschap en de zucht naar kennis. Laat de waarheid onze gids zijn.'

'Het schijnt dat rabbi Elazar, die de leiding had – of heeft – over het Instituut voor Culturele Oudheden in Jeruzalem, een belangrijke ontdekking op het terrein van de Bijbelse archeologie aankondigde, die mogelijk nog wereldschokkender was dan de vondst van de beroemde Dode Zeerollen.'

'Ja, wij gaan ervan uit dat professor Cavanaugh de persoonlijke getuigenis van Kajafas heeft gevonden. Haar eerdere ontdekkingen, samen met Benjamin Jordan, wijzen erop dat Kajafas als boetvaardige kluizenaar is gestorven. We kunnen alleen maar hopen dat de inhoud van deze kruiken ons zal vertellen waarom.'

De nieuwslezer aarzelde en luisterde naar een stem in zijn oortje. Op het scherm haalde Elazar een stenen kruik uit een koffer, zoals duidelijk te zien was.

'De naam die we zojuist hoorden, "Kajafas", verwijst blijkbaar naar de hogepriester van Jeruzalem uit het Nieuwe Testament. De Bijbel zegt dat Kajafas een sleutelrol speelde in de gebeurtenissen die leidden tot Jezus' kruisiging... Benjamin Jordan, die door de rabbi wordt genoemd, is een Israëlische journalist.

'Volgens onze Egyptische bronnen sprak rabbi Elazar – van wie werd aangenomen dat hij was omgekomen bij de bomaanslag die het instituut vernietigde – een welkomstwoord op een bijeenkomst van internationale wetenschappers.'

'Waarom hebt u ons hier laten komen, op deze afgelegen plek?'

Op het scherm was te zien dat Elazar moeite had met die vraag. Hij gaf een aarzelend, emotioneel antwoord:

'Ik had een instituut, maar dat is er niet meer... Ik ben al te veel collega's verloren vanwege deze zaak. Aan dat risico wilde ik u niet blootstellen.'

'Wij zoeken nu contact met onze correspondent Mark Donner in Cairo. Mark, weten we of er nog overlevenden waren?'

'Nee, die zijn er niet, volgens de Egyptenaren. Het kamp in de woestijn dat we zojuist zagen is volledig verwoest. De Israëlische aanval zou "grondig" en "effectief" zijn geweest. Maar dat hopen we later vandaag met eigen ogen te kunnen zien. De Egyptische regering brengt nu een team van neutrale waarnemers naar de plek, onder wie ook vertegenwoordigers van het Internationale Rode Kruis en de Verenigde Naties. Uiteraard proberen wij daarbij te zijn.'

'Dat was Mark Donner vanuit Cairo. Stem af op World News voor de laatste berichten over de bomaanslag in de woestijn.'

In de vergaderzaal van het ministerie van Defensie heerste een doodse stilte.

69

Halverwege de middag liet elke nieuwszender al beelden zien van verminkte lichamen en verkoolde resten. In vijf of zes talen deden verbijsterde, diepbedroefde familieleden tegenover verslaggevers hun verhaal over wetenschappers die om mysterieuze redenen op stel en sprong naar het Midden-Oosten waren gevlogen en nu waarschijnlijk tot de slachtoffers behoorden.

Op een persconferentie in Ann Arbor bracht een betraande rector van de Universiteit van Michigan een eerbewijs aan Catherine Cavanaugh, die bij haar studenten geliefd was geweest en door haar collega's werd gerespecteerd.

Toen hij was uitgesproken, kwam de voorzitter van de faculteit, Adam Keller, naar de microfoon. 'Professor Cavanaugh bracht in ons allemaal het beste naar boven,' verklaarde Keller.

Er was een video gemaakt in de tent in de Sinaï, waar de verzamelde geleerden naar Elazar zaten te luisteren. De camera had zich langs de rijen bewogen, ook langs Catherine, een clip die nu in slow motion werd afgespeeld als laatste beeld van de jonge professor.

In Saudi-Arabië gaf de Mullah een verklaring van drie zinnetjes aan een Arabische satellietzender: 'Inderdaad waren wij op de hoogte van de oecumenische conferentie in de Egyptische woestijn. Op uitnodiging van de gastheren hebben wij een vooraanstaande afgevaardigde gestuurd, doctor Hosain Khalifa. Wij delen de rouw van zijn weduwe en kinderen.'

De reacties tegen Israël, overal in de wereld, liepen uiteen van vernietigend tot honend. 'Ik vraag u: wie zijn de werkelijke terroristen?' zei een lid van de oppositie in het Britse Lagerhuis. 'Luister goed naar de laatste woorden van rabbi Elazar. De Israëli's hebben een meedogenloze aanval gedaan op de geest van vrede en broederschap.'

Jordans eerdere verhaal, dat destijds was neergesabeld, werd nu alom geciteerd als kader van het bombardement. Het bevatte de eerste suggestie van een Israëlische samenzwering. De ontkenning van de Israëlische regering werd als onderdeel van een doofpotaffaire gezien.

In New York onthield de Jewish Anti-Discrimination League, voorvechter van de strijd tegen het antisemitisme, zich van commentaar.

Maar de meest onheilspellende reacties kwamen toch van vrome christenen en hun kerkleiders. Een groot aantal van hen onderging een bijna spirituele extase toen ze hoorden van de archeologische ontdekking, die een rechtstreekse en tastbare connectie vormde met de gebeurtenissen uit de evangeliën. Ze waren diep onder de indruk van de melding dat Kajafas zich had teruggetrokken in een leven van boetedoening. Dit was een indirecte aanwijzing voor zijn schuld en een omstandig bewijs voor de dwalingen van het proces en de kruisiging. Sterker nog, het deed vermoeden dat de hogepriester iets buitengewoons had gezien waardoor hij zijn fout had beseft.

In kleine dorpen en grote steden stroomden legioenen gelovigen – en nieuwe bekeerlingen – spontaan naar kerken en kathedralen. Waar ze zich verzamelden leidde dit tot uitbarstingen van vreugde, vermengd met woede, afschuw, ongeloof en wanhoop dat Israël de getuige had geëlimineerd.

'Een wrede, opzettelijke heiligschennis,' verklaarde kardinaal Del Toro vanaf zijn preekstoel in Madrid. 'Luister naar rabbi Elazar. Hij wees naar een spoor van moorden en sprak in bedekte termen over zijn angst voor Israël. Waarom zou hij anders in Egypte zijn geweest?'

In het Vaticaan was de paus in retraite gegaan.

'De Heilige Vader wil niet overhaast oordelen,' zei een woordvoerder van het Vaticaan.

Vanuit zijn bed op de hartbewaking in het Hadassah Hospitaal zag generaal Goren hoe zijn minister-president de meest abjecte verklaring aflegde die hij ooit van een Israëlisch leider had gezien.

'Meer dan wie ook willen wij weten wat er is gebeurd en de feiten aan het licht brengen. Wij zeggen onze volledige medewerking toe aan de regering van Egypte en de bevolking van de wereld. Wij geloven dat we op basis van harde bewijzen hebben gehandeld om levens te redden. Maar als de berichten in het nieuws correct zijn, en ik kan ze hier niet weerleggen, is de wereld getuige geweest van een tragische vergissing en een afschuwelijk misverstand. Niets meer en niets minder.'

In de Knesset werden oproepen aan de premier en zijn kabinet gedaan om af te treden. Frankrijk diende in de Veiligheidsraad van de Verenigde Naties een resolutie in voor een economische boycot tegen Israël.

In Washington kwamen twaalf leden van het Congres met een wetsvoorstel om alle hulp aan Amerika's trouwste bondgenoot in het Midden-Oosten stop te zetten.

'De zaak is nog niet duidelijk,' zei de president toen hij aan boord van zijn helikopter naar Camp David stapte. 'Laten we allemaal even diep ademhalen en zien wat de bewijzen ons te zeggen hebben.'

70

Tel Aviv

In zijn glazen kantoortje zat de hoofdredacteur van *The Shofar* zich behoorlijk op te winden.

Zijn beste verslaggever, Ben Jordan, was zomaar in het niets verdwenen, om plotseling weer op te duiken in het middelpunt van een crisis. En Shaul Meltzer had dat via de televisie moeten vernemen.

Het was maar goed dat hij Jordan had ontslagen, of in elk geval geschorst, of wat hij ook had gedaan om van die publiciteitsgeile klootzak af te komen. Veel te onbetrouwbaar, die vent. Een van de invloedrijke vrienden van de hoofdredacteur binnen de inlichtingendienst had hem voor Jordan gewaarschuwd. Jordans afkomst zou heel pijnlijk voor Meltzer kunnen worden als *The Shofar* zijn 'verraderlijke gezwets' bleef publiceren.

Een redelijk advies van een redelijke man. Maar nu stond de toekomst van het hele land op het spel, terwijl diezelfde invloedrijke vriend dat waarschijnlijk mede op zijn geweten had. De hufter.

Maar waar hing Jordan uit?

Als die zak nog ooit zijn gezicht op de redactie durfde te vertonen zou Meltzer een tweede besnijdenis op hem uitvoeren, bezwoer hij zichzelf.

Jordans ogen gloeiden toen hij uit de lift stapte. Hij klemde zijn kaken op elkaar en staarde recht voor zich uit. De artsen hadden hem pijnstillers aangeboden, maar weer hield hij zich aan het advies van zijn Arabische dokter. Hij kon beter helder blijven.

En zich de pijn herinneren.

Zodra hij over het bombardement hoorde had hij het infuus uit zijn arm gerukt.

Mensen keken verbaasd op toen Jordan langs de bureaus liep op weg naar zijn eigen werkplek. Een geroezemoes steeg op in de redactieruimte. Maar Jordans houding hield iedereen op afstand. Leah keek hem aan, maar hij staarde dwars door haar heen.

Hij beschikte over alle bewijzen die hij nodig had. Het verhaal was waterdicht. Het was zijn primeur en als hij het had gepubliceerd zou niets nog ooit hetzelfde zijn. De waarheid zou aan het licht komen omdat *híj* die zou vertellen. En Israël zou boeten voor wat het had misdaan.

In gedachten hoorde hij nog de echo's van de schoten in de grot. Hij zag de sterren boven de woestijn weerspiegeld in Catherines ogen. Hij voelde haar lippen op de zijne onder de Eiffeltoren. Het had hem een heel leven gekost om haar te vinden en nu was ze weg. Gestolen. Ze had de moordpartij in de Vallei van Asher overleefd, om te worden gedood door de Israëlische luchtmacht.

Hij begon met het typen van zijn naam boven het artikel, maar aarzelde toen, turend naar het scherm. Nu moest het toch goed zijn, maar de helft ontbrak nog steeds: de naam die zijn ouders hem hadden gegeven. Teleurgesteld typte hij de enige naam die hij ooit had gebruikt en begon aan het artikel.

'Jezus, Jordan! Alles goed?'

Het was Meltzer. 'God, we maakten ons zorgen over je. Heb je iets nodig? Een kop koffie, misschien?'

'Het hele verhaal staat hierop,' zei Jordan, en hij gaf Meltzer een dvd. 'Morgen is het ons hoofdartikel.'

Hij keek niet eens op, maar werkte verder, boos en geconcentreerd. Hij typte zo snel dat het toetsenbord een automatisch wapen leek.

Elke toetsaanslag was een scheut van pijn.

In zijn glazen kantoortje startte Meltzer de dvd, die een simpel opschrift droeg: HOOGTEPUNTEN.

Zev Galil tuurde in de camera en liep blootsvoets over een stoffig mozaïek in een zongebleekt landschap. Hij droeg een T-shirt, een kakishort en een slappe hoed met een brede rand, die hem belachelijk stond.

'Ik sta nu op een werkelijk buitengewone kaart van het Midden-Oosten, die drie jaar geleden hier is ontdekt aan de westkust van de Rode Zee. Samen met mij en mijn studenten zijn hier aanwezig professor Catherine Cavanaugh en de journalist Benjamin Jordan. Hun onderzoek heeft ons vandaag hier gebracht.'

Twintig minuten later verscheen Meyer Elazar in beeld, in een vaag verlichte grot.

'De regering. De regering van Israël,' zei Elazar.

'De regering?' vroeg Galil.

'Ze hebben geprobeerd mij te elimineren, maar ik ben ontkomen. Ik vraag me af of ze dat weten. Maar nu zitten ze achter jullie aan. Ze zijn al onderweg, op dit moment. Ze weten waar jullie naar op zoek zijn: de Kroniek van Kajafas. En ze willen tot elke prijs voorkomen dat de inhoud daarvan bekend wordt.'

Vierentwintig minuten na het begin van de dvd haalde Cavanaugh een kruik met een gebarsten deksel uit zijn bergplaats. Er was een glimp van een opgerold vel perkament te zien.

Na dertig minuten zoomde de camera in op een paar jeeps die naderden over de vlakke woestijn. Jeeps van het Israëlische leger.

De soldaten richtten hun geweren en openden het vuur.

Op zijn knieën, gefilmd onder een vreemde hoek, stak Galil met zichtbare moeite zijn linkerarm omhoog en gebaarde alsof hij iemand opdroeg hem achter te laten en te vluchten. Toen explodeerde zijn hoofd in een roze wolk.

Door een met bloed bespatte lens maakte de camera vreemde, grillige opnamen van de hemel en de aarde, met rennende soldaten en een helikopter, ondersteboven. Het geluid van de rotorbladen zwol aan voordat het scherm alleen nog ruis vertoonde.

Ontdaan wilde Meltzer de dvd al uit de speler halen toen de ruis verdween, om plaats te maken voor een sterk vergrote close-up. Het was een van de soldaten. De vergrotingsfactor nam nog toe en het beeld bevroor bij een detail aan de zijkant van de borst van de militair. Op het Israëlische uniform zat een insigne: een kromme zwarte dolk.

'Betekent dit wat ik denk dat het betekent?' vroeg Meltzer aan zijn verslaggever.

'Het bewijs dat het bombardement in de woestijn geen "misverstand" was,' zei Jordan. 'Het bewijs dat Israël tot alles bereid was om de Kroniek van Kajafas in handen te krijgen of te vernietigen.'

'Kende jij Zev Galil?'

'Zev was een man van de vrede.'

Meltzer knikte meelevend. 'Schrijf maar verder.'

71

Tel Aviv

Jordan dacht aan de brand en de martelingen op Pamet Hall en vroeg zich af waar die in zijn verhaal pasten. Hij was ervan overtuigd dat ze een onderdeel moesten zijn van het meedogenloze Israëlische optreden, net als de moord op Nigel Waverly.

Gefrustreerd besloot hij het toch maar weg te laten, omdat hij geen bewijs had. Het deed er ook niet toe. Het was maar een ondergeschikt detail in het grote geheel. En hij kon aannemen dat anderen zelf het verband wel zouden leggen.

Nog maar een paar alinea's en hij was klaar. De deadline naderde snel. De persen zouden draaien, de waarheid zou bekend worden en de schuldigen zouden kennismaken met de woede van de wereld.

Zijn telefoon ging, maar hij was ergens anders.

Heel even was hij terug op de West Bank, op een drukke markt die werd verscheurd door geweervuur en chaos. Hij zag een dikke man op een gesloten deur beuken, terwijl een slungelige *yeshiva*-jongen die Menachem Goldstein heette de trekker overhaalde. Passief en nutteloos zag hij de Palestijn sterven.

Hij voelde een verwantschap met de Palestijn en een verzengende haat tegen Goldstein en alles waar hij voor stond. Hij herinnerde zich nog de voldoening waarmee hij Goldsteins gezicht in elkaar had geslagen.

Het toestel kon nog twee keer rinkelen voordat de voicemail werd ingeschakeld. Hij zou straks wel luisteren. Als hij tijd had. Of niet. En als zijn mailbox de 'maximale opslagcapaciteit had bereikt', zoals de irritante computerstem dat voortdurend herhaalde, hoefde hij helemaal niet meer te reageren.

Nog één keer rinkelen.

Hij nam op. 'Jordan.'

Een aarzeling aan de andere kant.

'Benjamin, weet je wie dit is?'

Samir. Die waarschijnlijk lag te zonnen op een jacht.

'Ja, natuurlijk.'

'Je moet een onderzoek instellen naar dat bombardement in de woestijn, Benjamin. Je moet de mensen vertellen wat er is gebeurd. Je moet de leugen ontmaskeren.'

'Het staat morgen op de voorpagina, als hoofdartikel. Ik sta op het punt om het in te leveren.'

Een diepe zucht van verlichting aan de andere kant. 'Hoe heb je dat gedaan?'

'Ik heb video. Een opname van de Sicarii die mijn vriend Zev vermoorden.'

'Wat?'

'Israëlische commando's, in de Vallei van Asher. Ik was erbij toen ze ons aanvielen. Ze wilden de vondst stelen. Het was een keiharde, goed voorbereide actie.'

Jordan voelde een vacuüm aan de andere kant, dat zich vulde met angst. 'Morgenochtend? De voorpagina?'

'Ja. Als je me nu met rust laat, zodat ik het kan inleveren.'

'Luister goed, Benjamin. Het is allemaal niet zoals het lijkt.'

'Het lijkt me juist heel helder. Hoe ellendig het ook is.'

'Je mag dat verhaal niet plaatsen. Benjamin. Wacht nog even.'

'Ik zit vlak voor mijn deadline.'

'Niet ophangen, alsjeblieft.'

'Wat weet je dan?'

'Het enige wat ik weet is dat jouw artikel misschien niet klopt.'

'In welk opzicht?'

'Ik heb dingen gehoord, Benjamin. Ik kan het je nu niet uitleggen.'

'Geef me een hint.'

'Niet over de telefoon.'

'Verdomme, je –'

'Tref me over een halfuur op de plaats waar we elkaar de vorige keer hebben gesproken.'

'Maar –'

Er klonk een klik en de verbinding was verbroken. Jordan staarde ongelovig naar de telefoon en smeet de hoorn op de haak. Die achterbakse klootzak had opgehangen.

Samir kon zijn rug op. De man kletste uit zijn nek.

Jordan begon weer te typen. Hij zou wraak nemen. Dat was alles wat hij nog had.

Hij wreef in zijn ogen en vroeg zich af of hij wel helder dacht. Hij had geen enkele bron kunnen vinden die iets wist over de commandoaanval in de Vallei van Asher. Aan de andere kant wist hij ook niet of hij zijn bronnen kon vertrouwen. En Catherines dood was de druppel geweest. Hij wilde – nee, hij móést – geloven dat ze aan het bombardement was ontkomen, net zoals Elazar aan de aanslag op het instituut was ontsnapt.

Hij kon nergens heen, bij niemand terecht. Niemand behalve Samir, die nog erger was dan niets.

Hij typte een briefje aan zijn hoofdredacteur, *Over een uur weer terug*, en glipte het redactielokaal uit.

Vanaf de achterbank van de taxi vervloekte Jordan het verkeer. Weer een wegversperring. Op de weg vóór hem vielen Israëlische soldaten onschuldige Palestijnen lastig, tevergeefs op zoek naar zelfmoordterroristen.

Hij herinnerde zich een nacht, lang geleden, in een hut in Michigan, voordat hij aan die krankzinnige en fatale zoektocht naar een religieus relikwie was begonnen. Hij dacht terug aan Catherines vraag. Had hij wel goed over de consequenties nagedacht? Wat konden hem de consequenties schelen? Die hele geloofskwestie raakte hem niet. Het enige wat ertoe deed was Catherine. Catherine was zijn geloof.

Catherine en de hemel boven de woestijn, het lint van sterren in de nacht.

Bij het Israëlisch Museum sprong Jordan uit de taxi zonder op zijn wisselgeld te wachten. Hij rende langs het Heiligdom van het Boek, ontworpen in de stijl van een deksel van een Dode Zeekruik, en stormde de deuren van het hoofdgebouw binnen. De pijn sneed als een mes door hem heen.

Samir stond voor de grote stenen platen uit de ruïnes van het paleis van Sennacherib, niet de albasten originelen, die in Londen hingen, maar kopieën. Op de reliëfs was te zien hoe Assyrische veroveraars de stad Lachish plunderden en Joodse verdedigers aan lange palen staken.

Samirs ogen lagen diep in hun kassen en hij had zich niet geschoren. Zijn blik gleed over de menigte en hij leek ongewoon nerveus.

'Heeft Catherine het overleefd?' vroeg Jordan.

'Geen idee. Ik zou niet weten hoe.'

Jordan greep Samir bij zijn elleboog en loodste hem de zaal door, bij de toeristen vandaan. 'Waarom heb je me hier laten komen, Samir?'

'De Mullah liegt, Benjamin. De Mullah zit er zelf achter.'
'Heb je daar bewijzen voor?'
'Nee.'
'Verdomme, Samir...'
'Ze zijn grondig, Benjamin. Ze hebben alle sporen uitgewist en alle getuigen geëlimineerd. Zoals onze vriend binnen de commissie, Ismail Ramsi.'
'Ik dacht dat jullie Israël de schuld gaven van zijn dood.'
'Dat wilde de Mullah ons laten geloven.'
'Moet ik je op je woord vertrouwen?'
'Wat kun je anders?'
'Nee, het spijt me. Niet na de vorige keer.'
'Begrijp goed dat ik een groot risico neem door hier te komen om met jou te praten.'
'Maak het dan het risico waard.'
Samir zuchtte. Hij keek angstig en verslagen.
'We hebben een bron binnen de organisatie van de Mullah. Dat dénken we, tenminste. Hij zou ook een dubbelspion kunnen zijn. Blijkbaar heeft de Mullah onze inlichtingendienst geïnfiltreerd. Hij heeft aanhangers binnen onze regering en het leger. Zoals wij over de Zilveren Rol hebben gehoord van Ismail, schijnt de Mullah het weer te hebben gehoord via ons... met aanvullende informatie van een spion binnen het museum, een conciërge die dacht dat hij informatie verkocht aan een Israëlische archeoloog.'
'En?'
'Dat is alles wat ik weet.'
'Ik geloof je niet.'
'Benjamin, waarom zou ik liegen?'
'Waarom vertel je me dit allemaal?'
Samir had het moeilijk. Hij zocht naar woorden. 'Herinner je je de dag nog dat de koning je meenam naar de Al-Aqsa Moskee?'
'Ja, natuurlijk.'
'Dat was niet zijn enige officieuze bezoek, die dag in Jeruzalem. Hij ging ook naar Yad Vashem.'
'En?'
'Ik was erbij, in Yad Vashem. Ik heb de eeuwige lichtjes gezien in het Kindermonument.'
'Dat is heel mooi van je, maar wat heeft dat ermee te maken?'
'Mannen als de Mullah zijn een gevaar voor ons allemaal, Benjamin. Ze zijn een schande voor God en de mensheid.'

‘Verdomme, Samir, ik zou dit nooit hebben geschreven als jij me de tekst van de Zilveren Rol niet had toegespeeld.’

‘Wat bedoel je?’

‘Die envelop in mijn schoen.’

‘Daar weet ik niets van.’

‘Jouw bericht, om naar de Al-Aqsa te komen.’

‘Dat kwam niet van mij.’

Jordan voelde de adrenaline door zijn aderen stromen toen een kille angst hem overviel.

72

Tel Aviv

Toen Jordan op de redactie terugkwam staarde Meltzer hem woedend en ongelovig aan. 'Je wilt dat ik wát?'

'Dat je het verhaal achterhoudt. We plaatsen het niet.'

Meltzer keek naar de klok. 'Op basis van een anonieme bron?'

'Ja.'

'Een betrouwbare bron?'

'Nee.'

'Heb je al eerder met die bron gewerkt?'

'Ja, voor mijn laatste artikel.'

Meltzer keek naar de tekst op Jordans computer en las de eerste alinea. Dynamiet.

'Ik heb de video gezien, Jordan. Die is waterdicht. En het is een verbijsterend verhaal.'

'Maar er zijn dingen...'

'Ga door.'

'Er zijn dingen die ik niet begrijp.'

'Er zijn ook dingen die ík niet begrijp. Te beginnen met jou. Ik hou dit verhaal niet achter, verdomme! Ik weet wel wat jou dwarszit. Er is lef voor nodig, Jordan, en blijkbaar durf je niet meer.'

'Je kunt het niet plaatsen.'

'Reken maar.'

Jordan keek Meltzer strak aan en hield zijn vingers op het toetsenbord. Met een zuiver geweten en een behoorlijke dosis persoonlijke voldoening drukte hij op DELETE. Toen stond hij op en verdween van de redactie.

In zijn glazen kantoortje kreeg Meltzer weer een woedeaanval.

Dit verhaal zou de val van de regering betekenen, en terecht. En hij, Shaul Meltzer, zou de reuzendoder zijn, de stem van de waarheid en de moed. Hij zou zijn benarde volk, gevangen in de kruisdraden van hun eigen leugen, kunnen verlossen.

Maar niet als de concurrentie hem voor was. Zoals onvermijdelijk zou gebeuren.

Door voor het verhaal terug te deinzen had Jordan één ding bewezen: op een ironische manier had hij zijn eigen betrouwbaarheid aangetoond en duidelijk gemaakt dat hij geen propagandist of terroristische mol was.

Meltzer belde Leah. Zij was de beste schrijver van *The Shofar* en ze wist net zoveel van het onderwerp als wie ook.

Hij gaf haar de dvd.

Leah keek hem verbaasd aan.

'Je hebt drie kwartier om een hoofdartikel te schrijven,' zei de hoofdredacteur. 'We schuiven de deadline een eindje op.'

'Maar dit is Benjamins verhaal.'

'Nu niet meer.'

73

Tel Aviv

In de stilte van zijn appartement stak Jordan een dvd in zijn computer. De screensaver verdween, om plaats te maken voor de ongeredigeerde versie van de video die hij Meltzer had gegeven. Voor de vijfde keer keek hij hoe Zev de details van een mozaïek besprak, Amnon gekke bekken trok voor de camera en Yossi de rots beklom met een geweer over zijn schouder geslingerd. Hij zag een helikopter overvliegen, bij de Vallei van Asher vandaan. En hij zocht naar een aanwijzing, een spoor dat hij kon volgen, een broodkruimel, *wat dan ook*. Maar hij vond niets.

Hij zette de video stil, ging weer terug en bevroor het beeld van Catherine die een jutezak van de bodem van de grot tilde. De bodem scheurde en de gouden munten vielen eruit. Beeldje voor beeldje keek hij verder, met een gevoel van wanhoop en verslagenheid.

De nacht werd een rusteloze chaos van zelfverwijt. Als hij hier niet mee begonnen was, zouden ze allemaal nog leven. In zijn nachtmerries rende hij zoekend door een eindeloze, kale woestijn, zonder zelfs een luchtspiegeling als kompas. Onder een verzengende zon struikelde hij over gebleekte botten, totdat hij wakker werd en op de klok keek. Het was 2:17 uur.

De video stond nog stil op een beeld van de helikopter, een van de laatste dingen die Hannah had gefilmd. Het waren schokkerige opnamen. Jordan spoelde weer een eindje door, boog zich naar het scherm en beet in frustratie op zijn lip. Het toestel had geen staartnummer, geen onderscheidingstekens. Het was anoniem wit gespoten. Hij ging terug naar de donkere grot en zag Catherine een handvol munten oprapen. Een paar glipten er door haar vingers.

Zeldzaam. Mooi. Betoverend. Weg.

Hij sprong van zijn stoel en rende de deur uit, de trap af, de straat op. De lucht was zwaar en buiten was het stil, afgezien van een autoalarm in de verte. Alsof hij vluchtte van een misdrijf rende hij langs winkels en restaurants die met aluminium rolluiken waren beveiligd. Twee straten verderop vond hij een telefooncel voor een schoenenzaak. Hij belde een zelden gebruikt nummer, liet een boodschap achter en wachtte op een reactie. Zodra het toestel overging nam hij op.

'De overvallers van die grot hebben ook een voorraad gouden munten in handen gekregen,' zei Jordan. 'Een groot aantal heeft een afbeelding van granaatappels. Controleer alle muntenhandelaren in het Midden-Oosten om te zien of ze ergens zijn opgedoken.'

'Onmogelijk,' zei Samir, slaperig en geïrriteerd.

'Doe het.'

'Denk je dat iemand zo dom zou zijn om die munten nu op de markt te brengen?'

'Heb jij een beter idee?'

Samir gaf geen antwoord.

'En nog iets,' zei Jordan. 'Ik heb de video bekeken van die aanval in de Vallei van Asher. Er moet een manier zijn om die helikopter te traceren.'

'Had hij onderscheidingstekens?'

'Helemaal niets.'

'Dan weet ik het ook niet.'

'Verdomme, desnoods ga je iedereen na die ooit zo'n toestel in zijn bezit heeft gehad. Ik zal je de video sturen. Geef me een mailadres.'

Samir gehoorzaamde met tegenzin. 'Benjamin, wees nou reëel...'

'Jij hebt agenten. Gebruik ze dan ook.'

Jordan hing op. Hij sleepte zich terug naar zijn appartement, verstuurde de video en viel in een onrustige slaap.

De volgende ochtend laat werd hij weer wakker, tot zijn grote teleurstelling. Hij strompelde naar het halletje en zocht de krant. Die was er niet. Misschien had de huisbaas zijn abonnement opgezegd. In elk geval was het raam gerepareerd. Met een schichtige blik om zich heen griste hij de krant van de buren mee en verdween weer naar binnen.

Hij sloeg de krant open op de bank en zag de kop. Blind van woede moest hij een paar keer slikken, totdat er alleen nog een harde kern van wanhoop overbleef. Hij kon zichzelf er nauwelijks toe brengen om verder te lezen.

De voorpagina werd beheerst door het verhaal dat hij had gewist. Het was opnieuw geschreven, nu onder Leah's naam.

Hij vond de afstandsbediening onder de kussens, zette de televisie aan en liet zich onderuit zakken.

In verscheidene Europese hoofdsteden werden Israëlische ambassades belegerd door woedende mensenmassa's. Sommige demonstranten droegen een kruis, anderen besmeurden de ambassademuren met rode verf.

'De misdaden van Israël zijn onvergeeflijk,' riep een demonstrant in Warschau.

'Bijna net zo schandelijk als de kruisiging zelf,' zei een man op straat in Parijs. 'Wat de Israëlische premier ook beweert, we zien het toch zelf? Die slachting in de Sinaï was echt geen "misverstand".'

In Praag stond een synagoge in brand. Het gebouw, daterend uit de middeleeuwen, had oorlogen, pogroms en het Derde Rijk overleefd. De oudste synagoge in Europa was nu getroffen door een brandbom.

Jordan zapte verder.

In een kathedraal in Ierland begon een bisschop zijn preek met een vers uit het evangelie van Matteüs: 'O Jeruzalem, Jeruzalem, stad die de profeten doodt en de boodschappers stenigt die tot u gezonden zijn! Hoe dikwijls heb ik uw kinderen bijeen willen brengen, gelijk een hen haar kuikens onder haar vleugels neemt, maar gij hebt het niet gewild.'

En de bisschop besloot met een onheilspellende klaagzang: 'Israël heeft de boodschappers vermoord.'

In Moskou werd een orthodoxe rabbi uit zijn huis gesleurd en afgetuigd. In München trok een demonstratie van neonazi's opvallend veel sympathisanten. Ondanks het officiële Duitse verbod op nazibetogingen bleef de politie op eerbiedige afstand.

Op het Sint Pietersplein in Rome verzamelde zich een grote menigte rouwenden, die op een toespraak van de paus wachten.

Op een speelplaats in Chicago, voor een Joodse basisschool, riep een predikant die bekend stond om zijn rol in de burgerrechtenbeweging op tot kalmte.

Het rumoer trof ook Jeruzalem zelf, waar Israëlische Joden protesteerden voor de Knesset en het onmiddelijke aftreden van hun regering eisten. Enkele van oudsher bevriende landen riepen hun ambassadeurs terug.

Shaul Meltzers gezicht was overal. Links en rechts gaf hij interviews. Hij had de hoogtepunten van Jordans video op internet gezet en kopieën gestuurd aan andere media. 'Dankzij onze moedige en standvastige berichtgeving heeft *The Shofar* de wereld hopelijk laten zien dat Israëli's bereid zijn de waarheid te spreken en ernaar te luisteren,' verklaarde Meltzer. Leah Lefkowitz, die haar naam boven het artikel had gezet, leek ook niet van de buis te slaan.

Bij de Verenigde Naties nam de steun voor het Franse voorstel tot sancties tegen Israël toe. Jordan had moeite om onderscheid te maken tussen oprechte verontwaardiging en opportunisme. Frankrijk probeerde zich gewoon populair te maken bij zijn Arabische handelspartners.

Op CNN moest een commentator met een strikje toegeven dat hij er niets van snapte. 'Behalve meedogenloos en kwaadaardig is deze actie van Israël een historische beoordelingsfout. Het is moeilijk voorstelbaar dat de Kroniek van Kajafas iets zou bevatten wat schadelijker is voor Israël dan deze campagne van de regering om de rol te vernietigen.'

De president van de Verenigde Staten stond de media te woord bij een liefdadigheidsbanket in Houston. Hij sprak zijn steun uit aan een oproep om alle 'niet-humanitaire' hulp aan Israël te bevriezen, waaronder ook de militaire hulp die een hoeksteen was van de verdediging van het land. In een symbolisch gebaar voegde hij eraan toe dat de Verenigde Staten de plannen om hun ambassade te verhuizen van Tel Aviv naar Jeruzalem – dat Israël als zijn eeuwige hoofdstad beschouwde – voorlopig zouden opschorten.

De grote afwezige bij dit alles was de paus, die zijn kudde tot na middernacht liet wachten. Eindelijk maakte het Vaticaan bekend dat hij over een dag of twee zijn stilzwijgen zou verbreken. In de Sinaï.

Dichter bij huis maakten Palestijnen gebruik van hun voordelige positie, met vreedzame middelen. Zich beroepend op het voorbeeld van Jezus kwamen ze met honderden bijeen en marcheerden naar de Israëlische wegversperringen. In Bethlehem, voor de Geboortekerk, hielden moslims een wake met kaarsen. Zoals commentatoren al opmerkten waren deze ontwikkelingen bijzonder verontrustend voor de conservatieven binnen de Israëlische regering, die geweldloze actie al heel lang als een potentieel groter gevaar zagen dan terreur.

Het was de enige lichtstraal in Jordans sombere verwachtingen voor de mensheid.

74

Een eiland in de Egeïsche Zee

Als het niet om de geit was geweest zou Demetrios Kyriakos niet in zo'n dilemma zijn geraakt.

Het was eigenlijk een heel gewone geit en ze was kreupel aan één poot. Maar ondanks die handicap had ze toch de neiging om af te dwalen. Kyriakos moest bekennen dat hij wel enig respect had voor het dier, en hij nam haar die eigenzinnigheid ook niet kwalijk. Het werpen van de eerste steen, en zo. Maar zeven dagen geleden had de geit zijn geduld toch ernstig op de proef gesteld toen ze in de avondschemer was verdwenen. Kyriakos was die dag juist uitgenodigd voor het avondeten bij zijn knappe nicht Marika.

Met zijn achttien jaar was Kyriakos de oudste van drie broers, en zijn vader verwachtte van hem dat hij visser zou worden. Maar Kyriakos' hart lag bij de ruige, stekelige heuvels van het eiland, waar hij kon dagdromen en over de golven uitkijken. Die onafhankelijkheid – doodgewone luiheid, volgens zijn vader – leverde hem nogal wat spottende opmerkingen op.

Hoewel hij er weinig eer mee behaalde, hoedde Kyriakos heel gewetensvol de ganzen en de geiten. Terwijl hij nog dacht aan Marika en haar al zag flirten met zijn broers, volgde hij de lastige geit steeds hoger, naar het klooster van de Heilige Constantijn. Maar daar raakte hij haar kwijt. Aarzelend liep hij verder. Bijna niemand kwam ooit onuitgenodigd naar het klooster toe. De monniken hadden duidelijk gemaakt dat ze met rust wilden worden gelaten. Kyriakos wist niet precies hoe ze dat lieten doorschemeren, want hij had er nooit een persoonlijk gesproken. Toch wist het hele dorp dat je uit de buurt moest blijven. Het had iets te maken met hun gelofte van stilte, had een van zijn vrienden ooit geopperd.

De amberkleurige zon zakte al in de golven en een koele bries streek over de heuvels. Achter hem in de verte lagen de witgepleisterde huisjes tegen de helling van de halvemaanvormige baai. Nog verder dobberden de vissersboten aan hun touwen. Voor hem uit bekroonde het klooster van de Heilige Constantijn het eiland als een baken.

Kyriakos besloot met een boog om het klooster heen te lopen en eerst de rotsen af te zoeken voordat hij dichterbij kwam. En daar trof hij de oude man.

De oude man tuurde over de zee.

Kyriakos bleef staan, bang om zich op verboden terrein te begeven. Hij probeerde niet op te vallen. Eerst had hij kunnen zweren dat de oude man stond te snikken. Toen hoorde hij hem spreken. Hij leek alleen te zijn, maar toch praatte hij met iemand. Het was een eenzijdig gesprek. Soms klonk hij kwaad. Hij sprak met een zware, hese stem, als het geluid van verre donder. Ten slotte vormden de woorden van de oude man een duidelijk patroon, met een ritueel ritme, alsof hij stond te bidden. In een onbekende taal.

Kyriakos deed een stap terug, maar het geluid van zijn voeten op de rotsbodem verraadde hem. De man zweeg en draaide zich om. Verbaasd zag hij de jongen staan. Heel even meende Kyriakos iets van angst in zijn ogen te zien, maar misschien kwam dat door de ondergaande zon. Ze keken elkaar aan.

'Hebt u mijn geit gezien?' vroeg de Griek.

De oude man nam de herder onderzoekend op en antwoordde met een zwaar accent: 'Welke geit is dat?'

Vreemde vraag.

'Die kreupele,' zei Kyriakos.

De oude man dacht na over het probleem. 'Voor de zonden van het volk eiste de God van Leviticus twee geiten, één om te worden geslacht en leeg te bloeden op het offeraltaar, de andere om te worden vrijgelaten in de wildernis.'

Kyriakos wist niet wat hij daarop moest zeggen.

'Deze is gewoon weggelopen,' antwoordde hij.

De oude man schudde zijn hoofd. 'Nee, ik heb geen geit gezien.'

Toen draaide hij zich weer om en tuurde over de zee. Het gesprek was beëindigd.

Kyriakos zocht naar zijn geit totdat de avond viel, maar hij vond haar niet. En hij liep ook zijn avondmaaltijd met de knappe Marika mis.

Zeven dagen verstreken en in die tijd gebeurden er allerlei dingen die Kyriakos weer herinnerden aan zijn merkwaardige ontmoeting op de rots. Zijn familie had zich in het huis van een buurman verzameld om via de schotel naar de televisie te kijken, waarop nieuws te zien was over de ontdekking in Israël, het bombardement in Egypte en de strijd die daarna ontstond. Steeds opnieuw vertoonde de zender beelden van de rabbi, Elazar.

De man op de rots.

Kyriakos' vader zei hem dat hij weer dagdroomde. Hij had last van een te levendige fantasie. Zijn broers lachten hem uit.

Maar in het nieuws werd iets gezegd over een Grieks-orthodoxe connectie, op Cyprus weliswaar, maar toch wist Kyriakos het zeker. Of bijna zeker. Kon hij zich vergissen? Misschien. Ze hadden elkaar ontmoet in de schemering en Kyriakos was nerveus geweest. Toch was het een vreemde gedachte dat een hoofdrolspeler in dit werelddrama hier was geweest, op dit eiland. En nu was hij dood.

Maar het leek helemaal bizar dat hij teruggekeerd zou zijn.

Twee dagen geleden hadden Kyriakos en Marika een wandeling gemaakt buiten het dorp. Hij wilde haar hand vasthouden en haar kussen, maar ze gaf hem de kans niet. Ze flirtte met hem en praatte over zijn broers.

Door de bomen heen hoorden ze opeens geluiden en ze hurkten stilletjes neer, in de veronderstelling dat er een paar van hun vrienden ergens in het maanlicht wandelden. Ze wilden weten wie. Even later kwam er een rij monniken voorbij, met de kap van hun pijen over hun hoofd getrokken. Ze waren op weg van de baai naar het klooster. Een van hen struikelde en er klonk een kreet van pijn en protest. Het was een vrouwenstem. Een andere monnik leek haar een duw te geven of haar overeind te trekken, wat een nog luider protest opleverde. Een andere stem, zwaar en knarsend, zei iets in het Engels.

De stem richtte zich tot de vrouw en zei iets wat als troost bedoeld leek. Kyriakos sprak geen Engels, maar hij ving wel een fragment op en hoorde de naam 'Catherine'. Marika moest het ook hebben gehoord.

De monniken liepen hen voorbij en verdwenen in de nacht. Marika liet zich nog altijd niet zoenen.

Maar nu had hij in het nieuws een verband gehoord tussen de rabbi, Elazar, en een Amerikaanse vrouw die Catherine heette.

Misschien had Marika ook iets opgevangen, maar ze beweerde dat ze het niet meer wist. Kyriakos kon het niet uit zijn hoofd zetten.

Op de televisie zagen ze beelden van geweld en haat, relletjes op straat. Het deed Kyriakos denken aan verhalen die hij had gehoord en films die hij had gezien over de jaren veertig. Onwillekeurig dacht hij aan de berg stenen die als monument was opgericht voor de bewoners van het dorp – onder wie ook enkelen van zijn familieleden – die door de nazibezetters waren doodgeschoten.

Het had allemaal te maken met de dood van de rabbi en die Amerikaanse, Catherine Cavanaugh. Maar stel dat ze nog leefden?

Wat kon hij, Demetrios Kyriakos, dan doen?

De spot van zijn familie deed pijn, maar erger nog was dat ook Marika hem uitlachte. Toch wist hij iets, of dácht hij iets te weten. Het liefst had hij die wetenschap achtergelaten in de heuvels, tussen de geiten. Het klooster beheerste het eiland als een baken. Hij moest zich van die last bevrijden. Maar hoe?

Misschien moest hij nader poolshoogte nemen. Dus ging hij op weg naar het klooster. De geiten konden zich wel even redden. Er stond een koele bries en de zon voelde warm en geruststellend. Toch was Demetrios Kyriakos bang. Hij bleef staan. Het klooster trok, maar hij moest eerlijk zijn. Hij was geen held.

Dus keerde hij weer om.

75

Tel Aviv

Jordan zat in zijn eentje in zijn appartement, met het licht uit. De televisie stond aan, maar zonder geluid. Hij kon er niet meer naar luisteren, maar uitzetten ging ook niet. Beelden van geweld en haat flikkerden over het scherm. In zijn verlangen naar wraak had hij gehoopt dat Israël zou worden vernederd en tot zijn diepe spijt was zijn wens vervuld.

Vertelt u eens, meneer Jordan, voelt u zich verantwoordelijk?

Diep in zijn hart wist hij dat Samir gelijk had met zijn bewering over de rol van de Mullah. Dat maakte deze kolkende waanzin nog veel erger.

Een paar minuten geleden had hij Arabische demonstranten de Joden horen uitschelden in minachtend Arabisch. *Yahud*, noemden ze hen. Het woord was bijna hetzelfde in het Hebreeuws: *Yehudim*. En het enkelvoud was bijna identiek in beide talen: *Yahudi* versus *Yehudi*.

Nu, voor het eerst, herinnerde Jordan zich de laatste keer dat hij het als vloek had gehoord. Dat was in de grot geweest, toen de onzichtbare soldaat Yossi's dode lichaam had uitgescholden. Het had natuurlijk Hebreeuws kunnen zijn, dat kon Jordan niet uitsluiten, maar waarom zou een Israëlische soldaat de term *Yehudi* als scheldwoord hebben gebruikt?

Hij wilde het van de daken schreeuwen, maar wat moest hij met zo'n schimmig detail, dat hij nu pas uit zijn onderbewustzijn had opgediept?

Ergens in zijn appartement ging de telefoon. Die rinkelde al de hele middag en avond, maar hij liet het over aan zijn antwoordapparaat. Journalisten wilden hem interviewen, producenten wilden hem in tv-programma's. Hij nam niet de moeite om terug te bellen. Wat moest hij zeggen?

Het bandje van het apparaat was vol. Hij dacht aan Samir en sprong van de bank. Struikelend over zijn wasmand wist hij nog net op tijd de telefoon te bereiken.

Het was de internationale operator met een persoonlijk gesprek van iemand die Spiros heette. Jordan kende geen Spiros en de laatste naam viel weg in statische ruis.

'Ja, met Benjamin Jordan,' zei hij.

De verbinding was erg slecht.

'Meneer Jordan, spreekt u Engels?' vroeg Spiros.

'Ja, ik spreek Engels.'

'Dan zal ik vertalen voor mijn neef, Demetrios.'

'O ja?'

'Demetrios zegt dat de rabbi hier is, op het eiland.'

'Elazar?'

'Als gevangene. Met een Amerikaanse die Catherine heet.'

'In léven? Wáár?'

'We hebben de Israëlische ambassade in Athene geprobeerd, maar daar nam niemand op. We hebben Leah Lefkowitz op uw krant gebeld, maar ze zeiden dat ze een tv-interview had. We hebben u een paar mailtjes bij *The Shofar* gestuurd, maar de berichten komen terug. We zagen uw foto op het nieuws, meneer Jordan, dus proberen we het maar zo. Wilt u luisteren naar wat we te zeggen hebben, alstublieft?'

'Waar zit u?'

'Meneer Jordan, bent u er nog?'

'Waar belt u vandaan?'

'Hallo? Meneer Jordan? Hallo?'

'Ik ben er nog.'

Jordan hoorde iets wat een verontschuldiging tegenover Demetrios leek, en de verbinding werd verbroken. Hij staarde naar de telefoon, wachtend tot Spiros terug zou bellen.

De telefoon zweeg.

76

Zijn hart maakte een sprong en zijn gedachten gingen razendsnel. Hij móést haar vinden.

Jordan probeerde zijn belangrijkste bronnen binnen de regering te bereiken, maar die hadden zich verschanst en beschouwden een verslaggever van *The Shofar* natuurlijk als de vijand. Het telefoonnummer van de Griek werd niet weergegeven door de nummermelder – Spiros had via een operator gebeld – en de telefoonmaatschappij kon hem niet helpen. Zou het een of andere gek zijn geweest? Als die e-mail maar was doorgekomen! Jordan verwenste zijn hoofdredacteur. Meltzer moest zijn account hebben geblokkeerd.

Jordan had het gevoel of zijn hoofd explodeerde in een stille schreeuw.

In wanhoop begon hij ten slotte maar de autoverhuurbedrijven te bellen, op zoek naar een SUV. Hij zou over land naar de Sinaï rijden. Al moest hij er op handen en knieën naartoe kruipen, hij zou de plek van het Israëlische bombardement onderzoeken op sporen. En als dat niets opleverde zou hij desnoods naar Athene vliegen om alle eilanden van de Griekse archipel persoonlijk af te reizen.

Samir meldde zich toen hij net de deur uit stapte en hij belde hem terug vanuit de telefooncel verderop in de straat.

'De helikopter in de Vallei van Asher was een Sikorsky S-92, die heel veel wordt gebruikt door de luchtmacht en de burgerluchtvaart,' zei Samir. 'Er vliegen er tientallen rond in het Midden-Oosten en het basismodel heeft een actieradius van bijna duizend kilometer.'

'Wie is de eigenaar?' vroeg Jordan.

'Het toestel in die video is niet te identificeren.'

'En de munten?'

'Voor zover onze agenten kunnen nagaan is er geen nieuwe voorraad gouden munten op de antiekmarkt opgedoken. De koning is een enthousiaste verzamelaar en zijn persoonlijke curator heeft een uitgebreid netwerk van contacten.'

'Is dat alles wat je me kunt vertellen?'

'Nee, er is meer. Gisteren is er in Dubai één enkele munt met een granaatappel aangeboden. Hij dateert van vóór Herodes' tijd. Uit een clandestien kredietonderzoek blijkt dat de aanbieder grote schulden heeft op zijn creditcardrekening. Hij werkt als helikopterpiloot voor een oliemaatschappij in de Perzische Golf, een zusterbedrijf van een onderafdeling van de holding company van een Saudische miljardair, Waleed. We kunnen het niet bewijzen, maar we vermoeden dat Waleed geld naar de Mullah sluist.'

'De klootzak.'

'O, en nog iets,' zei Samir. 'Waleeds bedrijf heeft drie Sikorsky S-92's.'

'Denk je dat die piloot een muntje achterover heeft gedrukt?' vroeg Jordan.

'Dacht je dat hij het in een cola-automaat had gevonden?'

'Waar kan ik die geluksvogel ontmoeten?'

'Hij schijnt van huis te zijn voor zijn werk. Geen idee waarheen, of wanneer hij weer terugkomt. We zullen zijn huis in de gaten houden.'

'Doe me een plezier en typ de naam Waleed eens in bij Google,' zei Jordan.

Het bleef een hele tijd stil. Toen meldde Samir zich weer.

'De sjeik is bij het World Energy Forum in Istanbul.'

77

Istanbul

De volgende avond reed Jordan door de wijk Sultanahmet in Istanbul, langs de Grote Bazaar, naar de paleizen langs het water, monumenten van een voormalig rijk.

Rechts lag de indrukwekkende Blauwe Moskee, als een glinsterende spin, met zes slanke minaretten rond zijn koepel. De beroemde Aya Sophia, de Kerk van de Heilige Wijsheid, was zelfs nog groter, tot een moskee omgebouwd nadat Constantinopel door de Ottomanen was veroverd. De stad – Byzantium, Constantinopel, of hoe je haar ook wilde noemen – deed Jordan denken aan Jeruzalem, een getuigenis van de opkomst en ondergang van wereldrijken en religies.

De klassieke skyline werd gevormd door een weelde van koepels, die elkaar omcirkelden als de lege doppen van een theologisch spelletje balletje-balletje. De ondergaande zon schilderde de wolken roze en oranje.

Jordan durfde er iets onder te verwedden dat Waleed hem naar het onbekende eiland en Catherine zou kunnen leiden. Het was zijn enige hoop om de samenzwering van de Mullah te ontrafelen en zijn enige kans op revanche nadat hij zich als onnozele pion door de Mullah had laten gebruiken. Maar het allerbelangrijkste was Catherine.

'Hoe wil je Waleed dwingen om mee te werken?' had Samir gevraagd.

'Ik zal het hem netjes vragen,' had Jordan geantwoord.

De sjeik was per jet in Istanbul aangekomen en niemand wist waar de helikopterpiloot uithing.

De taxi bracht Jordan naar de overkant van de baai die bekendstond als de Gouden Hoorn. Vóór hem lag de hangbrug over het klotsende blauwe water van de Bosporus, de verbinding tussen Europa en Azië.

De Jordaanse inlichtingendienst had voor tickets, een paspoort en andere papieren gezorgd. Volgens zijn vervalste geloofsbrieven was hij correspondent van de *Economist*, met als standplaats Beirut. Met blauwe contactlenzen en grijsgeverfd haar klopte zijn uiterlijk met de pasfoto's.

Zijn eigen naam kon hij niet meer gebruiken. Hij was al zo vaak in het nieuws geweest dat Interpol hem misschien zou herkennen als de verdachte in een Londense moordzaak. Maar dat was niet de enige reden voor een alias. Als Israëli zou hij Waleed nooit te spreken krijgen. Als correspondent van de *Economist* had hij een interview geregeld voor elf uur 's avonds. De sjeik zou de volgende morgen in alle vroegte uit Istanbul vertrekken, maar hij had nog wel tijd voor de *Economist*.

Ondertussen was Waleed op een receptie in het Dolmabahce, waar Jordan de kans had zijn prooi te bestuderen. Het evenement, georganiseerd door de Turkse regering, was het ceremoniële hoogtepunt van het driedaagse forum. Ter ere van de afgevaardigden hadden de Turken het laatste paleis van de Ottomaanse sultans verlicht, zodat het glinsterde als een witte diamant aan de oever van de Bosporus.

Jordan liep de laatste honderd meter om de file van limousines voor de keizerlijke poort te vermijden. Hij stak de beroemde binnenplaats met de zwanenfontein over, liet zijn legitimatie zien en stapte de negentiende-eeuwse rijkdom binnen. In de salon waar de sultans hun officiële bezoekers hadden ontvangen praatten OPEC-ministers nu met Russische bureaucraten en knoopten Arabische bankiers gesprekjes aan met Afrikaanse diplomaten. Elk jaar kwamen ze hier om de betrekkingen te onderhouden, zich als ware staatslieden te presenteren en zich in een gunstige uitgangspositie te manoeuvreren voor de volgende grote deal. Het geroezemoes echode tegen het parket en de gepolijste steen, die het geluid versterkten en vervormden.

Jordan gleed soepel tussen de menigte door, terwijl hij naar het cocktailgekwebbel luisterde en scherp naar de gezichten keek. Hij stapte een volgende vleugel binnen, een reusachtige ruimte met imposante trappen van kristal, die de illusie gaven dat je zweefde of opsteeg met een vliegend tapijt. Hij slenterde weer verder.

Ten slotte ontdekte hij Waleed in een andere ceremoniële zaal, nog groter dan de andere. Vanaf de overkant van de ruimte observeerde hij de Saudi. Modieus gekleed in een double-breasted pak leunde Waleed wat naar achteren en lachte. Zijn lach leek overdreven, minder een reactie vanuit de buik dan een poging tot vleierij. Hij had een champagneflute in zijn hand en luisterde naar een lange, kalende westerling die Jordan niet kende. Waleed knikte instemmend bij wat de man verkondigde.

Jordan draaide zich om naar een journalist van de *Financial Times*

– hij had zijn perskaart om zijn hals hangen – en merkte op dat de westerling hem bekend voorkwam.

'Dat mag ik hopen,' zei de journalist van de *FT*. 'Hij is bestuursvoorzitter van Exxon Mobil.'

'Ach, natuurlijk,' zei Jordan.

Hij telde minstens vier lijfwachten en veronderstelde dat er nog meer waren. Voorzichtig zocht hij naar een opening of een kwetsbare plek. Hij moest improviseren, dus praatte hij met de afgevaardigden, won discrete inlichtingen in en verzamelde informatie zonder er rechtstreeks om te vragen. Zo vulde hij het beperkte onderzoek aan dat hij in alle haast had uitgevoerd.

De sjeik scheen te onderhandelen over een rol in de aanleg van een belangrijke pijpleiding. Die onderneming, waarbij een Amerikaans consortium van officiële instanties en oliemaatschappijen was betrokken, zou ruwe olie vanaf de Kaspische Zee via Azerbeidzjan en de voormalige Sovjetrepubliek Georgië naar een haven aan de Zwarte Zee transporteren. Vandaar kon de olie worden vervoerd over de Bosporus, de Zee van Marmora en de Middellandse Zee naar Europa en Noord-Amerika, en zo de politieke heksenketel van de Perzische Golf omzeilen.

De Koeweiti's en Saudi's hadden heimelijk nogal wat problemen met het idee, omdat de Amerikanen daardoor minder afhankelijk zouden worden van Arabische olie. Toen hun verzet niets uithaalde, raadden ze hun westerse vrienden aan een paar bescheiden concessies te doen, iets om de Arabische wereld gerust te stellen en de olieprijzen stabiel te houden. Zo adviseerden ze het consortium onder meer om Waleed bij het project te betrekken. Het was niet echt chantage; oppervlakkig gezien leek het allemaal heel beleefd.

'De Koeweiti's en Saudi's kunnen erop rekenen dat Waleed een deel van zijn rijkdom zal delen, zodat ze er samen leuk aan verdienen,' zei een attaché van de Venezolaanse ambassade. 'Het contract wordt geschat op zo'n elf miljard dollar, de overschrijdingen nog niet meegerekend.'

Toen de avond vorderde liep Jordan de man van de *Financial Times* weer tegen het lijf.

'Ik wist niet dat Waleed zakendeed met de Amerikanen,' zei Jordan.

De verslaggever van de *FT* keek op van zijn drankje. 'Misschien wil hij zijn belangen spreiden.'

Jordan merkte dat iemand naar hem staarde, een van de lijfwachten van de sjeik. Hij glimlachte ontspannen terug en stelde zich voor aan een Turkse diplomaat.

Tussen slokken *raki* door vertelde de Turk de geschiedenis van het Dolmabahce Paleis, gebouwd in een tijd waarin het Ottomaanse Rijk van binnenuit door corruptie werd verzwakt. Jordan deed of het hem interesseerde, terwijl hij verstrooid op de lijfwachten lette.

'Het is een heel indrukwekkend gebouw,' zei Jordan.

'Betaald met hoge schulden,' zei de Turk.

'Het moet een rijk verleden hebben.'

'Niet zo intrigerend als het Ciragan Paleis, hiernaast. Daar is sultan Abdul Aziz gestorven, in 1876.'

'En wat is daar zo intrigerend aan?'

De Turk wierp hem een geheimzinnige blik toe. 'Sommige mensen zeggen dat hij is vermoord, maar anderen denken dat hij zelfmoord heeft gepleegd.'

Jordan verwerkte die informatie zwijgend. Het Ciragan was nu een luxueus hotel en Waleed had de keizerlijke suite.

Jordan excuseerde zich en liep het terras op. In het donker zag hij een containerschip naar de Dardanellen varen. Hij stond in Europa, maar slechts een lange, smalle brug scheidde hem van de lichtjes van Azië, die steil omhoog liepen vanaf de oever tegenover hem. De maansikkel hing laag in het oosten.

Hij stond daar een hele tijd, terwijl hij moed verzamelde en zijn rug rechtte.

Als je gelooft in de absolute waarheid van je zaak, dacht hij, als je wordt gedreven door een morele overtuiging, dan begin je de regels te veranderen totdat er uiteindelijk geen regels meer zijn.

Helaas was morele helderheid niet voldoende om zijn zenuwen in bedwang te houden. Hij vreesde voor Catherine en zichzelf. Hij nam een gok met haar leven, het zijne en dat van talloze anderen. De toekomst van heel Israël stond op het spel.

Hij verweet zichzelf zijn domheid en zwakte. Met open ogen was hij in de val van de terroristen getrapt. De organisatie van de Mullah had handig gebruikgemaakt van zijn ambitie. Ze hadden gespeculeerd op zijn sympathie voor de Palestijnen en zijn woede tegen de Israëlische extremisten.

Toen Farouk het bandje had afgespeeld van rabbi Elazar die het instituut belde, had Jordan in het aas gebeten. Hij had de rabbi al snel schuldig verklaard, vanwege zijn eigen vooroordelen tegenover mensen als Elazar. Hij had geloofd in zijn eigen objectiviteit, maar zichzelf bedrogen.

Na de aanval in de Vallei van Asher, ogenschijnlijk uitgevoerd door de Israëli's, werd hij verteerd door een misplaatst verlangen naar wraak. Tegen de tijd dat hij weer helder zag, had hij een ramp teweeggebracht.

Weer kwam die oude vraag bij hem op: *Aan wiens kant sta je eigenlijk?*

Aan de kant van de gerechtigheid. En gerechtigheid was niet mogelijk zonder waarheid.

Toen zijn horloge 22:51 uur aangaf, ging hij op weg naar zijn interview in de keizerlijke suite.

De lijfwachten van de Saudi controleerden Jordan met een metaaldetector voordat ze hem naar de salon brachten. Waleed stond bij de ramen in een geplooide witte mantel en een traditionele Arabische hoofdtooi. Hij begroette Jordan hoffelijk en nam hem mee naar twee met zijde beklede fauteuils. Een Turkse ober schonk thee in uit een koperen samovar toen Jordan zijn cassetterecorder aanzette en op een tafeltje naast de sjeik legde. De lijfwachten escorteerden de ober de kamer uit.

Jordans hart ging tekeer. Al zijn hoop en woede concentreerden zich op de miljardair, maar hij wist zich te beheersen. Hij bedankte de Saudi voor het voorrecht van een interview. Waleed nam hem onderzoekend op, alsof hij probeerde Jordans gezicht te plaatsen.

'Ik spreek graag met de *Economist*,' zei hij. 'Nu mijn bedrijven zich tot buiten hun eigen gebied uitbreiden wordt het tijd dat uw lezers en ik elkaar leren kennen. Waar zullen we beginnen?'

Jordan begon onschuldig genoeg: 'Wat is uw bedrijfsfilosofie, sjeik Waleed?'

Jordan dacht na over zijn volgende zet, en die daarna, terwijl Waleed vrolijk babbelde over verticale integratie en geografische diversificatie. De Saudi had het over samenwerking met westerse partners en het doorsluizen van winsten naar internationale hulporganisaties, volgens religieuze tradities en Waleeds eigen diepgewortelde betrokkenheid bij mensen die minder geluk hadden gehad in het leven dan hijzelf.

'En hoe kan de pijpleiding die filosofie ondersteunen?' vroeg Jordan.

'Het is te vroeg om daar al iets over te zeggen,' zei Waleed. 'Maar als we worden uitgenodigd een rol te spelen, zullen we onze Europese en Noord-Amerikaanse vrienden laten zien dat we op betrouwbare en waardevolle wijze aan een stabiele energiemarkt kunnen bijdragen.'

'Dan een andere kwestie, sjeik Waleed. Sinds de aanslagen van 11 september hebben de Verenigde Staten de jacht geopend op iedereen die van steun aan terroristen wordt verdacht. Amerika heeft hun bankrekeningen bevroren en raadt andere regeringen aan hetzelfde te doen. Nog vorige maand hebben we gezien hoe weer een Arabische industrieel tot een financiële paria werd verklaard. Op verzoek van de Amerikanen overweegt zijn eigen regering hem nu uit te leveren om in New York te worden berecht. Een paar Arabische filantropen zijn zelfs zomaar verdwenen. Wat is uw mening op dat punt?'

'Ik heb begrip voor het Amerikaanse standpunt, maar ik vind wel dat mensen soms onterecht worden beschuldigd en geruïneerd. De Amerikanen en hun bondgenoten in de Perzische Golf zouden heel behoedzaam moeten optreden.'

Jordan nam de sprong. Hij kon nu niet meer terug. 'En hoe zouden de Amerikanen uw eigen investeringen in de terreurbeweging zien?'

'Ik heb geen idee wat u bedoelt,' zei Waleed.

'Ik heb het over uw financiële steun aan een zekere Mullah in zijn oorlog tegen kruisvaarders en ongelovigen.'

'Dat is gelogen!'

'Ik heb het over uw steun aan een complot om christenen tegen joden op te zetten en de wereld tegen Israël op te hitsen.'

'Leugens! Laster!'

'Tussen haakjes, hoe eenvoudig zou het voor iemand in uw positie zijn om die pijpleiding te saboteren? Hebben uw westerse partners zich wel voldoende rekenschap gegeven van dat risico?'

Waleed staarde Jordan met ingehouden woede aan.

'Hebt u daarop een commentaar voor ons artikel?' vroeg de journalist.

De hint van angst in de ogen van de sjeik maakte plaats voor een glimp van begrip. 'Dit is niet voor de *Economist*,' zei hij.

'Nee. Ik schrijf voor *The Shofar*. Wij hebben heel wat lezers in Israël.'

Waleed griste Jordans cassetterecorder van het tafeltje en gaf een teken aan zijn lijfwachten. 'U schrijft helemaal niets,' zei hij.

Twee lijfwachten tilden Jordan uit zijn stoel. Een derde trok zijn pistool.

'Moet ik dat noteren als "geen commentaar"?' vroeg Jordan.

Een van de lijfwachten stompte Jordan in zijn maag en hij klapte dubbel van pijn. Zijn ribben leken opnieuw gebroken. Hij hapte naar lucht en zakte op een knie. Waleed zag hem kronkelen terwijl hij langzaam weer op adem kwam.

'Mijn verhaal ligt al bij de redactie,' zei Jordan.

'U liegt,' zei Waleed.

'Als ik verdwijn, zal mijn directie dat als een bevestiging opvatten. Waarschijnlijk vinden ze dat zelfs een béter verhaal. Net als de rest van de media.'

'Probeert u me te chantéren?'

'Er is me een patroon opgevallen,' zei Jordan. 'Als Israël ontdekt wie de terroristen zijn, hebben ze de gewoonte om die lui in hun bed te vermoorden of een raket af te schieten op hun auto.'

Waleed keek giftig. 'Wat wilt u precies, meneer Jordan?'

'Niet zo veel, alles welbeschouwd. Alleen de naam van een eiland.'

78

Jeruzalem

Terug in Israël vertrok Jordan in alle haast vanaf het vliegveld. Op de achterbank van de taxi belde hij een paar nummers, terwijl Arabische muziek uit de radio schetterde. Hij probeerde Samir te bereiken, maar een onbekende stem in Amman zei hem dat die een ongeluk had gehad.

Een ongeluk?

Een hooggeplaatste officier binnen het Israëlische leger raadde hem aan om met Goren te spreken. Vanaf het eerste begin, vertrouwde de officier hem toe, had Goren getwijfeld aan de beslissing tot het bombardement in de Sinaï. Het enige probleem was dat de generaal in het ziekenhuis lag en niemand behalve zijn naaste medewerkers wist hoe hij eraan toe was.

Jordan gaf de chauffeur opdracht naar het ziekenhuis te rijden.

Toen hij uit de taxi stapte, zag hij rode lichten knipperen op de standplaats voor de ambulances, waar een paar ziekenbroeders haastig met brancards door de dubbele deuren verdwenen. Jordan rende achter hen aan naar de eerstehulppost, waar iedereen bezig was met de gevolgen van weer een zelfmoordaanslag: met bloed besmeurde lichamen, kreten van pijn, gejammer van angstige en wanhopige familieleden, het geloei van sirenes, het gerammel van brancards en ziekenhuisbedden die haastig met gordijnen werden afgeschermd.

Midden in de wachtkamer hield een orthodoxe jood zijn kleine meisje in zijn ene arm en een gebedenboek in zijn andere, heen en weer wiegend terwijl hij zijn gebeden zei. Twee meter verderop probeerde een Palestijnse man met een geruite *keffiyah* zijn vrouw, die uitzinnig was van verdriet, in bedwang te houden.

Jordan liep langs de beveiliging en sloeg bij de liften links af naar de intensive care van de hartafdeling. Aan het einde van een lange gang sloeg hij nog een hoek om en stuitte daar op drie mannen in pakken. Ze waren lang en pezig, met harde, hoekige gezichten en stekeltjeshaar. Ze staken hun kaak naar voren en keken hem kil aan. Twee van hen hadden een wapen in de vuist.

'Wie bent u?' vroeg een van hen.

'Mijn naam is Jordan. Ik moet de generaal spreken.'

'Onmogelijk.'

De voorste lijfwacht zei iets in zijn revers.

Ze drongen hem terug, de hoek om en de gang door.

'Alstublieft. Ik ben verslaggever...'

Ze drukten hem tegen de muur en fouilleerden hem op wapens. Zijn ribben kraakten en hij had moeite met ademen.

'Hoe bent u hier binnengekomen?'

'Alstublieft, het is belangrijk...'

Ruw draaiden ze hem om zijn as.

'Vijf minuutjes maar...'

Er kwamen nog drie veiligheidsagenten aanrennen.

'Reken hem in.'

Ze trokken hem mee.

'Ik heb een boodschap van Meyer Elazar!' riep Jordan over zijn schouder.

Ze zetten hem achter in een politiebusje en sloten de deur. Het busje draaide bij de stoep weg en verliet het ziekenhuis.

Ze sleurden Catherine bij hem vandaan. Ze lieten hem sterven in een donkere, afgesloten grot, waar archeologen zich ooit over het mysterie zouden buigen. Hij zag de vuurflits van het geweer, door de muur heen, en de terrorist die over Yossi's lichaam gebogen stond.

Jordan keek op zijn horloge. In Jeruzalem was het tien minuten voor middernacht.

Misschien met uitzondering van een paar Grieken was hij de enige die de waarheid kon vertellen.

De achterdeuren van het busje schoven open en de onverzettelijke lijfwachten staarden hem met hun kille ogen aan. Een jonge kolonel stapte naar voren.

'U hebt drie minuten. De generaal is erg zwak.'

De beroemde generaal leek oud en breekbaar in zijn ziekenhuisbed in de schemerige kamer. De ziekenhuispyjama hing als een lijkwade om hem heen. Zijn uniform was in de open kast gehangen, samen met zijn waardigheid.

Jordan keek er even naar en zag het symbool van de zwarte dolk, het bewijs dat de held een getrainde moordenaar was. Het was een deel van zijn legende en mystiek, dat teruggging tot het begin van zijn illustere carrière.

Toen hij Jordan aankeek, lichtte zijn gezicht even op met hoop. Zijn ademhaling was moeizaam en zijn stem klonk schor.

'Ze zeiden dat u een boodschap had van Elazar. Is dat waar?'

'Nee, generaal. Niet helemaal.'

Goren liet zich terugzakken.

'Maar wel een boodschap van een getuige. Misschien is Elazar nog in leven.'

Goren hees zich op een elleboog. 'Hoe kan dat?'

'Weet u iets over een eiland dat Selenika heet?' Jordan legde het haastig uit.

De generaal belde met Avi Arad, het hoofd van de inlichtingendienst, maar die was niet bereikbaar. En de minister van Buitenlandse Zaken nam niet op.

Goren riep zijn lijfwachten. 'We vertrekken,' zei hij.

Het hoofd van het groepje veerde op, in de verwachting dat er gevaar dreigde. 'Maar uw gezondheid, generaal...'

'Het hart is zwak, maar de geest nog sterk genoeg.'

'En hij?'

'Hij gaat met ons mee.'

Het noorden van Israël

In het commandocentrum van de generaal braken zijn medewerkers zich nog steeds het hoofd over een onopgelost probleem. Een paar minuten voor het bombardement hadden ze gezien dat een voertuig het kamp verliet. De operationele omstandigheden maakten het onmogelijk om de satelliet op dat moment op de vluchtende wagen te richten, maar vlak voor de aanval keerde de auto terug en werd ook slachtoffer van het bombardement.

Een analyse van de sporen in de woestijn leek nu aan te tonen dat de wagen een ontmoeting had gehad met een helikopter, achter de bergen rond het kamp. De wind van de rotorbladen had een patroon achtergelaten in het zand.

De generaal stapte onaangekondigd het commandocentrum binnen en bij zijn verschijning ging er een schok door de zaal. Afgezien van de verbazing en de aanvankelijke bezorgdheid om zijn plotselinge vertrek uit het ziekenhuis voelde Jordan het vertrouwen in het centrum toenemen. Zonder plichtplegingen gaf de generaal zijn instructies.

Een inlichtingenofficier boog zich over de telefoonaansluitingen op het eiland Selenika – dat waren er niet veel – en had Jordans beller al snel geïdentificeerd als Spiros Skopanos. Jordan belde hem zelf. Skopanos vertelde het verhaal van zijn neef en de Israëli's stelden vragen. De Griek luisterde en hing weer op.

Twintig minuten later belde Skopanos terug. Een officier stemde toe in het betalen van de kosten. Op basis van de verklaring van Demetrios Kyriakos stelde de Israëlische inlichtingendienst een onderzoek in naar een boot in de haven van Selenika. De uitkomst was dat de boot naar alle waarschijnlijkheid in twee Israëlische havens had aangelegd.

Leiders van de Grieks-orthodoxe Kerk die uit hun bed werden gebeld bleken niets te weten over een Orde van Constantijn. Het klooster van Selenika had een heldhaftige rol gespeeld in de Tweede Wereldoorlog, maar volgens de kerk was het allang verlaten.

79

Een eiland in de Egeïsche Zee

In zijn gevangenis op het eiland wist Elazar dat hij opnieuw gestorven was. En deze keer was het niet de schijn die bedroog. Als hij ooit nog tevoorschijn zou komen, zou dat het einde betekenen van de samenzwering van de terroristen.

Yassin had het hem trots uitgelegd.

'Ik heb overwogen je in de Sinaï achter te laten, Meyer, maar dat was geen optie. Als je door stom toeval de Israëlische luchtaanval had overleefd, had je het bedrog kunnen doorzien. Je wist eigenlijk al te veel, reëel of niet, over mij en de Orde van Constantijn, om nog maar te zwijgen over dit klooster op het eiland.'

'Ik ben heel dom geweest,' verzuchtte Elazar. 'Ik had je meteen moeten doorzien als de duivel die je bent.'

'Ik ken je, Meyer. Na verloop van tijd zou je zijn gaan twijfelen aan je eigen gebrekkige waarnemingen. Dat weet ik zeker. En in de duistere nacht van de onzekerheid zou die twijfel een overtuiging zijn geworden.'

'Je had de anderen niet de dood in hoeven jagen, Yassin. Je had de wetenschappers kunnen waarschuwen dat ze de woestijn in moesten vluchten.'

'Ja, en als ze het hadden overleefd, zouden ze misschien welsprekende getuigen van die Israëlische misdaad zijn geweest. Maar wij wilden zo veel mogelijk slachtoffers.'

'Monster!' brieste de rabbi.

'Jij en professor Cavanaugh zijn niet meer nodig, rabbi. Jullie zijn nu een last. Maar ik zal jullie nog wat tijd gunnen, als een teken van respect. Ik vind dat jullie een beloning verdienen, althans in dit leven. Jullie hebben er recht op het geheim van de Kroniek van Kajafas te kennen.'

'Wat stelt dat voor? Een nieuwe vorm van marteling om het allemaal nog erger te maken?' vroeg Elazar.

'Je wilt het toch wel weten voordat je sterft?'

De schuld en de schaamte waren al meer dan Elazar kon verdragen. Hij vermoedde dat Yassin zijn geloof en zijn geestelijke weerstand wilde vernietigen.

'Hij liegt, Meyer,' zei Catherine. 'Die terrorist zal ons heus geen dienst bewijzen. Hij probeert ons nog altijd te gebruiken.'

Yassin keek haar geamuseerd aan. 'Wat voor nut zouden jullie nog kunnen hebben?' vroeg hij.

'Je wilt onze hulp bij de interpretatie van de Kroniek van Kajafas. Je bent niet zomaar geïnteresseerd; je móét het weten. Je bent nu zo ver gekomen dat je wordt verteerd door nieuwsgierigheid.'

Yassin lachte geforceerd. 'Je moet je eigen belang niet overschatten,' zei hij. 'Ik hoop dat jullie mijn uitnodiging zullen accepteren in de geest waarin het was bedoeld. Als jullie meewerken, zullen jullie genadig sterven.'

'En als we weigeren?' vroeg Catherine.

'Als jullie weigeren, zullen jullie uiteindelijk toch meewerken.'

Yassin excuseerde zich en vertrok, tevreden dat geen van beiden zijn werkelijke bedoeling had doorzien.

De rabbi en zijn protégee zaten opgesloten in een muffe kelder met grote, lege vaten die vroeger wijn hadden bevat. Spinrag hing aan het plafond en schimmel verspreidde zich over de natuurstenen wanden. De stenen zweetten. Onder een moderne tl-lamp had hun gastheer een eenvoudige tafel met twee stoelen neergezet. Midden op die tafel lag een grote rode envelop. Volgens Yassin zaten er foto's in van de Kroniek van Kajafas.

'Hij voert iets in zijn schild en daar heeft hij ons bij nodig,' zei Catherine.

Ze keek Elazar over de tafel aan. Het was vochtig en koud in de kelder en hij huiverde. Maar ze zag dat hij sterk probeerde te zijn om haar moed te geven.

'Het klopte niet wat je over me zei, Meyer,' zei ze een beetje spijtig en beschaamd.

'O nee?'

'In je toespraakje in de Sinaï zei je dat ik aan de universiteit van Michigan werkte. Ze hebben me ontslagen, of weggewerkt.'

Elazar lachte. Dat scheen hij wel leuk te vinden. 'Dan hebben ze heel wat uit te leggen.'

Catherine fronste. 'Daar ben ik juist bang voor. Weet je, ik heb niet alleen fouten gemaakt in mijn werk, maar ook in mijn persoonlijk leven. Ik had een verhouding met een getrouwde man.'

'Heb je zijn vrouw vermoord?'

'Wát?'

'Nee, dat dacht ik al. Troost je, kind. Dan ben je niet zo slecht als koning David.'

'Kreeg hij wel een vaste aanstelling?'

'Hij geeft nog steeds les, voor zover ik weet.'

Ze liet zich terugzakken in haar stoel. 'Wat moeten we nou beginnen, Meyer?'

Hij keek naar de grote envelop.

80

Het noorden van Israël

Voor de derde keer nam generaal Goren het plan nog eens door. Hij onderbrak zijn medewerkers met scherpe vragen en twijfelde aan elke veronderstelling. Toen hij de zwakke punten in hun logica blootlegde, moesten ze toegeven dat hij gelijk had. Een gemakkelijke oplossing hadden ze niet. De missie moest worden geïmproviseerd. Ze beschikten maar over weinig inlichtingen en beperkte tactische mogelijkheden. De kans op zware verliezen was niet denkbeeldig.

Jordan zat achter in de vergaderzaal en maakte uitvoerig aantekeningen.

'Biedt het landschap enige beschutting?' vroeg de generaal.

'Nee, niets.'

'Hebben we een plattegrond van het gebouw?'

'Nee.'

'Weten we in welk gedeelte ze de gevangenen vasthouden?'

'Dat kunnen we niet zeggen.'

'Wat houdt hen tegen om Elazar en Cavanaugh te vermoorden of het relikwie te vernietigen?'

'Dat is allebei niet uitgesloten.'

Er viel een stilte. Alle ogen waren op de generaal gericht. Iedereen in de zaal wist dat de totaal verbijsterde minister-president zijn handen er al vanaf had getrokken. De generaal moest het zelf maar zien. De premier wilde het besluit niet nemen. Het was een militaire kwestie, zei hij, die hij liever aan de deskundigen overliet.

Maar zoals de zaken nu stonden – en als de deskundigen er lang genoeg over deden om een beslissing te nemen – hoefde de minister-president zich geen zorgen te maken en zou het probleem op het bordje van de volgende premier belanden.

Goren sloot zijn ogen. Waarschijnlijk was de expeditie tot mislukken gedoemd. De kans was groot dat het zou eindigen in een smadelijk bloedbad. Dat was de trieste maar onweerlegbare realiteit.

Hij rechtte zijn rug, nam een slok ijswater en verfrommelde het bekertje.

'Dit is niet langer een plan,' zei hij, 'maar een order. Een order die moet worden uitgevoerd.'

In een hangar op de luchtmachtbasis wilde Goren een paar minuten afzondering met de kerels die hij de strijd in stuurde: vierentwintig man van Israëls elitetroepen, die allemaal het embleem van de zwarte dolk droegen. Hij schudde hen de hand, een voor een, en keek hen recht in de ogen. Het laatst was de leider aan de beurt, een donkere jongeman met een pezige gestalte. In zijn ogen blonk moed, maar Goren zag nog iets anders, iets diepers. Liefde.

'Ik ben trots op je, zoon.'

'Dank u, vader,' antwoordde kapitein Yaron Goren.

Ze omhelsden elkaar.

De generaal vroeg de groep zich om hem heen te verzamelen.

'Dit is Benjamin Jordan, journalist en ex-commando. Hij gaat met jullie mee. Dat recht heeft hij verdiend. Maar zijn leven is uitsluitend zijn eigen verantwoordelijkheid en van niemand anders.

'Ik wil jullie danken voor wat jullie gaan doen. En ik wijs jullie op je prioriteiten. Het belangrijkste is de redding van de Kroniek van Kajafas. Probeer tot elke prijs te voorkomen dat het relikwie beschadigd raakt. Daarom vertrekken jullie met zo'n beperkt arsenaal en zulke strikte geweldsinstructies.

'Jullie tweede doel is de redding van rabbi Elazar en professor Cavanaugh. Als zij omkomen, neem dan hun lichamen mee terug.

'Ik beveel ieder van jullie om desnoods je eigen leven te offeren voor de verwezenlijking van die doelstellingen.'

81

Een eiland in de Egeïsche Zee

'Laten we maar eens kijken,' vond Elazar.

Catherine keek hem onderzoekend aan en vroeg zich af of hij het meende. Wilde hij het echt weten, of gaf hij haar alleen een moreel excuus om de gemakkelijkste uitweg te kiezen? Misschien wilde hij zelf een pijnloze dood en hoopte hij dat zij hém een moreel excuus zou geven.

'Wat vind jij?' vroeg Elazar.

'Nee. Ik wil het niet weten. Wat maakt het nu nog uit? Ik heb mijn leven achter de rug en mijn keuzes gemaakt, goed of slecht. Ik ben wie ik ben, daar verandert dit niets aan. En het brengt mijn broer niet terug.'

'Wil je niet weten waar je staat tegenover God?'

'Ik geloof niet dat het antwoord in die envelop te vinden is.'

'Dus je wilt liever als martelaar sterven?'

'Een martelaar voor wat?'

Elazar lachte onbehaaglijk. 'Voor het agnosticisme. Je zou de eerste kunnen zijn.'

'Zo kun je het ook bekijken.'

'Hoe zie jij het dan?'

'Ik gun die klootzak niet de voldoening, Meyer. Laten we hem een spaak in het wiel steken.'

Elazar pakte de envelop en draaide hem een paar keer rond. 'Ik wil geen martelaar zijn,' zei de rabbi zacht. 'Ik wil leven. Ik wil hoop houden, totdat er geen hoop meer is. Zodra we hem vertellen wat hij wil horen, zijn we dood. Dan hebben we geen nut meer voor hem. Maar als we weigeren, kunnen we het misschien nog rekken. Lang genoeg voor God om in te grijpen, zoals hij ook de laatste gevangenen van Auschwitz heeft bevrijd, onder wie een jonge vrouw die mijn moeder werd. Zij had het ook kunnen opgeven; dat zou makkelijker zijn geweest, maar ze was een vechter. Wie weet? Ik zal bidden voor een wonder. Laat die terrorist ons maar martelen, als hij dat van plan is.'

'Hij zal ons breken, Meyer. We zijn maar mensen.'

'Om te blijven leven, Catherine, zullen we de pijn moeten trotseren. Zo denk ik erover.'

Met toenemende frustratie hield Yassin hen in de gaten op de monitor. Dit ging niet volgens plan.

De samenzwering was al boven verwachting geslaagd. Een mindere man dan Yassin zou een stap terug hebben gedaan terwijl de storm zijn vernietigende werk deed. De Mullah had Yassin gezegd dat hij zijn hand overspeelde, maar de Mullah was soms te bescheiden in zijn visie. Yassin was een perfectionist en hij zag mogelijkheden om nog meer schade toe te brengen.

De verborgen camera registreerde alles. Het enige wat hij nodig had was één opname waarin Elazar en Catherine zich over de tekst bogen en – als God het wilde – hardop iets voorlazen wat vernietigend zou zijn voor de Joden. Bij voorkeur een ondersteuning van de eeuwenoude beschuldiging dat de Joden Christus hadden vermoord.

Op Cyprus wachtten zijn kameraden op de video. Zij zouden ervoor zorgen dat de beelden bij de zender Al Jazeera terechtkwamen, die het verhaal zou uitzenden: *Dit is wat Israël voor de wereld verborgen wilde houden.*

Dat was de werkelijke reden waarom Yassin zijn gasten nog in leven hield.

Helaas werkten de rabbi en de professor niet mee. Ze maakten het onnodig ingewikkeld.

Erger nog was dat de rabbi hem onderschatte, wat een slag in Yassins gezicht betekende. Hij zou heus niet zo primitief zijn om de oude man te martelen.

Nee, hij zou Elazars beminde Catherine folteren en hem dwingen toe te kijken. Jammer dat zijn overleden vrouw Mishka niet meer beschikbaar was. Maar hij twijfelde er niet aan dat Catherine dezelfde rol kon vervullen.

Pas dan kon Yassin zijn beloning incasseren.

Hij had weinig aan het toeval overgelaten. Poserend als boze christenen hadden zijn agenten enkele van de eerste rellen tegen joodse synagogen en Israëlische ambassades georganiseerd. Zij waren de katalysator geweest in de kettingreactie.

Het enige wat nog restte in Yassins grote passiespel was de laatste akte. Hij kon erop rekenen dat de Zionisten het toneel op zouden stormen. En als ze zelf het klooster niet konden vinden, zou hij ze de weg wel wijzen met een telefoontje. Zo zouden de Joden zelf het definitieve bewijs tegen zichzelf leveren, ook in de ogen van hun laatste medestanders. Ondanks de internationale verontwaardiging waren ze toch doorgegaan de bewijzen van Jezus te vernietigen. En als het hun niet lukte, zou Yassin het wel afmaken. Het hele klooster lag vol met explosieven.

De echo's van die knal zouden nog lang naklinken. Door de inspanningen van een dappere christelijke broederschap waren de rabbi en de professor aan de slachting in de Sinaï ontsnapt, om ten slotte toch in de Israëlische vlammen om te komen.

Yassin herinnerde zich de woorden van de Profeet: '*Voorwaar, wij hebben de hel voorbereid voor het onthaal van de ongelovigen.*'

82

Een eiland in de Egeïsche Zee

De geitenhoeder Kyriakos zat blootsvoets op de rotsachtige kust en richtte een zaklantaarn naar zee. Hij telde tot vijf en deed hem uit. Toen telde hij nog eens tot vijf en deed de lamp weer aan.

Hij hoopte dat de batterijen die hij uit de radio van zijn broer had gestolen het zouden volhouden. Als het licht uitging of juist aan bleef, wisten de Israëli's dat ze weg moesten blijven.

Kyriakos telde tot vijf en deed de lamp weer uit.

In hun wetsuits doken de Sicarii uit de golven op en waadden naar de kust, terwijl ze hun onderwaterjets met zich meesleepten. Ze haalden hun spullen uit de zwarte, waterdichte tassen en trokken hun wetsuits uit. Jordan bukte zich en wachtte tot de spierkramp in zijn borst wat afnam. Hij trok het verband om zijn middenrif nog strakker.

In de luwte van de rotsachtige baai gaf een van de commando's een teken aan de onderzeeër die onzichtbaar voor de kust wachtte, terwijl kapitein Goren en een tolk op zoek gingen naar de geitenhoeder. Jordan volgde. De Israëli's en de Griek drukten elkaar stevig de hand.

Kyriakos legde iets kouds in Jordans hand. Een gouden munt.

'Hij denkt dat de Amerikaanse die heeft laten vallen,' vertaalde de tolk.

'Kom,' zei Kyriakos. 'Ik zal jullie de weg wijzen.'

Aan de andere kant van het eiland dook een ander commandoteam uit de branding onder aan de kliffen op, die hier veel verraderlijker was. Twee van hen werden met kracht tegen de rotsen gesmeten. Met de discipline die een tweede natuur voor hen was geworden verbeten ze de pijn, zonder om hulp te roepen. Hun kameraden sleepten hen mee naar een veilige plek. Ze waren de elite van de Griekse marine en de meesten hadden een speciale anti-terreurtraining ondergaan. De gewonden hapten naar adem tussen de golven door en negeerden verder hun verwondingen. Begeleid door het gebulder van de zee begonnen ze de steile rotsen te beklimmen.

Ergens in de diepte van het klooster was Catherine tot op haar ondergoed uitgekleed en op een ruwhouten eiken tafel vastgebonden. De tafel was op zijn kant gezet, zodat ze bijna verticaal hing. De touwen groeven zich in haar polsen en haar enkels en sneden haar bloedsomloop af.

Ze keek in Yassins ogen, doodsbang maar toch uitdagend.

'Je bedenkt je niet?' vroeg Yassin.

Ze staarde hem zwijgend aan.

Aan de andere kant van de kamer sloot Elazar zijn ogen en zei een stil gebed.

'Het is zó eenvoudig wat ik vraag,' zei Yassin. 'Moet je het zo moeilijk maken? Wil je het dan niet wéten?'

Elazar kneep zijn ogen dicht en bad nog vuriger.

'Doe je ogen open, Meyer, en zie wat je besluit voor gevolgen heeft.'

Hij bad uit gewoonte. Om dat gruwelijke beeld buiten te sluiten. Hij bad met hoop, maar zonder geloof.

Shema Yisraeil: Adonai Eloheinu, Adonai Echad.

'De keus is aan jou, Meyer. Je hebt verschillende methoden tot je beschikking. Allemaal even effectief, zou ik denken.'

Elazar opende zijn ogen. Er lag een verzengende haat in zijn blik. 'Hou op met die waanzin. Ik zal doen wat je zegt.'

'Dat dacht ik al.'

'Néé, Meyer. Néé.'

'Catherine, het monster heeft gewonnen.'

'Nee!'

Yassin leek verbaasd door haar verzet, maar niet geheel teleurgesteld. 'Het spijt me, Meyer, maar Catherine moet ook meewerken. Probeer haar maar te overreden.'

'Catherine, ik smeek je...'

Yassin bestudeerde zijn verzameling hulpmiddelen. 'Wat dacht je van elektriciteit, Meyer? Of voel je meer voor hitte?'

De commando's bewogen zich als geesten door de ruige heuvels. Voor hen uit doemde het klooster op, als een vesting.

Ze verkenden het terrein met hun nachtkijkers, maar het enige wat bewoog was een geit. Het dier leek gewond.

De geitenhoeder loodste de Sicarii door de distels. De maan en de sterren schenen omlaag aan een wolkenloze hemel en maakten donkere silhouetten van de soldaten.

Tweehonderd meter vanaf het klooster doken ze naar de grond. Daar bleven ze roerloos liggen, op hun buik, totdat hun Griekse collega's hun posities hadden ingenomen. Ze vergeleken het groepje gebouwen met de luchtfoto's die ze in hun geheugen hadden geprent. Er stond een kruis op de koepel van de kapel, met verderop een toren, als een eenzame wachter aan een binnenplaats waar zich vermoedelijk een slaap- en een eetzaal bevonden.

Ieder lid van het team concentreerde zich op zijn eigen doelwit en visualiseerde de aanval.

Jordan was alleen meegegaan als waarnemer, om later verslag te kunnen doen, maar beelden van Catherine verdrongen al het andere.

Kapitein Yaron Goren, die naast hem in het zand lag, stelde zijn nachtkijker bij. In een interview op weg naar het eiland had Yaron hem verteld dat hij dankbaar was voor de eer om zijn volk te mogen verdedigen. Hij had alle vertrouwen in het oordeel van zijn vader, alleen was het een pijnlijk besef dat generaal Goren, als Yaron faalde of sneuvelde, met de gevolgen zou moeten leven.

Jordan had de trots in de ogen van de generaal gezien toen hij zijn zoon de strijd in stuurde. Maar ook de angst.

Het team droeg lichte wapens, gasgranaten en lichte explosieven om deuren op te blazen zonder verwoestingen aan te richten. Tot nu toe leken ze het voordeel van de verrassing te hebben. Als het moment gekomen was, zouden ze de laatste vijftig meter in een snelle sprint afleggen.

'Ik kan zelf wel doen wat je vraagt,' zei Elazar met zware stem. 'Zonder hulp.'

Yassin liet twee instrumenten zien. Hij stelde Elazar voor de keus: de linker- of de rechterhand?

Elazar keek de man minachtend aan. 'Ik denk niet dat dit iets te maken heeft met Allah. Je geniet er gewoon van.'

Yassin keek gekwetst. De rabbi had een gevoelige snaar geraakt. 'Als ik het me goed herinner was het professor Cavanaugh die de stenen demon heeft gevonden. Maar zoals je wilt, Meyer. Laat maar zien of je het ook in je eentje kunt.'

Twee terroristen maakten Elazar los en zetten hem voor een computer. Een van hen riep een beeld van de oude tekstrol op.

Elazar bestudeerde het document. Hij fronste diep. 'Het is moeilijk te lezen. Als we het zouden vergroten... of misschien met infrarood...'

'Moet Catherine je helpen?'

'De schrijver van de tekst maakt zich bekend als Kajafas, dat is wel duidelijk... Hij beschrijft zijn "last van schuldgevoel en schaamte"... Dan iets over een "openbaring"... een "teken van God".'

'Heel indrukwekkend, Meyer. Ga door.'

'Meyer, stóp! Dit wordt gefilmd!'

Elazar keek in het starende oog van de camera en had er opeens genoeg van.

Yassin richtte zich tot de terrorist die Elazar als broeder Alex kende. 'Zorg dat de rabbi doorgaat, met of zonder hulp van de vrouw.'

En hij verliet de kamer.

De Israëli's wierpen zich door de ramen van de slaapzaal naar binnen en schoten vijf monniken dood in hun bed. De gedempte wapens maakten nauwelijks geluid. De commando's stormden de centrale hal in, renden van kamer naar kamer en trapten de deuren in. De meeste cellen waren leeg.

'Kijk hier eens,' zei een van de Sicarii tegen Goren.

De kapitein liet zich op een knie zakken en keek onder het bed. Er lag een vliegtuigbom, van hetzelfde type dat de Israëlische luchtmacht bij bombardementen gebruikte. De bom was verbonden met een radio-ontvanger.

'Geef me de Bomber,' zei Goren, doelend op hun explosievenman.

Een team Sicarii viel een ruimte binnen die de keuken bleek te zijn. Terroristen vuurden terug met Israëlische wapens, zonder geluiddemper.

Kogels floten langs een brandend fornuis en ketsten tegen de potten en pannen die erboven aan de muur hingen.

Een van de Israëli's gooide een traangasgranaat. In de verstikkende rook wisten de commando's door te drukken, ten koste van nog twee slachtoffers bij de vijand.

Ze rukten op naar de eetzaal, die was afgesloten met een zware eikenhouten deur met smeedijzeren versterkingen. Een van de Israëli's bracht een springlading aan en ze doken weg. Er klonk een luide knal, maar de deur gaf geen krimp.

Het team hergroepeerde zich om een nieuw plan te bedenken.

De Grieken stroomden nu de kapel binnen, met hun wapens in de aanslag, maar er was niemand te bekennen. Ze zochten achter het altaar en in de aangrenzende crypte. Gebukt inspecteerden ze de vloer onder de kerkbanken.

Onder de banken lagen vliegtuigbommen, aan elkaar gekoppeld via een ingewikkeld netwerk.

Aan de overkant van de binnenplaats brak een vuurgevecht uit in de bibliotheek. De terroristen hadden een aantal Grieken teruggedrongen tegen de kasten. Kogels verscheurden de boeken tot confetti.

Kapitein Goren daalde met Jordan en drie commando's een stenen wenteltrap af naar het labyrint onder de grond. Goren wees naar rechts, waar zich de ruïnes van de vooroorlogse catacomben bevonden. De groep splitste zich.

Jordan volgde een andere commando naar rechts, het donker in. Overal waren nissen waar de vijand zich kon verbergen.

Terwijl Jordan in de catacomben verdween, liepen Goren en twee anderen nog een paar meter rechtdoor, voordat ze links afsloegen naar een gewelfde gang. Ze liepen een eindje verder en hielden halt bij de eerste deur, waar een streep licht onderdoor kwam.

Ze stormden de kamer binnen met hun vinger om de trekker en openden het vuur. Een terrorist stierf met een pistool in zijn hand. Het was op Catherine gericht geweest.

Ze was vastgebonden, bijna naakt. De rabbi zat in een stoel voor een computerscherm. De monitor was verbrijzeld en de computer rookte. De rabbi bloedde uit een gemene hoofdwond en de hele kamer stonk naar kortsluiting.

Goren rende naar Elazar toe en voelde zijn hals. Van dichtbij schreeuwde hij: 'Rabbi, waar is het relikwie?'

Elazar gaf geen antwoord.

Goren draaide zich om naar Catherine. Ze had haar ogen halfdicht en probeerde haar hoofd op te tillen. De andere commando's sneden haar los en ze viel in Gorens armen. De touwen hadden haar polsen opengeschuurd.

'Waar is het?' vroeg Goren.

'Ik weet het niet,' zei ze zwak.

Ze stak een gezwollen hand uit naar Elazar. 'Meyer, néé. Meyer, niet gaan!'

Goren hield haar bij haar bovenarmen overeind. 'Snel, professor. Vertel me wat er is gebeurd.'

'Ze hebben zijn schedel ingeslagen en de computer in elkaar geramd. Toen zijn ze gevlucht, door die deur daar.'

Goren keek naar de deur achterin, die op een kier stond.

'Ze hadden een video van Meyer,' zei ze. 'Misschien hebben ze die al over internet verstuurd.'

'Haal ze hier weg. Nu!' blafte Goren tegen zijn mannen.

Elazar kreunde onwillig.

Goren droeg Catherine aan een kameraad over en liep naar de deur achterin. De commando tilde haar op en nam haar mee door de andere deur. Hij begon te rennen.

De laatste commando legde Elazar over zijn schouder en volgde, met zijn wapen in zijn vrije hand. Elazar, half bij bewustzijn, kreunde weer van pijn toen ze de gang door renden.

'We moeten u hier weghalen, rabbi. Het klooster gaat de lucht in.'

In de catacomben drukte Jordan zijn rug tegen de koude stenen muur. Een ondiepe nis in de rots bood enige bescherming, maar niet veel. De commando die hij volgde, lag achterover in het donker, door zijn hoofd geschoten. Als journalist was Jordan ongewapend. Hij tastte naar het geweer van de commando, maar een salvo hield hem tegen. Hij baadde in het zweet en vroeg zich af hoe ver hij zou komen voordat hij zelf zou worden neergeschoten of het klooster zou exploderen. Hij kon hier niet blijven wachten op de dood, maar hij kon ook niet vluchten zonder Catherine.

De commando die Catherine in zijn armen droeg, dwong zichzelf om nog harder te rennen. Hij stormde de trap op.

Achter hen, in de ondergrondse gang, kwamen Elazar en zijn redder langs de ingang van de catacomben. Vuurflitsen verlichtten het donker en de soldaat stortte neer op het kruispunt. Elazar sloeg tegen de grond. De rabbi kon zich nauwelijks bewegen.

Liggend op de koude vloer keek Elazar om, net op tijd om te zien hoe de commando door nog meer kogels werd getroffen, die tegen de muur achter hem ketsten. Met zijn laatste, zwakke adem gaf de commando Elazar een bevel: *'Blijf leven!'*

Jordan deinsde terug voor een volgend salvo en hoorde de kogels tegen de stenen slaan. Vuurflitsen en vonken doorkliefden het duister.

Het geweer lag op de grond, buiten zijn bereik. De terroristen moesten nu wel weten dat hij weerloos was.

Hij hoorde voetstappen naar zich toe komen. Welke keus had hij?

Hij trok het duikersmes uit de schede aan zijn kuit, hurkte neer, haalde diep adem en sprong. Met kracht ramde hij het mes in de buik van de terrorist, vlak onder het borstbeen, en stootte het omhoog naar de aorta. De terrorist klauwde naar Jordans gezicht, wrong aan zijn bril, rukte zijn microfoontje los en drukte zijn hoofd naar achteren.

Jordan zette nog meer kracht achter het mes. Met zijn vrije hand greep hij de terrorist bij zijn keel. Het pistool van zijn tegenstander kletterde tegen de grond. Jordan gaf de man een zet. Hij liet het mes los en de terrorist zakte levenloos in elkaar.

Jordan tuurde door de donkere catacomben en keek toen over zijn schouder, de andere kant op. Hij greep het geweer van de gesneuvelde Israëli en liep terug naar de gewelfde gang en het licht.

Onder aan de trap bleef hij staan en probeerde zijn radio om te horen waar hij naartoe moest. Maar hij was zijn microfoontje kwijt en zijn oortje werkte niet meer. Hij sloeg rechts af, in de richting waarin Goren en de andere commando's waren verdwenen toen ze zich hadden gesplitst.

Bij een kruispunt van gangen stapte hij over het lichaam van een dode commando heen. Te oordelen aan de houding waarin hij lag was de man naar de trap gerend.

Een snelle aftocht?

Voorzichtig liep Jordan de gang door. Links zag hij een open deur. De vage lucht van kortsluiting zweefde de gang in. Met zijn wapen voor zich uit wierp Jordan een blik naar binnen. Hij zag een rokende computer, een omgegooide tafel en het dode lichaam van een terrorist, als monnik verkleed.

Hij liep verder. De gang maakte een hoek van negentig graden.

Rechts was nog een deur, die wijd openstond. Er kwam licht uit de kamer. Jordan sloop naderbij en drukte zich plat tegen de muur van de gang, vlak bij de deuropening. Hij luisterde, maar hoorde niets.

Hij hurkte diep en rolde toen de kamer binnen, met zijn wapen omhoog gericht. Snel kwam hij overeind en keek om zich heen. De ruimte was onderdeel van een wijnkelder, of de restanten daarvan. Manshoge vaten stonden langs de hele muur. Hij tuurde in de schaduwen ertussen en zag iets vreemds.

Met zijn schoen schopte hij de kraan van een van de vaten af. Een soort poeder stroomde uit het vat, vergezeld van een smerige, maar bekende stank.

Kunstmest.

De reusachtige vaten waren in brandbommen veranderd.

Hij wilde via de radio hulp inroepen, maar het ding werkte niet meer.

Voorzichtig liep hij terug, keek de gang in en liep verder.

Voor hem uit waren nog meer deuren en aan het einde van de gang meende hij het begin van een wenteltrap te zien. Hij ving een glimp op van iemand die naar boven verdween.

Uit een van de deuropeningen verscheen de loop van een wapen en Jordan dook weg voor de vuurflits. Hij bleef zo laag mogelijk en vuurde niet terug toen de terrorist een paar salvo's door de gang loste. Even later was het weer stil. De terrorist wachtte een paar seconden voordat hij zich liet zien. Jordan schoot hem neer met één kogel door zijn hoofd.

Hij liep de gang uit en de trap op.

De trap beschreef een wijde bocht en Jordan klom gespannen verder, zonder te denken aan wat er voor hem lag.

Hij telde de treden en schatte dat hij bijna vier verdiepingen vanaf de kelder had geklommen. Gebaseerd op zijn kennis van het klooster kon dat maar één ding betekenen: hij moest zich in de toren tegenover de kapel bevinden, de toren met de blauwe koepel en de sleuven.

Hij naderde de top. Licht van de hoogste verdieping viel over de trap. Langzaam sloop hij ernaartoe en bleef staan om te luisteren. Hij haalde diep adem, toen nog eens, en probeerde zich onzichtbaar te maken. Zo voorzichtig mogelijk deed hij de volgende stap. Gehurkt keek hij over de bovenste tree.

De torenkamer leek een laboratorium of studeerkamer. Er lagen een paar dikke boeken op elkaar, en sommige opengeslagen. Er stonden microscopen, camera's en drie computers op eenvoudige werkbanken. De andere apparatuur herkende hij niet.

Iemand had zich voorbereid op een grondige analyse.

Jordan keek nog wat beter en zag een aluminiumkoffer met twee stenen kruiken ernaast. De deksels waren eraf gehaald.

Midden op de werkbanken, platgedrukt tussen verticale glasplaten, ontdekte hij een serie oude teksten. Ze leken op de Dode Zeerollen die hij in het museum in Jeruzalem had gezien.

Hij kwam nog een halve stap hoger.

En was zich bewust van een menselijke aanwezigheid.

Hij luisterde met gespannen trommelvliezen. Zijn zenuwen stonden strak als pianosnaren.

Links zag hij kapitein Goren, die roerloos in de kamer stond en langzaam om zich heen keek.

Gewaarschuwd door een zesde zintuig draaide Goren zich bliksemsnel om en richtte zijn geweer op de terrorist die achter de glasplaten opdook.

Gorens vinger kromde zich om de trekker, maar zijn orders waren sterker dan zijn instinct. Hij spaarde het relikwie.

De figuur in de lange mantel vuurde één enkel schot door een glazen plaat en raakte Goren in de borst. De kapitein zakte in elkaar.

Vanaf de bovenste tree van de trap had Jordan een betere hoek. Onder de werkbank door vuurde hij op de benen van de terrorist en loste nog een salvo op de borst van de man toen hij tegen de grond sloeg.

Jordan rende naar Goren toe en knielde bij hem neer. De kapitein haalde moeizaam adem. Toen Jordan een hand op Gorens borst legde, zag hij uit zijn ooghoek nog een beweging.

Van achter een andere werkbank verhief zich een bekende, pezige gestalte, met een klein apparaatje in zijn rechterhand dat op de afstandsbediening van een garagedeur leek.

'Farouk,' riep Jordan uit.

'Mijn vrienden noemen me Yassin, hoewel jouw vrienden Catherine en Meyer me kennen als vader Gregorius. Ik had je graag uitgenodigd, Benjamin, maar ik hoorde dat je achter het geld aan ging. Achter de munten.'

Jordan staarde de terrorist aan. 'Dus jij bent hier vanaf het eerste begin bij betrokken geweest?'

'Jij ook. Nog eerder zelfs. Vanaf het moment, maanden geleden, toen een journalist van jouw krant vragen begon te stellen in Libanon. Een heel nieuwsgierige vrouw.'

'Leah?'

'Ze zocht de waarheid over een verdwenen baby. Een baby die nu al lang een volwassen man moest zijn. Ik hoorde dat ze nogal in haar maag zat met de uitkomst. Maar het bevestigde wel ons vertrouwen in jou. Via haar gesprekken met mensen in Libanon gaf ze ons het verhaal over jouw verleden. We hebben altijd gedacht dat we konden rekenen op je ambitie, je bereidheid om de Israëlische regering te confronteren en je sympathie voor het Palestijnse volk. Zij liet ons zien waar je echte loyaliteit ligt. Geef het maar toe, Benjamin, de waarheid zit in je bloed.'

Jordan richtte zijn geweer. 'Waar is Catherine?' vroeg hij.

'Doe geen domme dingen, Benjamin. Als ik op dit knopje druk, gaat het hele klooster de lucht in. En zelfs als ik dat niet doe, is de klok al bezig met aftellen.'

'Jij hebt de moed niet om hier zomaar te sterven, Farouk,' zei Jordan, terwijl hij overeind kwam. 'Jij stuurt kinderen om te sterven in jouw plaats.'

'Kijk me niet zo haatdragend aan, *habibi*. Je staat op het punt een martelaar te worden voor onze zaak. Jij en de vrouw van wie je houdt zullen hier straks worden begraven.'

'Waar is Catherine?'

Kapitein Goren bewoog zijn hoofd en probeerde iets te zeggen, maar hij kwam niet verder dan wat gereutel.

'Het is voorbij, *habibi*. Benjamin Jordan is dood. Hij heeft zelfmoord gepleegd door hier te komen. Eens en voorgoed heeft hij zich aangesloten bij de strijd van zijn volk – en van zijn ouders – en de vijand een zware slag toegebracht.'

'Dat is absurd. Ik ben geen terrorist. Ik heb de Israëli's hier gebracht.'

'Je hebt ze de dood in gedreven. Elk moment kunnen de explosieven afgaan. En Israël zal branden in eeuwige schuld.'

'Wat heb je met Catherine gedaan?'

'Helaas heeft ze me gedwongen tot extreme maatregelen.'

'Smerige klootzak.'

Jordan wilde vuren, maar het ging om Catherines leven.

Met zijn laatste adem wilde Goren nog iets zeggen. Jordan keek zijn kant op en probeerde hem te begrijpen, zijn lippen te lezen.

'Gelukkig voor Catherine gaf Meyer toe,' vervolgde Farouk. 'Hij kon haar niet zien lijden. Zo zorgde hij voor het ontbrekende stukje: de video van de eerbiedwaardige rabbi die uit de Kroniek van Kajafas leest. Ik had de rol willen meenemen, maar daar is geen tijd meer voor.'

Farouk schuifelde naar links, achter de glasplaten met de Kroniek van Kajafas, naar een luik in de vloer. Hij pakte een pistool van de werkbank.

'Jammer dat je het verhaal niet zult kunnen vertellen, Benjamin. Jammer dat niemand ooit zal weten hoe handig we gebruik van je hebben gemaakt. Hoe we de wereld hebben gemanipuleerd. De enige die nog bijna roet in het eten had gegooid was een van onze eigen mensen: de scherpschutter die we stuurden om jouw aandacht te trekken.

Hij had je bijna gedood voordat je je missie had vervuld. Maar nu is alles toch volbracht.'

Met een geweldige inspanning blies Goren lucht door zijn stembanden en bewoog zijn lippen.

Wat probeerde hij te zeggen?

'Ik geef je zestig seconden, habibi. Alleen om het interessant te maken. Zestig seconden om te rennen.'

'Ze is weggekomen,' fluisterde Goren.

Jordan keek Goren aan.

Catherine was weggekomen.

Jordan haalde de trekker over. De glazen platen met de Kroniek van Kajafas spatten uiteen. Farouks lichaam werd achterwaarts tegen de muur gesmeten en gleed naar de grond. De kleine ontsteker viel uit zijn hand.

Jordan zette zich schrap voor de explosie. Van beneden kwam het geluid van automatische wapens, korte salvo's, gevolgd door stilte.

Hij boog zich over Farouks bloedende lichaam. 'Je vergist je,' zei hij. 'De waarheid zit niet in ons bloed.'

Hij draaide zich om naar Goren, die veelbetekenend naar de ontsteker keek. Het ding had een digitale display, die bezig was om af te tellen van twee minuten en achtenvijftig seconden.

Zevenenvijftig, zesenvijftig...

Hij boog zich over Goren heen en probeerde hem op te tillen.

'De kroniek...' fluisterde Goren.

Jordan keek naar de scherven en fragmenten, waar nog wel iets van te maken was. Toen ging zijn blik naar de stervende commando.

'Lazer toch op met je kroniek,' zei hij.

Hij bracht zijn mond naar Gorens bril, in de hoop dat de camera en het microfoontje nog werkten. 'Dit is Jordan, in de toren. Jullie hebben twee minuten en vijftig seconden om de ontstekers van de wijnvaten in de kelder onschadelijk te maken. En ik zit hier met een zwaargewonde.'

Hij legde Gorens magere, pezige lichaam over zijn rechterschouder, waarbij hij hem zijn helm en bril van het hoofd stootte. Knarsetandend wankelde hij naar de trap.

Hij struikelde over de bovenste tree en liet Goren vallen.

Het noorden van Israël

In de veilige omgeving van het commandocentrum had generaal Goren een rechtstreekse verbinding met de zestien camera's die nog steeds bewegende beelden uitzonden.

Het was alsof je in de huid van de soldaat zelf zat, maar machteloos en verlamd. Het enige wat je kon doen was toekijken.

Via de kleine camera's in de bril van een van de commando's zag hij Jordans gezicht en hoorde hij zijn oproep om hulp: *'Dit is Jordan, in de toren. Jullie hebben twee minuten en vijftig seconden om de ontstekers van de wijnvaten in de kelder onschadelijk te maken. En ik zit hier met een zwaargewonde.'*

Hij hoorde andere commando's antwoorden dat ze in een hoek waren gedreven maar zo snel mogelijk zouden reageren.

Het beeld zwiepte van het plafond naar de vloer toen Jordan kennelijk probeerde de gewonde commando op te tillen. Starend naar het scherm, virtueel gevangen in de helm en bril van de commando, had Goren het gevoel dat hij voorover stortte en over de grond buitelde, waarbij zijn hoofd alle kanten op werd gesmeten. Ten slotte bleef hij roerloos liggen tegenover de neergeschoten terrorist.

De rechterhand van de terrorist leek te bewegen. Zijn vingers kwamen omhoog en zweefden boven de ontsteker.

Goren zag een felle flits en het beeld werd zwart.

Snel keek hij naar een ander scherm, waarop hij de achthoekige toren van het klooster in een vuurbol zag exploderen.

Zijn blik ging terug naar het scherm dat zojuist was uitgevallen. In de hoek stond een code, het cijfer 8.

Generaal Goren stelde de vraag die hij zich had voorgenomen niet te stellen totdat de missie voorbij was.

'Wie is nummer 8?'

Het bleef een hele tijd stil in het commandocentrum.

'Kapitein Goren,' antwoordde een adjudant.

Een eiland in de Egeïsche Zee

Op een ruige heuvel onder de sikkel van de maan zag Catherine Cavanaugh de toren van het klooster in een vuurbol exploderen. Gloeiende stenen en balken werden omhooggesmeten tegen de nachthemel.

Een kreet van wanhoop en doodsnood bleef steken in Catherines keel en ze rende terug in de richting van het klooster. Een Israëli schopte haar onderuit en wierp zich met zijn lichaam boven op haar. Om hen heen begon het puin te regenen.

De vuurbol doofde enigszins, maar meteen dreunde de grond onder een serie nog zwaardere explosies. Het leek wel een aardbeving, met alle opgekropte kracht van een vulkaan. Het klooster spatte uiteen.

De gebouwen bestonden niet meer. Ze werden verzwolgen door een vlammenzee.

Catherine kon zich niet bewegen onder het gewicht van de Israëli die haar tegen de grond gedrukt hield. De aarde voelde wreed en hard tegen haar blote huid.

Nog meer brandende brokstukken beschreven een vurige boog langs de sterren voordat ze gevaarlijk omlaagkwamen. Elke klap van de neerstortende stenen op de rotsen sneed haar door de ziel.

'Meyer,' snikte ze.

'Ik ben bij je,' fluisterde Jordan.

Een eiland in de Egeïsche Zee

Tegen de ochtend werd Elazar door dorpelingen gevonden. Hij lag voorover op de grond, niet ver van de plaats waar Catherine de explosies had gevolgd.

Er hing een scherpe smog over het eiland, die zich vermengde met de wolken. Waar het klooster ooit de bekroning had gevormd van de ruige schoonheid van het eiland lag enkel nog een rokende, smeulende puinhoop, als een reusachtig baken voor verre zeevaarders. Het motregende en de grond onder Elazars lichaam veranderde langzaam in modder.

Ze tilden hem op een provisorische brancard en brachten hem naar de tent die de Griekse militairen hadden ingericht als veldhospitaal en tijdelijk mortuarium. Daar legden ze hem naast het lichaam van kapitein Goren, dat al onder een laken lag.

'Catherine,' fluisterde Elazar. 'Waar is Catherine?'

EPILOOG

Loon Lake, Michigan

Buiten de hut viel de sneeuw in grote witte vlokken, die een dikke deken legden over de bomen en de grond. Het was geen droge, zwevende sneeuw, maar nat en zwaar, waardoor landwegen onbegaanbaar werden en daken doorzakten onder het gewicht.

Catherine legde nog een berkenblok op het vuur. De bast vatte het eerst vlam en brandde vanaf de randen, als perkament.

Ze trok haar badjas wat strakker en nestelde zich op de geruite bank, waar Jordan een arm om haar heen sloeg. Haar hand rustte zacht op zijn bovenbeen.

'Wil je koffie?' vroeg ze.

Jordan glimlachte. 'Ik hou eigenlijk niet van koffie.'

Ze keek hem verbaasd aan. 'Warme chocola dan?'

Jordan zuchtte voldaan. 'Dat klinkt veel beter,' zei hij, al genietend bij de gedachte.

Ze boog zich naar hem toe en kuste hem.

De verwondingen heelden langzaam, maar hij was gewend geraakt aan de zeurende pijn.

'Ogen dicht,' zei Jordan. 'Ik heb een kleine verrassing voor je.'

Catherine glimlachte vol verwachting en sloot haar ogen.

Jordan stak een hand in zijn zak, haalde een dunne gouden ketting tevoorschijn en legde die om haar hals.

Ze deed haar ogen open en slaakte een enthousiaste kreet.

Aan het halssnoer hing een kleine gouden munt met de afbeelding van een granaatappel.

'Weet je, Ben, ik heb maar een handjevol meegenomen uit de grot. Toen Yassin ons ontvoerde, heb ik ze als broodkruimels laten vallen in de hoop dat je misschien het spoor zou volgen.'

Hij trok haar naar zich toe en kuste haar.

In de winterse stilte van het bos was het gemakkelijk om redacties en deadlines te vergeten, maar ze wisten allebei dat ze de buitenwereld niet voorgoed op afstand konden houden. Jordan had een aanbod gekregen om hoofdredacteur van *The Shofar* te worden. Shaul Meltzer was ontslagen en Leah Lefkowitz had zelf ontslag genomen.

Zonder aarzelen had hij nee gezegd. Jordan was niet geïnteresseerd in een kantoorbaan. Hij wist niet eens zeker of hij wel naar de krant terug zou gaan.

De tv-zender had zijn aanbod verdubbeld, maar hij had nog zo veel mogelijkheden om over na te denken en het geld leek niet zo belangrijk.

Catherine was uitgenodigd om aan Oxford les te geven. Ze dacht er nog over na. De positie had veel voordelen, zoals de nabijheid van de Black Rabbit pub. Maar met steun van Elazar had minister-president Goren haar ook gevraagd om het Instituut weer op te bouwen.

De rabbi wilde met pensioen, om een nieuw leven te beginnen. En hij had Catherine graag in zijn buurt. Hij maakte geen geheim van zijn wens om peetgrootvader te worden en de bruid weg te geven op het huwelijk dat hij verwachtte.

Catherine en Jordan hadden al die grote beslissingen nog even uitgesteld. Voorlopig werkten ze samen aan een boek over hun zoektocht. Ze maakten geen bezwaar tegen het ruime voorschot, maar naar hun idee was het grootste deel van het verhaal al verteld. De wereld had de videobeelden van kapitein Gorens camera gezien en in Jordans artikelen had hij de hele samenzwering ontrafeld. In elk geval waren de internationale spanningen daardoor sterk verminderd, en de paus had een verzoenend bezoek gebracht aan Yad Vashem.

Vooral de wetenschappelijke wereld wachtte geïnteresseerd. Catherine en Jordan wilden de oude teksten publiceren die Mordecai Mandel lang geleden had nagelaten aan een onbekende die achter hem was blijven staan. Een zekere hotelmanager in Jeruzalem hoorde tot zijn verbazing dat de stukken al die tijd in zijn kluis hadden gelegen sinds de professor en de journalist voortijdig waren vertrokken en zijn auto hadden geleend.

De schatten uit de Vallei van Asher waren verloren gegaan, maar er was wel een andere vindplaats van munten ontdekt. Met informatie van de vermoorde Altieri had een team archeologen van het Vaticaan de schat heimelijk weggehaald uit het columbarium van Tel Marevah. Maar alles zou worden teruggegeven aan Israël.

De haard knetterde, het vuur likte aan de blokken en de rook drong in Jordans neus. Het riep een soort oergevoel bij hem op, vertrouwd en veilig, net zo eeuwig als het roet op de wanden van een grot. Hij keek naar de vlammen, blauw en goud, en hij luisterde naar het zachte, sissende geluid van het vocht dat aan het hout ontsnapte.

Het grote, nooit vertelde verhaal was de enige leemte die ze niet konden invullen, wist Jordan.

'Wat denk jij dat Kajafas heeft gezien?'

Hij voelde Catherine verstrakken. Ze leunde tegen hem aan, maar ze was stil en in zichzelf gekeerd.

'Wat is er?' vroeg hij, en hij trok haar naar zich toe.

Ze ontweek zijn blik. 'Was dat een retorische vraag?' vroeg ze.

Jordan kreeg het plotseling koud. 'Hoe bedoel je?'

Ze maakte zich uit zijn armen los en stond op van de bank. Hij zag haar naar de slaapkamer verdwijnen, terwijl de sneeuw op de vensterbank al naar de ijspegels reikte.

Even later kwam ze terug en ging zitten, met haar handen op haar schoot. Ze had een grote rode envelop gepakt.

'Ik durfde het je niet te zeggen,' zei ze. 'Meyer is dit nog gaan halen voordat het klooster de lucht in ging. Hij gaf het me gisteren, toen hij ons naar het vliegveld bracht.'

'Waarom?'

'We moesten maar zien wat we ermee deden. Hij vond dat het onze beslissing was.'

'Heb je al gekeken?'

'Nee.'

Jordan staarde haar stomverbaasd aan. 'Wie weet hier verder nog iets van?' vroeg hij.

'Niemand.'

Zo zaten ze een hele tijd, zonder iets te zeggen of elkaar aan te raken.

Catherine keek naar de envelop en haar ogen werden vochtig. Heel even was ze weer terug in de Sinaï, in de tent met al die wetenschappers, vlak voor het bombardement. Ze zag hun gezichten nog voor zich.

Catherine sloot haar ogen en zei een stil gebed.

Ze dacht aan het geloof van haar moeder, de liefde van haar broer, en zou niets liever hebben gewild dan dat ze nu naast haar zaten. Ze zocht in zichzelf naar kracht. Zoals Meyer had gezegd, was dat veel moeilijker dan in de grond graven. Eindelijk opende ze haar ogen en draaide zich naar Ben toe.

Ze keek in zijn ogen, toen in de vlammen, en kwam van de bank.

Hij liet zich zakken en knielde naast haar.

'Dit is het beste,' zei ze, terwijl ze het vuur opstookte.

Ze stak een hand uit. De hitte deed pijn aan haar geschaafde huid.

Jordan legde een hand op haar arm. 'Nee,' zei hij zacht.

'Ik heb mijn antwoorden al, Ben.'

'Dat weet ik. Maar het is onze beslissing niet.'

Hij pakte de envelop. Catherine trok eraan. Het vuur weerspiegelde in haar ogen.

Langzaam liet ze los.

Hij kuste haar voorhoofd.

Ze onderdrukte een snik.

'Het is een fotografische kopie van de Kroniek van Kajafas,' zei ze. 'De enig overgebleven kopie, voor zover ik weet. Volgens Meyer is het de authentieke tekst, maar dat weten we niet zeker.'

Jordan liet zich terugzakken en opende de envelop.

Catherine keek naar hem terwijl hij de foto's bestudeerde, maar zijn gezicht verried niets. Ze stond op en liep naar het raam. Achter de hut verdween een konijn het bos in en liet een spoor in de maagdelijke sneeuw na.

Onwillekeurig dacht ze terug aan Pasen, in haar jeugd in Belfast. 's Zondags naar de kerk. Haar vader die haar hand vasthield. Haar broer die haar pestte, voordat hij haar rots in de branding werd.

De vallende vlokken wisten het spoor uit.

Het begon al te schemeren toen Jordan de foto's neerlegde. Hij keek fronsend, en zijn gezicht was grauw, alsof hij een klap in zijn maag gekregen had.

'Wil ik het weten?' vroeg ze.

'Lees het maar,' zei hij.

'Nee, dat kan ik niet. Vertel me wat erin staat.'

'Weet je het zeker?'

'Als jij het zeker weet.'

'Kajafas geloofde dat hij Gods wil had getrotseerd en Gods toorn over zich had afgeroepen. Hij beweerde dat hij door de Heer was bezocht en Hem had verworpen, totdat de Heer opnieuw verscheen en Zijn boodschap herhaalde.'

De opgestane Christus?

'Die tweede ontmoeting was de reden voor Kajafas om zich terug te trekken in een leven van eenzaamheid en boetedoening. Hij voelde zich verscheurd, dat is duidelijk. Hij vond dat hij het verhaal moest uitdragen over wat hij had gezien. Maar uiteindelijk hield hij het voor zichzelf. Als de waarheid ooit zou uitkomen, dacht hij, zou het gezag van de priesterklasse in Jeruzalem worden ondermijnd en Rome een voordeel behalen in de strijd om Judea. Dus leefde en stierf hij met zijn schuldgevoel.'

'Maar waaróm voelde hij zich schuldig?'

'Kijk hier maar,' zei Jordan. Hij gaf haar een vel en wees de plek aan.

Catherine beet op haar lip en staarde naar de bladzijde.

'Hij zegt dat hij een droom had waarin God verklaarde dat Hij de brandoffers in de tempel verafschuwde. Volgens Kajafas' visie verwierp God het hele principe van de rituele slacht. En niet alleen de rituele slacht, maar élke vorm van doden uit Zijn naam.'

> 'Wat is dit voor kwaad?' riep ik. Weer sprak de stem tot mij, vanuit de vlammen, en nog altijd was het offer niet verbrand.
>
> En de Here zeide: 'Hoewel ge uw zwaard heft in rechtschapenheid, zal niemand door bloedvergieten tot mij komen.'
>
> En de vlammen laaiden op en de stem werd luider.
>
> En de Here sprak: 'Hoewel ge mij een smetteloze geit als brandoffer zendt, zal niemand van zonden worden gereinigd.'
>
> 'Weg van mij,' riep ik, terwijl ik de vlammen doofde. 'Laat mij nu,' smeekte ik.
>
> En het vuur ging uit.
>
> Maar de volgende nacht bezocht mij weer een droom. Deze keer wilde het vuur niet branden en bleven de kadavers van de dieren op de grond liggen rotten. En de mensen riepen: 'Hoe kunnen wij ons reinigen van zonden?' En de wolken joegen en de hemel betrok. Een verblindend licht schoot door het duister en scheen op de tempel neer.
>
> En de vuist van God daalde uit de hemel en verbrijzelde het offeraltaar.
>
> En terwijl de stenen van het altaar tot stof verbrokkelden, baadde de stad in een gouden gloed en keerde het daglicht terug.

Ze sloeg de bladzijde om en keek verbijsterd op. 'Ik... ik begrijp het niet.'

'Subtiel, vind je niet?'

'Dat was het? Dat is het gedeelte dat ik moest lezen?'

'Dat was het.'

'En Jezus, Ben? Zegt de tekst nog iets over Jezus?'

'Nee.'

'Geen woord?'

'Over dat onderwerp zwijgt de tekst.'

'Maar dat kan niet, Ben. Dit kunnen toch niet de woorden zijn waarvoor mensen elkaar hebben bestreden en waarvoor ze zijn gestorven? Dit kan toch niet de aanleiding zijn tot zo veel bloedvergieten, de reden voor zo veel haat?'

'Misschien is het wel een reden tot hoop.'

'Hoop?'

'Een eind aan alle strijd.'

Ze fronste haar voorhoofd toen ze zijn woorden op zich liet inwerken. 'Denk je dat dit iets zal veranderen?'

'Ik wil geloven in de droom. Als er een God bestaat, wil ik geloven dat deze droom ons dichter bij Hem brengt.'

Ze sloeg haar ogen neer. Haar teleurstelling veranderde in ongeloof, totdat er een glimlach over haar gezicht gleed, die bijna eindigde in een brede lach.

'Al die tijd heb ik gezocht naar iets wat veel simpeler was. Veel gemakkelijker. Een pad om te volgen, met duidelijke aanwijzingen. Een gedetailleerde kaart van de hemel, met de route aangegeven door een gele markeerstift.'

Jordan sloeg zijn armen om haar heen en keek haar in haar ogen.

'Catherine, ik wist niet waar ik naar zocht, maar ik weet nu wel dat ik het gevonden heb.'

'Je hebt een droom gevonden, Ben.'

'Ja, en die laat ik niet meer los.'

AAN DE LEZER

Woord van de schrijver

De Koperen Rol is te zien in het Jordan Archaeological Museum in Amman, Jordanië. Althans, de resten ervan. Toen het in 1952 werd gevonden was het groene, verweerde metaal al te kwetsbaar om het uit te rollen. Om de fragmenten toch te kunnen lezen hebben wetenschappers de rol in segmenten gesneden, waarvan de toestand de afgelopen halve eeuw duidelijk achteruit is gegaan.

In het koper waren vijfenzestig aanwijzingen gegraveerd, waarvan de laatste zegt dat er nog een rol verborgen lag, bij een graftombe, met aanvullende informatie over de vindplaatsen.

Mordecai Mandel is een verzonnen figuur, maar geïnspireerd op een werkelijk gebeurd verhaal. In de jaren tachtig van de negentiende eeuw beweerde een koopman in Jeruzalem dat hij van een bedoeïen een merkwaardige tekst had gekocht die in een grot bij de Dode Zee was gevonden. Vlak voor het moment waarop hij de tekst voor een miljoen Britse ponden aan het British Museum zou verkopen, werd hij van bedrog beschuldigd. Wanhopig en in ongenade geraakt pleegde hij zelfmoord. De tekst is voor de geschiedenis verloren gegaan.

Tientallen jaren later, na 1940, kwamen er nieuwe ontdekkingen op de archeologische markt. Ze waren gevonden door bedoeïenen in grotten bij de Dode Zee en ze werden bekend als de Dode Zeerollen.

Mijn beschrijving van de val van Jeruzalem in het jaar 70 volgt nauwgezet het ooggetuigenverslag van Flavius Josephus, een Joodse militaire leider die zich aan de Romeinen overgaf. De Bijbelcitaten die ik gebruik zijn afkomstig uit diverse erkende vertalingen en worden nader gespecificeerd in de noten hierna.

Ik heb me kleine vrijheden veroorloofd bij de beschrijving van bepaalde locaties. De grot in de Vallei van Asher, het columbarium van Tel Marevah en de plek waar de Karavaan van de Roverkoopman in de woestijn verdween zijn gebaseerd op bestaande plaatsen. De boot die Zev Galil uit het Meer van Galilea opgroef, is door anderen opgegraven en heeft nu zijn eigen museum.

De Zilveren Rol en het verhaal over Aäron ben Matthias zijn ontsproten aan de fantasie van de schrijver.

De Kroniek van Kajafas, als die bestaat, is nog niet gevonden.

Verantwoording

Ik ben vooral veel dank verschuldigd aan het wetenschappelijke werk van John Marco Allegro en Neil Asher Silberman.

Hieronder volgt een gedeeltelijke lijst van verwijzingen die ik heb geraadpleegd en waaruit is geciteerd:

Over de 19de-eeuwse geschiedenis van de handelaar Moses Wilhelm Shapira uit Jeruzalem, en zijn als fraude aangemerkte tekst

- Allegro, John Marco: *The Shapira Affair*, Garden City, New York, Doubleday & Co., Inc., 1965.
- Reiner, Fred: 'Tracking the Shapira Case: A Biblical Scandal Revisited', in *Biblical Archaeology Review*, mei/juni 1997.
- Silberman, Neil Asher: *Digging for God and Country: Exploration, Archeology, and the Secret Struggle for the Holy Land, 1799-1917*, New York, Alfred A. Knopf, 1982 (hfdst. 13).
- Silberman, Neil Asher: *The Hidden Scrolls: Christianity, Judaism, and the War for the Dead Sea Scrolls*, New York, G.P. Putnam's Sons, 1994.
- *The Times*, Londen: verscheidene artikelen en ingezonden brieven, augustus 1883.

Over de Koperen Rol

- Allegro, John Marco: *The Treasure of the Copper Scroll*, Garden City, New York, Doubleday & Co., Inc., 1960.
- Golb, Norman: *Who Wrote the Dead Sea Scrolls? The Search for the Secret of Qumran*, New York, Scribner, 1995. (Golb)
- Silberman: *The Hidden Scrolls*.
- Wise, Michael; Abegg, Martin Jr.; en Cook, Edward: *The Dead Sea Scrolls: A New Translation*, HarperSanFrancisco, 1996. (Wise)
- Wolters, Al: *The Copper Scroll: Overview, Text and Translation*, Sheffield (Engeland), Sheffield Academic Press, 1996. (Wolters)

Over de val van Jeruzalem in het jaar 70, en het leven van Herodes

- *The Works of Josephus: Complete and Unabridged New Updated Edition*,

vertaald door William Whiston (1667-1752), Hendrickson Publishers, Inc., ed. januari 1995. Bevat *The Antiquities of the Jews* en *The Wars of the Jews*. (Josephus)
- Connolly, Peter: *Living in the Time of Jesus of Nazareth*, Bnei Brak, Israël, Steimatzky Ltd., 1995. (Connolly)

Over de verovering van Jeruzalem door de Bijbelse David

- Kleven, Terence: 'Up the Waterspout: How David's General Joab Got Inside Jerusalem', in *Biblical Archaeology Review*, juli/augustus 1994.

Over het onderzoek van een grot in de woestijn van Judea

- Freund, Richard A. en Arav, Rami: 'Return to the Cave of Letters', in *Biblical Archaeology Review*, januari/februari 2001. (Freund)

Over het Oude en het Nieuwe Testament

- *The Bible: Revised Standard Version*, Division of Christian Education of the National Council of the Churches of Christ in the U.S.A. (RSV)
- Davidson, John: *The Gospel of Jesus: In Search of His Original Teachings*, Rockport, Mass., Element Books Inc., 1995. (Davidson)
- Fox, Everett, red. en vert.: *The Schocken Bible, Vol. 1: The Five Books of Moses: A New Translation with Introductions, Commentary and Notes by Everett Fox*, New York, Schocken Books, 1995.
- Funk, Robert W., Hoover, Roy W., en The Jesus Seminar: *The Five Gospels: The Search for the Authentic Words of Jesus*, HarperSanFrancisco editie van de uitgave door de Polebridge Press, 1993.
- Hastings, James, red.: *A Dictionary of the Bible Dealing With Its Language, Literature and Contents, Including the Biblical Theology*, New York, Charles Scribner's Sons, 1902.
- *The Holy Bible: King James Version*. (KJV)
- *The Oxford Study Bible: Revised English Bible with the Apocrypha*, onder red. van M. Jack Suggs, Katharine Doob Sakenfeld en James R. Mueller; New York, Oxford University Press, 1992. Bevat *Revised English Bible with the Apocrypha* © 1989 by Oxford University Press en Cambridge University Press. (REB)
- Miller, Robert J. red.: *The Complete Gospels: Annotated Scholars Version*, Santa Rosa, Californië, Polebridge Press, 1992. (SV)
- *Tanakh: The Holy Scriptures: The New JPS Translation to the Traditional Hebrew Text*, Philadelphia en Jeruzalem, Jewish Publication Society, 1985. (JPS)

De Qur'an

- *The Holy Qur'an*, vertaald door M.H. Shakir en uitgegeven door Tahrike Tarsile Qur'an, Inc., 1983.
  Op het web: http://www.hti. umich.edu/k/koran/ (MHS)
- *The Holy Qur'an: Arabic Text, English Translation and Commentary by Maulana Muhammad Ali*, Columbus, Ohio, Ahmadiyyah Anjuman Isha'at Islam Lahore Inc., U.S.A., 1998.

Noten

Honderden Joden gekruisigd: Josephus, blz. 720, *The Wars of the Jews*, boek 5, hfdst. 11, sectie 1.

Goud dat in de buik werd meegesmokkeld: Josephus, blz. 718, *Wars*, boek 5, hfdst. 10, sectie 1.

Vluchtelingen opengesneden: Josephus, blz. 725-726, *Wars*, boek 5, hfdst. 13, sectie 4 en 5.

Land van alle bomen ontdaan: Josephus, blz. 702, *Wars*, boek 5, hfdst. 3, sectie 2, regel 107; blz. 710, boek 5, hfdst. 6, sectie 2, regel 264; blz. 727, boek 6, hfdst. 1, sectie 1, regel 6.

Hout gebruikt voor de belegering van de stad: Josephus, blz. 724, *Wars*, boek 5, hfdst. 12, sectie 4, regel 523.

Stervende stad was een open graf: Josephus, blz. 723, *Wars*, boek 5, hfdst. 12, sectie 3, regel 513-514; blz. 726, boek 5, hfdst. 13, sectie 7, regel 570; blz. 727, boek 6, hfdst. 1, sectie 1, regel 2; blz. 748, boek 6, hfdst. 8, sectie 5, regel 405.

Tempel spiegelend in de zon: Josephus, blz. 707, *Wars*, boek 5, hfdst. 5, sectie 6, regel 222.

Tempelschat: Josephus, blz. 726, *Wars*, boek 5, hfdst. 13, sectie 6, regel 563; blz. 741, boek 6, hfdst. 5, sectie 2, regel 282.

Koperen Rol dreigde jaren van wetenschappelijk onderzoek te ondergraven: Golb, hfdst. 5.

Schatten van de Koperen Rol. De termen 'offerschalen', 'schuldoffers' en 'heilige tienden' zijn overgenomen en aangepast vanuit Wolters' vertaling. Zie bijvoorbeeld 'schalen van eerbewijs', kolom 1, regel 9, kolom 3, regel 2-9, en kolom 8, regel 3; 'verzoeningsschalen', kolom

10, regel 11; 'tweede tiende', kolom 1, regel 10-11; en 'heilige offers', kolom 11, regel 7, kolom 9, regel 10 en kolom 9, regel 16.

Aanwijzingen uit de Koperen Rol: 'de zoutmijn onder de trappen', overgenomen en aangepast uit Wolters, kolom 2, regel 1 ('In de zoutmijn die onder de trappen ligt: 42 talenten'); 'de steenheuvel naast de oversteekplaats in de rivier' is een formulering van de auteur, op basis van Wises interpretatie van de 31ste vindplaats.

Goud verkocht voor de helft van de vroegere prijs: Josephus, blz. 743, *Wars*, boek 6, hfdst. 6, sectie 1, regel 317. Geciteerd in Wise, blz. 191.

'Ornamenten van de tempel': Josephus, blz. 747, *Wars*, boek 6, hfdst. 8, sectie 3, regel 391. (Voor de context, zie ook blz. 757-758, boek 7, hfdst. 5, sectie 5, regel 148-150.)

'De zoon van Thebuthus... vele andere schatten': Josephus, blz. 747, *Wars*, boek 6, hfdst. 8, sectie 3, regel 387 en 391. Geciteerd in Wise, blz. 191.

Romeinen bedreven in het ontfutselen van geheimen: Wise, blz. 190.

Herodes noemt zichzelf 'koning der Joden': Josephus, blz. 574, *Wars*, boek 1, hfdst. 20, sectie 1, regel 388.

Herodes vermoordde zijn vrouw en zijn raadgever: Josephus, blz. 412, *The Antiquities of the Jews*, boek 15, hfdst. 7, sectie 4-6.

Een misdrijf waarvan het twijfelachtig is of Herodes het ooit heeft begaan: Connolly, blz. 42, en Davidson, blz. 94-95.

Herodes liet twee zoons wurgen: Josephus, blz. 449, *Antiquities*, boek 16, hfdst. 11, sectie 7. Zie ook blz. 586, *Wars*, boek 1, hfdst. 27, sectie 6, regel 551.

Herodes gaf opdracht Joden levend te laten verbranden voor het neerhalen van de gouden adelaar: Josephus, blz. 461-462, *Antiquities*, boek 16, hfdst. 6, regel 151 en 167.

Het Laatste Avondmaal vond plaats vóór het joodse paasfeest: Johannes 13:1-4 en 18:28

Judas maakte een dodelijke val: Handelingen 1:18

'Dat ben ik!' Marcus 14:62 (KJV)

'Gij zegt het.' Lucas 22:20 (RSV)

'Ik heb dorst... het is voorbij.' Johannes 19:28-30 (KJV)

'Vader, in uw handen beveel ik mijn geest aan.' Lucas 23:46 (SV)

'Vader, vergeef hen...' Lucas 23:34 (KJV)

'Mijn God, mijn God...' Matteüs 27:46, Marcus 15:34 (KJV)

Over de datering die de handelaar uit Jeruzalem aan zijn oude geschriften verbond en de wijze waarop de lettertekens waren gevormd: Allegro, *The Shapira Affair*, blz. 37 en 38.

In een spotprent getekend als een Shylock met een haakneus: gebaseerd op de cartoon in *Punch* van 8 september 1883, gereproduceerd in *The Shapira Affair*. Zie ook Silberman: *Digging for God and Country*, blz. 143.

Belangrijkste gebod is om God lief te hebben: Matteüs 22:36-39, Marcus 12:28-30

'Laat niemand in leven...' Deuteronomium 20:16 (REB)

'Gij zult hen niet in korte tijd mogen vernietigen, opdat het wild gedierte u niet te talrijk worde.' Deuteronomium 7:22 (REB)

'Iedere gekochte slaaf...' Exodus 12:44 (REB)

'Gedenk de sabbatdag...' Exodus 20:8-10 (JPS). Zie ook Deuteronomium 5:12-14.

‘Gij zult niet begeren...’ Exodus 20:14 (JPS)

‘Wanneer gij een Hebreeuwse slaaf koopt...’ Exodus 21:2-6 (JPS)

‘Wanneer een man zijn dochter als slavin verkoopt...’ Exodus 21:7 (JPS)

‘Zij zullen uw eigendom worden...’ Leviticus 25:44-46 (JPS)

‘Omdat de slaaf zijn eigendom is...’ Exodus 21:21 (REB)

‘Laat mijn volk gaan, zodat zij mij kunnen aanbidden.’ Exodus 7:16, 8:1, 8:20, 9:1 en 10:3 (REB)

‘Laat mijn volk gaan, om Mij te aanbidden.’ Exodus 7:16, 7:26 en 8:16 (JPS)

‘Maar de Here verhardde het hart van de farao, zodat hij de Israëlieten niet uit zijn land liet gaan.’ Exodus 10:27. Zie ook bijvoorbeeld Exodus 10:20 (KJV)

‘En de Here zeide tot Mozes... opdat gij zult weten dat ik de Here ben.’ Exodus 10:1-2 (JPS)

God beval de Israëlieten om ‘terug te gaan en zich te legeren... bij de zee.’ Exodus 14:1 (JPS)

‘Zodat ik zal gloreren...’ Exodus 14:14 (REB)

‘In de Vallei van Achor’: aangepast uit Wolters, Kolom 1, regel 1-4 (‘In de ruïne die in de Vallei van Achor ligt, onder de treden naar het oosten, 40 el: een kluis met zilver en vaatwerk – een gewicht van 17 talenten.’)

‘In de puinhopen van Kohlit’: aangepast uit Wolters, Kolom 1, regel 9. (‘In de puinhoop van Kohlit: vaatwerk voor de eredienst van de heer der naties, en efoden.’)

De enige versie aangeduid als de Tien Geboden: Exodus 34:28

‘Gij zult hun altaren vernietigen...’ Exodus 34:13-16 (REB)

‘Gij zult het bloed van mijn offer niet in aanraking brengen...’ Exodus 34:25-26 (JPS)

Het gelaat van Jezus. Voor een discussie ter zake, zie *Jesus: The Complete Story*, BBC Video, 2001.

‘Gij zult geen enkele man op aarde uw vader noemen...’ Matteüs 23:9 (REB)

Geloofsbelijdenis van Nicea: Vertaald uit het *American Book of Common Prayer*, ed. 1789, zoals weergegeven op http://www. justus.anglican.org/resources/bcp/1789/1790/index.htm

Over het offeren van een duif: Leviticus 1:14-17

‘Maar kan God werkelijk op aarde wonen...’ I Koningen 8:27. (REB). Zie ook I Koningen 8:18-20 en II Samuël 7:5-13

God gaf bevel haar resten te laten liggen ‘als mest op de grond’, zodat niemand ooit nog iets zou kunnen aanwijzen en zeggen: ‘Dit was Jezebel.’ II Koningen 9:35-37 (JPS)

Ze vonden alleen nog ‘haar schedel, haar voeten en haar handpalmen.’ II Koningen 9:35 (REB)

De Israëlieten ‘lieten niemand in leven en vernietigden alles wat adem had.’ Jozua 10:40 (REB)

‘Gij moogt het geboomte daaromheen niet vernietigen.’ Deuteronomium 20:19 (KJV)

‘Laat een ieder die de Jebusieten wil aanvallen...’ II Samuël 5:8 (REB)

Straffen voor overspeligen en niet-maagdelijke bruiden: Deuteronomium 22:13-22

'Indien er iemand tot mij komt die niet zijn vader en moeder haat...' Lucas 14:26 (REB)

'Want ik ben gekomen om tweedracht te zaaien tussen een man en zijn vader...' Matteüs 10:35-36 (REB)

'Meent gij dat ik gekomen ben om vrede op aarde te brengen?' Lucas 12:51 (REB)

'Ik ben niet gekomen om vrede te brengen, maar het zwaard.' Matteüs 10:34 (REB)

'Slangen, addergebroed...' Matteüs 23:33 (REB)

'Over u kome al het onschuldige bloed...' Matteüs 23:35 (REB)

'Gij hebt de duivel tot vader...' Johannes 8:44 (REB)

'Vreemde leerstellingen': Hebreeën 13:9 (REB)

Afwijzing van besnijdenis als 'verminking': Filippenzen 3:2 (REB)

Jezus over de regels voor de sabbat, zie onder meer: Johannes 5:1-18, Matteüs 12:1-14, Marcus 2:23-28, Marcus 3:1-6, Lucas 6:1-11 en Lucas 14:1-6.

'Onjuiste leerstellingen... fabels en eindeloze geslachtsregisters': I Timoteüs 1:3-4 (REB)

'Want indien dat eerste verbond onberispelijk ware...' Hebreeën 8:7 (REB)

God 'had het eerste voor verouderd verklaard.' Hebreeën 8:13 (REB)

'Wanneer onder u een profeet verschijnt, of iemand die dromen heeft...' Deuteronomium 13:1-5 (REB)

'Kruisig hem! Kruisig hem!' Johannes 19:6-7 (REB)

‘Zijn bloed kome over ons en over onze kinderen.’ Matteüs 27:25 (REB)

Josephus over de messias: Josephus, blz. 480, *Antiquities*, Boek 18, hfdst. 3, sectie 3, regel 63. Zie ook Davidson, blz. 125-129.

Romeinse wachtposten omgekocht om hun mond te houden over de Wederopstanding: Matteüs 28:11-15

Oorspronkelijke naam van de Bijbelse Benjamin, *Benoni*, vertaald als ‘Zoon van mijn Verdriet’: Genesis 35:18 (RSV) en Whistons *Josephus*, blz. 52, noot b.

Endoscoop gebruikt bij grottenonderzoek: Freund, blz. 35-36.

‘O, Profeet! Verzet u met kracht tegen de ongelovigen...’ De Heilige Qur’an, 9:73 (MHS)

‘Voorwaar hebben wij voor de ongelovigen...’ De Heilige Qur’an, 76:4 (MHS)

‘Laat het u genoeg zijn...’ Numeri 16:3 (REB)

‘Hieraan zult gij weten...’ Numeri 16:28 (REB)

Het bloedbad onder de Midjanieten, Numeri 31

Mozes had zijn heil gezocht onder de Midjanieten, Exodus 2

‘O Jeruzalem, Jeruzalem, stad die de profeten doodt...’ Matteüs 23:37 (REB)

‘Voorwaar, wij hebben de hel voorbereid voor het onthaal van de ongelovigen.’ De Heilige Qur’an, 18:102 (MHS)

Dankwoord

Charles Tolchin, die een dappere strijd leverde tegen cystic fibrosis, was mijn vriend, held en strengste criticus. Zelfs in zijn laatste weken, toen hij nog moeilijk kon praten, maakte Charlie aantekeningen in de marge van een print, zoals ik later ontdekte.

Dit boek is geboren aan de universiteit van Michigan in het academiejaar 1995-1996, toen ik studeerde met een John S. Knight Fellowship. Voor die beurs dank ik *The Washington Post* en met name directeur Leonard Downie Jr., voormalig adjunct-hoofdredacteur David Ignatius en voormalig economisch redacteur Doug Feaver.

Ik ben dank verschuldigd aan het Michigan Journalism Fellows Program, tegenwoordig bekend als de Knight-Wallace Fellows, en de directeur, Charles Eisendrath.

Dank ook aan hoofdredacteur Phil Bennett en adjunct-hoofdredacteuren Jill Dutt en Sandra Sugawara van *The Washington Post* en de rest van mijn collega's voor het voorrecht om met hen te mogen werken.

Ido Keynan was mijn gids in Israël, met heel veel kennis, een groot hart en een diepe hartstocht voor de archeologie. Naiym Nawafleh liet me de Jordaanse woestijn en de tijdloze graffiti zien. Doctor Stephen Pinney reisde met me door het Midden-Oosten, vergezelde me naar een grot waar een groot aantal van de Dode Zeerollen was gevonden en gaf me zijn visie en inzichten. Ook werd ik geholpen door Lee Hockstader en Bart Gellman, voormalige correspondenten van *The Washington Post* in Jeruzalem.

Aanvullend onderzoek vond plaats in de Library of Congress en de Andover-Harvard Theological Library van de Harvard Divinity School.

Lauren Van Hoy coördineerde de productie en de hulp van Adam Mark scheelde mij dagen werk achter de computer. Michael Keegan, adjunct-hoofdredacteur van de fotoredactie van *The Post*, werkte mee aan het omslag.

Tamer Amr 33rd, Nora Boustany, Janis Brody, Drew Carrington, David Von Drehle, Walter Fanburg, Paige Fitzgerald, Dan Froomkin, Alan Gale, Martin Katz, Robert Hilzenrath, Stephen Pinney,

Marcelina Rivera, Cyrus Sanai en Karen Tolchin lazen gehele of gedeeltelijke ruwe versies en gaven nuttig commentaar. Als ik een manier had geweten, zou ik meer van hun suggesties hebben opgevolgd.

Mijn bijzondere dank aan David Von Drehle en Marcelina Rivera, die een onmisbaar klankbord vormden.

Geen enkele redacteur had zich meer kunnen inspannen dan Bill Phillips, een ware vriend en meester in zijn vak.

Jim Brady, eindredacteur van washingtonpost.com, introduceerde een nieuw model voor de uitgave van boeken, dat mede werd verfijnd door Daniel Oran. Bob Young, directeur van Lulu.com, leverde een belangrijke bijdrage en Jennifer Moyer, chef-redacteur van Washingtonpost.Newsweek Interactive, werkte lang en hard om alles mogelijk te maken.

Dank aan mijn ouders, Sue en Steve Hilzenrath, voor hun steun en bemoediging. Aan mijn dochter Annabel, omdat ze soms wel eens sliep. En aan mijn vrouw Julie, omdat ze mijn eerste en constante lezer was – die bijna altijd gelijk had, al was ik te koppig om dat toe te geven – en vooral omdat ze ja heeft gezegd.

Over de schrijver

David Hilzenrath is onderzoeksjournalist bij de financiële redactie van *The Washington Post*. Hij is opgegroeid in Lexington, Massachusetts en heeft gestudeerd aan Harvard College. Hij woont in Bethesda, Maryland, met zijn vrouw en dochter.